Dictionnaire de Psychologie

Norbert Sillamy

Dictionnaire de Psychologie

ÉDITIONS FRANCE LOISIRS

Conseiller éditorial
Emmanuel de Waresquiel

Édition
Janine Faure

Correction
Service de correction Larousse-Bordas

Dessins
Laurent Blondel (Corédoc)
sous la direction de
Jacqueline Pajouès

Fabrication
Nicolas Perrier

Édition du Club France Loisirs, Paris,
avec l'autorisation de la librairie Larousse.

Éditions France Loisirs,
123, boulevard de Grenelle, Paris
www.franceloisirs.com

N° d'éditeur : 33346
ISBN : 2-7441-3739-1
Dépôt légal : juillet 2000

Distributeur exclusif au Canada : « Messageries ADP, 1751 Richardson, Montréal (Québec) ».

Avertissement

Comme toute science jeune, la psychologie est en constant développement, d'autant plus qu'elle se trouve au confluent de l'anthropologie, de la pédagogie et de la sociologie dont elle suit les progrès. Elle s'enrichit chaque jour de nouveaux concepts. Pour cette raison, il nous est apparu nécessaire de faire une nouvelle édition du *Dictionnaire de la psychologie,* publié en 1964 par la Librairie Larousse. Nous avons procédé à une refonte totale du précédent ouvrage, supprimant de nombreuses entrées, en ajoutant d'autres, actualisant celles que nous avons conservées. Le nombre d'articles traités, qui était de sept cents primitivement, est passé à mille cent soixante-dix. Beaucoup de nouvelles notions sont aujourd'hui développées ; bioénergie, centre d'action médicosociale précoce, paraphilie, analyse transactionnelle... Cent seize notices biographiques sont consacrées à des auteurs d'Europe, d'Amérique ou d'Asie, dont les apports dans le domaine de la psychologie sont unanimement reconnus.

Une part importante est consacrée à l'éducation et à la pédagogie, car nombre de parents, d'enseignants et d'éducateurs se trouvent confrontés à des termes techniques ou à des sigles dont ils ignorent le sens exact : hyperkinésie, C.D.E.S., Co.T.O.Re.P., C.A.M.S.P., etc. La psychanalyse, la biotypologie, la caractérologie sont également développées pour permettre au lecteur d'être renseigné de façon concise, mais précise, sur ces disciplines souvent injustement ignorées ou décriées.

En outre, chacun y trouvera des éléments d'information sur la neuropsychologie, l'éthologie ou la statistique. L'élève de terminale, l'étudiant en psychologie, le travailleur social pourront s'y référer pour compléter, préciser ou actualiser leurs connaissances.

abandon, action de délaisser un être, de ne plus s'en occuper, de s'en détourner.
Toute situation qui distend ou rompt des liens affectifs peut être vécue comme un abandon. Par exemple, le placement en pension d'un écolier difficile suscite, habituellement, chez celui-ci l'impression d'être laissé sans soutien dans un milieu hostile, voire dangereux. Chez l'*adulte* aussi, la désapprobation par une personne chère, la rupture ou le retrait d'amour, l'éloignement ou le décès d'un proche parent sont susceptibles d'être vécus comme autant d'abandons. Le sujet peut réagir par l'accablement ou l'agressivité. L'événement présent joue un rôle de révélateur ; ayant réactivé des expériences infantiles pénibles, il fait apparaître la structure psychique latente et peut engendrer des conduites névrotiques (dépression*, par exemple).

abandonnique, sujet qui, sans être réellement abandonné, vit dans la crainte permanente d'être délaissé.
À l'origine de cette névrose d'abandon*, encore appelée « abandonnisme », on trouve parfois, dans la petite enfance, un épisode traumatique : abandon réel, décès des parents, éloignement temporaire de la maison. Mais l'essentiel semble être la *constitution**. En effet, l'abandonnique présente souvent une fragilité neurovégétative qui se manifeste, notamment, par des troubles digestifs. Il est aussi hypersensible, émotif et anxieux. Le fond de son caractère est le sentiment de sa non-valeur et son avidité affective. Exigeant, exclusif, il attend que l'on s'occupe toujours de lui, qu'on l'aime inconditionnellement. Sa susceptibilité l'amène à réagir vivement à la moindre frustration*, soit par de l'opposition, de l'agressivité, du négativisme, soit par une soumission inquiète vis-à-vis de la personne aimée.

abasie (*a* privatif et gr. *basis*, marche), incapacité totale ou partielle de marcher, alors que la force musculaire et la sensibilité sont intactes et qu'il n'y a pas de troubles de la coordination des membres inférieurs.
Ce symptôme, qui accompagne généralement l'astasie*, peut être dû à une cause organique (lésions labyrinthiques ou cérébelleuses, par exemple) ou à un conflit intrapsychique. On le rencontre en effet dans des névroses, particulièrement dans l'hystérie*.

aberration chromosomique, anomalie portant sur le nombre ou sur la structure d'un ou de plusieurs chromosomes.
Nos cellules somatiques contiennent 46 chromosomes, parmi lesquels on distingue 44 autosomes et 2 gonosomes ou chromosomes sexuels. En 1959, R. Turpin démontra, avec J. Lejeune et M. Gauthier, que le mongolisme* est dû à la présence d'un chromosome 21 surnuméraire. À côté des aberrations chromosomiques de nombre, il existe des aberrations chromosomiques de structure. À chacune d'elles correspondent des désordres particuliers. Les aberrations chromosomiques sont accidentelles. Elles se produisent lors d'une division cellulaire et peuvent affecter les autosomes comme les gonosomes. Leur fréquence est de 6 ‰ naissances environ (R. Turpin, 1965). Elles peuvent survenir dans n'importe quelle famille, mais on a observé que l'âge des parents pouvait jouer un

rôle (mère très jeune ou de plus de 40 ans ; père de plus de 55 ans au moment de la fécondation). Le diagnostic prénatal des aberrations chromosomiques s'effectue entre la 12e et la 14e semaine de la grossesse grâce à l'amniocentèse (prélèvement, par voie transabdominale, du liquide amniotique dans lequel baigne l'embryon) et en faisant une culture de cellules, en laboratoire.

aboulie, défaillance de la volonté.
Le sujet aboulique est incapable de prendre une décision ou de réaliser un projet. Son inefficacité, dont il a conscience, accroît son malaise. Dans les formes les plus graves, le malade peut rester totalement inactif. L'aboulie se rencontre essentiellement dans les syndromes affectant l'humeur, tels les états dépressifs et la mélancolie*, mais aussi dans les névroses (psychasthénie*) et les toxicomanies*. On lui reconnaît pour causes une prédisposition constitutionnelle mais aussi des erreurs éducatives dans l'enfance (autoritarisme des parents, sollicitude excessive).

Abraham (Karl), médecin et psychanalyste allemand (Brême 1877 – Berlin 1925).
Assistant de E. Bleuler*, à Zurich (1904-1907), il y rencontre C. G. Jung, qui l'initie à l'œuvre de S. Freud. En 1907, il devient le disciple de ce dernier. Installé à Berlin comme spécialiste des maladies nerveuses, il exerce la psychanalyse et fonde, en 1910, la Société psychanalytique de Berlin, qu'il présidera jusqu'à sa mort. L'œuvre de K. Abraham va de l'étude du mariage entre personnes apparentées à celle du rêve et du mythe (1909), à la formation du caractère, au développement de la libido (1916) et jusqu'aux psychoses. Ses idées sur la précocité des relations d'objet* et les stades prégénitaux sont à l'origine des conceptions de M. Klein et d'autres psychanalystes, tel M. Bouvet.

abréaction, réaction affective différée de l'organisme par laquelle celui-ci se délivre soudainement d'une impression pénible.
Dans la terminologie psychanalytique, ce terme désigne la réapparition consciente et l'extériorisation émotionnelle, verbale ou gestuelle, de sentiments jusque-là bloqués ou refoulés. L'abréaction représente une décharge d'affects* accumulés dans l'inconscient* faisant suite à un événement traumatique survenu à un moment de l'histoire du sujet, et auquel il n'avait pas réagi alors de façon adéquate et spontanée. L'abréaction est l'homologue de l'expulsion d'un corps étranger inassimilable par l'organisme, générateur de tension et de malaise permanent. Il arrive qu'un événement ne soit pas compris au moment où il est vécu (l'observation des rapports sexuels des parents, par le petit enfant, par exemple). Mais plus tard, au cours de la croissance, sa signification apparaît. Le souvenir oublié, qui existait sous forme de « traces mnésiques », subit alors un remaniement et devient traumatique après coup. L'abréaction peut survenir d'une façon spontanée et naturelle, dans les dessins et dans les jeux. Elle se manifeste aussi à l'occasion de cures psychothérapiques, de libations alcooliques ou d'absorption de certains agents chimiques (barbituriques). L'abréaction constitue un phénomène de libération de la tension* grâce auquel l'organisme peut conserver son équilibre.

absence, distraction si forte qu'on n'est plus adapté, momentanément, aux circonstances.
L'ennui et la fatigue peuvent entraîner un relâchement de la vigilance tel que l'adaptation au monde en est perturbée. Dans le domaine pathologique, on nomme « absence » (ou *absence épileptique*) le fléchissement ou la suspension de la conscience, qui survient soudainement et ne dure que quelques instants (de 2 à 15 secondes). Le sujet arrête l'activité en cours, devient pâle et comme hébété. Il présente de légers mouvements des paupières et des globes oculaires. L'absence épileptique simple n'entraîne pas de perte de tonus et ne laisse aucun souvenir ; sa brièveté permet au sujet de reprendre son discours ou son activité au point où ils avaient été interrompus.

absentéisme, manque d'assiduité à l'école ou au travail.
L'absentéisme est une des causes de l'échec scolaire. Les raisons invoquées concernent essentiellement la santé de l'écolier ou celle de la mère, mais on observe aussi, dans certaines

régions rurales, que le taux d'absentéisme s'élève durant la période des grands travaux agricoles.
En psychologie industrielle, on calcule le taux d'absentéisme dans les entreprises, par catégories de travailleurs, en faisant le rapport de la somme des temps d'absence pour une période déterminée (sans tenir compte des jours chômés normalement et des congés de longue durée) au nombre de journées de travail. On constate, généralement, que ce taux d'absentéisme est moins élevé chez les hommes que chez les femmes et qu'il décroît au fur et à mesure qu'on s'élève dans la hiérarchie. L'indice est maximal (1,37) pour les ouvriers et minimal pour les cadres (0,29) [I.N.S.E.E., 1986]. Ce phénomène tient probablement au fait que les cadres ont conscience de leurs responsabilités et considèrent comme un signe de force personnelle leur résistance à la maladie. Les manœuvres, au contraire, employés à des tâches ingrates, sans signification pour eux, ne se sentent ni engagés ni concernés par l'entreprise à laquelle ils donnent, par nécessité, une partie de leur temps et de leurs efforts. Il serait possible de réduire l'absentéisme en redonnant sa dignité à l'ouvrier, en le sortant de l'anonymat, en l'associant à l'entreprise et en lui faisant comprendre la valeur sociale de son travail.

abus sexuel, acte d'une personne qui, outrepassant ses droits, profite de son statut* ou de sa force pour imposer à autrui sa volonté dans le domaine sexuel.
Vis-à-vis d'un *enfant,* l'abus sexuel peut prendre différentes formes : caresses amoureuses déplacées ou attouchements créant dans l'esprit du jeune une confusion entre la tendresse et le plaisir charnel. Selon les Américains C. Henry Kempe et Ruth S. Kempe, faire participer un mineur à des « jeux » sexuels qu'il n'est pas en mesure de comprendre, ou qui ne correspondent pas à son développement psychosexuel, ou qui contreviennent à la loi, constitue un abus sexuel même s'il n'y a pas eu de violence. Les réactions de l'enfant abusé peuvent prendre diverses formes : sentiment de culpabilité, autopunition, voire automutilation, troubles de l'alimentation (anorexie ou boulimie), agressivité, etc. Les auteurs d'abus sexuels sont, le plus souvent, des membres de la famille : le père, un frère, la mère (de 5 à 15 %, selon A. Bentovim *et al.*, 1988), un grand-père, ou une personne de l'entourage. Les abus sexuels peuvent concerner aussi des *adultes.* L'abuseur peut être le patron, le supérieur hiérarchique, ou même un époux, car la loi prescrit que le mariage n'autorise nullement un conjoint « à imposer à l'autre par violence un acte sexuel s'il n'y consent et que notamment doit être respectée la liberté sexuelle de la femme mariée ». (Cour de cassation, Lyon, 5 septembre 1990). Selon les statistiques du ministère de la Justice, le nombre de condamnations pour infractions aux mœurs (viols, attentats à la pudeur et outrages publics à la pudeur) est passé de 5 350 à 7 650 entre 1983 et 1994, soit une progression de 40 % (C. Burricand, M.-L. Monteil, 1996). Cela tient, en grande partie, au fait que les victimes ne s'enferment plus, comme autrefois, dans le silence ; désormais, elles n'hésitent pas à porter plainte contre leur tourmenteur, même quand il s'agit d'un membre de leur famille. Pour lutter contre les abus sexuels, nous sommes très démunis. La « castration chimique » des délinquants par l'emploi de médicaments ayant une action antiandrogénique disparaît quelque temps après l'arrêt du traitement, et l'obligation de soins ne peut être que temporaire. Aucune action préventive ne peut être efficace sans une réelle coopération des sujets traités. **→ allégation, harcèlement, inceste, sévices, viol.**

accident, événement fortuit, ordinairement dommageable sur le plan corporel, mental ou matériel.
Les *accidents de la vie courante,* à l'exception des accidents du travail et de la circulation, affectent chaque année, dans notre pays, 8 300 000 personnes. En 1994, ils ont été responsables de la mort de 18 832 individus, dont 526 enfants de moins de 15 ans et 13 860 sujets âgés de plus de 60 ans (source D.G.S., 1997)
Le pourcentage des *accidents de la circulation* est si inquiétant que ceux-ci prennent la forme d'un véritable fléau social, atteignant tous les pays développés et contre lequel des spécialistes, regroupés en équipes pluridisci-

plinaires, s'efforcent de lutter. Le maximum de risques semble se situer entre 15 et 25 ans. (En France, en 1996, les jeunes âgés de 15 à 24 ans représentaient à eux seuls 24 % des victimes.) Les femmes ont moins d'accidents que les hommes. Pour la seule année 1995, on a dénombré, sur les routes de France, 181 403 blessés et 8 891 tués. Le coût social des accidents de la route est considérable. (En 1987, la perte financière pour notre économie a été évaluée à 80 milliards de francs.) 90 % des accidents de la route sont liés au facteur humain (troubles visuels, distraction, imprudence, agressivité, mépris du règlement...). L'étude psychologique de l'accidenté de la route révèle souvent une personnalité immature et des traits de caractère de type paranoïaque ou masochiste.

Les *accidents du travail* constituent un phénomène tout aussi inquiétant. En 1992, il y a eu 751 244 accidents avec arrêt de travail (contre 731 806 en 1985) et le nombre de journées de travail perdues pour incapacité temporaire s'est élevé à 28 280 941 (contre 21 901 000 en 1985). Un tiers des accidents du travail sont consécutifs à la manipulation d'une charge ou à son transport manuel. Les victimes sont, dans 80 % des cas, des ouvriers, singulièrement des immigrés, la plupart du temps peu qualifiés et mal intégrés socialement. Les causes des accidents du travail sont multiples. Les unes, sont étrangères à l'individu (chaleur, éclairage* défectueux, monotonie de la tâche...), les autres lui sont plus spécifiques (diminution de la vue, de l'ouïe, soucis familiaux, mauvaise adaptation au groupe, crainte d'être licencié). Selon une étude française (J. Cornet, 1996), les mauvais traitements subis dans l'enfance et l'adolescence au sein de la famille seraient aussi à prendre en considération. En effet, il existerait une corrélation positive, significative, entre la fréquence et la gravité des accidents et les coups reçus des parents ; c'est comme si les corrections avaient engendré un sentiment de culpabilité, un besoin d'autopunition dont les accidents seraient l'expression. La prévention des accidents du travail préoccupe les chefs d'entreprise, les syndicats et les pouvoirs publics.

Une nouvelle discipline scientifique, la « cindinyque », ou science du risque, a vu le jour, en décembre 1987. Son objet est d'étudier tous les risques découlant de la technologie moderne. Il est possible, en effet, en associant les travailleurs aux recherches et en prenant les mesures adéquates, de réduire considérablement le nombre des accidents.

accommodation, processus adaptatif grâce auquel un organe ou un organisme peut supporter, sans danger, les modifications du milieu extérieur.
On s'accommode au froid, à la chaleur ou à toute nouvelle situation pour survivre ou pour être moins malheureux. Au niveau des sociétés, l'accommodation joue pareillement. J. K. Galbraith a montré que si la population rurale pauvre du tiers monde paraît s'accommoder de la pauvreté, c'est que la résignation est préférable à l'espérance déçue. Pour J. Piaget, l'accommodation est, avec l'assimilation*, l'un des principaux mécanismes de l'adaptation*.

accoutumance, phénomène d'adaptation progressive de l'être vivant à certaines conditions nouvelles d'existence.
L'acclimatement d'une plante tropicale dans un pays tempéré est un exemple d'accoutumance artificielle. L'homme fait preuve de la même plasticité. Le terme d'*accoutumance* est encore utilisé, parfois, dans le sens de « toxicomanie* ». Il est préférable de parler de *pharmacodépendance** ou de *dépendance à l'égard des drogues*. En tout état de cause, le terme « accoutumance » devrait être supprimé du vocabulaire des toxicomanies car il est ambigu.

acculturation, modification des modèles culturels de deux ou plusieurs groupes d'individus résultant du contact direct et continu de leurs cultures différentes.
Le processus d'acculturation commence généralement par des emprunts matériels et technologiques (outils, armes, vêtements), puis par des échanges sociaux (vocabulaire, économie) et, enfin, spirituels, motivés par la curiosité, l'insatisfaction ou le désir de prestige. L'apport nouveau entraîne une réorganisation des éléments préexistants et l'apparition d'une structure originale. Mais un tel remaniement culturel ne se fait pas sans conflits

moraux ni douleur. L'imitation* du groupe social le plus puissant coexiste souvent avec l'attachement aux valeurs de son groupe d'appartenance, et le désir de changement avec celui de maintenir les coutumes et les traditions. À l'origine, le terme *acculturation* était employé seulement par les ethnologues, mais actuellement on l'utilise pour désigner toute adaptation* culturelle, consécutive à un changement de milieu, géographique, professionnel ou social, telle que l'intégration des immigrants dans leur pays d'accueil.

acte manqué, fait de la vie quotidienne, généralement sans importance, survenant inopinément, de façon accidentelle, dans le comportement normal d'une personne.
S. Freud a montré en 1901 que les actes manqués, tels que les pertes d'objets, les oublis* ou les lapsus*, sont chargés de sens. Par exemple, une jeune femme enlève son alliance pour se laver les mains au restaurant ; elle l'oublie sur le lavabo et la perd. Peu de temps après, elle se sépare de son mari. La perte de sa bague peut être interprétée comme une action anticipée. Des facteurs psychophysiologiques, tels que la fatigue ou l'excitation, peuvent favoriser l'apparition d'actes manqués mais ils ne les expliquent pas. De même, tous les « ratés » de l'action ne sont pas des actes manqués. Seuls ont droit à cette désignation les « accidents » dont on peut montrer le sens caché et qui constituent des formations de compromis entre une intention consciente, un projet et un désir inconscient refoulé.

acting out, proposée en 1951 par E. Kris, et couramment utilisée par les psychologues et psychanalystes français, cette expression anglaise est employée pour traduire ce que S. Freud appelle *agieren.* Elle désigne le comportement inattendu et inadapté d'un patient au cours d'une psychanalyse ou d'un autre traitement psychothérapique.
L'*acting out* tient, à la fois, de l'abréaction* et du « passage à l'acte » des psychiatres, dont il a le caractère impulsif. Il va plus loin que l'acte manqué, en ce sens que dans l'*acting out* le retour du refoulé s'effectue sans ménagement, alors que dans l'acte manqué le dévoilement des désirs inconscients n'est jamais total.
L'*acting out* surgit au cours d'une séance de psychanalyse lorsque le sujet ne parvient pas à verbaliser certaines représentations pulsionnelles. Le fait d'actualiser ses fantasmes et ses sentiments pendant le traitement, au lieu de les exprimer verbalement, surtout quand cela se produit en dehors des séances, constitue l'une des manifestations de la résistance* du patient à la cure.

action psychologique, ensemble des moyens, autres que les armes, mis en œuvre pour influencer l'opinion et le comportement de populations amies ou neutres dont on voudrait renforcer la combativité, obtenir l'aide ou tout au moins se ménager la sympathie.
L'action psychologique agit en profondeur, allant plus loin que la propagande*, qui s'adresse aussi à la sensibilité et à la raison, mais de façon superficielle et grossière. Elle se différencie également de la guerre psychologique, qui vise essentiellement l'ennemi, sa démoralisation, la désagrégation de ses troupes et de leurs arrières. L'action psychologique a pour ambition l'éducation et la rééducation des masses. Pour y parvenir, les régimes totalitaires ont recours aux méthodes de désinformation et d'endoctrinement. Dans un système libéral, on préfère donner des informations exactes, ouvrir des écoles et des dispensaires ; on agit par l'exemple, le contact et le prestige personnel.

activation, accroissement de l'excitabilité du système nerveux central sous l'influence d'un stimulus d'origine périphérique (sensation visuelle, auditive...) ou corticale.
La notion d'activation intéresse les psychologues à plus d'un titre : 1. tout d'abord, elle fournit une base physiologique aux états s'échelonnant du coma aux émotions* fortes (colère, angoisse) ; 2. elle peut expliquer certains aspects de la personnalité (selon H. J. Eysenck, les personnes introverties se comportent comme si elles étaient constamment « activées » : leurs rythmes électroencéphalographiques sont plus rapides, elles manifestent des réactions à la douleur plus vives, etc.) ; 3. elle permet de compren-

dre pourquoi l'on recherche certaines activités, telles que les compétitions sportives. En effet, selon D. E. Berlyne, ces activités, y compris l'usage de drogues, procurent une augmentation de l'activation, laquelle est génératrice de plaisir tant qu'elle ne dépasse pas un certain seuil.

active (école), mouvement pédagogique fondé sur les principes d'une éducation fonctionnelle*, respectueuse des intérêts et des besoins de l'enfant.

Au contraire de l'école* traditionnelle qui favorise les méthodes réceptives et l'enseignement dogmatique, la mémorisation d'un savoir puisé dans les livres et la passivité, l'école active vise à la libération des esprits, à l'autonomie et à l'indépendance des élèves. C'est l'école de la participation, de l'initiative, de la créativité* et du sens critique. L'enfant y apprend à exercer son sens de l'observation et à mettre en jeu les lois de l'expérimentation, non pas sur des montages artificiels mais à l'occasion de faits de la vie réelle qui le concernent directement. L'école active utilise un important matériel pédagogique, le plus souvent fabriqué par les enfants eux-mêmes ; elle organise les études autour des centres d'intérêts* et de la connaissance du milieu (géographie physique et humaine, faune, flore, histoire locale...) ; elle réunit les écoliers en petites communautés qui s'administrent elles-mêmes, et emploie d'ingénieuses techniques, telles que le travail libre par groupes et l'étude individuelle par fiches.

L'école active correspond certainement au mode d'éducation qui convient le mieux aux enfants, mais elle se heurte à des obstacles que l'on ne saurait ignorer. La somme des connaissances instrumentales que l'écolier doit acquérir est très importante et le temps dont il dispose limité. Les classes sont surchargées et les maîtres en nombre insuffisant. Pour que les méthodes actives puissent se répandre, il faudrait commencer par remédier à cet état de fait.

activité, ensemble des actes d'un être vivant.

L'activité représente une tendance innée. Elle est à la base de tous les comportements et a été particulièrement étudiée chez les enfants, à partir de leurs jeux, et chez les animaux. Si l'on place un rat, par exemple, dans un milieu nouveau, il commence par l'explorer, en dehors même de tout besoin immédiat (nourriture ou autre). On distingue différentes sortes d'activité. La plus simple est le réflexe, qui n'est qu'une libération d'énergie en réaction à un excitant. On qualifie cette « réponse » d'*activité nerveuse inférieure*, par opposition à l'*activité nerveuse supérieure*, celle du cerveau, qui met en jeu des mécanismes d'action d'une extrême complexité, dont sont issus les sentiments et les phénomènes de pensée.

En caractérologie*, le terme d'*activité* désigne non pas l'ensemble des actes d'une personne, mais sa disposition à agir. Pour cette raison, celui qui agit uniquement sous la pression des événements ne sera pas dit « actif ». Les troubles de l'activité peuvent intéresser l'activité volontaire et l'activité automatique. L'aboulie* correspond à une diminution de l'activité volontaire. À l'opposé, l'agitation motrice, mal coordonnée, déréglée, est une forme d'hyperactivité pathologique.

adaptation, ajustement d'un organisme à son milieu.

L'être vivant dispose d'une certaine plasticité grâce à laquelle il lui est possible de rester en accord avec son environnement et de maintenir l'équilibre de son milieu intérieur. Par exemple, si l'on transporte d'Europe en Amérique une ruche dont les abeilles ont été préalablement conditionnées à chercher leur provende à une heure déterminée, on observe, après 2 à 3 jours de « flottement », que leur rythme s'est adapté à l'heure locale (M. Renner, 1957).

Les abeilles ont donc modifié leur rythme endogène pour le synchroniser avec les facteurs périodiques de leur nouveau milieu.

Le processus vital nécessite un perpétuel réajustement de l'organisme pour rétablir un équilibre sans cesse rompu. Cet ajustement s'opère par une suite d'échanges ininterrompus entre le corps et son milieu, dans la double action du sujet sur l'objet (assimilation*) et de l'objet sur le sujet (accommodation*). Ces deux modes d'action, interdépendants, se combinent sans cesse pour maintenir l'état d'équilibre stable qui définit l'adaptation. Il y a adaptation, dit J. Piaget, lorsque l'organisme se transforme en fonction du milieu et que cette variation a pour effet un équilibre des échanges entre l'environnement et lui, favorables à sa conservation. Selon Piaget, la vie psychique obéit aux mêmes lois structurantes que la vie organique. L'intelligence se construit par un incessant ajustement entre les schèmes antérieurs et les éléments d'une expérience nouvelle. → **Selye (Hans).**

adaptation (classe d'), classe recevant temporairement des écoliers en difficulté et dans laquelle tout est mis en œuvre pour leur permettre de réintégrer, à brève échéance, l'enseignement normal.
Dès l'école maternelle, on peut observer chez certains enfants des signes d'inadaptation* qui font craindre leur échec au niveau de l'enseignement élémentaire. Ce sont de légers retards, troubles ou déficits, d'ordre sensoriel, moteur, intellectuel, affectif ou social, apparemment sans gravité et pour lesquels une prise en charge précoce peut être salutaire. Il a donc été créé, au sein de l'enseignement ordinaire (circulaire ministérielle du 9 février 1970), des « sections d'adaptation », dans les écoles maternelles, et des « classes d'adaptation », à l'école élémentaire et au niveau du second degré. Ces sections et ces classes n'ont qu'un faible effectif (8 pour les déficients auditifs, 12 pour les déficients visuels, 15 pour les enfants rencontrant des difficultés relationnelles). Elles sont confiées à des maîtres titulaires du C.A.P.S.A.I.S. (certificat d'aptitude aux actions pédagogiques spécialisées d'adaptation et d'intégration* scolaires) ou, dans le secondaire, à des professeurs ayant suivi des stages dans un centre national de pédagogie spéciale, qui œuvrent avec d'autres spécialistes : psychologues, orthophonistes, médecins, rééducateurs dépendant soit d'un R.A.S. (réseau d'aides* spécialisées), soit d'un C.M.P.P. (centre* médico-psychopédagogique) ou d'une autre institution extérieure à l'école. Dans le second degré, les classes d'adaptation fonctionnent de la 6e à la 3e, dans les locaux mêmes d'un collège d'enseignement secondaire (C.E.S.) normal. Les programmes et les horaires sont ceux des autres classes du collège, mais l'accent est mis tout particulièrement sur les disciplines de base (mathématiques et français), sur les activités physiques, ainsi que sur l'activité créatrice. En 1984, selon une note d'information du ministère de l'Éducation nationale, il y avait en France 18 243 élèves dans les classes d'adaptation. L'admission des élèves en classe d'adaptation est proposée par une commission médicopédagogique. La durée ne devant pas excéder un an, à la fin de l'année scolaire, les progrès accomplis par chaque écolier sont évalués. C'est seulement quand ce bilan en établit la nécessité qu'une nouvelle année en classe d'adaptation est préconisée. Depuis 1981, les classes d'adaptation ne sont plus considérées par l'Éducation nationale comme relevant de l'enseignement* spécial.

addiction, dépendance par rapport à une chose ou à une occupation.
Dans l'ancien droit romain, un débiteur incapable de payer ses dettes pouvait se voir « adjugé » à son créancier, dont il devenait l'esclave. (*Addiction* est synonyme d'« adjudication ».) Par analogie, on parle aujourd'hui d'*addiction* lorsqu'on veut caractériser la dépendance* d'une personne ou son fort penchant pour une substance (drogue* ou alcool*, par exemple) ou pour une activité, telle que le jeu, le travail ou... l'utilisation du réseau Internet (Kandell *et al.*, *The APA Monitor*, juin 1996). Parmi les autres addictions, on trouve la boulimie*, les achats compulsifs et certaines conduites dangereuses (prise de risques). L'addiction procure du plaisir et apaise un malaise intérieur, mais elle a souvent des conséquences malheureuses. Elle persiste néanmoins malgré l'échec sans cesse renouvelé des tentatives de contrôle. → **assuétude, toxicomanie.**

Adler (Alfred), médecin et psychologue autrichien (Vienne 1870 – Aberdeen, Écosse, 1937).
Élève dissident de S. Freud, Adler admet la notion d'inconscient dynamique mais minimise le rôle de la sexualité et du complexe d'Œdipe dans la genèse de la personnalité et les névroses. Pour lui, qui fut dans son en-

fance faible et souffreteux, les facteurs individuels et sociaux sont déterminants. L'homme a conscience de sa faiblesse et cherche à y remédier. L'enfant a hâte de grandir, car l'acquisition de la force et de la puissance est aussi celle de la sécurité. Le névrosé, qui n'a pas réussi cette adaptation, doit être éduqué afin de pouvoir s'intégrer harmonieusement dans son monde et s'ajuster à ses valeurs. Adler a proposé sa doctrine sous le nom de *psychologie individuelle.*
Après avoir exercé la médecine à Vienne, il émigra aux États-Unis, où il enseigna à l'université Columbia (1927) puis au Collège médical de Long Island (New York, 1932). Adler est l'auteur de plusieurs ouvrages dont les plus importants ont été traduits en français : *le Tempérament nerveux* (1912), *Pratique et théorie de la psychologie individuelle* (1920), *le Sens de la vie* (1932). → **infériorité (complexe d').**

adolescence, époque de la vie qui se situe entre l'enfance, qu'elle continue, et l'âge adulte.
Il s'agit d'une « période ingrate », marquée par les transformations corporelles et psychologiques, qui débute vers 12 ou 13 ans et se termine entre 18 et 20 ans. Ces limites sont imprécises, car l'apparition et la durée de l'adolescence varient selon les sexes, les races, les conditions géographiques et les milieux socio-économiques. Sur le plan psychologique, l'adolescence est marquée par la réactivation et l'épanouissement de l'instinct sexuel, l'affermissement des intérêts* professionnels et sociaux, le désir de liberté et d'autonomie, la richesse de la vie affective. L'intelligence se diversifie, le pouvoir d'abstraction de la pensée s'accroît, les aptitudes particulières se précisent. La fonction de l'adolescence est de reconnaître, dans toutes les virtualités déployées, les possibilités de chacun, celles qui permettront aux individus de choisir une voie et de s'engager dans la vie adulte. Mais c'est aussi de découvrir plus intimement les êtres humains, soi et les autres, et d'établir de nouveaux rapports avec l'entourage : distance à l'égard des parents, rapprochement (camaraderie, amitié, amour) avec les pairs. Les adolescents constituent un ensemble social particulièrement riche et dynamique.

adoption, acte délibéré d'une personne qui désire prendre légalement pour fils ou fille un enfant qu'elle n'a pas conçu.
L'adoption se pratique dans la plupart des sociétés humaines. Le comportement adoptif se retrouve même chez les animaux, où l'on voit des femelles donner des soins attentifs à des petits qui ne sont pas les leurs. L'instinct maternel est certainement à la base d'un tel comportement, mais chez l'homme il y a, en plus, d'autres considérations (sociales, économiques et philosophiques) dans le désir de s'assurer une postérité. En France, depuis la fin de la Seconde Guerre mondiale, les demandes d'adoption sont en progression constante ; leur nombre est même très supérieur à celui des sujets susceptibles d'être adoptés. En effet, sur environ 40 000 pupilles de l'État (orphelins, abandonnés) beaucoup ne sont pas adoptables, pour de multiples raisons : âge, santé, existence de grands-parents ou de frères et sœurs dont on ne veut pas les séparer, attachement à des parents nourriciers. Finalement, 5 % d'entre eux (2 000 à peine) sont adoptés annuellement, auxquels il faut ajouter, approximativement, 2 500 étrangers fournis par des œuvres privées.
Les services sociaux responsables, désireux d'éviter les échecs dans ces opérations, ne procèdent aux placements de leurs pupilles qu'après avoir obtenu un maximum de garanties sur les parties en cause. Des enquêtes sont ordonnées sur les futurs parents adoptifs afin de prévoir les conditions matérielles et psychologiques qui seront réservées aux enfants. Ceux-ci sont soumis à de rigoureux examens médicaux et psychologiques. Malgré ces précautions, les adoptions ne sont pas toujours des réussites. Cela tient aux adoptés, pour une part, et aux adoptants pour le reste. Dans le premier cas, ce ne sont pas tant des tares héréditaires inaperçues qui sont en cause que des troubles du comportement parfois consécutifs à un séjour prolongé en établissement. L'échec peut être imputable aux parents adoptifs, quand ils manquent de la plasticité nécessaire pour comprendre et s'adapter à l'enfant recueilli. Parfois, d'une

façon confusément consciente, ils souhaitent que celui-ci se conforme à un certain modèle idéal, et se montrent déçus quand l'enfant croît selon ses propres possibilités et affirme son individualité. Dans de nombreux cas, ils hésitent à se montrer sévères et ne savent comment lui révéler sa véritable situation. Le mieux est d'aborder franchement et naturellement cette question quand l'enfant est encore jeune, vers 4 ou 5 ans.

adualisme, terme introduit en psychologie par J. M. Baldwin (1895) pour désigner l'état d'indifférenciation primitive dans lequel se trouve le jeune enfant, lequel confond le moi et le non-moi.
Le développement* psychologique de l'enfant passe par différentes phases, dont la première est caractérisée par la relation étroite à sa mère. Le nouveau-né ne fait aucune distinction entre son monde interne et le monde externe, entre le dedans et le dehors. Il n'existe dans ce premier stade* aucune conscience de soi, posée en face d'une réalité extérieure. À cette époque, la vie psychique se déroule sur un plan unique, où le moi et le non-moi ne sont pas encore distincts. Mais bientôt, progressivement, le monde vécu et le monde extérieur se séparent et s'organisent.
J. Piaget a dénombré trois formes d'adualisme : 1. celle où le signifiant et le signifié, le mot et la chose qu'il désigne ne font qu'un (cette forme d'adualisme disparaît vers 7 ou 8 ans) ; 2. celle où l'externe et l'interne, l'objectif et le subjectif sont fusionnés (cette forme disparaît vers 9 ou 10 ans) ; 3. celle ou la pensée et la matière sont confondues. La pensée est dans l'objet qu'elle élabore et qu'elle se représente ; elle n'est pas indépendante de lui (cette forme d'adualisme disparaît vers 11 ou 12 ans). L'évolution intellectuelle normale passe nécessairement de l'indifférenciation primitive à l'objectivité, par un mouvement continu de décentration et de distanciation. → **égocentrisme.**

affect, aspect inanalysable et élémentaire de l'affectivité, différent de l'émotion qui en est la traduction neurovégétative et des sentiments plus élaborés.
Entre les états affectifs caractérisés, tels que la joie et l'angoisse*, il existe d'autres sentiments intermédiaires, mal définis, qui sont susceptibles de se déplacer de l'un à l'autre, en subissant une série successive de transformations. Ces états psychiques primordiaux, difficilement analysables, peuvent être observés et étudiés par l'intermédiaire des comportements* qu'ils suscitent. Les réactions d'attente et d'exploration d'un sujet, par exemple, expriment son intérêt pour une certaine situation, tandis que les mouvements d'expansion ou de fuite sont provoqués par des sensations agréables (plaisir*) ou désagréables (douleur*). Ces sentiments élémentaires, variables dans leur tonalité affective, précèdent l'aperception de l'image et la représentation ; ils sont à l'origine des émotions* et constituent ce qu'on appelle, généralement, l'humeur* d'un individu.

affectivité, ensemble des états affectifs : sentiments, émotions et passions d'une personne.
On distingue habituellement dans la vie de l'homme trois domaines : l'activité*, l'intelligence* et l'affectivité. Une telle distinction est purement arbitraire car ces trois éléments sont indissociables. Cela est particulièrement sensible dans l'affectivité. Cet ensemble constitue la partie la plus fondamentale de la vie mentale, non seulement la base à partir de laquelle s'édifient les relations interhumaines, mais encore tous les liens unissant l'individu à son milieu. Même une fonction abstraite, comme la pensée, est sous-tendue par nos manières de sentir et affectée par nos émotions. Autant la sécurité, la joie et le bonheur peuvent favoriser l'épanouissement intellectuel, autant l'insécurité, la tristesse et l'angoisse peuvent le contrarier. Les préoccupations anxieuses et l'insécurité, qui freinent et inhibent le développement de l'individu, sont responsables de nombreuses inadaptations sociales. Elles se retrouvent dans les échecs scolaires, les névroses*, les troubles psychosomatiques* et certaines psychoses*.

affiche, annonce publicitaire ou officielle, sous forme de placard, qu'on appose dans un lieu public.

L'affiche commerciale est apparue au XVe siècle (1477) ; c'est un des moyens les plus courants et efficaces employés par la publicité*. Aussi, chaque année, des sommes très importantes sont-elles investies dans ce support publicitaire. Par exemple, en 1987, les Français lui ont consacré près de 4 241 millions de francs (source : S.E.C.O.D.I.P.). Pendant longtemps les affichistes étaient des artistes qui produisaient de belles images, susceptibles de plaire. Mais depuis la fin de la Première Guerre mondiale, sous l'influence de la *Gestalttheorie* et grâce aux acquisitions de la psychologie moderne, l'art de l'affiche repose sur des données scientifiques. L'affiche ne doit pas seulement plaire ; c'est, avant tout, un moyen de communication qui porte un message. Son rôle essentiel est d'attirer l'attention sur un objet ou sur un sujet précis, de maintenir l'intérêt en éveil, d'atteindre les différents individus, au fur et à mesure que chacun devient réceptif au message qu'elle contient. La connaissance des mécanismes psychologiques de la perception* permet d'éviter certaines erreurs, qui risquent de réduire considérablement l'efficacité des affiches en tant que moyen de communication avec les masses. Le format des affiches, leur lisibilité, leur composition et le choix des emplacements où elles seront apposées doivent répondre à certains critères fournis par la psychologie expérimentale.

âge critique, période de la vie au cours de laquelle s'effectuent d'importantes modifications physiologiques et psychologiques.
À la ménopause* et à la puberté*, il se produit dans l'organisme des transformations hormonales, physiologiques, anatomiques et psychologiques qui marquent profondément la personne et affectent durablement son comportement. La puberté correspond à la maturité des fonctions génitales, la ménopause au déclin, puis à l'extinction de la fonction de reproduction. Chez l'homme, la cessation de la fécondité ne s'observe pas aussi nettement et il n'est pas rare de voir des sujets de soixante-dix ans procréer. La cessation des fonctions génitales ne signifie pas la fin de la vie sexuelle. Non seulement celle-ci peut rester encore longtemps normale et satisfaisante, mais même, chez certaines personnes, elle connaît un épanouissement dû à la disparition de beaucoup d'inhibitions, de craintes et d'interdits.

âge de développement, niveau de développement psychologique et moteur d'un jeune enfant, apprécié par la méthode des tests.
Cette expression due à P. H. Furfey (1926) a été popularisée par A. Gesell*. Elle s'applique essentiellement aux résultats obtenus par les nourrissons et les bébés examinés à l'aide de baby-tests*.

âge mental, niveau de développement intellectuel d'un enfant, mesuré à l'aide de certaines épreuves psychométriques.
La notion d'âge mental fut introduite, en 1905, par A. Binet* à qui l'on doit la première échelle métrique de l'intelligence. Cet auteur commença par déterminer, empiriquement, les questions pouvant être résolues par des écoliers réputés « normaux », classés par âges chronologiques.
Il convint d'appeler « âge mental » le niveau atteint dans ces tests* par les sujets examinés. Un enfant normal réussit habituellement les épreuves qui correspondent à son âge. S'il s'agit d'un écolier doué, il est capable de réussir des opérations supérieures ; s'il est déficient, ses performances restent au-dessous de celles des enfants de son âge. Par exemple, un écolier de 7 ans doit pouvoir répéter, dans l'ordre correct, une série de 5 chiffres ; s'il le fait sans erreur, on lui en donne d'autres, plus longues, de 6 chiffres, qui sont du niveau de 10 ans ; sinon, on lui en présente de plus faciles, de 4 chiffres, qui ne valent que pour 4 ans et demi. En employant un nombre suffisant de petites épreuves différentes, encore appelées « items », il est possible de déterminer les capacités intellectuelles d'un enfant. La notion d'âge mental, surtout réservée aux enfants, est remplacée dans les nouveaux tests mentaux par d'autres cotations telles que les centiles ou les écarts* types.

agitation, activité excessive, confuse, désordonnée.

L'agitation se manifeste toujours par un comportement déréglé : grimaces, crises de nerf, propos et gestes intempestifs, etc. Généralement, ce comportement traduit le désarroi d'une personne soumise à des tensions qu'elle est incapable de résoudre. Il peut être interprété comme une tentative maladroite, inadéquate, pour échapper à une situation pénible (K. Lewin). Il arrive que des enfants soient agités, « turbulents » de façon habituelle. On parle dans ces cas d'« instabilité psychomotrice » ou d'« hyperkinésie ». À un niveau franchement pathologique, il existe une agitation beaucoup plus grave et plus dangereuse, qui s'accompagne de confusion mentale et de délire, notamment dans les crises de delirium tremens et dans les psychoses (manie...). Dans ces cas, l'hospitalisation du malade est nécessaire.

agnosie, incapacité de reconnaître les objets usuels, malgré une conservation intacte des organes des sens et une intelligence normale.
Par exemple, un malade à qui l'on présente une pièce d'argent sera capable de la décrire correctement : « c'est rond, plat, brillant... », mais il n'arrivera pas à l'identifier en tant que pièce de monnaie. Il ne s'agit donc pas d'un trouble de la perception lié aux organes récepteurs, mais d'un déficit consécutif à des perturbations des centres nerveux supérieurs (écorce cérébrale).
Les agnosies peuvent affecter chacune des fonctions sensorielles, mais celles qu'on a le mieux étudiées sont les agnosies visuelles, auditives et tactiles : 1. l'*agnosie visuelle,* ou « cécité psychique », est la conséquence de la destruction (bilatérale) des zones de projection des voies visuelles au niveau du lobe occipital ; 2. l'*agnosie auditive,* ou « surdité psychique », est due à des lésions (bilatérales) des lobes temporaux ; 3. l'*agnosie tactile,* ou « astéréognosie », est l'incapacité pour le malade d'identifier un objet par le toucher. Elle serait causée par la lésion d'un analyseur cortical secondaire situé en arrière de la circonvolution pariétale ascendante. Les malades qui sont atteints d'agnosie ne se comportent pas comme des infirmes, sourds ou aveugles, mais comme des sujets ignorant leur déficience.

agoraphobie, peur injustifiée, parfois accompagnée de vertige, que certaines personnes éprouvent lorsqu'elles se trouvent dans des lieux publics et de grands espaces découverts.
L'agoraphobique, affolé à l'idée de devoir traverser une place ou d'être mêlé à la foule, préfère les éviter. Pour se rassurer, il s'astreint à suivre toujours les mêmes trajets, se fait accompagner par une personne ou un animal ou emporte avec lui un objet familier (canne, parapluie). Son comportement, qu'il justifie parfois par des raisons logiques, peut constituer le symptôme majeur d'une névrose* phobique.

agraphie, perte de la capacité d'écrire, indépendante de tout trouble moteur, survenant chez une personne ayant écrit normalement auparavant.
Le graphisme est conservé ; le malade peut généralement recopier des mots, en procédant lettre par lettre. Cette impossibilité nouvelle de s'exprimer par l'écriture, qui correspond à une amnésie* spécifique, est due à une lésion cérébrale située au niveau du pli courbe du lobe pariétal gauche.

agressivité, tendance à attaquer.
1. Entendu dans un sens restreint, ce terme se rapporte au caractère belliqueux d'une personne ; 2. dans une acception plus large, il caractérise le dynamisme d'un sujet qui s'affirme, ne fuit ni les difficultés ni la lutte, et, d'une façon encore plus générale, il caractérise cette disposition fondamentale grâce à laquelle l'être vivant peut obtenir la satisfaction de ses besoins vitaux, principalement alimentaires et sexuels. Pour nombre de psychologues, l'agressivité est étroitement liée à la frustration* : un enfant empêché de jouer boude ou trépigne de colère. Même le médecin, note avec humour Freud, peut être inconsciemment agressif à l'égard de certains malades qu'il ne peut guérir. L'agressivité connaît encore d'autres causes : H. Montagner (1988) a observé chez les enfants manquant de sommeil des bouffées d'agressivité soudaines, suivies de moments d'isolement profond. L'agressivité chez

l'enfant est, le plus souvent, due à une insatisfaction profonde, consécutive à un manque d'affection ou à un sentiment de dévalorisation personnelle. Quand, par exemple, malgré ses efforts sincères, un écolier est puni parce qu'il ne satisfait pas les exigences de ses parents, ceux-ci lui infligent un traitement particulièrement injuste, qui peut entraîner la révolte du mineur ou son effondrement. L'apprentissage joue un rôle important dans l'agressivité. Dans son livre *l'Homme agressif* (1987), P. Karli rappelle que, dans certains groupes humains (à Tahiti ou au Mexique, par exemple), toute agressivité est flétrie, vouée à l'opprobre. Il pense que, dans notre société, il serait possible aussi de diminuer l'agressivité par des mesures éducatives, en magnifiant les conduites altruistes et les valeurs morales.

aide sociale à l'enfance (A.S.E.), action des services publics en faveur des enfants déshérités.

Autrefois, le service que l'on appelait l'« Assistance publique » s'occupait essentiellement des enfants orphelins, abandonnés ou trouvés qui constituaient les « pupilles de l'État ». Au fil des ans, son domaine s'est étendu à la prévention et à la protection des mineurs. En 1980, on comptait 468 975 enfants pris en charge par l'A.S.E., ce qui coûtait à l'État près de 10 milliards de francs. En 1992, ces dépenses s'élevaient à près de 20 milliards. Lorsque l'enfant n'a plus de famille, que tous les liens avec celle-ci sont définitivement rompus, les services de l'A.S.E. s'efforcent de lui en rendre une autre en le faisant adopter ; c'est ainsi que, en 1993, 1 350 pupilles ont été placés en vue d'adoption. Les autres enfants sont généralement confiés à des assistantes maternelles (en 1996, l'A.S.E. a placé 56 860 pupilles dans 36 380 familles d'accueil). Lorsque l'état physique ou mental d'un mineur le nécessite, il est admis dans un établissement spécialisé. Depuis les lois sur la décentralisation (1983 et suivantes), l'aide sociale à l'enfance est du ressort des conseils généraux. Quand une famille est en difficulté ou des enfants en danger, les processus mentionnés ci-après sont mis en œuvre (voir organigramme page ci-contre).

aides spécialisées, soutien offert par l'école aux élèves en difficulté.

L'organisation des aides spécialisées offertes par l'école maternelle et élémentaire aux élèves qui éprouvent des difficultés particulières à satisfaire aux exigences d'une scolarité normale, notamment dans l'acquisition des apprentissages fondamentaux, a été précisée par la circulaire du ministère de l'Éducation nationale n° 90-082 du 9 avril 1990 (B.O. n° 16, 19/4/90).

Ces aides, qui ne sauraient se substituer à l'action des maîtres, sont adaptées à chaque cas et s'exercent au sein de l'école, éventuellement de façon concomitante à celles que peuvent apporter d'autres services ou professionnels extérieurs à celle-ci. On distingue les aides spécialisées à dominante *pédagogique* et celles à dominante *rééducative*.

Les premières peuvent être organisées dans des classes d'adaptation*, à effectif réduit, ou par des « regroupements d'adaptation », où sont rassemblés de manière temporaire des élèves en difficulté, qui continuent de fréquenter la classe ordinaire.

Les secondes sont mises en œuvre individuellement ou en très petits groupes, avec l'accord des parents et, si possible, avec leur concours.

Les aides spécialisées sont fournies par un ou plusieurs intervenants des réseaux d'aides spécialisées (R.A.S.). Ces intervenants sont des psychologues scolaires, des instituteurs spécialisés chargés de rééducation, titulaires du certificat d'aptitude aux actions pédagogiques spécialisées d'adaptation et d'intégration scolaires (C.A.P.S.A.I.S., option G), et des instituteurs spécialisés chargés de l'enseignement et de l'aide pédagogique auprès des élèves en difficulté à l'école préélémentaire et élémentaire, titulaires du C.A.P.S.A.I.S., option E. Les instituteurs titulaires du C.A.E.I. – R.P.P. ou R.P.M. sont réputés titulaires du C.A.P.S.A.I.S., option G. En 1994-1995, le nombre des personnels spécialisés des réseaux s'élevait à 11 974 (*J.O.*, 1996, S [Q], n° 11, p. 584).

Plusieurs écoles peuvent entrer dans le champ d'action d'un réseau. Les réseaux d'aides spécialisées se substituent aux groupes d'aides psycho-pédagogiques (G.A.P.P.).* **→ intégration scolaire (classe d').**

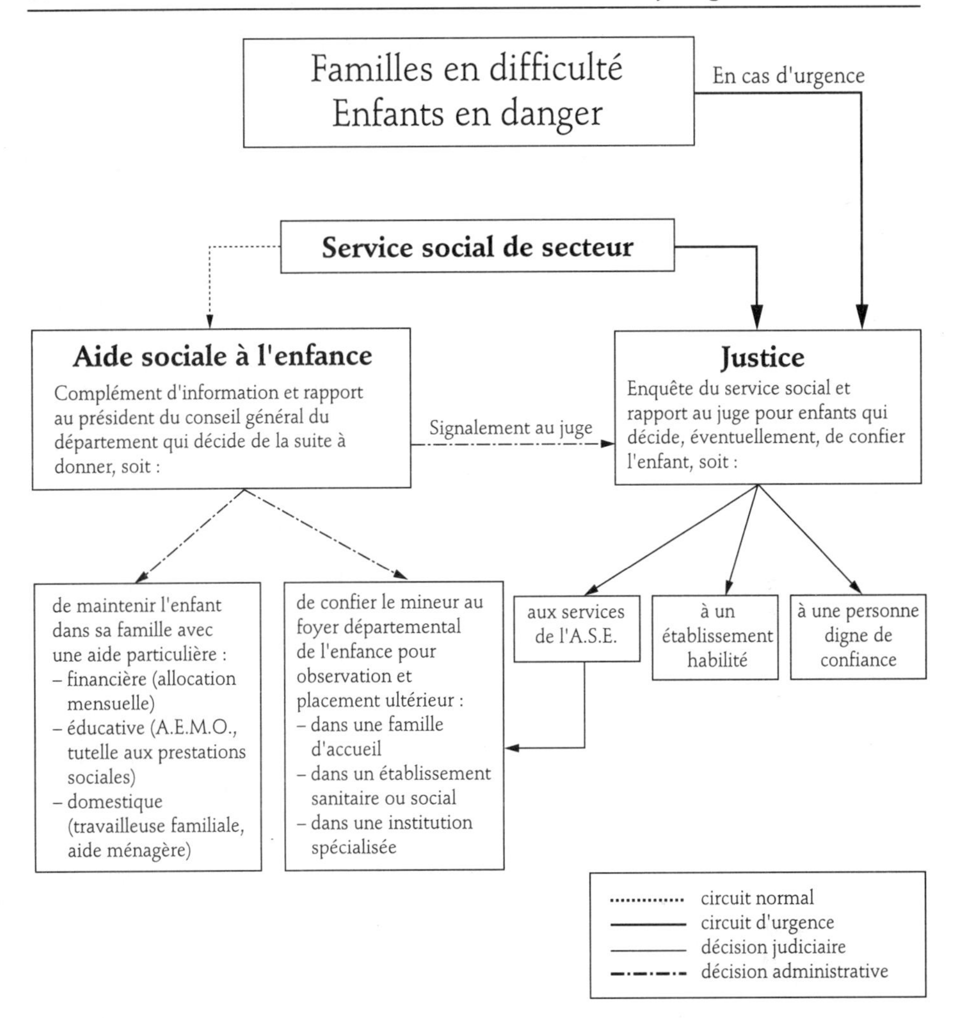

Ajuriaguerra Otxandiano (Julian de), pédiatre et neuropsychologue français d'origine espagnole (Deusto, près de Bilbao, 1911 – Villefranque, Pyrénées-Atlantiques, 1993). Il s'intéresse très tôt à la psychologie de l'enfant, en particulier aux recherches de J. Piaget et de H. Wallon, ainsi qu'à la psychanalyse, notamment aux travaux de Freud, M. Klein et Winnicott, ce qui le conduit à suivre une analyse didactique avec S. Nacht. En 1936, il participe à la guerre d'Espagne aux côtés des républicains et, durant l'Occupation, il s'engage dans la Résistance. Bien que ralentie, sa carrière scientifique n'est pas pour autant compromise. En 1946, il est nommé, à Paris, professeur agrégé de neurologie. De 1959 à 1975, il enseigne à la faculté de médecine de Genève et dirige la clinique psychiatrique universitaire Bel Air de cette ville. En 1976, il occupe la chaire de neuropsychologie du développement, créée spécialement pour lui au Collège de France. Ses recherches portent essentiellement sur la genèse des premières communications chez l'enfant (cris, pleurs, sourires, vocalises, regards...), qui sont les « prémices du dialogue », ainsi qu'à la psychomotricité, aux émotions et aux comportements de tendresse (caresses, baisers, blottissement...). Parmi ses nombreux articles et ouvrages, citons : « Les apports de la pathologie nerveuse à la psychologie », in *l'Année psychologique*, 1953 ; « Psychanalyse et neurobiologie », in *la Psychanalyse d'aujourd'hui*, 1956 ; *le Cortex cérébral*, avec H. Hécaen, 1949 ; « La peau comme première relation. Du toucher aux caresses », in *la Psychiatrie de l'enfant*, 1989. On lui doit en outre un important *Manuel de psychiatrie de l'enfant*, 1970.

Alain (Émile Auguste Chartier, dit), philosophe et pédagogue français (Mortagne-au-Perche, Orne, 1868 – Le Vésinet, Yvelines, 1951).

Professeur au lycée Henri-IV à Paris, son influence s'exerça profondément sur de nombreuses générations d'étudiants. Il est surtout connu pour ses *Propos* (*Propos sur le bonheur, Propos sur l'éducation, Propos sur les philosophes, Propos sur les pouvoirs*, etc.). Pédagogue, il se veut éducateur et recherche dans l'écolier l'homme qu'il faut former et discipliner. La méthode qu'il prône est sévère ; elle repose sur la difficulté et l'effort. De pareils principes peuvent convenir aux adolescents mais non pas aux jeunes enfants, régis par le principe de plaisir*.

alcool éthylique, produit de distillation des boissons fermentées.

L'action rapide de l'alcool sur les centres nerveux supérieurs se traduit généralement par une levée des inhibitions, une sensation de bien-être et une augmentation de la confiance en soi. Cependant, son ingestion exagérée est dangereuse, parfois même mortelle. À dose modérée, l'alcool a des effets que seuls des examens de laboratoire peuvent mettre en évidence : l'attention* est affaiblie, les réactions* plus lentes, et, malgré l'existence d'un sentiment trompeur de force et de puissance, le rendement dans le travail, les performances sont diminués. De nombreux accidents* du travail (de 12 à 15 % des cas) et de la circulation (40 %) lui sont imputables. En France, en 1985, la consommation d'alcool fut de 7,7 millions d'hectolitres (soit 19,6 litres d'alcool pur par adulte âgé de plus de 20 ans), ce qui, malgré une baisse de 22 % depuis 1970, situe les Français à la première place des buveurs d'alcool dans le monde. En 1989, la consommation d'alcool pur chez les plus de 15 ans fut de 16,8 l (Pr. H. Allemand, C.N.A.M., 1993).

alcoolisme, ensemble des troubles physiques et mentaux dus à la consommation de boissons alcoolisées.

De 1964 à 1984, la consommation mondiale de vin a augmenté de 20 % et celle d'alcool* de 50 % (B. Shahandeh, B.I.T., 1985). En France, on estime à 2 millions le nombre de malades alcooliques (dont 600 000 femmes) ; un tiers des personnes qui meurent entre 35 et 50 ans sont, d'une façon plus ou moins directe, des victimes de l'alcoolisme. Depuis la fin de la Seconde Guerre mondiale jusqu'en 1975, le nombre de décès par alcoolisme et par cirrhose du foie n'a cessé d'augmenter, mais, depuis cette dernière date, une nette amélioration est enregistrée :

Année	Décès par		Total
	alcoolisme	cirrhose du foie	
1946	481	2 763	3 244
1975	4 248	17 754	22 002
1984	3 321	12 961	16 282

Cette amélioration semble se confirmer puisque, en 1991, on n'enregistrait plus que 12 000 décès « seulement » (Pr. H. Allemand, C.N.A.M. 1993). Néanmoins, dit cet auteur, si on totalisait tous les décès liés à l'alcool, on obtiendrait un chiffre global situé entre 40 000 et 50 000, soit 10 % de la mortalité, toutes causes confondues.

L'alcoolisme joue aussi un rôle essentiel dans la genèse des troubles psychiques. Non seulement il diminue les capacités intellectuelles, mais encore il modifie le caractère, transforme l'affectivité et ruine la personnalité. Le nombre des admissions dans les hôpitaux psychiatriques pour alcoolisme chronique et psychoses alcooliques s'est considérablement accru depuis 1942 : de 667 à cette date, il est passé, successivement, à près de 10 000 en 1952, 18 771 en 1962, 34 551 en 1972 et 42 283 en 1982 (au-delà de cette date, les statistiques ne sont plus disponibles). La violence et le crime sont très souvent en relation avec l'alcoolisme : 69 % des homicides, 58 % des incendies volontaires, 29 % des coups et blessures, 27 % des crimes et délits sexuels (J.-P. Bombet, 1970). Parmi les éléments qui favorisent l'installation de l'alcoolisme, on

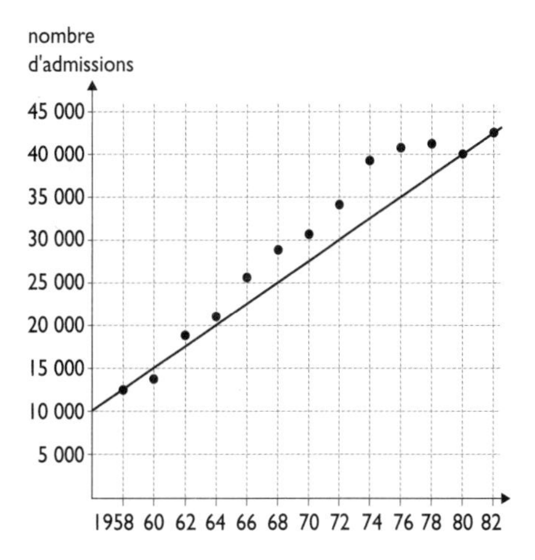

Évolution du nombre des admissions dans les hôpitaux psychiatriques pour psychoses alcooliques et alcoolisme chronique (I.N.S.E.R.M., 1987).

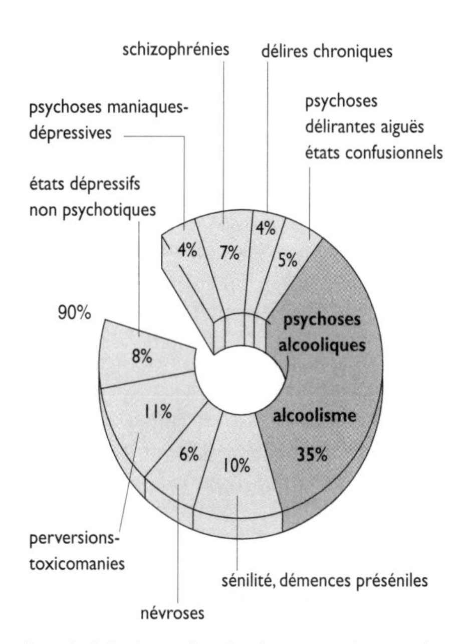

Part de l'alcoolisme dans les diagnostics cliniques chez les hommes, selon les statistiques des services psychiatriques pour l'année 1978 (I.N.S.E.R.M., 1982).

distingue les causes individuelles (frustrations affectives, solitude...) et les facteurs sociaux. F. Clairmonte et J. Cavanagh ont calculé, en 1987, que l'alcool représente un marché de 170 milliards de dollars par an (sans compter les pays socialistes). Rien que dans notre pays, près de 5 millions de personnes tirent un profit, direct ou indirect, de ce produit, lequel rapportait à l'État, en 1977, en taxes diverses, 6 milliards 313 millions de francs. Pour ce qui a trait aux facteurs culturels, rappelons simplement que, dans la plupart des régions, l'alcool est régulièrement associé aux fêtes et qu'en offrir fait partie du « savoir-vivre ». L'alcoolisme préoccupe tous les gouvernements. Dans un petit pays comme la Suisse, on évalue à 5 millions de francs suisses (soit 2,9 millions de dollars) les pertes quotidiennes subies par l'économie. Pour essayer d'arrêter une pareille hémorragie, les pouvoirs publics ont pris un certain nombre de mesures législatives et réglementaires. En France, les principaux textes sont la loi du 15 avril 1954, sur le traitement des alcooliques dangereux pour autrui, et celle du 10 juillet 1987 renforçant la lutte contre l'alcool au volant. Mais ces mesures resteront insuffisantes tant que l'opinion publique ne sera pas profondément modifiée.

Alexander (Franz), psychanalyste américain d'origine hongroise (Budapest 1891 – Palmspring, Californie, 1964).

Il est surtout connu pour ses études sur les affections psychosomatiques *(la Médecine psychosomatique)* et ses conceptions psychanalytiques, largement diffusées dans de nombreux ouvrages, dont plusieurs sont traduits en français (*Principes de la psychanalyse*, 1952 ; *Psychothérapie analytique*, 1959). Alexander s'intéresse davantage aux situations conflictuelles dans lesquelles se trouve l'adulte qu'à ses conflits infantiles et n'hésite pas à intervenir activement, par ses encouragements, pour aider le patient à dépasser les obstacles qui l'arrêtent. Par ses interventions, il s'efforce de rendre au sujet son indépendance, en lui signalant tout ce qui constitue une entrave à l'exercice de son autonomie morale. Cette attitude permet, le plus souvent, d'abréger la durée de la cure, mais elle comporte le danger de voir le thérapeute substituer sa personnalité à celle, plus faible, du malade qui risque de ne jamais pouvoir s'épanouir. Cet écueil n'avait pas échappé à Alexander, qui, dans certains cas où un tel aménagement de la cure analytique risquait d'échouer, continuait d'appliquer rigoureusement les principes de la méthode freudienne.

alexie, perte de la capacité de comprendre le langage écrit.
Le sujet ne présente pas habituellement de trouble du langage* oral (il parle normalement et comprend ce qu'on lui dit), il peut même écrire correctement, spontanément et sous la dictée, mais il n'arrive pas à se relire, car il a « oublié » le sens des mots écrits. Ce déficit particulier de la perception est dû à une lésion cérébrale, située au niveau des aires para-striées entourant la scissure calcarine. L'alexie ne doit pas être confondue avec la dyslexie*, qui est une perturbation de l'acquisition de la lecture.

alexithymie (*a* privatif, grec *lexis*, « mot », *thumos*, « affectivité » ; littéralement : « pas de mots pour l'affectivité »), incapacité à exprimer verbalement ses émotions.
Ce terme a été proposé par Peter E. Sifneos (Boston, 1973) pour désigner la difficulté éprouvée par certaines personnes à faire part de leurs sentiments. Pour celles-ci, l'agitation de l'âme se distingue mal des sensations physiques. De ce fait, leurs émois se traduisent en maux corporels (en d'autres termes, il y a somatisation des affects). Selon la psychanalyste Joyce McDougall (1982), l'alexithymie correspondrait à un mécanisme de défense* du moi portant sur des sentiments jugés dangereux ; il y aurait rejet (ou *forclusion**) de la représentation de l'affect. On la rencontre fréquemment chez des patients souffrant de maladies psychosomatiques, mais elle n'est pas rare dans d'autres affections (toxicomanie, perversion...). On la trouve aussi chez des personnes ayant dû subir de cruelles épreuves (camp de concentration, par exemple) ; elle remplit alors une fonction d'adaptation.

aliénation mentale, folie, trouble de l'esprit qui rend la vie sociale impossible.
C'est par référence à la société que ce terme s'entend dans son acception profonde. L'aliéné est incapable de mener une vie normale, de se conformer aux règles de son groupe social. En cela il est « aliéné », c'est-à-dire étranger au groupe (*alienus*, en latin, signifie « autre, étranger »). Ce qui définit essentiellement l'aliénation mentale, c'est la perturbation de la relation à autrui, l'altération de la fonction de communication. Chez l'aliéné, les moyens d'expression sont troublés et les attitudes, singulières, difficilement compréhensibles. Son comportement inadapté constitue souvent une source de désordre, voire de danger social, qui motive son internement dans un centre hospitalier spécialisé. L'*autisme**, caractérisé par la perte de contact vital avec le monde extérieur, ainsi que la *paranoïa**, marquée par la détérioration des relations sociales, sont deux des formes majeures de l'aliénation mentale. Depuis 1958, les termes « aliéné » et « aliénation mentale » tendent à disparaître du vocabulaire médical pour être remplacés par ceux de « malade » et de « maladie mentale » → **psychiatrie, psychose.**

alimentation, action de nourrir, de se nourrir.
Le problème de l'alimentation intéresse le psychologue pour plusieurs raisons, dont la principale est son retentissement sur la personnalité et le développement intellectuel des individus. Il a été établi, en effet, que la malnutrition précoce et durable est responsable du mauvais développement* intellectuel et moteur des enfants. Ce phénomène s'observe dans les couches pauvres de la population et, à l'échelle mondiale, dans tous les territoires où règne encore la faim*. Toutes les études font état d'un retard significatif du développement mental des sujets ayant souffert de malnutrition durant la première année de leur vie. Ce retard est définitif, quels que soient les soins apportés à ces enfants par la suite. → **anorexie mentale, boulimie.**

allaitement, action de nourrir un bébé avec du lait.
L'allaitement maternel, quand il est possible, et quand la nourrice est indemne de toute affection virale, est préférable à tout autre, le lait de la mère étant parfaitement adapté aux besoins du bébé. Sa composition varie, non seulement avec l'âge de l'enfant, mais encore

au cours de la journée et même pendant la tétée. De plus, ce lait contient des « facteurs d'immunité » qui protègent le petit des affections intestinales. Il diminue aussi, semble-t-il, les risques de mort subite du nourrisson, et aurait même des effets à long terme puisque, selon U. M. Saarinen et ses collaborateurs, dans une population d'adolescents âgés de 17 ans, qui avaient bénéficié de cet allaitement pendant plus de 6 mois, le nombre de cas d'eczéma, d'allergies alimentaires et d'allergies respiratoires était réduit de façon significative (*The Lancet,* 1995, n° 346 ; p. 1065-1069).

Entre la mère et l'enfant, il y a une véritable relation psychophysiologique qui conditionne la sécrétion lactée. La montée laiteuse dépend de l'appel du nourrisson ; elle se tarit, habituellement, lorsque celui-ci est rassasié. Enfin, l'allaitement maternel constitue une situation privilégiée, au cours de laquelle s'édifie un lien psychologique irremplaçable. Le bébé qui tète ne se nourrit pas seulement : en même temps que le lait, il reçoit la chaleur du corps de sa mère, son odeur, l'image de son visage, qu'il ne quitte pas des yeux. Il se confond avec sa nourrice, fusionne avec elle. Même dans le cas de l'allaitement artificiel, il faut s'efforcer de sauvegarder ce lien essentiel en prenant l'enfant dans ses bras, en lui souriant, le berçant, lui parlant, car c'est dans cette ambiance chaleureuse que le bébé trouve la sécurité nécessaire à son épanouissement.

L'allaitement est un acte complexe, qui s'accommode mal de règles précises et impératives. La fixité des rations et des horaires préétablis risque de perturber cette relation spécifique qui est, essentiellement, une communication* entre la mère et l'enfant. Aussi les psychologues modernes, à la suite des travaux de chercheurs tels qu'A. Gesell* (1880-1961), recommandent-ils aux nourrices de rester réceptives aux appels de leur bébé, sans avoir l'obsession de l'heure ou de la quantité. Après une courte période de flottement (3 à 4 jours), on remarque que le rythme des tétées et les besoins alimentaires du nourrisson se normalisent et correspondent aux exigences réelles de l'enfant. Par ce système d'« auto-demande », il est possible d'éliminer les cas de sous-nutrition et de suralimentation, et, surtout, l'anxiété qui submerge les nourrissons affamés, lorsqu'on les laisse crier parce que ce n'est pas encore l'heure de la tétée. → **sevrage.**

allégation, proposition que l'on avance et que l'on donne comme vraie.
Certaines allégations expriment la réalité mais d'autres sont de purs mensonges*, des constructions imaginaires (fabulations) ou encore le résultat de questions suggestives. Au nombre des *fabulations**, on peut citer les témoignages de cinq jeunes filles se présentant comme des victimes du Belge Marc Dutroux (1996), lequel les aurait enfermées dans un réseau de prostitution depuis leur adolescence. Vérification faite, ce n'était que fabulation. La *suggestibilité** qui caractérise certaines personnes, notamment les enfants, peut aboutir aussi à de fausses allégations. Par exemple, en Amérique du Nord, plusieurs personnes traitées par l'hypnose, la psychothérapie ou la psychanalyse ont cru retrouver des souvenirs de sévices sexuels subis dans leur enfance, alors qu'il n'en avait rien été. L'un des cas les plus connus est celui de Beth Rutherford, dans l'État du Missouri. Cette jeune femme raconta qu'elle avait été violée par son père à plusieurs reprises, depuis son enfance, et qu'on avait dû lui faire deux I.V.G. Son père, un membre du clergé, fut obligé de démissionner de ses fonctions. Cependant, par la suite, les médecins établirent que la jeune fille était vierge et qu'elle n'avait jamais subi d'I.V.G. Selon l'Américaine, Elizabeth Loftus, professeur de psychologie à l'université de Washington (1997), beaucoup des prétendus souvenirs de traumatismes subis dans l'enfance, surgissant à l'occasion de psychothérapies, n'ont pas de réalité mais sont des constructions de l'esprit, plus ou moins induites par le thérapeute. Pour sa part, le professeur Hubert Van Gijseghem, de Montréal, met en garde les juges, les policiers et les travailleurs sociaux contre les fausses allégations d'abus sexuels, qui découlent souvent de la façon dont est conduit l'entretien. L'enfant, dit-il, « est vulnérable à la suggestion à un degré jusqu'ici insoupçonné. Une question un tant soit peu suggestive de la part de

l'adulte peut véritablement "créer" une histoire dans l'esprit de l'enfant, et ce d'autant plus qu'il est jeune. Même si elle n'est pas basée sur des événements réellement vécus, cette histoire peut rapidement devenir partie intégrante de l'expérience de l'enfant » (*l'Enfant mis à nu*, 1992, p. 10). Selon la psychologue Christine Ollivier-Gaillard (1996), aux États-Unis et au Canada, on compterait environ 20 % de fausses allégations d'abus sexuels. → **abus sexuel, mémoire, sévices, souvenir, témoignage.**

allergie, hypersensibilisation d'un individu à certaines substances (ou situations) appelées *allergènes.*

Le mécanisme profond de cette réaction est encore mal connu, mais les recherches entreprises sur ce problème ont montré l'importance du « terrain affectif », le rôle fondamental que jouent la personnalité et les émotions dans le développement des manifestations allergiques. En effet, si la plupart des crises sont déclenchées par l'ingestion, l'inhalation ou le contact corporel de substances spécifiques, d'autres le sont, d'une façon plus mystérieuse, par des situations singulières : la vue d'automobiles d'un type déterminé, par exemple. H. Baruk (1962) a même pu décrire une « allergie administrative », se traduisant par un « état de choc, des palpitations, céphalées, malaises, etc. ». Aussi, parallèlement aux études portant sur les conditions physico-chimiques et physio-pathologiques de ces troubles, d'autres travaux, orientés vers leurs causes psychologiques éventuelles, sont poursuivis, depuis plusieurs années, dans les grands centres de recherches. En 1941, déjà, F. Alexander* et son école de Chicago montraient la fragilité émotionnelle des allergiques, dont l'enfance serait jalonnée de graves conflits affectifs. Actuellement, l'hypothèse que les savants s'efforcent de vérifier est que les allergènes sont porteurs de sens.

Ces éléments, variables à l'infini et particuliers à chaque individu, auraient le pouvoir de déclencher la réaction allergique uniquement parce qu'ayant été associés, dans la vie du sujet, à des situations émotionnelles intenses, ils conservent, pour celui-ci, une signification symbolique, dont souvent il n'est pas conscient. En d'autres termes, il s'agirait d'un mécanisme de conditionnement*, l'organisme réagissant d'une manière déterminée chaque fois qu'il se trouve dans la même situation.

altruisme, terme créé par A. Comte pour désigner le souci désintéressé du bien d'autrui.

L'altruisme a sa source dans la nature, mais il peut résulter aussi de la réflexion. On observe, chez les êtres d'une même espèce, des comportements naturellement altruistes et spontanés. Par exemple, J. H. Masserman cite le cas de macaques qui, mis dans une situation expérimentale où ils peuvent se procurer facilement de la nourriture en appuyant sur un levier, restent longtemps sans manger lorsqu'ils ont compris que cet acte provoque aussi un choc électrique chez l'un de leurs congénères. La raison nous enjoint d'être altruistes car sans solidarité la vie devient impossible. Selon W. Hamilton (Londres) et R. Trivers (Harvard), l'altruisme pourrait être défini comme une forme subtile d'égoïsme*.

Alzheimer (maladie d'), forme de démence présénile décrite par A. Alzheimer (1864-1917).

Cette affection, qui atteint surtout les femmes (84 % des malades), se caractérise par son apparition précoce (vers la cinquantaine), une détérioration* mentale, une désorientation* dans le temps et dans l'espace ; elle s'accompagne de troubles du langage *(aphasie),* de difficultés dans l'exécution des mouvements coordonnés *(apraxie)* et dans la reconnaissance perceptive *(agnosie).*

À l'examen anatomique, on observe une atrophie cérébrale diffuse, une dilatation des ventricules, et des plaques séniles sur le cortex. Cliniquement, la maladie se manifeste, notamment, par des troubles de l'orientation et par une perte de la mémoire ; l'humeur est en général euphorique, mais parfois dépressive. La maladie d'Alzheimer évolue, sur une période de quatre à dix ans, vers la cachexie démentielle terminale. Des études épidémiologiques menées aux États-Unis montrent que cette maladie atteint de 2 à 5 % des personnes de plus de 65 ans, et de 10 à 20 %

des personnes de plus de 80 ans. Selon l'I.N.S.E.R.M. (1987), il y aurait en France environ 300 000 personnes âgées de plus de 60 ans souffrant de cette affection, dont l'origine génétique, liée à un, voire à plusieurs gènes situés sur le chromosome 21, semble bien établie (*Science*, 1987). Des chercheurs américains, H. Potter, L. F. Scinto, K. Daffner (1995), en reprenant une nouvelle version de l'épreuve des collyres de H. Coppez (1903) qui permet de reconnaître une pupille pathologique d'une pupille normale, ont observé chez les personnes atteintes de la maladie d'Alzheimer que la pupille se dilate anormalement. Si cette découverte était confirmée, les médecins disposeraient d'un moyen simple pour détecter cette maladie à un stade précoce et, peut-être, pourraient-ils mieux la combattre.

ambiance, milieu physique et moral environnant.
Les conditions extérieures, agissant sur l'individu, déterminent en partie son comportement. Le comportement (C), disait K. Lewin, est fonction de la personne (P) et de son environnement (E) ; C = f (P, E). L'atmosphère tendue d'une famille désunie, le climat affectif défavorable d'une entreprise professionnelle suffisent à expliquer de nombreux échecs scolaires ou une diminution de la productivité, l'apparition de sentiments d'insatisfaction ou même, chez certains, de troubles caractériels*. En étudiant l'ambiance de différents groupes, on a pu démontrer, expérimentalement, que l'agressivité* était plus forte dans des milieux sociaux de structure autoritaire que dans des groupes démocratiques. On a observé aussi que l'amélioration des relations interhumaines dans les collectivités de travail entraîne une véritable libération d'énergie, restée jusque-là inemployée, et, par voie de conséquence, une augmentation du rendement. Les conditions physiques du travail, c'est-à-dire la ventilation, la température, l'humidité, la lumière et les bruits*, ont fait l'objet d'études poussées, car elles ont des incidences réelles sur la productivité. Tandis que les bruits provoquent un surcroît de tension*, la musique, judicieusement employée, détend. Pour éviter la fatigue visuelle, et, par voie de conséquence, une baisse du rendement, l'éclairage doit être suffisant ; de même, la ventilation doit s'adapter aux différents
types de travaux.

ambidextrie, aptitude à se servir, indifféremment et avec autant d'habileté, de la main droite ou de la main gauche.
Les ambidextres vrais sont rares. La plupart d'entre eux sont des gauchers contrariés, qui ont réussi à éduquer correctement leur main non dominante.

ambiéqual, type psychologique où les tendances extratensives* et introversives* s'équilibrent.
Le type ambiéqual a été considéré par certains psychologues et par H. Rorschach* lui-même comme le type bien équilibré. Les personnes à qui ce qualificatif s'applique ne répugnent pas à l'action mais, avant de s'y livrer, elles éprouvent le besoin d'y réfléchir et de la préparer. Cependant, une telle attitude peut exprimer aussi le doute et l'indécision.

ambition, aspiration à un statut supérieur.
Le désir de gloire ou de fortune permet aux individus de mobiliser toutes leurs énergies, d'accéder à un niveau plus élevé et de réaliser leurs potentialités. Mais, lorsque l'ambition n'est pas étayée par de réelles capacités, comme c'est le cas pour certains débiles, elle est la cause de mécomptes et d'inadaptations*.

ambivalence, état d'un sujet qui éprouve, en même temps, dans une situation donnée, des sentiments contradictoires.
L'ambivalence n'est pas un état mental anormal. Toutefois, il arrive que cette dualité des sentiments se traduise par des conduites pathologiques, lorsque la contradiction est irréductible. C'est d'ailleurs E. Bleuler qui a créé, en 1910, le terme d'*ambivalence* pour décrire l'un des principaux aspects de la personnalité des schizophrènes*. Chez ces malades, nous observons des modifications soudaines de l'humeur* sans que les causes de la variation nous soient compréhensibles.

amblyopie, affaiblissement important de la vision (l'acuité visuelle se situe entre 1/20 et 4/10).
En France, il naît chaque année environ quinze mille enfants amblyopes, dont 5 % évoluent vers la cécité*. Souvent l'amblyopie du jeune enfant est méconnue de son entourage. L'attitude de la famille, de la mère en particulier, peut influencer le caractère de l'enfant, selon qu'elle le laisse vivre normalement ou l'isole et l'étouffe. Certains amblyopes porteurs de verres correcteurs peuvent suivre la classe, d'autres relèvent d'un enseignement spécial.

amnésie, affaiblissement ou perte de la mémoire.
L'amnésie, phénomène pathologique, ne se confond pas avec l'oubli* qui est normal. Schématiquement, on distingue deux formes d'altération de la capacité mnésique : l'une appelée « amnésie de fixation » (ou *amnésie antérograde*) porte sur la rétention des souvenirs, tandis que l'autre, caractérisée par l'impossibilité de les rappeler, est dénommée « amnésie d'évocation » (ou *amnésie rétrograde*). Dans la réalité, la diminution de la mémoire affecte, le plus souvent, la rétention et l'évocation des souvenirs *(amnésie antéro-rétrograde)*. Elle peut être due à des lésions vasculaires de l'encéphale, à des traumatismes cérébraux ; on l'observe aussi dans les psychoses et les états névropathiques. Dans ces derniers cas, où le malade peut tout oublier, y compris son identité, l'amnésie est d'origine émotionnelle *(amnésie affective)* ; elle fonctionne comme un mécanisme de défense contre l'angoisse, le refus d'une réalité pénible. Le traitement qui convient alors est essentiellement psychologique ; il vise à lever les inhibitions et à ramener à la conscience les souvenirs oubliés, par le jeu de la libre association d'idées.

amorphe, type de personnalité se définissant, dans la caractérologie de G. Heymans et E. Wiersma, par une faible émotivité* (nE), l'inactivité (nA) et le retentissement* immédiat et passager des impressions (P).
Sans ambition et nonchalant, l'amorphe vit le moment présent et gaspille son temps en plaisirs et distractions multiples, voire futiles. Il gagne la sympathie de son entourage par son côté optimiste et accommodant.

amour, élan du cœur qui nous porte vers un autre être.
L'amour connaît toutes sortes de degrés et de variétés qui « sont autant d'expressions d'un seul et même ensemble de tendances » (S. Freud). L'amour, même s'il se masque sous des allures bourrues, est le viatique le plus précieux que l'enfant puisse recevoir. Il conditionne le développement du sentiment de sa valeur* personnelle et rend acceptables les frustrations* et les contraintes éducatives. L'enfant sait reconnaître l'amour authentique de celui qui ne l'est pas. Même si on lui prodigue des mots, des gestes, des cadeaux et des baisers sans chaleur, il sent avec certitude ce qui se cache derrière les apparences. Le désir d'amour est précoce et universel. Même les animaux éprouvent un tel besoin de rapprochement. Des chiens élevés sans contacts physiques avec d'autres chiens ou avec des hommes restent définitivement instables et immatures. Un chimpanzé femelle, Washoe, à qui deux psychologues de l'université du Névada (États-Unis), R. A. Gardner et B. B. Gardner, avaient réussi à apprendre à se servir de signaux du code utilisé par les enfants sourds américains, l'*American sign language*, implora l'expérimentateur de lui rendre le bébé qu'elle venait de perdre : « rendez-moi mon bébé ». Roger S. Fouts lui confia alors un bébé chimpanzé qu'elle éleva comme son fils.

amphétamine, substance chimique du groupe des amines psychotoniques, encore appelées « amines de réveil » ou « psychamines ».
Les amphétamines sont des stimulants du système nerveux central. Elles suppriment le sentiment de fatigue et la sensation de faim et donnent au sujet une impression de force. L'usage répété de ce médicament conduit à l'épuisement physique. Les toxicomanes qui le consomment à hautes doses présentent de la confusion mentale et une sorte d'état psychotique, du genre « paranoïa » (effet « parano »), où prédominent l'angoisse et des

idées de persécution ; l'effet « parano » régresse en quelques heures après l'intoxication. Parfois apparaît un délire paranoïde avec des hallucinations et des éléments d'automatisme mental.

analyse, décomposition d'un tout en ses éléments.
L'analyse est le mécanisme de la pensée qui concentre l'attention sur chacune des parties d'un ensemble et recherche leurs liens possibles. Elle forme avec la synthèse une unité, un ensemble complémentaire de la réflexion. Procédant par différenciations successives, depuis le global jusqu'aux éléments premiers, l'analyse est rejointe par la synthèse bien avant que son œuvre ne soit achevée ; rapidement, les regroupements se manifestent et le schéma complet apparaît, dont l'intelligence peut se saisir.
Cette méthode semble la plus efficace pour vaincre les difficultés rencontrées par l'esprit sur la voie de la connaissance, aussi est-elle utilisée dans la plupart des procédés pédagogiques. L'apprentissage de la lecture par la méthode globale*, par exemple, est fondé sur ce principe.
Dans le domaine psychologique, la même démarche permet de découvrir les motivations* de certains comportements, en s'exerçant sur les rêves*, les oublis*, les lapsus* et les attitudes*, dont l'analyse fait apparaître les significations cachées.
Dans le monde du travail, l'analyse des tâches et de la relation « homme-machine » occupe une place déterminante. Elle permet de calculer la valeur relative des tâches et leur juste rémunération, de désigner les circuits les plus simples et les gestes inutiles, de prévenir les accidents et de donner aux apprentis une formation rationnelle.

analyse didactique
La formation des psychanalystes requiert, en plus des connaissances théoriques apprises à l'université et dans les instituts de psychanalyse, une psychanalyse* personnelle, de longue durée (de deux à quatre ans), avec un analyste expérimenté, habilité par les autorités supérieures de la profession. Il s'agit, à la fois, d'une cure psychanalytique et d'un enseignement oral, individuel, auxquels doit se soumettre celui qui veut devenir psychanalyste. Après cette étape, le débutant peut entreprendre des cures en restant lui-même encore un certain temps sous le contrôle d'un second psychanalyste chevronné.

analyse factorielle, branche des mathématiques appliquées, conçue par C. E. Spearman pour l'analyse des résultats obtenus à plusieurs tests mentaux. D'une façon générale, cette méthode statistique cherche à faire apparaître les facteurs communs à un ensemble de variables, qui ont entre elles certaines corrélations.
Lorsqu'on propose à un individu des tâches différentes, on constate que ses résultats ne se répartissent pas au hasard, qu'il existe entre eux des relations déterminées : devant un écolier qui obtient de très bonnes notes en latin et en géométrie et de mauvaises en dessin, on pense, intuitivement, que les premières sont dues à une aptitude au raisonnement logique qui ne joue pas dans les épreuves graphiques. Mais, pour pouvoir l'affirmer, une confirmation objective est nécessaire. L'analyse factorielle nous la fournit opportunément. Grâce à cette technique, Spearman a pu mettre en évidence l'existence d'une aptitude* générale (qu'il appelle facteur G), qui constituerait l'énergie mentale et serait assimilable à l'intelligence*. Parmi les tests les plus saturés en facteur G figurent les *Progressive Matrices* de J. C. Raven.

analyseur, système neurophysiologique qui permet de percevoir et d'analyser le monde.
Ce terme, employé par I. P. Pavlov, désigne les récepteurs* sensoriels, leurs voies nerveuses et les territoires de l'écorce cérébrale auxquels elles aboutissent. L'analyseur visuel, par exemple, comprend la rétine, les voies optiques et la zone visuelle correspondante du cortex cérébral. Des lésions de l'une ou de l'autre partie de cet appareil nerveux entraînent la cécité*. Mais, tandis que le malade a le sentiment d'être aveugle (parce qu'il vit dans le noir) lorsque l'œil ou ses prolongements nerveux sont atteints, il n'a pas cette conscience quand la destruction affecte le cerveau.

Il existe également des analyseurs internes, qui traitent les messages provenant directement du corps.

anamnèse, ensemble des renseignements recueillis auprès d'un malade et de son entourage, relatifs à son histoire personnelle et à sa maladie.
L'anamnèse oriente le diagnostic* et souvent aussi l'attitude thérapeutique du médecin ou du psychologue. En effet, l'organisation chronologique des éléments fournis par cette enquête permet parfois, à l'investigateur perspicace, de découvrir des relations causales entre certains faits. Par exemple, une soudaine dysorthographie* chez un écolier qui, jusque-là, donnait satisfaction, peut être rapprochée d'une rupture de l'équilibre familial et s'expliquer par celle-ci (naissance d'un nouvel enfant, éloignement d'un parent affectionné, ou toute autre cause).

anandamide (sanscrit *ananda,* félicité), terme créé par le professeur Raphaël Mechoulam (Jérusalem, 1992) pour désigner un médiateur* chimique présent naturellement dans le cerveau et capable de reproduire les effets du cannabinol.
R. Mechoulam a aussi identifié les récepteurs spécifiques des cannabinoïdes présents dans les neurones et montré que l'anandamide est capable de les activer comme le fait le tétrahydrocannabinol, constituant principal du cannabis. → **cannabis, endorphine.**

angoisse, extrême inquiétude, peur irrationnelle.
L'angoisse est une sensation pénible de malaise profond, déterminé par l'impression diffuse d'un danger vague, imminent, devant lequel on reste désarmé et impuissant. Le plus souvent, cet état s'accompagne de modifications neurovégétatives comparables à celles que l'on observe dans les chocs* émotionnels : palpitations, sueurs, tremblements, vision brouillée, etc.
L'angoisse, qui a des effets désorganisateurs sur la conscience, engendre une régression* conjointe de la pensée et de l'affectivité*. Ses causes peuvent être un conflit* intérieur (par exemple, lorsqu'on réprime son agressivité), une activité sexuelle insatisfaisante ou une perte d'amour (deuil, désapprobation d'une personne chère...) qui réactive un vieux sentiment d'abandon, dû à de précédentes expériences pénibles. Dans certains cas, ce n'est pas la situation réelle qui engendre l'angoisse, mais des fantasmes, des représentations imaginaires d'une situation conflictuelle inconsciente. Par exemple, chez certains enfants enclins à la masturbation, les menaces maladroites des parents, qui viennent se greffer sur un fond de culpabilité, peuvent entraîner de fortes réactions émotives et des conduites inadaptées, liées à l'angoisse de castration*, à la crainte d'être mutilé ou de perdre le membre viril. L'angoisse n'est pas, en soi, un phénomène pathologique. Elle est liée à la condition humaine.
D'après les observations de R. Spitz*, la première manifestation d'angoisse véritable se produit, chez le bébé, vers le huitième mois, en l'absence de la mère et à l'approche d'un étranger, brusquement reconnu comme étant différent de cette dernière. Loin d'être une manifestation anormale, ce comportement est le signe d'un progrès. Il est la preuve que l'enfant a atteint la capacité de distinguer entre familier et étranger, et que son développement affectif se déroule normalement. Par la suite, aux moments cruciaux de l'existence, quand une nouvelle adaptation s'avère nécessaire, l'individu retrouve, temporairement, l'angoisse. S'il est incapable de créer les conditions de cette adaptation, l'insécurité persiste, qui peut le conduire à la névrose* ou à la psychose*. L'angoisse pathologique – décrite dans la nomenclature psychiatrique américaine (DSM IV) sous les termes de « trouble panique » *(panic disorder)* et d'« anxiété généralisée » – est le symptôme psychiatrique le plus fréquemment rencontré dans la pratique médicale.

animale (psychologie), branche de la psychologie comparée.
Les progrès de la science psychologique reposant, en grande partie, sur l'emploi des méthodes expérimentales*, les chercheurs (I. P. Pavlov, par exemple) se trouvèrent dans l'obligation de travailler sur les animaux. Ce choix, qui n'est pas sans inconvénients

(tentation d'extrapoler de l'animal à l'homme, pour n'en citer qu'un), offre de nombreux avantages. D'une part, la durée de la vie de la plupart des animaux étant plus brève que celle de l'homme, il est possible d'entreprendre des recherches à long terme. Par exemple, en expérimentant sur vingt générations de rats (il eût fallu 600 ans avec des hommes), on a pu étudier l'influence de l'hérédité sur l'aptitude à parcourir un labyrinthe. D'autre part, étant donné qu'on peut mieux contrôler les conditions de vie et l'état physiologique des animaux que ceux de l'homme, certaines expériences deviennent réalisables ; il est possible, par exemple, de mesurer la force des tendances (faim, soif...) par la méthode des privations, difficilement applicables à l'être humain. La psychologie animale constitue un domaine où s'élaborent de nouvelles méthodes qui font appel aux techniques les plus modernes.

animisme, croyance que toute chose est animée et intentionnée.
Cette attitude se rencontre chez les jeunes enfants et les peuplades primitives, qui sont incapables d'expliquer autrement les phénomènes dont ils ne comprennent pas le mécanisme. L'enfant qui se voit accompagné par la Lune, pendant sa promenade nocturne, est persuadé que celle-ci le suit. De même, les éléments déchaînés sont, plus ou moins consciemment, assimilés par les esprits simples à la colère divine, que l'on essaye de calmer avec des sacrifices propitiatoires. Ce système de pensée, qui remonte aux débuts de l'humanité, se perpétue avec les enfants et se retrouve actuellement non seulement chez 150 millions d'animistes (principalement des habitants d'Afrique, d'Asie et d'Océanie), mais encore chez presque tous les individus peu cultivés.

annulation
Mécanisme par lequel une personne s'efforce de supprimer magiquement une pensée ou un acte, en imaginant ou en accomplissant une action inverse de la précédente : par exemple, recommencer de la main gauche ce qui vient d'être exécuté par la droite. Ce comportement correspond à un mécanisme de défense* du moi, destiné à conjurer l'angoisse due à l'apparition de sentiments ou de pensées inacceptables par l'individu conscient. L'*annulation rétroactive* décrite par Freud, participe de la pensée magique ; on la trouve notamment dans les rituels obsessionnels.

anorexie mentale, refus de l'alimentation.
L'anorexie mentale s'observe surtout chez les adolescentes et les jeunes femmes, de 15 à 25 ans, en général vierges, mais parfois aussi chez de jeunes enfants et même des nourrissons. Selon W. H. Kaye (1982), l'anorexique ne mange pas parce que la sensation de faim disparaît, pendant le jeûne, sous l'action des morphines endogènes (endorphines*) dont la présence dans l'hypothalamus, en quantité accrue, a été objectivée. Mais la raison du jeûne ne serait pas connue. Pourtant, l'analyse psychologique fait apparaître, dans presque tous les cas, un conflit actuel avec l'entourage, plus spécialement avec la mère. La crainte de l'abandon, la culpabilité liée à l'éveil de la sexualité provoquent parfois ce comportement, qui signifie la nostalgie du passé, le désir de revenir à la situation infantile. Le traitement le plus efficace consiste en une séparation temporaire (rarement plus de 2 mois) du milieu familial et une action psychothérapique appliquée au malade et à ses parents.

anormal, ce qui est en dehors des normes, qui n'est pas fréquent.
L'anormalité implique la référence à un groupe déterminé et à une moyenne préalablement établie. C'est une notion très relative, dont on pourrait trouver l'illustration dans les voyages de Gulliver, qui se retrouve, successivement, « anormal » au milieu des Lilliputiens, puis à Brobdingnag, chez les géants. Le concept d'anormalité est d'autant plus difficile à appréhender que l'on a tendance à identifier norme et fréquence, et à juger suspects tous les « déviants », surtout ceux qui professent des opinions contraires aux idées reçues (Socrate, Soljenitsyne...). L'anormal n'est pas toujours le pathologique. L'homme considéré comme « anormal » peut être aussi celui qui fera progresser l'humanité.

anoxie, raréfaction ou suppression de l'oxygène distribué par le sang aux tissus.

L'anoxie entraîne des altérations cellulaires, surtout au niveau des formations nerveuses supérieures qui sont extrêmement vulnérables. Lorsque l'anoxie survient à la naissance, par suite d'un accouchement difficile, l'enfant est « bleu » ; il faut délicatement le battre sur les fesses et dans le dos, pour qu'il fasse entendre son premier cri (qui correspond à l'introduction brutale de l'air dans les poumons), ou le ranimer par la méthode du bouche-à-bouche. Dans ces situations, le temps presse, car, après 5 à 10 minutes, des lésions cérébrales, irréversibles, peuvent s'installer, génératrices de troubles neurologiques ou d'arriération* mentale.

anthropologie, science de l'homme et de ses œuvres.

Traditionnellement, on distingue l'*anthropologie physique*, qui étudie les caractéristiques morphologiques des différentes races humaines, en se servant, surtout, de mensurations, et l'*anthropologie culturelle*, qui applique sa recherche aux faits de culture*. Les tenants de cette deuxième école partent du principe que pour comprendre l'homme il est nécessaire de le situer dans son milieu social. En interprétant les faits culturels, il est possible de comprendre les structures sociales et, à travers elles, l'être humain. Mais l'anthropologie s'est considérablement développée et, actuellement, dans notre pays, les anthropologues considèrent sous ce terme générique quatre domaines : 1. l'anthropologie sociale et culturelle (ou ethnologie) ; 2. l'anthropologie linguistique (ou ethnolinguistique) ; 3. l'anthropologie biologique ou physique, qui étudie les variations des caractères biologiques de l'homme dans l'espace et dans le temps ; 4. l'étude de la préhistoire.

anticipation, action de devancer.

Par un mouvement de la pensée, une action déterminée peut être exécutée avant l'apparition du signal attendu. L'expérience quotidienne montre que la pensée organise régulièrement des schémas anticipatoires à partir de certains éléments. Ceci est particulièrement net dans la lecture ou le déchiffrage d'une partition musicale, quand le lecteur « devine » ce qui va suivre. Les travaux de psychologie animale* ont établi que l'anticipation existe aussi chez les bêtes, même chez les invertébrés inférieurs.

antipsychiatrie, mouvement philosophique et médical qui critique la conception occidentale de la folie et le rôle des médecins psychiatres dans notre société.

L'antipsychiatrie est née, au début des années 1960, avec la diffusion des idées de G. Bateson sur l'origine psychofamiliale de la schizophrénie, celles de M. Foucault sur la folie et celles de H. Marcuse sur la société d'abondance.

La thèse essentielle des antipsychiatres est que la maladie mentale (la schizophrénie, en particulier), n'ayant d'autres causes que psychosociales, n'est pas vraiment une maladie. Les « fous » sont en réalité des « non-conformistes », des « déviants » par rapport à une norme établie, et leur internement n'a d'autre but que de les contraindre à accepter un certain ordre social. À partir de ce postulat, il faudrait supprimer les hôpitaux psychiatriques ou, à défaut, les transformer en lieux d'accueil, d'où toute violence, y compris la contrainte de la simple discipline, serait bannie. La première expérience est tentée, en 1962, par un médecin anglais, D. Cooper, mais, devant l'hostilité des infirmiers, elle doit cesser en 1966. D'autres communautés thérapeutiques – où malades et personnel soignant se confondent, se réunissent, discutent librement, analysent les événements quotidiens de leur communauté – ont été créées en Angleterre par D. Cooper, R. D. Laing, A. Esterson et L. Redler ; en Italie, par F. Basaglia ; en France, par M. Mannoni. L'antipsychiatrie effraye l'opinion publique, et nombre de psychiatres la considèrent comme irréaliste et utopique.

anxiété, état affectif caractérisé par un sentiment d'insécurité, de trouble diffus.

Souvent employée comme synonyme d'angoisse, l'anxiété s'en différencie par l'absence de modifications physiologiques (sensation d'étouffement, sueurs, accélération du pouls...), qui ne manquent jamais dans l'angoisse. Plusieurs écoles essayent d'expliquer la genèse de l'anxiété selon leurs positions doctrinales. Pour les théoriciens de l'apprentissage, cet état serait une réaction conditionnée de crainte, une tendance acquise. Selon les psychanalystes, au contraire, l'anxiété s'expliquerait par les frustrations de la libido* et les interdits du surmoi* ; ce serait un signal de danger adressé au moi* – c'est-à-dire à la personnalité consciente – qui, ainsi prévenu, peut y répondre par des mesures adéquates ou en mobilisant ses mécanismes de défense*.

anxiété (thérapie par provocation d'), technique développée par P. E. Sifneos, en contradiction paradoxale avec les buts classiques (faire baisser et disparaître l'anxiété).
Cette technique n'est applicable que si le moi* du patient est fort, si le sujet est motivé pour changer rapidement et si la cause déclenchante du symptôme est bien définie. Dans ces conditions, la psychothérapie* consiste (dans la sécurité d'un lien positif de confiance avec le thérapeute) à aller chercher le conflit inconscient sous-jacent à la crise actuelle, ce qui accroît l'anxiété. Forme contrôlée de psychanalyse* accélérée, cette technique s'applique à la thérapie d'une « crise » brutale provoquée par un événement fortuit ou à des symptômes chroniques limités. La durée moyenne du traitement varie de 2 à 5 mois. Cette technique diffère totalement d'une autre forme de psychothérapie par provocation d'anxiété, dite « technique de désensibilisation systématique », qui s'inscrit dans le courant des thérapies comportementales*.

apathie, indolence, mollesse, insensibilité apparente aux stimulations affectives.
Cet état peut être lié à la constitution physique, à un dysfonctionnement endocrinien (insuffisance thyroïdienne ou surrénale), à un trouble nerveux (dépression, confusion mentale, démence...) ou encore à certaines conditions de vie de longue durée (détention, chômage).

apathique, dans la caractérologie de G. Heymans et E. Wiersma, type de personnalité se définissant par une faible émotivité* (nE), l'inactivité (nA) et la lenteur de réaction aux impressions (S).
L'apathique est l'opposé du colérique* (E.A.P.). Homme de principes et d'habitudes, il se caractérise par sa placidité, son calme et son conformisme. Introverti, secret, il se livre peu. C'est un esprit rationnel, froid, fermé aux considérations sentimentales.

aphasie, altération pathologique du langage.
Cette infirmité, consécutive à des lésions cérébrales localisées à l'hémisphère gauche chez les droitiers, peut survenir chez des sujets d'intelligence normale et ne présentant ni trouble de l'affectivité ni déficience des fonctions perceptives et motrices. Malgré l'étymologie du mot, il n'y a pas de perte de la parole*, mais perturbation de la capacité d'utiliser les règles grâce auxquelles on produit et on comprend les messages verbaux.
Les aspects de l'aphasie sont multiples On peut les regrouper en deux formes principales : l'*aphasie de Wernicke*, ou aphasie sensorielle, et l'*aphasie de Broca*, ou aphasie motrice. Dans la première, le malade parle, mais mal, son vocabulaire présente des lacunes, il comprend difficilement ce qu'on lui dit et, souvent, il a perdu le sens du langage* écrit. Dans la seconde, ce n'est plus la compréhension de la parole qui est atteinte, mais l'expression. Le malade devient incapable d'articuler un seul mot et n'arrive même plus à s'exprimer, spontanément, par l'écriture*. Ces troubles s'observent à la suite d'accidents vasculaires cérébraux, de traumatismes* crâniens, d'encéphalites, de tumeurs cérébrales, etc., mais aussi, transitoirement, au cours de certaines maladies (tel le diabète) ou intoxications (par l'oxyde de carbone, par exemple). Les essais de traitement de l'aphasie sont décevants. À défaut de thérapeutique, une rééducation bien conduite peut aider les aphasiques.

appareil psychique, modèle théorique imaginé par S. Freud pour représenter et rendre compréhensible le fonctionnement de la vie mentale.

Freud a élaboré deux théories de l'appareil psychique. La première, formulée en 1900, conçoit l'appareil psychique sur le modèle de l'arc réflexe, avec une extrémité sensitive et une extrémité motrice. Les perceptions (pôle sensitif) laissent dans notre psychisme des impressions dont beaucoup ne deviennent presque jamais conscientes. (Ce système inconscient n'est pas seulement le siège des souvenirs oubliés, mais aussi celui des pulsions* innées et de certains désirs*.) À l'extrémité motrice se situe le système *préconscient**. L'inconscient et le préconscient sont séparés par la *censure**, qui règle le passage entre ces deux systèmes. La deuxième théorie de l'appareil psychique, exposée en 1923, vient rectifier certaines faiblesses de la première. Elle distingue, dans la personnalité, trois instances : 1. le *moi**, qui est en rapport avec les perceptions, règle le déroulement des processus psychiques dans le temps et les soumet à l'épreuve de la réalité ; 2. le *ça**, où s'agitent nos pulsions primitives que le moi voudrait soumettre à son pouvoir ; 3. le *surmoi**, qui s'exprime par la morale. Le ça est soumis au principe* de *plaisir*, le moi au principe de *réalité*.

apprentissage, acquisition d'un nouveau comportement, à la suite d'un entraînement particulier.

Ce terme désignant des situations aussi diverses que l'acquisition de la marche ou de la propreté, d'habitudes alimentaires, d'un métier, etc., il paraît impossible de donner une théorie unique de ce phénomène qui soit pleinement satisfaisante.

L'apprentissage constitue un changement adaptatif observé dans le comportement de l'organisme. Il résulte de l'interaction de celui-ci avec le milieu. Il est indissociable de la maturation physiologique et de l'éducation. Entre plusieurs sujets soumis au même apprentissage, on constate des différences, parfois considérables, qui sont dues aux facteurs personnels tels que l'âge, l'intelligence, la motivation et l'attitude plus ou moins active de chacun. Les meilleures conditions sont réalisées lorsque les individus sont de jeunes adultes, intelligents, ayant une motivation moyenne (si celle-ci est trop forte, elle peut engendrer l'anxiété), et qui œuvrent activement au développement de leurs connaissances. Celles-ci sont facilitées par les louanges et les récompenses, qui renforcent la motivation, et par une répartition assez large des essais dans le temps, variable avec les sujets et les tâches à accomplir. L'apprentissage ne conditionne pas seulement les acquisitions individuelles : il participe à l'élaboration de la personnalité entière. C'est ce qu'ont bien vu les psychanalystes qui, pour comprendre les conduites actuelles, explorent systématiquement le passé des malades, jusqu'à la petite enfance, afin de retrouver les situations traumatisantes et les attitudes infantiles susceptibles de les expliquer. La révolte de l'enfant vis-à-vis de son père se retrouve dans le comportement frondeur de l'adulte qui accepte mal l'autorité de ses chefs. Il ne s'agit pas, ainsi qu'on pourrait le croire, d'un conditionnement*, mais, plutôt, de la généralisation d'un apprentissage social. La théorie du conditionnement, pour séduisante qu'elle soit, reste contestable dans ce cas. En effet, l'organisme ne se contente pas de réagir d'une manière automatique à des stimulus complexes : il en saisit le sens, il en apprend la signification.

Pour une confirmation de cette thèse, on peut se reporter à certains travaux de psychophysiologie nerveuse effectués sur des primates (K. S. Lashley, 1924). Si, par exemple, après avoir habitué un singe à se servir de sa main droite pour répondre à un excitant déterminé, on crée une lésion cérébrale dans la zone motrice correspondante, on constate que l'animal reste capable d'accomplir la même réponse manuelle, facilement, avec sa main gauche. Il faut donc supposer qu'il y a eu, dans ce cas, non plus simple conditionnement mais bien acquisition d'une action intentionnelle. Parmi les diverses théories de l'apprentissage, celle de E. C. Tolman* paraît la plus satisfaisante. D'après lui, l'organisme, motivé, s'oriente vers un but ; il anticipe un certain résultat que l'apprentissage vient confirmer. Ce schéma général semble mieux adapté aux faits observés que d'autres explications mécanistes.

apraxie, perte de la capacité d'exécuter des gestes ou des actes tant soit peu complexes, sans que cela soit dû à une paralysie ou à une déficience motrice.
On distingue plusieurs variétés d'apraxie : 1. l'apraxie bucco-faciale (impossibilité d'exécuter sur ordre des mouvements de la bouche et de la face) ; 2. l'apraxie de l'habillage ; 3. l'apraxie idéomotrice (impossibilité d'effectuer un geste symbolique tel que le salut militaire) ; 4. l'apraxie idéatoire (impossibilité d'utiliser correctement un objet, d'allumer une bougie, par exemple). Le sujet imagine, décrit le geste qu'on lui demande de faire (et qu'il voudrait bien exécuter), mais il ne sait plus le faire : il a « oublié » le schéma dynamique gestuel. L'apraxie n'est pas une agnosie*, mais, plutôt, une amnésie* motrice, due à des lésions de l'écorce cérébrale.

L'apraxie constructive est un trouble de l'exécution de dessins et de tâches constructives (puzzle, cubes...) : le malade (dessins de droite) est incapable de reproduire les dessins de gauche.

aptitude, disposition naturelle et acquise à effectuer certaines tâches.
D'après E. Claparède, l'aptitude est ce qui permet de différencier les individus quand, à égalité d'éducation, on les considère sous l'angle du rendement. Selon le domaine auquel elles appartiennent, on classe les dispositions en aptitudes intellectuelles, sensorielles, motrices, etc. Des fonctions générales comme l'attention ou le jugement peuvent être considérées comme des aptitudes, au même titre que des dispositions particulières telles que l'habileté au dessin.
Longtemps les aptitudes restent indifférenciées, et ce n'est généralement qu'à partir de 10 ans environ qu'elles commencent à se préciser. Tandis que l'aptitude musicale et l'habileté au dessin se manifestent assez précocement, les dispositions aux mathématiques et à la démarche scientifique n'apparaissent pas avant 14 ou 16 ans. Le diagnostic des aptitudes est une tâche importante des conseillers* d'orientation qui ont la charge de guider les jeunes gens dans le choix d'une profession.

archétype, modèle primitif éternel.
Ce terme, emprunté à saint Augustin, a été introduit en psychologie des profondeurs par C. G. Jung (1919) pour désigner les images anciennes (le dragon, le Paradis perdu...) qui constituent un fonds commun à toute l'humanité. Dans chaque personne, on les retrouve, en tout temps et en tout lieu, à côté des souvenirs personnels. Portés par les récits fabuleux, la mythologie, les contes et les légendes, les archétypes se manifestent dans les rêves*, les délires* et les arts picturaux. Ils remplissent ce que Jung appelle l'*inconscient collectif*.

arriération, état d'un enfant ou d'un adulte retardé dans son développement.
Ce retard, qui s'évalue relativement à la moyenne du groupe auquel appartient l'individu considéré, peut être global ou, au contraire, n'affecter qu'une partie de la personnalité*. Lorsque les fonctions psychiques sont atteintes, le sujet est incapable de réussir dans la vie ; s'il s'agit d'un enfant, il se révèle inapte à apprendre, naïf et égocentrique.
1. L'arriération *intellectuelle* correspond à une insuffisance congénitale du développement de l'intelligence, qui se manifeste précocement et ne peut, en principe, jamais être comblée. En France, on évalue entre 3 et 6 ‰ le taux d'arriération grave. L'arriération intellectuelle peut être due à l'hérédité, à une fragilité du chromosome X (transmise par les femmes, et qui peut affecter tous les garçons d'une même mère), à une aberration chromosomi-

que (telle que le syndrome de Down), à une atteinte organique du cerveau, consécutive à une maladie de la mère pendant la grossesse (comme la rubéole), à un traumatisme crânien au moment de la naissance, à une encéphalite, etc. Cependant, il existe d'autres états d'arriération intellectuelle dont les causes restent inconnues, mais qui semblent en relation avec une « négligence culturelle » (comme dans le cas des enfants sauvages) ou une carence affective précoce.

2. L'arriération *affective*, qui apparaît le plus souvent chez les individus d'intelligence normale, correspond à une immaturité psychique, par suite d'une fixation à un certain stade de l'enfance ; elle se manifeste essentiellement par l'attachement excessif aux parents, l'absence d'autonomie, l'égoïsme, la puérilité, et peut évoluer favorablement sous l'influence de la psychothérapie.

aspiration, ensemble des tendances qui poussent un homme vers un idéal.

On parle d'« aspiration » dans une action quand l'aboutissement de celle-ci signifie pour un individu la réalisation de ses capacités. Nos succès et nos échecs sont fonction du niveau de réussite que l'on espère atteindre, celui que l'on s'assigne dans une entreprise donnée. Ce niveau d'aspiration est d'importance primordiale dans le comportement des êtres humains, car il influence, d'une façon plus ou moins claire, la recherche de la plupart de leurs buts. Dépendant, à la fois, de facteurs individuels et de facteurs sociaux, il nécessite une certaine connaissance de soi, de sa valeur* propre, de ses aptitudes et de ses limites, et le désir d'accéder à un statut* déterminé. Parfois le sujet, profondément influencé par les conditions sociales, aspire à atteindre un but trop élevé par rapport à ses possibilités : il a une certaine vocation mais pas les aptitudes nécessaires à sa réalisation, ce qui risque de lui créer des désillusions et de le conduire à l'inadaptation*. Il existe des tests de niveau d'aspiration qui permettent de préciser quelques traits de personnalité des sujets examinés et, par généralisation, de prédire leur comportement dans des situations de la vie réelle.

assimilation, conduite active par laquelle on modifie le milieu au lieu de s'en accommoder.

En physiologie, l'assimilation est le processus par lequel les êtres vivants transforment les éléments tirés de leur environnement en leur propre substance. En psychologie, J. Piaget nomme « assimilation mentale » l'application d'un schème d'action (sorte de canevas) d'une situation à une autre. Par exemple, le bébé qui découvre qu'un objet peut être mû par un cordon tirera sur la nappe pour s'emparer d'un jouet. → **accommodation.**

association, action de rapprocher, de réunir.

Les phénomènes psychiques ont la propriété de se lier dans la conscience, indépendamment de la volonté, en vertu de certaines lois, énoncées par Aristote. Celui-ci avait remarqué que la recherche des souvenirs était facilitée par la référence à d'autres impressions, qui entretiennent avec ceux-ci des rapports de contiguïté, de similitude ou d'opposition. L'étude de ces lois primaires de l'association (contiguïté, ressemblance et contraste) fut au premier plan de la psychologie des XVIIIe et XIXe siècles. Sir Francis Galton (1822-1911), qui essaya sur lui-même l'expérience des *associations libres*, conclut que les mots et les idées associés « mettent en lumière avec une curieuse précision les fondements de la pensée de l'homme et exhibent son anatomie mentale avec plus de crudité qu'il ne souhaiterait certainement la faire voir à tous ». Cette constatation incita des psychiatres (G. H. Kent et A. J. Rosanoff) et des psychanalystes (C. G. Jung) à mettre au point des listes de mots susceptibles de toucher les problèmes psychologiques de leurs patients et de révéler leurs complexes*. Cette épreuve a aussi été utilisée pour identifier un criminel parmi des suspects. Dans ce cas, on choisit vingt mots susceptibles de rappeler au coupable la scène et les circonstances du délit, que l'on mélange à quatre-vingts mots neutres. On note les temps de réaction, les signes émotionnels et, quand on dispose de l'appareillage nécessaire, les réactions électrodermales* et la pression sanguine. La comparaison des protocoles de suspects permet

souvent d'amener le délinquant à l'aveu de son crime.
La cure psychanalytique est aussi fondée sur la libre association. Au lieu de demander au patient de parler d'un sujet déterminé, on l'incite à s'exprimer librement, sans contrainte, à communiquer tout ce qui lui vient à l'esprit. De la sorte, le psychanalyste n'introduit rien de ce qui lui est personnel dans la cure et seul le patient détermine la marche de l'analyse.

assuétude, état psychophysiologique d'une personne habituée à absorber des drogues* et dont elle ne peut plus se passer.
Le sujet qui consomme des toxiques majeurs finit par être totalement dépendant d'eux. Son désir insurmontable le pousse à se procurer la drogue par tous les moyens, même répréhensibles. Pour retrouver les sensations passées, il a tendance à augmenter les doses, ce qui ne manque pas de nuire à sa santé. Si l'on supprime son produit, il devient irritable, anxieux, et se trouve dans un état de grand malaise physique. → **addiction, dépendance, sevrage, toxicomanie.**

astasie (*a* privatif et gr. *stasis*, station), impossibilité plus ou moins complète de se tenir debout.
Ce trouble de l'équilibre accompagne généralement l'abasie*. Il peut être dû à des lésions des labyrinthes, du cervelet ou des noyaux gris centraux, ou apparaître indépendamment d'atteintes neurologiques ou musculaires. Dans ce cas, il s'agit d'un trouble fonctionnel simulant la paraplégie (paralysie des membres inférieurs). → **hystérie.**

asthénie, manque ou affaiblissement des forces.
L'asthénie est un état de fatigue permanent que le repos ne suffit pas à faire disparaître. Elle se caractérise par la lassitude et la fatigabilité physique et intellectuelle. Elle peut être consécutive à une infection (hépatite virale...), à un dysfonctionnement endocrinien (hypothyroïdie, insuffisance surrénale...), au surmenage, ou encore être due à des causes purement psychologiques (refoulement* ou frustrations* répétées).

asthénique
Dans la biotypologie de E. Kretschmer*, type morphologique caractérisé par son aspect longiligne. → **leptosome.**

atelier protégé, lieu où travaillent des ouvriers handicapés qui ne peuvent s'adapter à la grande collectivité ou qui sont incapables de satisfaire les exigences habituelles des employeurs.
Le plus souvent, il s'agit d'anciens malades mentaux ou physiques, dont l'efficience est encore limitée par des séquelles de leur affection, et qui souhaitent se réadapter, progressivement, à une vie sociale normale. Les ouvriers y travaillent de 30 à 39 heures par semaine ; ils perçoivent une rémunération, proportionnelle à leur rendement, qui ne peut cependant être inférieure au salaire fixé par décret ministériel. Le travail protégé, prévu par le Code de la famille et de l'aide sociale (art. 167 et 168), a été défini par la loi du 23 juin 1975 en faveur des handicapés et par le décret du 31 décembre 1977. L'admission en atelier protégé est subordonnée à l'autorisation de la commission* technique d'orientation et de reclassement professionnel (CO.T.O.RE.P.).

athlétique, se dit d'un sujet qui a les caractéristiques physiques de l'athlète.
D'après E. Kretschmer*, les individus de ce type possèdent un tempérament particulier, où prédominent l'intériorisation des émotions, la timidité et l'idéalisme.

atome social, expression due à J. L. Moreno* et désignant le tissu des relations d'*un* individu avec son entourage, schématisées sous forme d'attractions et de répulsions réciproques.
La représentation graphique de l'ensemble des atomes sociaux d'un petit groupe est appelée « sociogramme* ».

attachement, ensemble des liens qui se sont établis entre un bébé et sa mère à partir des sensations et des perceptions du nourrisson vis-à-vis de cette dernière et, réciproquement, de la mère à l'égard de son enfant.

Dès le troisième jour après sa naissance, le nourrisson est capable de reconnaître l'odeur du sein et du cou de sa mère, et de les différencier de celles d'une autre femme ayant un bébé du même âge. De même, il est capable de distinguer sa voix, le goût de sa peau, la qualité de son toucher.
La notion d'attachement a été introduite en psychologie en 1959 par J. Bowlby (1907-1990), à la suite des travaux des éthologues. H. F. Harlow présentait à de jeunes macaques rhésus deux mères substitutives : l'une faite de fil de fer mais pourvue d'un biberon de lait, l'autre sans biberon mais recouverte de fourrure. Les bébés singes se précipitaient vers cette dernière, préférant le contact et la chaleur du pelage au lait. Cette observation contredisait la thèse psychologique selon laquelle le lien à la mère dérive de la satisfaction du besoin de nourriture.
Pour Bowlby, il ne fait pas de doute que l'attachement est un processus inné dont nombre de mécanismes, tels le cri, l'agrippement, l'étreinte, la succion sont communs à l'enfant et au jeune primate. Le sourire, spécifiquement humain, est l'un des mécanismes d'attachement apparaissant très précocement chez le nouveau-né. La théorie de l'attachement s'est progressivement enrichie ; actuellement, elle dépasse la dyade mère-enfant pour englober les relations avec les autres membres de l'entourage.

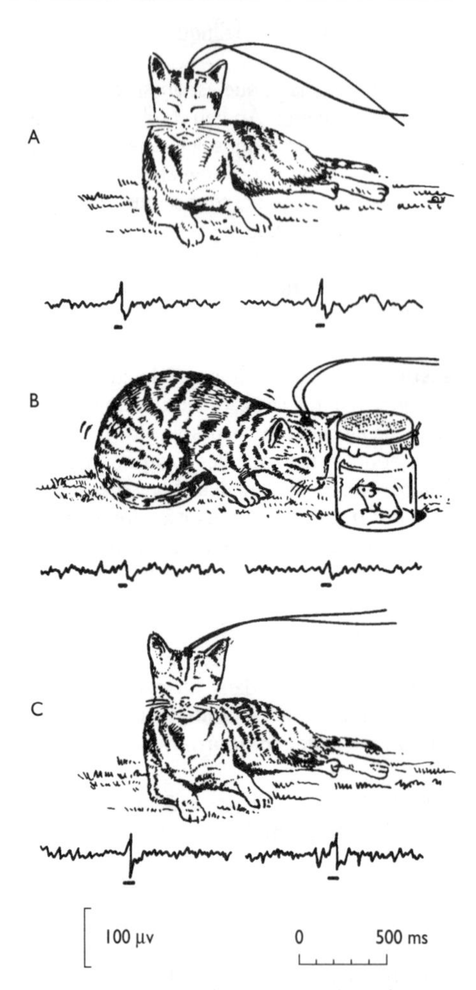

Lorsque l'attention du chat est concentrée sur la souris, son potentiel auditif est limité. Il redevient normal dès que l'on retire la souris.

attention, concentration de l'esprit sur quelque chose.
Être attentif, c'est, d'une certaine façon, se fermer au monde extérieur pour se focaliser sur ce qui nous intéresse.
En expérimentant sur le chat, il a été possible de montrer ce qui se passe au niveau neurophysiologique. Tout d'abord, on fait entendre des sons brefs (« clics ») à l'animal et on enregistre les influx nerveux de son oreille. Puis on fait apparaître une souris : la perception des clics se trouve diminuée. L'intérêt du chat pour la souris, qui l'amène à concentrer son attention sur celle-ci, limite son champ de conscience. Dès que la souris est retirée, les potentiels recueillis redeviennent semblables à eux-mêmes. Il y a donc eu inhibition relative et temporaire de l'excitation nerveuse, les structures supérieures (cortex cérébral) agissant directement sur les inférieures.
Schématiquement, on classe les variétés d'attention en deux grandes catégories : l'attention volontaire, qui dépend de l'individu et de ses motivations, et l'attention involontaire, qui est attirée par le milieu extérieur, par suite de l'organisation particulière du champ perceptif où un objet apparaît, détaché de l'ensemble. Tous les efforts de la publicité* tendent à attirer l'attention du public sur un produit, en aménageant son champ perceptif, puis à la maintenir éveillée, en l'intéressant

d'une façon plus profonde. À cause de ses conséquences pratiques, le problème de l'attention a fait l'objet d'importants travaux dans les laboratoires de psychologie expérimentale de l'armée et de l'industrie. Dans les tâches monotones, l'attention baisse rapidement. Au-delà d'une durée de vingt minutes, les erreurs et la fatigue apparaissent et il faut remplacer l'homme de service. Il est possible d'apprécier la capacité d'attention d'un sujet par des tests. Le plus simple consiste à lui faire barrer certaines lettres (tous les *a*, par exemple) dans un texte ; on note ensuite les erreurs et la vitesse d'exécution.

attitude, manière d'être dans une situation.
Le concept d'attitude recouvre diverses significations. Il désigne l'orientation de la pensée, les dispositions profondes de notre être, l'état d'esprit qui est le nôtre devant certaines valeurs (de l'effort, de l'argent...), etc. Il existe des attitudes personnelles, ne mettant en cause que l'individu (les préférences esthétiques, par exemple), et des attitudes sociales (les choix politiques), qui ont une incidence sur les groupes. Mais ce qui caractérise les unes et les autres, c'est qu'il s'agit toujours d'un ensemble de réactions personnelles à un objet déterminé : animal, personne, idée ou chose. Le sujet les perçoit lui-même comme faisant partie intégrante de sa personnalité, ce qui les apparente de très près aux traits de caractère. Plus le moi* est fort, plus les attitudes sont indépendantes, ouvertes et souples ; plus il est faible, plus les attitudes sont rigides.
Les attitudes sont toutes bipolaires (négatives ou positives, favorables ou défavorables) et elles ont toujours une certaine intensité, qui peut aller de la haine à l'amour, de l'indifférence à la passion ; on peut donc les ordonner sur des échelles, voire les mesurer (L. L. Thurstone*, 1928). → **sondage.**

autisme, repliement excessif sur soi, entraînant un détachement de la réalité et une intensification de la vie imaginative.
En 1943, L. Kanner (1894-1981) a décrit sous le nom d'*autisme infantile précoce* une forme de psychose de l'enfant. Ce syndrome, qui s'observe beaucoup plus souvent chez les garçons que chez les filles (de 2 à 4 fois plus), peut apparaître très tôt (avant 30 mois).
Il comporte deux traits essentiels : le repliement sur soi et le besoin impérieux de ne rien changer ; 1. le repliement sur soi se traduit, notamment, par une totale indifférence à l'égard du monde extérieur. L'enfant se conduit comme s'il était seul de façon permanente, il se berce, se balance d'une jambe sur l'autre, joue avec ses mains, sautille sur la pointe des pieds, tourne sur lui-même, etc. ; 2. la résistance à tout changement se manifeste, notamment, par des activités ritualisées (par exemple, mettre ses vêtements dans le même ordre) ou la répétition inlassable des mêmes jeux. L'enfant autiste, perdu dans ses activités stéréotypées, évolue dans un univers privé, qu'il a jalonné de repères. Mais cet éloignement de notre monde, qui interdit toute fréquentation des milieux scolaires normaux sinon toute acquisition intellectuelle, conduit à une situation déficitaire grave et irréversible.

autoérotisme, jouissance sexuelle éprouvée en l'absence de partenaire.
Celle-ci peut survenir spontanément, pendant le sommeil, mais le plus souvent elle est recherchée par le sujet, au moyen de l'onanisme*. Chez les enfants, d'autres activités, d'un caractère moins évidemment sexuel, telles que la succion* du pouce ou le balancement du corps, sont des comportements autoérotiques qui déterminent une détente et un bien-être. En pratique, ces activités disparaissent d'elles-mêmes, quand les sujets ont atteint une certaine maturité affective. Lorsqu'on les retrouve chez l'adulte, elles sont le signe d'une régression*.

automatisme, activité qui échappe au contrôle volontaire et se réalise indépendamment de soi.
Les réflexes, l'activité du cœur, celle des centres respiratoires et de l'appareil digestif sont les principaux automatismes biologiques de l'organisme. Normalement, une activité apprise et fréquemment répétée devient automatique. Même la vie psychique a ses automatismes (association des idées, mémoire...). Dans certains états pathologiques (hystérie,

épilepsie, traumatisme crânien), on peut observer des activités automatiques, telles que marcher ou prendre le train, qui échappent à la conscience des malades. Et souvent, dans les délires, ceux-ci font état de phénomènes d'automatisme mental, vécus par eux comme une manipulation de leur personne : « on » les fait parler ou agir ; « on » commande leurs pensées. Cette forme particulière du délire d'influence, symptomatique d'une dissociation* de la personnalité, a été étudiée par le psychiatre russe V. Kandinskii et le Français G. G. de Clérambault.

autopunition, punition qu'on s'inflige à soi-même.
À la base d'un tel comportement, il y a toujours le sentiment d'avoir commis une faute, qui peut varier depuis la culpabilité normale jusqu'à l'autoaccusation délirante. Généralement, il s'agit alors de mélancoliques, qui dramatisent les fautes les plus bénignes, se sentent responsables des malheurs d'autrui et indignes de vivre. Pour se châtier, ils ne reculent ni devant l'automutilation (portant sur n'importe quel organe : les yeux, la main, les organes génitaux), ni devant le suicide.

autorité, influence imposée aux autres pour se faire obéir dans un certain domaine.
L'autorité est aussi nécessaire aux enfants que l'affection. Au moment de l'adolescence, elle devient même plus importante. Des études et des enquêtes effectuées par des psychologues et des psychiatres (J. M. Sutter, H. Luccioni) montrent que l'absence de discipline entraîne des perturbations graves chez certains jeunes gens. Sans autorité, l'éducation se fait mal, la personnalité reste faible, inconsistante ; la conscience morale est déficiente ; le sujet vit dans l'insécurité et l'anxiété. Cependant, l'autorité mal comprise, tyrannique, est aussi néfaste que la carence* d'autorité (T. W. Adorno). Dans les familles où, normalement, le père exerce l'autorité, certaines attitudes paternelles rigides sont responsables des échecs et des troubles de la vie sociale ultérieure des enfants. Le père qui exerce son autorité doit le faire pour protéger l'enfant des dangers qu'il est encore incapable de dominer, et non pas pour affirmer sa propre personnalité.

aversion (thérapie par), forme de thérapie comportementale qui vise à détourner un sujet d'une conduite en l'associant à un désagrément (choc électrique, sonnerie...).
Une telle association tend à provoquer une réaction d'évitement, c'est-à-dire à créer un nouveau comportement. La thérapie par aversion nécessite le consentement et la participation volontaire du patient. On l'utilise surtout pour lutter contre les toxicomanies (spécialement l'alcoolisme) et les déviations sexuelles.

aveu, reconnaissance d'une action difficile à révéler.
L'aveu peut être spontané ou provoqué. Il peut avoir un effet bienfaisant quand la faute cachée, démesurément grossie par le sujet, représente pour celui-ci une charge écrasante. On a pu observer de spectaculaires guérisons d'affections psychosomatiques* à la suite de l'aveu d'une conduite réprouvée par la conscience morale. Cette fonction libératrice de l'aveu est couramment utilisée par la confession religieuse et par la psychanalyse, mais il n'a pas le même sens selon l'interlocuteur.

avidité, désir ardent, immodéré, de quelque chose.
En caractérologie*, ce terme désigne l'un des facteurs de tendances introduit par G. Berger* dans la typologie de G. Heymans et E. D. Wiersma. L'avide (Av) a soif de conquêtes et d'acquisitions. Il recherche la prééminence de son moi. Le contraire de l'avidité est le détachement (nAv), qui s'observe à l'état pur chez certains sages et ascètes. Dans la théorie de M. Klein, l'avidité serait constitutionnelle, mais renforcée par l'angoisse de ne pas être suffisamment « bon » pour être aimé.

babillage, stade prélinguistique de l'enfant, se caractérisant par une émission de sons plus ou moins articulés, sans signification, et apparaissant vers le troisième mois.
Le babillage (appelé aussi gazouillis, lallation ou jasis) succède aux vagissements du nouveau-né. C'est une activité innée, ludique – l'enfant semble prendre plaisir au fonctionnement de ses cordes vocales –, indépendante de toute expérience auditive, car elle existe même chez les enfants atteints de surdité congénitale. Le babillage prélude à l'acquisition du langage* et à la communication verbale. En effet, l'enfant imite à la fois les sons qu'il produit (« a-a-a »,« rrre »...) et ceux émanant de son entourage. Vers le sixième mois, il répète les premières syllabes : « ma-ma-ma », « pa-pa-pa », « ta-ta-ta », etc., auxquelles les parents ont vite fait d'attribuer un sens. C'est ainsi que, progressivement, l'enfant sélectionne les sons qui provoquent autour de lui des réactions et élimine les autres. Au babillage, qui disparaît vers le neuvième mois, succèdent l'imitation des syllabes entendues, puis les premiers mots.

Babinski (Joseph), neurologue français (Paris 1857 – id. 1932).
Il est surtout connu pour ses travaux sur le système nerveux. Il a montré le caractère artificiel des troubles observés dans l'hystérie dite « hystérie de conversion* » et à laquelle il a donné le nom de *pithiatisme,* qui sont guérissables par la persuasion.

baby-test, ensemble d'épreuves reposant sur l'observation systématique du développement des nourrissons et des bébés.
Les différents aspects du comportement sont explorés dans le baby-test : la *motricité,* la *posture* (les attitudes envers les êtres et les choses), le *langage* et le *comportement psychosocial.* Les premières échelles de développement psychomoteur de la petite enfance ont été élaborées par A. Gesell* (1925) et Ch. Bühler (1932). À la fin des années 1970, le pédiatre américain J. B. Brazelton a proposé une nouvelle *échelle d'évaluation du comportement néonatal.* En France, les psychologues utilisent surtout l'échelle de développement psychomoteur de la première enfance due à O. Brunet et I. Lézine. Certains baby-tests permettent de déterminer un âge et un quotient* de développement mais leur valeur prédictive est assez faible.

balancement, mouvement alternatif du corps.
Le balancement de la tête ou du corps, sur les jambes, à quatre pattes ou sur le dos, se rencontre fréquemment chez les enfants, surtout dans les milieux hospitaliers, les établissements sanitaires ou à caractère social. En soi, ce comportement n'est pas pathologique, mais il peut s'accompagner de coups portés de la tête contre un élément solide et atteindre une grande intensité. Ce phénomène serait le moyen de résoudre une tension intérieure, consécutive à une carence* affective ou à l'instabilité des relations existentielles avec les personnes de l'entourage. On le considère aussi comme une activité autoérotique au cours de laquelle l'enfant se bercerait pour apaiser son besoin d'amour insatisfait. En dehors des établissements hospitaliers ou à caractère social, le balance-

ment persistant serait réactionnel au comportement de la mère dont l'attitude instable oscille rapidement entre la sévérité et la gâterie excessives. → **trichotillomanie.**

balbisme → bégaiement.

Balint (Michaël), psychanalyste britannique d'origine hongroise (Budapest 1896 – Londres 1970).
Il est surtout célèbre pour avoir organisé des séminaires de formation à l'intention des travailleurs sociaux et des médecins praticiens. Les « groupes Balint » ne réunissent qu'un petit nombre de participants et fonctionnent sans thème préétabli. Chacun peut y évoquer un « cas » qui le préoccupe. Le rôle de l'animateur est d'amener les membres du groupe à prendre conscience de leurs propres attitudes, de leurs sentiments, et des processus psychiques qui interviennent dans leurs relations avec leurs patients. Les travaux théoriques de Balint ont porté sur les problèmes de la régression* et sur ce qu'il a appelé l'« amour primaire », phase très précoce dans le processus des relations interhumaines, et le « défaut fondamental », élément causal des troubles psychologiques. Parmi ses ouvrages traduits en français, citons : *le Médecin, son malade et la maladie* (1960), *le Défaut fondamental* (1971), *Amour primaire et technique psychanalytique* (1972), *les Voies de la régression* (1972).

banalité, caractère de ce qui est commun.
Le nombre de réponses banales relevées dans certains tests (d'associations* de mots, de Rorschach*, de Rosenzweig*) permet de mesurer le degré de conformité sociale et d'en déduire certaines hypothèses concernant l'adaptation, l'anxiété ou la qualité de l'intelligence d'une personne.

bande, groupe d'individus.
À partir d'un certain âge, les enfants aiment à se réunir et à se grouper pour jouer. Ils forment des bandes, dans lesquelles ils se sentent solidaires les uns des autres. Dans certains cas, les buts de la bande deviennent antisociaux. Ce sont des « marginaux » dont l'agressivité est, d'une part, le signe d'une violente protestation contre la société, et, d'autre part, l'affirmation inadaptée de la personnalité virile. Les adolescents qui fréquentent de telles bandes se recrutent, habituellement, dans les milieux défavorisés des centres urbains, les familles dissociées, où l'autorité et l'affection font défaut. En s'agrégeant à une bande, ils satisfont leur besoin de sécurité et de chaleur affective ; ils y trouvent aussi la puissance qui leur permet d'affronter la société et sont déchargés de tout sentiment de culpabilité puisque la collectivité dont ils font partie, leur bande, les approuve. Il n'est pas impossible de modifier les buts des bandes d'adolescents. À cette tâche s'emploient des éducateurs spécialisés, des psychologues et des assistants sociaux. → **délinquance, drogue, toxicomanie.**

barbiturique, médicament peu toxique utilisé couramment en médecine pour ses propriétés calmantes et hypnotiques.
La consommation des barbituriques (gardénal, véronal, imménoctal...) s'est accrue d'une façon considérable, ces dernières années. Or, l'usage abusif de ce produit est dangereux. Bien souvent, des drogués l'associent à l'alcool. Ils en éprouvent une certaine ivresse mais voient aussi leur humeur se modifier (irritabilité, agressivité). Certains sombrent dans le coma et meurent. La désintoxication de cette toxicomanie* est singulièrement difficile.

barrage, pour mesurer la capacité d'attention de sujets humains, B. Bourdon (1895) imagina une épreuve simple, consistant à barrer certaines lettres d'un texte imprimé (par exemple, tous les *a*). Par la suite, ce test fut repris par E. Toulouse et H. Piéron (1904) puis par R. Zazzo (1941), qui remplacèrent le texte par des signes géométriques.
En psychiatrie, on parle de « barrage » quand un malade, atteint de schizophrénie, interrompt brusquement, pour une courte durée, un acte commencé.

base (personnalité de), noyau d'attitudes et de sentiments communs à tous les membres d'une société.
Les traits caractériels dépendent étroitement des influences culturelles et du mode de

vie de la collectivité. D'après les Américains A. Kardiner et R. Linton, la personnalité de base s'élabore pendant l'enfance, dans le milieu familial et éducatif. Cet apprentissage conditionne le comportement et permet l'adaptation aux institutions sociales qui continuent de structurer et de modeler les individus. Par suite des liaisons réciproques et étroites qu'elles entretiennent, il est possible de comprendre les conduites psychosociales des personnes en étudiant les institutions. De même, on peut prévoir la nature et l'évolution de celles-ci à partir de la connaissance précise de la personnalité de base. Ce dernier concept tend à être remplacé par celui de « personnalité culturelle ».

Bateson (Gregory), anthropologue américain d'origine anglaise (Grantchester, Grande-Bretagne, 1904 – San Francisco 1980).
Ses contributions essentielles aux sciences sociales sont ses travaux anthropologiques menés sur le terrain, notamment en Nouvelle-Guinée et à Bali, et l'application à la psychiatrie des concepts de la cybernétique ainsi que ceux tirés de la théorie des types logiques de B. Russell et A. N. Whitehead. Avec J. Weakland, il a élaboré la théorie du *double lien** dans la schizophrénie. Bateson fut le théoricien principal du groupe de Palo Alto (Californie). Parmi ses œuvres traduites en français, citons : *la Cérémonie du Naven* (1936, trad. 1971), *Vers une écologie de l'esprit* (1977), *la Nature et la pensée* (1984).

batterie de tests, ensemble d'épreuves psychométriques.
En pratique, le psychologue n'utilise jamais un seul test. Pour assurer son diagnostic, il emploie plusieurs épreuves différentes. Par exemple, pour apprécier l'intelligence d'un enfant, il peut se servir de l'échelle de Wechsler*, du psychodiagnostic de Rorschach* et lui faire exécuter quelques dessins. Les renseignements ainsi obtenus sont complémentaires ; ils ne donnent pas seulement le niveau intellectuel du sujet, mais aussi des indications sur la forme et la qualité de sa pensée. Il existe des batteries de tests d'aptitudes et de personnalité.

bébé secoué (syndrome du), ensemble de symptômes décrits par J. Caffey (1974), évocateurs d'un hématome sous-dural (épanchement sanguin intracrânien) accompagné parfois de lésions osseuses périarticulaires.
Certains parents ou aides maternelles, impatientés par les cris ou les pleurs d'un nourrisson, le secouent d'avant en arrière pour le faire taire. D'autres, surtout des pères, croient amuser le bébé en le tenant à bout de bras, au-dessus de leur tête, et en le relâchant brusquement. De telles pratiques sont dangereuses car elles risquent d'entraîner des déchirures des vaisseaux veineux qui tapissent le cerveau et provoquer des hémorragies parfois mortelles ou qui laisseront des séquelles neurologiques plus ou moins graves. → **enfant maltraité, sévices.**

Bechterev (Vladimir Mikhaïlovitch), psychophysiologiste russe (Sorali, aujourd'hui Kirov, Russie, 1857 – Leningrad, aujourd'hui Saint-Pétersbourg, 1927).
Il est surtout connu pour ses travaux sur le conditionnement chez l'animal et chez l'homme. On lui doit, notamment, une *Psychologie objective* (1913), *les Fondements d'une réflexologie génétique* et, surtout, les *Principes généraux de la réflexologie humaine* (1917). Il remarqua que le corps possède une mémoire organique et que des réflexes « accidentels », d'origine naturelle (comme le mouvement de recul que l'on a devant un serpent), coexistent avec les réflexes acquis par l'éducation.

bégaiement, trouble de l'élocution dans lequel certaines syllabes sont répétées (bégaiement répétitif), d'autres ne peuvent pas être prononcées (bégaiement explosif).
Les causes de ce phénomène complexe sont héréditaires et, surtout, affectives. Une trop grande émotivité, le sentiment d'infériorité se retrouvent fréquemment chez les bègues qui arrivent difficilement à exprimer leur pensée parce qu'ils sont intimidés. Le bégaiement n'est pas un trouble permanent, mais intermittent. Il disparaît lorsque le sujet est mieux assuré ou quand il possède un « support » (dans le chant, par exemple). Peu d'individus arrivent, seuls, par leur volonté et leur persévérance, à surmonter leur déficience verbale.

La rééducation habituelle consiste en exercices de la parole, du rythme et du souffle, associés à la psychothérapie. Lorsque l'entourage du bègue est frustrant (ironique) ou non coopérant, le placement de l'enfant dans un établissement spécialisé (Institut de bègues) est nécessaire.

béhaviorisme, psychologie objective.
Longtemps la psychologie fut considérée comme la science des états conscients. De ce fait, la seule méthode applicable ne pouvait être que l'introspection. Par opposition à cette thèse, une nouvelle doctrine s'affirma, au début du XXe siècle, dont le promoteur énergique fut J. Watson*. Pour cet auteur, la psychologie devait se définir comme la science du comportement. Au lieu de se fonder sur la conscience et l'introspection, elle devait limiter son étude à l'observation de l'organisme en situation. En effet, les seuls éléments susceptibles de faire l'objet d'une recherche scientifique sont les données observables du comportement verbal et moteur, qui est toujours adaptatif. L'organisme soumis à une action tend à neutraliser les effets de celle-ci, soit en agissant sur l'objet qui la produit, soit en se modifiant lui-même. En rapprochant ces conduites des stimulus, il paraît donc possible d'établir des lois, grâce auxquelles on doit pouvoir prédire la réaction d'un individu à une « excitation » connue, ou bien déduire la nature d'un stimulus à partir de l'observation d'une réaction*. La clef de voûte de ce système est le réflexe conditionnel*, les instincts eux-mêmes étant réduits à une « série de réflexes enchaînés ». Tout n'est qu'apprentissage, même l'expression des émotions, et il est possible de modifier les comportements par l'éducation.
Les travaux des béhavioristes ont porté sur les animaux et, chez l'être humain, sur le fœtus et le jeune enfant. C'est à partir de ses observations sur le nourrisson que Watson a cru pouvoir affirmer qu'il existait, au début de la vie, trois émotions fondamentales : la peur, la colère et l'amour. Celles-ci se retrouvent, très diversifiées, à l'état adulte sous l'effet du conditionnement. En réalité, cette assertion est erronée, ainsi que l'ont montré d'autres recherches ultérieures. À l'aube de la vie, l'être humain répond aux stimulus d'une manière indifférenciée, puis par le plaisir ou le déplaisir ; enfin, sous l'influence de la maturation organique, émergent, successivement, la colère, le dégoût, la peur, la jalousie, etc. La position initiale des béhavioristes, qui voulaient réduire le fait psychologique au couple stimulus-réponse (S-R), est aujourd'hui dépassée. De nouvelles doctrines, néobéhavioristes*, très influentes aux États-Unis et en Angleterre, lui ont succédé, qui conservent les idées de base de la théorie de Watson : l'objectivité et l'importance du milieu.

Benedict (Ruth Fulton), ethnologue américaine (New York 1887 – id. 1948).
Elle s'est particulièrement intéressée aux problèmes des rapports entre la personne et les institutions sociales et, à partir d'une étude sur les Indiens Zuñi du sud-ouest des États-Unis et les Indiens des Plaines, elle a défini la notion de « patron culturel » exposée dans son livre *Patterns of Culture* (1934) : chaque culture est caractérisée par des formes de civilisation qui pénètrent dans la totalité de la vie sociale, non seulement dans les institutions, les mythes et les croyances collectives, mais aussi dans les conduites individuelles. Chez les Zuñi par exemple, caractérisés par leur bienveillance et leur modération (culture « apollinienne »), il n'est pas de bon ton d'exceller en quelque chose ; au contraire, chez les Indiens Kwakiutl de la côte ouest du Canada, agressifs et orgueilleux (culture « dionysiaque » ou « faustienne »), la compétition est en honneur. Parmi les ouvrages de R. Benedict, citons : *Échantillons de civilisation* (1950).

bénéfices de la maladie
Freud a montré que les symptômes névrotiques sont des « formations de compromis », nées de deux tendances opposées, qui ont pour fonction de diminuer la tension dans laquelle le sujet se trouve. La réduction de tension est l'un des premiers bénéfices (ou *bénéfices primaires*) de la maladie. D'autre part, la situation de malade nous procure généralement quelques satisfactions : les membres de notre entourage s'occupent de nous, nous soignent, s'inquiètent, nous manifestent plus de

tendresse et de sollicitude, etc. Tous ces avantages font partie de ce que Freud nomme les *bénéfices secondaires* de la maladie. Loin d'être dérisoires, ils sont si importants qu'ils peuvent faire obstacle à la guérison.

Berger (Gaston), philosophe et psychologue français (Saint-Louis-du-Sénégal 1896 – Longjumeau 1960).
Il fut successivement industriel à Marseille (après avoir publié, en 1925, un mémoire sur les *Conditions de l'intelligibilité et le problème de la contingence*), professeur à la faculté des lettres d'Aix-en-Provence (1941) et directeur général de l'Enseignement supérieur (1953-1960). Influencé par les travaux de G. Heymans et E. Wiersma, repris par R. Le Senne, sur la caractérologie, il contribua à la diffusion de la typologie hollandaise par son enseignement universitaire et la publication de son *Traité pratique d'analyse du caractère* (1950). Dans *l'Homme moderne et son éducation* (1962), il étend ses principes à l'éducation, qui devrait être, selon lui, permanente et conçue pour faire de nos enfants non plus des « savants », mais des inventeurs.

Bergson (Henri), philosophe français (Paris 1859 – id. 1941).
Brillant élève de l'École normale supérieure, il passe l'agrégation de philosophie et devient docteur ès lettres à 30 ans. Par la suite, il est nommé professeur au Collège de France, est élu à l'Académie française (1914) et obtient le prix Nobel de littérature (1928). Psychologue de la vie intérieure, il dénonce le caractère artificiel de l'introspection purement intellectuelle, analytique, qui ne permet pas d'appréhender toute la richesse des phénomènes psychiques. Pour cela, dit-il, il est nécessaire de faire appel à l'intuition qui saisit l'objet de pensée immédiatement et dans son essence même. Aux vues associationnistes il oppose le courant de conscience, l'élan vital, l'évolution créatrice. En cherchant à atteindre le donné authentique, il annonce les tendances les plus modernes de la phénoménologie. Parmi ses ouvrages principaux, citons : *l'Évolution créatrice* (1907), *la Pensée et le mouvant* (1934).

Berlyne (Daniel, Ellis), psychologue anglais (Salford 1924 – Toronto 1976).
Il enseigna la psychologie en Écosse, aux États-Unis et au Canada. Collaborateur de J. Piaget au Centre international d'épistémologie génétique de Genève, il publia, avec ce dernier, *Théorie du comportement et opération* (1960). Ses autres travaux (en anglais) portent sur les grands sujets de la psychologie : le comportement, l'activation, l'attention, la motivation, la pensée, etc. Par exemple, pour Berlyne, le concept d'activation – c'est-à-dire l'accroissement de l'excitabilité du système nerveux central sous l'influence d'un stimulus d'origine périphérique (sensation) ou corticale – permet de comprendre certaines de nos conduites, telles que la consommation de drogues. Ces activités correspondent à la recherche d'une augmentation de l'activation cérébrale, laquelle est génératrice de plaisir.

besoin, état d'une personne qui ressent un manque.
Le besoin agit comme un signal d'alarme et conduit l'individu à accomplir l'action qui est susceptible de le satisfaire. Parmi les différents besoins, on distingue ceux qui correspondent aux conditions *physiologiques* de l'organisme, et ceux qui dépendent des conditions *sociales*. La satisfaction des premiers est indispensable à la vie. Ce sont les besoins de nourriture, d'air, de chaleur, de sommeil, d'élimination des déchets. Pendant longtemps, la théorie périphérique de W. Cannon, qui explique l'apparition du besoin par l'état des organes (la faim étant due aux contractions rythmées de l'estomac par exemple), sembla satisfaisante bien qu'elle ne rendît pas compte de certaines conduites aberrantes, telles celles des sujets atteints d'anorexie* mentale ou d'obésité*. Les premiers sont dans un état de dénutrition parfois alarmant, mais ils n'ont pas faim ; quant aux seconds, bien que suralimentés, ils sont toujours en quête de nourriture.
À côté des sensations viscérales dont parle Cannon existent d'autres conditions nerveuses, que les travaux de psychophysiologistes, tels que K. Lashley, ont révélées. Il y a, semble-t-il, dans le cerveau*, pour chaque besoin organique, deux centres responsables l'un du

déclenchement du comportement, l'autre du rassasiement. C'est l'excitation de ces centres par les influences sensorielles (contractions gastriques à la vue d'un mets appétissant) et les modifications humorales (baisse de la teneur en sucre dans le sang), conjuguées aux influences socioculturelles (l'Européen prend trois repas par jour) et psychoaffectives, qui rendent compte de l'apparition des besoins et de leur assouvissement. À propos de l'obésité, nous avons vu que la satisfaction du besoin n'annule pas nécessairement le désir. C'est que le besoin ressenti, qui se traduit concrètement par le désir de manger, de boire, de dormir, etc., masque souvent un autre manque, d'ordre psychoaffectif, dont le sujet lui-même n'est pas conscient. Dans ce cas, il y a inadéquation entre la « demande » de l'individu et la réponse qui lui est fournie.
Les autres besoins, appelés secondaires, puisqu'ils ne mettent pas en question l'existence même de l'individu, occupent cependant une place privilégiée en psychologie humaine. Leur nombre est grand mais trois sont particulièrement importants : ce sont les besoins de sécurité, d'affection, de valorisation personnelle. Leur satisfaction entraîne le bien-être et l'épanouissement de la personne, tandis que la frustration* de ces aspirations peut être la cause de troubles du comportement.

bestialité, perversion sexuelle consistant à avoir des rapports sexuels avec un animal.
La bestialité en tant que fantasme est très répandue et se rencontre dans la mythologie et les arts. En tant que pratique, elle est plus rare mais se trouve dans les deux sexes, notamment chez des personnes vivant dans un certain isolement, comme les bergers, ou les soldats dans le désert. La bestialité peut s'observer encore chez certains déments et arriérés profonds, ou pendant des accès maniaques ou confusionnels.

Bettelheim (Bruno), psychanalyste américain d'origine autrichienne (Vienne 1903 – Silver Spring, Washington, 1990).
Après avoir été interné en 1938, à Dachau et à Buchenwald, il émigre aux États-Unis en 1939. Au cours des mois passés dans les camps de concentration, il observe le comportement de ses codétenus et forge le concept de *situation extrême.* Il s'agit d'« une situation qui est vécue par le sujet comme devant irrémédiablement le détruire » et contre laquelle il ne peut dresser que des mécanismes de défense psychotiques. Par la suite, convaincu du caractère inéluctable de son destin, le sujet cesse de lutter et n'attend plus que sa mort imminente. De ces observations, Bettelheim tire un enseignement et des conclusions pratiques : puisqu'un milieu néfaste peut conduire à la déstructuration de la personnalité, il doit être possible de « reconstruire » des enfants psychotiques et de les rendre à la vie en aménageant leurs conditions. Son expérience auprès des enfants psychotiques a été décrite dans : *la Forteresse vide* (1969), *L'amour ne suffit pas* (1970), *Évadés de la vie* (1973), *Pour être des parents acceptables* (1988).

bilieux, tempérament où la bile prédomine ou est censée prédominer.
Reprenant la théorie pythagoricienne des humeurs, Hippocrate en reconnaissait quatre principales : le sang, la pituite ou lymphe, la bile jaune, l'atrabile noire. De cette observation découle la théorie des quatre tempéraments*. Le bilieux a la peau jaune, le regard ardent ; sa volonté est grande et il fait preuve d'ambition. Le médecin grec C. Galien (131-201), qui a repris la théorie des tempéraments d'Hippocrate, nomme le bilieux « colérique » (du grec *khôle,* « bile »). Cette notion, aujourd'hui périmée, est passée dans le langage populaire (« se faire de la bile »).

bilinguisme, pratique de deux langues.
Le bilinguisme s'observe dans les régions, telles l'Alsace et la Bretagne, où les populations restent attachées à leur langue originale, et dans certains pays, comme la Belgique.
Pendant la période préscolaire, un enfant apprend sans difficulté les langues qu'il entend parler dans son entourage. Pourtant, certains auteurs, comme E. Pichon, pensent que le bilinguisme peut troubler les fonctions ordonnatrices du langage du fait que l'enfant est soumis à l'influence de deux cultures, deux modes de pensée différents, deux systèmes

de relations entre des mots et des concepts qui ne se recouvrent pas exactement. D'autres études, au contraire, montrent que les enfants bilingues ont un avantage intellectuel sur les monolingues (J. K. Bhatnagar, M. Eisenstein, D. A. Wagner, 1980). Le bilinguisme artificiel – tel celui des enfants d'immigrés, obligés d'utiliser deux langues pour pouvoir communiquer avec leurs parents, d'une part, et le voisinage, d'autre part – peut être source de tensions et de difficultés.

Binet (Alfred), psychologue français (Nice 1857 – Paris 1911).
Il se consacra à la psychologie, après avoir fait représenter une pièce au Grand-Guignol, réussi la licence en droit et entrepris des études de sciences naturelles (qui furent sanctionnées par le grade de docteur ès sciences). Entré comme préparateur au laboratoire de psychologie physiologique de la Sorbonne en 1891, il en devient le directeur quatre ans plus tard.
Tous les processus de pensée l'intéressent mais il s'attache surtout à l'étude de l'intelligence, qu'il essaye d'appréhender par tous les moyens possibles. Il étudie les aspects de la physionomie, de la tête et du corps, s'intéresse à la graphologie*, et à l'intelligence des enfants. En 1904, le ministère de l'Instruction publique décide d'organiser l'enseignement des anormaux ; il constitue une commission, dont Binet fait partie, chargée de sélectionner les débiles mentaux. L'année suivante, une méthode de dépistage est publiée, en collaboration avec T. Simon*, qui est sans cesse améliorée, jusqu'en 1911. Cette échelle métrique de l'intelligence (E.M.I.) fut le premier test mental réellement utile en pratique. Son succès mondial, lié à sa simplicité, est à l'origine du développement de la psychométrie* tout entière. L'échelle métrique de l'intelligence a fait l'objet de nombreuses adaptations et de révisions, dont les plus célèbres sont, aux États-Unis, celle de L. Terman* et M. A. Merrill (1937 et 1960) et, en France, celle de R. Zazzo, connue sous le nom de nouvelle échelle métrique de l'intelligence (N.E.M.I.). Parmi l'œuvre de Binet, on peut lire *les Idées modernes sur les enfants* (1909), ouvrage qui constitue son testament pédagogique.

Binswanger (Ludwig), psychiatre suisse (Kreuzlingen 1881 – id. 1966).
Il est connu en psychiatrie par le renouvellement opéré dans la description de certaines psychoses* (particulièrement la manie*) grâce à l'application de la méthode phénoménologique. Ami de Freud, il n'adhère pas totalement à ses conceptions qui risquent, selon lui, de réduire l'homme à une mécanique pulsionnelle. Très influencé par les idées de E. Husserl et surtout de M. Heidegger, il élabore une théorie, la *Daseinsanalyse* ou « analyse existentielle », qui connaîtra un grand succès dans les pays anglo-saxons. Parmi ses œuvres, nous citerons sa thèse de médecine : *le Phénomène psychogalvanique dans l'expérience d'association* (1907), *Introduction à l'analyse existentielle* (1947), *le Rêve et l'Existence* (1954), *Discours, parcours et Freud* (1970), *le Cas Suzan Urban* (rééd. 1988), *Mélancolie et manie* (1988).

bioénergie, thérapeutique dont la finalité est de prendre conscience des courants végétatifs qui circulent à l'intérieur du corps, de les ressentir, d'en comprendre les dysfonctionnements et de restaurer l'harmonie « corps-esprit » par la levée des inhibitions et la libération du flux des énergies.
La bioénergie s'inscrit dans le prolongement de la végétothérapie de W. Reich. Elle a été élaborée aux États-Unis dans les années 50, par deux disciples de cet auteur, A. Lowen et J. Pierrakos, à partir d'une idée simple : la souffrance de l'esprit s'exprimant par le corps, il est possible de s'en délivrer en agissant sur celui-ci. Par exemple, le déprimé n'est jamais détendu, ses muscles sont contractés au point que sa respiration et la circulation sanguine en sont gênées, même s'il n'en est pas conscient. Le sujet commencera donc par apprendre à respirer puis à rechercher, dans son corps, ses zones de contraction. Enfin, il essaiera de comprendre la raison de ces tensions, qui, généralement, ont leur origine dans une « mauvaise éducation* ». Les exercices physiques, les massages, les jeux de scène, les cris, le rire et les pleurs, la musique et le dessin ont leur place dans les séances de bioénergie qui sont le plus souvent collectives. Grâce à ces formes d'expression, la tension muscu-

laire et nerveuse diminue, les souvenirs enfouis émergent et une énergie nouvelle se libère.

Bion (Wilfred Ruprecht), psychiatre et psychanalyste britannique (Muttra, auj. Mathurà, Inde, 1897 – Oxford 1979).
Il fut l'élève de M. Klein et s'intéressa au développement mental de l'enfant, aux psychoses et aux groupes restreints. Dans tout groupe, il existe deux niveaux : celui du rationnel et de l'évident, et celui de l'irrationnel, de l'affectif, du caché et de l'inconscient. Ces deux niveaux entretiennent des rapports complexes que l'analyse permet de démêler. Bion est l'auteur de *Recherches sur les petits groupes* (1961), *Aux sources de l'expérience* (1962), *l'Attention et l'interprétation* (1970).

biotypologie, science qui recherche, pour chaque individu, les relations possibles entre la structure du corps et le comportement psychologique.
À l'origine, la biotypologie était fondée surtout sur les mensurations corporelles mais, de plus en plus, elle fait appel à de nouvelles disciplines (endocrinologie, criminologie, électroencéphalographie, groupes sanguins...). Le biotype d'un individu (apparence physique) donne une impression souvent valable de son tempérament*. Parmi les typologies les plus connues, on peut retenir celle du Français C. Sigaud (*la Forme humaine, sa signification,* 1914), celle de l'Allemand E. Kretschmer* et celle de l'Américain W. H. Sheldon*.
Sigaud distingue les types respiratoire*, digestif*, musculaire* et cérébral*. De son côté, Kretschmer, observant les malades mentaux, remarqua que les mélancoliques et les maniaques étaient généralement petits et gros, tandis que les schizophrènes, indifférents, apathiques, possédaient un corps long et frêle. Il appela les premiers « pycniques* – cyclothymes » et les seconds « asthéniques* (ou leptosomes) – schizothymes ». Par la suite, il ajouta le type athlétique* – épileptoïde » et le type « dysplastique* ». Sheldon, opérant sur un très grand nombre de sujets normaux, trouva aussi trois types morphologiques principaux : l'endomorphe, l'ectomorphe, et le mésomorphe. À chaque type morphologique correspond un ensemble de traits de caractères fondamentaux, appelés viscérotonie*, cérébrotonie* et somatotonie*. Le tableau suivant résume les correspondances essentielles :

Endomorphie* Viscérotonie	**Mésomorphie* Somatotonie**	**Ectomorphie* Cérébrotonie**
Gros, rond, lent. Amour du confort et de la bonne chère. Besoin de contacts sociaux.	Grand, fort. Énergique, actif. Désir de s'imposer.	Grand, mince, inhibé, attitude réservée, gênée. Fuite des contacts sociaux.

Dans la vie pratique, il est extrêmement rare de rencontrer des individus appartenant exclusivement à l'un des trois types. En général, l'homme de la rue est un composé de ces tempéraments.

bizutage, dans l'argot scolaire, traitement humiliant, fait de brimades et de plaisanteries déplacées, imposé à un « bizut » (c'est-à-dire à un élève de première année dans une grande école) par les anciens.
À l'origine, il s'agissait d'une sorte de rite* de passage, d'une pratique initiatique, au terme de laquelle le nouveau venu était reconnu par ses pairs comme étant l'un des leurs. Mais des excès et des dérives portant atteinte à la dignité des personnes se sont produits de façon répétée, ce qui conduisit certains à abandonner leurs études et d'autres à se suicider. Dans l'armée, le bizutage est interdit depuis 1887. Dans le système scolaire et universitaire, de telles actions, qualifiées de « violences » ou d'« agressions sexuelles », sont sanctionnées par la loi (articles 222-7 à 222-31 du Code pénal). D'autre part, il est fait obligation à tous les personnels de l'Éducation nationale d'aviser sans délai le procureur de la République des faits de bizutage portés à leur connaissance (circulaire n° 97-199 du 12 septembre 1997, *B.O.* n° 33 du 25 septembre 1997). → **maltraitance.**

Bleuler (Eugen), médecin psychiatre suisse (Zollikon, près de Zurich, 1857 – id. 1939).
Il s'est illustré par ses études sur « la démence précoce ou groupe des schizophrénies ». Il a introduit en psychiatrie le terme de *schizophrénie**, devenu depuis classique. Il a montré

que ces malades mentaux sont, malgré leur apparente indifférence, des personnes extrêmement sensibles qui ont, derrière leur écorce protectrice, une vie intérieure intense. → **autisme.**

bonhomme (test du) → Goodenough (test de).

borderline → cas limite.

Borel-Maisonny (Suzanne), pédagogue et orthophoniste française (Paris 1900 – id. 1995).
Elle est l'initiatrice de l'orthophonie en France. Son originalité est d'être à la fois un chercheur en phonétique expérimentale et une rééducatrice. On lui doit des tests de langage et nombre d'innovations pédagogiques dans le domaine de l'apprentissage de la lecture, de l'écriture et du calcul. Parmi ses ouvrages : *Langage oral et langage écrit* (1960), *Grammaire en images, de l'orthographe à la pensée* (1973), *l'Absence d'expression verbale chez l'enfant* (1979).

bouderie, état d'une personne qui manifeste son mécontentement en prenant un air maussade, renfrogné, et en s'enfermant dans un silence obstiné.
Cette attitude, qui est fréquente chez les enfants et les adolescents, se rencontre aussi à l'âge adulte, chez les femmes surtout. La bouderie, expression mineure de l'agressivité, est l'arme des faibles, et en même temps l'aveu de leur impuissance. Chez l'adulte, elle correspond à une attitude de fixation ou de régression à un stade infantile. Le boudeur réagit comme s'il était toujours un enfant devant ses parents frustrants. Un homme qui boude son épouse parce qu'elle attend un bébé se comporte comme l'enfant jaloux qui se détourne de sa mère parce qu'elle lui a donné un petit frère. Ces petits troubles caractériels n'ont aucune gravité. Mais, s'ils se prolongent anormalement, ils peuvent constituer un symptôme d'une grave maladie naissante, la schizophrénie.

boulimie, appétit excessif entraînant un sujet à manger exagérément.
Des cas de faim morbide consécutive à des lésions accidentelles du cerveau ont été décrits et discutés au début du XXe siècle, notamment par V. M. Bechterev* (1911). L'un de ces cas était celui d'un garçonnet ayant eu la boîte crânienne enfoncée par le sabot d'un cheval. Lorsqu'il reprit connaissance, l'enfant réclama à manger. Il était insatiable. On lui enleva chirurgicalement les esquilles osseuses qui comprimaient le lobe frontal. Quatre jours après, la boulimie avait disparu.
La faim* est une sensation résultant d'un ensemble complexe de facteurs psychologiques, endocriniens, neurologiques. Elle dépend de deux centres régulateurs antagonistes : un centre d'alimentation* *(feeding center),* composé des noyaux latéraux de l'hypothalamus, et un autre, médian, de satiété *(satiety center),* agissant en synergie. Lorsqu'un élément pathologique affecte le cerveau, comme dans la maladie de Pick (démence présénile) ou dans la paralysie générale (due au tréponème pâle de la syphilis), ou encore à la suite de tumeur ou d'accident vasculaire cérébraux, il n'est pas rare de voir apparaître une boulimie. À côté des cas de faim morbide purement organiques, il existe une hyperphagie d'origine névrotique.
Les études modernes, fondées sur l'apprentissage et les réflexes conditionnels ou sur la psychanalyse, ont montré qu'à la nourriture (surtout les sucreries) sont associées l'image maternelle et la tendresse. Inconsciemment, le boulimique chercherait à combler un vide affectif. Par exemple, chez certaines hystériques, frigides, l'accès de boulimie survient après chaque relation sexuelle « ratée ». Tous les aliments dont elles s'emplissent auraient, essentiellement, une valeur symbolique de compensation*.

bovarysme, état d'insatisfaction dû au décalage existant entre les aspirations d'une personne, qui s'illusionne sur elle-même, s'imagine différente, supérieure à ce qu'elle est réellement, et ses conditions de vie.
Cette attitude conduit, fréquemment, à des entreprises romanesques et sentimentales qui aboutissent à l'échec.

bradypsychie, ralentissement du cours de la pensée.
Les souvenirs sont évoqués difficilement et les réponses retardées. La bradypsychie se rencontre dans diverses affections, telles que la dépression, l'épilepsie, la maladie de Parkinson ou l'intoxication due à l'oxyde de carbone.

brainstorming, technique de groupe fondée sur la méthode des associations libres, visant à découvrir des idées nouvelles et originales à propos d'un problème déterminé.
Prôné par l'Américain A. F. Osborn (1939), le *brainstorming* a pour objectif de lever tous les obstacles sur le chemin de la créativité* des personnes considérées : freins sociaux, tels que le respect de la hiérarchie ou des convenances, habitudes de pensée qui limitent l'imagination. Le brainstorming pose comme un dogme que toute idée doit être reçue et examinée attentivement. Aussi, les membres du groupe sont-ils incités et encouragés à énoncer toutes leurs pensées, même les plus inhabituelles, sans crainte d'être mal jugés ou critiqués.

bruit, complexe sonore inharmonieux, gênant ou désagréable.
Le bruit a des effets sur l'oreille interne, le cerveau et l'organisme tout entier. À la suite des travaux de Rainag et Wittemack, on a pu démontrer expérimentalement que les bruits, surtout aigus, agissant comme de multiples agressions répétées, produisent des lésions des terminaisons nerveuses du nerf auditif. Les chaudronniers perdent, en 10 ans, 50 % de leur acuité auditive, et 80 % en 20 ans. Le bruit augmente la pression cérébrale, modifie les rythmes cardiaque et respiratoire, entraîne des troubles digestifs et serait même l'une des causes de l'artériosclérose. Sur le plan psychique, ses effets se font sentir par l'abaissement du pouvoir de concentration et d'attention : chez des employés de bureau soumis à des bruits discontinus, on relève 37 % d'erreurs de plus que d'habitude. Même chez les travailleurs manuels, le rendement est diminué (de 33 % à partir de la quatrième heure de travail, dans une usine ou fonctionne un marteau-pilon). D'après G. Friedmann, le bruit crée aussi l'ennui et la tristesse ; il est une cause d'asthénie.
Tous les bruits ne sont pas nocifs ; il en est même d'utiles (certains sons rythmés et de faible puissance facilitent l'exécution du travail). Les nuisibles sont discontinus, irréguliers, intenses ou difficiles à localiser. Ils sont dus surtout au maniement des machines (motocyclette, poste de radio ou de télévision).
Le bruit menace la santé publique et fait perdre à la nation 200 millions d'heures de travail, c'est-à-dire plus que toutes les maladies sociales réunies. D'après la Caisse nationale d'assurance maladie (1988), on a dénombré 1 269 affections provoquées par le bruit. Quant au coût économique et social des nuisances sonores (accidents* du travail, absentéisme*, retards scolaires ou dépréciation financière des propriétés), il était évalué, en 1983, à près de 100 milliards de francs.

Bühler (Charlotte), psychologue américaine d'origine allemande (Berlin 1893 – Los Angeles 1974).
Elle dirigea l'Institut de psychologie de Munich (1929-1938), puis, devant l'avènement du nazisme, elle émigra aux États-Unis où elle occupa les fonctions de professeur adjoint de clinique psychiatrique à l'université de Californie du Sud. Ralliée au mouvement moderne de la psychologie humaniste, C. Bühler a toujours soutenu, contre la doctrine freudienne, que le moi porte un désir propre et original de réalisation de soi. Parmi ses ouvra-

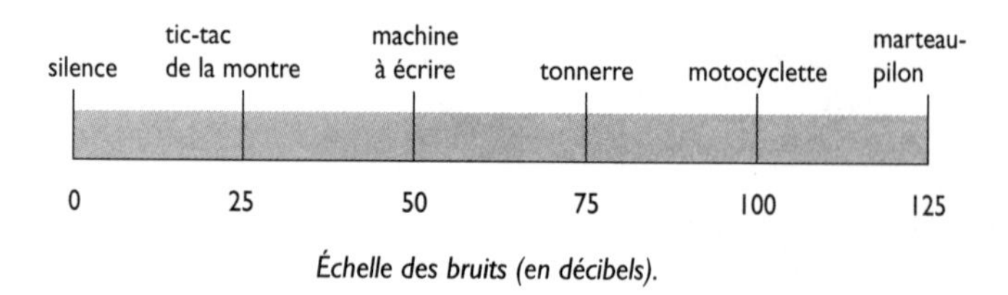

Échelle des bruits (en décibels).

ges, citons : *la Psychologie dans la vie de notre temps* (1972).

Bühler (Karl), psychologue allemand (Meckesheim, pays de Bade, 1879 – Pasadena, Californie, 1963).
Après avoir enseigné à Munich, à Dresde, puis à Vienne, il fuit le nazisme et émigre aux États-Unis. Influencé par les recherches de l'école de Würzburg, il oriente d'abord ses travaux vers l'étude expérimentale de la pensée qui, dit-il, s'apparaît à elle-même sans intermédiaire. Par la suite, il adopte les conceptions de la *Gestaltpsychologie.* Il est l'auteur de nombreux ouvrages parmi lesquels on peut citer : *Die Gestaltwahrnehmungen* (1913), *Die Krise der Psychologie* (1927) et *Sprachtheorie* (1934). On le compte parmi les personnalités fondatrices de la psychologie moderne.

burn out → épuisement professionnel.

but, fin que l'on se propose d'atteindre.
Quand un but est inaccessible, il peut être remplacé par un autre, à peu près semblable. Par exemple, pendant la Seconde Guerre mondiale, les privations ont conduit les populations à consommer des « ersatz » (produits de remplacement) : des topinambours au lieu de pommes de terre, du malt à la place du café, etc. L'intérêt s'est déplacé du but initial vers un but secondaire, substitutif. Il advient parfois que deux buts poursuivis se trouvent dans des directions contradictoires : cas d'un animal attiré par un appât situé au-delà d'un obstacle douloureux (plancher électrifié utilisé dans les cages d'obstruction), par exemple. Une telle situation est alors génératrice d'anxiété et d'un état de désadaptation d'allure névrotique.

Buytendijk (Frederik Jacobus Johannes), psychologue hollandais (Breda 1887 – Heerlen, Pays-Bas, 1974).
Penseur original et auteur fécond, il a publié d'importants travaux sur la psychologie animale*, dans lesquels il montre la spécificité et la complexité de l'instinct*. Influencé par la pensée phénoménologique, il recommande de recourir à l'observation sur le terrain plutôt qu'en laboratoire afin d'appréhender la conduite réelle de l'individu, considéré dans son milieu naturel, et non pas un comportement artificiel. Parmi ses très nombreux ouvrages, citons : *Psychologie des animaux* (1928), *De la douleur* (1951), *Traité de psychologie animale* (1952), *le Football. Une étude psychologique* (1952), *Attitudes et mouvements* (1957).

C

ça, ce qui est indifférencié.
Ce terme, introduit en psychologie par G. Groddeck et repris par Freud, désigne ce qu'il y a de plus primitif dans l'homme. C'est l'ensemble des pulsions primaires, des instincts, ce qui est héréditaire, inconscient, l'énergie qui nous meut et oriente nos actions. Le ça fait partie de la vie quotidienne ; c'est à lui que l'on se réfère, implicitement, lorsqu'on dit : « Je ne sais pas ce qui m'a pris. Ce fut plus fort que moi. » Cette énergie, difficilement contrôlée par la conscience à laquelle elle n'apparaît pas clairement, obéit au principe de plaisir* ; elle tend à la satisfaction des besoins profonds de l'homme. Quand elle est contrariée ou refoulée, elle se résout d'une manière détournée, plus ou moins clandestine, en s'exprimant dans les rêves, les actes manqués ou les symptômes névrotiques. **→ appareil psychique.**

cachinnation (latin *cachinnare*, rire aux éclats), ensemble des sourires et des brusques explosions de rire, survenant sans raison chez des schizophrènes.
La cachinnation, qui contribue à faire apparaître l'activité psychique des schizophrènes comme étrange, incohérente et illogique, n'a pas encore reçu d'explication causale. Toutefois, une piste se dessine avec la découverte d'une région du cortex cérébral impliquée dans l'expression du rire. En effet, le docteur Itzhak Fried et ses collaborateurs (université de Californie, Los Angeles) ont pu provoquer, chez une adolescente, des sourires et des rires, jusqu'à la franche hilarité, en stimulant électriquement une petite partie du cerveau située dans la zone antérieure de l'aire motrice (*Nature*, 12 février 1998). La cachinnation pourrait donc avoir une origine organique. **→ dissociation, schizophrénie.**

café, infusion préparée avec les graines torréfiées du caféier.
Les Français consomment environ 6 kg de café par an et par personne. Le café renferme de la caféine, qui est un stimulant des centres cérébraux. L'abus du café détermine une intoxication, le caféisme, qui se manifeste, notamment, par des palpitations du cœur, de l'insomnie, des modifications du caractère (nervosité, irritabilité, anxiété, et, dans certains cas, la perte de l'appétit sexuel). Selon T. Pearson et A. Lacroix, de l'université Johns-Hopkins (1986), qui exposaient les résultats d'une enquête menée depuis 27 ans chez 1 337 hommes, la consommation excessive de café (plus de cinq tasses par jour) multiplie par trois leur risque de présenter une maladie de cœur, par rapport à ceux qui n'en boivent pas. Son usage modéré (deux tasses par jour) n'entraîne aucune conséquence néfaste.

calcul, opération effectuée sur des nombres.
Le calcul met en jeu des mécanismes mentaux complexes, à la fois intellectuels et relevant de l'organisation de l'espace et du temps, dont l'acquisition est étroitement liée au développement général de l'intelligence. Par exemple, alors qu'on écrit les chiffres de gauche à droite, les opérations numériques s'effectuent de droite à gauche (avec une difficulté supplémentaire pour la division qui, en raison du passage du dividende au diviseur et inversement, nécessite un changement constant de direction). Par ailleurs, les opérations

représentent symboliquement une succession d'états et de faits qui se déroulent dans le temps, et, pour bien les accomplir, l'enfant doit être capable d'analyser leurs différentes étapes : ce qu'il y avait d'abord, ce qu'on a fait, et ce qu'il y aura après. Enfin, pour résoudre un problème arithmétique, l'écolier doit d'abord comprendre l'énoncé, puis établir une relation entre les différentes actions qu'il représente et traduire celles-ci en chiffres. Les difficultés qu'éprouvent certains enfants en calcul doivent être analysées en tenant compte des conditions nécessaires pour l'acquisition de ces mécanismes. Comme pour le langage, l'apprentissage du calcul s'accomplit par étapes. Bien qu'elles ne se situent pas aux mêmes âges, on peut établir une correspondance entre la connaissance des nombres et la connaissance des mots, celle des opérations et celle des phrases, la résolution d'un problème et la compréhension d'un texte. C'est seulement vers 7 ou 8 ans, avec l'accession au stade de la logique concrète (stade des opérations concrètes*), décrite par J. Piaget, que l'écolier commence à acquérir la notion de nombre. Bien qu'il sache déjà, généralement, compter, l'enfant ne possède pas réellement le concept de nombre, faute d'avoir maîtrisé la « conservation* », la « classification* » et la « sériation* » opératoires. Il lui faut donc encore s'exercer pour parvenir à une première structuration logique du réel. Spontanément, les pédagogues proposent aux jeunes élèves des supports concrets pour les aider dans leur démarche intellectuelle. C'est ainsi, par exemple, que, dans l'Essonne (région parisienne), certains instituteurs ayant réintroduit le boulier dans leur classe (1984) sont satisfaits des résultats obtenus au cours préparatoire. La méthode d'enseignement des mathématiques du professeur australien Z. P. Dienes est aussi fondée sur l'expérience pratique de l'écolier.

camouflage, art de dissimuler.
Le camouflage tend à modifier l'organisation du champ perceptif, afin qu'un objet déterminé passe inaperçu. C'est ainsi qu'il devient difficile de reconnaître la forme A dans l'ensemble B, ou le chiffre 4 dans le dessin ci-après.

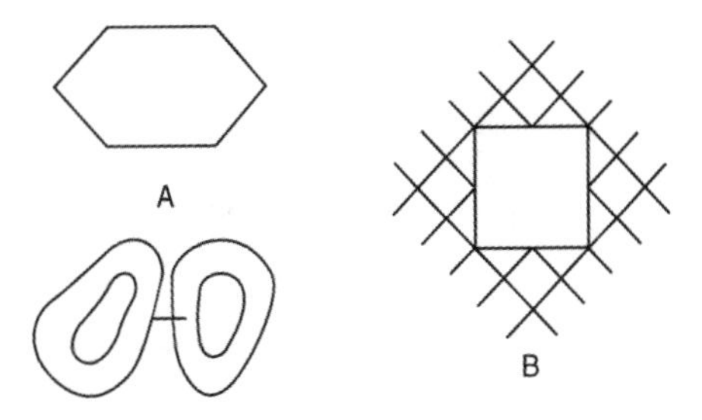

Deux exemples de camouflage.

Les armées modernes, qui possèdent un corps spécial de camouflage, utilisent les données les plus récentes fournies par les recherches psychologiques sur la perception*. → **prégnance.**

C.A.M.S.P. → centre d'action médico-sociale précoce.

cannabis, poudre obtenue à partir des fleurs femelles, des feuilles et des tiges desséchées du chanvre indien. Le cannabis peut être fumé, mâché ou mélangé à des pâtisseries, à des boissons ou à d'autres aliments.
Les effets du cannabis dépendent de sa qualité, de la quantité absorbée et du consommateur. De petites doses engendrent l'euphorie et une sorte d'enivrement agréable qui se résout dans le sommeil. Il est probable que cette béatitude est due au fait que le *cannabinol*, principe actif toxique du chanvre indien, agissant sur le cerveau, suscite une production accrue d'endorphines. Le cannabis n'entraîne pas de dépendance physique mais, chez certaines personnes fragiles, une dépendance psychique. À longue échéance, l'intoxication étant devenue chronique, on observe chez le toxicomane une diminution de l'activité, une baisse de l'attention et de la mémoire, des troubles du caractère (irritabilité, instabilité) et de l'humeur (alternance de phases dépressives et de moments d'exaltation). Le cannabis sous toutes ses formes – herbe, résine, huile – est la drogue la plus utilisée en France parce qu'elle est peu coûteuse. Son usage croît de façon inquiétante : 16 862 personnes interpellées en 1987 (O.C.R.T.I.S.). → **hachisch.**

capacité, possibilité de réussir dans une tâche ou une entreprise.
La capacité dépend de l'aptitude*, de la maturation et de l'exercice. La mesure des capacités intellectuelles et psychomotrices est possible par l'emploi de la méthode des tests*.
On appelle *capacité civile* la possibilité que possède, en principe, toute personne majeure d'exercer ses droits civils. Cependant, on ne reconnaît pas cette capacité aux débiles mentaux et aux aliénés, qui sont déclarés « incapables ». Depuis 1968, les incapables majeurs bénéficient d'une protection juridique particulière.

captativité, tendance à s'attribuer et à conserver pour soi les biens et l'affection des personnes de son entourage.
Cette attitude est fréquente et normale chez le jeune enfant. On la retrouve cependant assez souvent chez l'adulte, et, plus particulièrement, chez certaines mères abusives qui, plus ou moins consciemment, empêchent leurs enfants de devenir indépendants.

captivité, perte de liberté.
La privation brutale de liberté et des contacts familiaux, ajoutée aux humiliations, à la sous-alimentation, à la peur, voire aux tortures, provoque chez de nombreux prisonniers (soldats ou civils pris en otages) un état dépressif comparable à la neurasthénie*. Souvent, les troubles se prolongent après le retour à la vie normale ou apparaissent après la libération (état de « qui-vive », troubles du sommeil, culpabilité d'avoir survécu, sentiment d'être devenu étranger par rapport aux autres, souvenirs envahissants de la captivité). L'incarcération aussi peut être source de troubles mentaux, dont les plus fréquents sont la dépression* (pouvant se traduire par des tentatives de suicide) et des crises d'angoisse* aiguë, souvent accompagnées d'une violente agitation. → **Bettelheim (Bruno).**

caractère, manière d'être, de sentir et de réagir d'un individu ou d'un groupe.
On parle aussi bien du caractère emporté d'un homme que du caractère flegmatique des Anglais ou besogneux des Chinois. C'est donc une empreinte durable, qui permet de différencier des individus ou des groupes entre eux, lorsqu'on observe leurs attitudes et leurs comportements.
Les principaux problèmes posés par la notion de caractère sont : 1. celui de la *description*. Le nombre d'adjectifs ou de substantifs utilisés pour décrire les caractères est très important. G. W. Allport en a recensé 17 953 dans la langue anglaise ; 2. celui de la *classification*, qui dépend en partie du premier et surtout de l'infinie diversité des caractères (les classifications zoologiques s'arrêtent aux espèces, aux variétés ou aux races ; jamais elles n'envisagent les individus) ; 3. celui de la *nature du caractère*.
Pour résoudre le premier problème, il faudrait commencer par réduire au minimum le nombre de termes descriptifs. À cette tâche s'est consacré J. W. French (1953), qui ne retint que 49 traits de caractère, confirmés par plusieurs méthodes d'analyse* factorielle. Pour régler le deuxième problème, il faudrait que l'on connût les lois psychologiques régissant le caractère et que l'on disposât d'une caractérologie* certaine de ses méthodes, ce qui n'est pas encore le cas. Au dernier problème, enfin, se rattache celui de la formation du caractère. Il est aujourd'hui admis que les acquisitions dues au milieu, à l'éducation, à l'expérience et à l'effort personnel, greffées sur le tempérament dont elles sont indissociables, contribuent puissamment à dessiner le caractère de chaque individu. Les attitudes, les habitudes ne sont jamais contractées passivement. Le sujet y participe toujours plus ou moins activement. La connaissance des caractères est possible grâce à l'observation directe, aux questionnaires et aux tests de personnalité.

caractériel, personne atteinte de troubles du caractère.
En général, il s'agit d'un sujet d'intelligence normale qui n'arrive pas à s'intégrer harmonieusement dans la société par suite de certains aspects de son caractère. Il est d'un commerce difficile, renfermé ou revêche, quand il n'est pas franchement agressif. Le caractériel n'est pas un malade mental (mais il peut le devenir) ; il n'est ni débile ni fou. Cependant, ses rapports avec autrui sont ré-

gulièrement perturbés par de multiples difficultés dont il est l'artisan.

Ces troubles, qui sont la manifestation d'un accident survenu dans le développement de la personnalité, se rencontrent le plus souvent dans l'enfance et l'adolescence. Leurs causes sont rarement simples. Comme le caractère*, elles participent, à la fois, de la constitution et de l'histoire de l'individu. On peut y trouver des traumatismes obstétricaux (accouchement difficile), des encéphalites ou des éléments héréditaires mais aussi des frustrations affectives précoces, des carences d'autorité éducative, la misère ou l'alcoolisme familial. En pratique, on observe peu de troubles caractériels d'origine constitutionnelle. Pour la plupart, il s'agit de difficultés de comportement provoquées par les erreurs éducatives des parents (enfants rejetés, maltraités, frustrés ou, au contraire, trop gâtés, étouffés par une sollicitude excessive). La dissociation familiale, due à la mésentente des époux ou, simplement, à l'absence prolongée du père, et le déséquilibre, l'insécurité qui en résultent contribuent aussi à l'éclosion des troubles du caractère chez les enfants.

Un traitement psychothérapique et des conseils éducatifs aux parents, dispensés conjointement, permettent souvent de faire disparaître les manifestations caractérielles. Parfois, il est nécessaire de retirer l'enfant de son milieu familial pour le placer dans un établissement spécialisé où une rééducation et un apprentissage professionnel peuvent être entrepris. En France, en 1987, 24 135 écoliers atteints de troubles du caractère et du comportement ont été scolarisés dans divers établissements spécialisés, privés ou publics. Chez les adultes, des troubles caractériels (bouderie, irritabilité permanente, colère, etc.) s'observent transitoirement, à l'occasion de frustrations morales ou sociales (chômage, grèves de longue durée) ou de modifications physiologiques (ménopause, andropause). Lorsque ces manifestations ont un caractère constant (jalousie, sentiment d'injustice subie), elles ont, selon toute vraisemblance, une origine constitutionnelle qui les rend inaccessibles aux traitements. → **enseignement spécial, surdité.**

caractérologie, étude des caractères.

Quoique très ancienne, la caractérologie commence à peine à se construire scientifiquement, et ses bases restent encore incertaines. Il existe plusieurs méthodes d'analyse et de description des caractères*. Les unes sont fondées sur une appréciation de la morphologie des individus (physiognomonie*, biotypologie*) ou sur l'étude de documents expressifs (graphologie*, tests*). Les autres utilisent, essentiellement, l'observation du comportement, des attitudes envers le monde extérieur.

Parmi les théories qui s'y rattachent, les plus célèbres sont celles de l'école franco-hollandaise (caractérologie d'Heymans et Wiersma, développée en France par R. Le Senne) et celle de C. G. Jung. Selon les auteurs hollandais, tous les caractères seraient susceptibles d'être ramenés à huit types, qui s'obtiennent en combinant les trois facteurs fondamentaux de la personne humaine et leurs contraires : l'*émotivité,* l'*activité* et le *retentissement* (primarité ou secondarité) :

Émotivité	Activité	Retentissement	Type
non émotif	non actif	primaire	amorphe *(Louis XV)*
non émotif	non actif	secondaire	apathique *(Louis XVI)*
émotif	non actif	primaire	nerveux *(Baudelaire, Chopin)*
émotif	non actif	secondaire	sentimental *(Kierkegaard, Rousseau)*
non émotif	actif	primaire	sangin *(Voltaire, A. Huxley)*
non émotif	actif	secondaire	flegmatique *(Bergson, B. Franklin)*
émotif	actif	primaire	colérique *(V. Hugo, Danton)*
émotif	actif	secondaire	passionné *(Beethoven, Napoléon 1er)*

Malgré les travaux statistiques de ses promoteurs (2 145 cas étudiés), cette théorie reste contestable, car les formules utilisées sont beaucoup trop étriquées et artificielles pour rendre compte de la richesse d'une individualité. Et, paradoxalement, certains lui préfèrent la typologie de Jung, qui se réfère à l'attitude des personnes devant le monde des êtres et des choses. Pour Jung, les énergies sont orientées soit vers le monde intérieur (introversion), soit vers l'extérieur (extraversion). Dans le premier cas, le sujet accorde la primauté aux idées ; dans le second, il apprécie, surtout, les valeurs du monde extérieur, le prestige, les contacts sociaux. Cette caractérologie sommaire se rapproche beaucoup de la biotypologie de E. Kretschmer. Les psychologues utilisent les données biographiques, l'observation directe et les tests (questionnaire*, psychodiagnostic*) pour analyser les caractères.

carence affective, manque ou insuffisance d'affection.

Les besoins affectifs de l'homme sont aussi importants que les autres, et leur insatisfaction peut être grave de conséquences. Chez le jeune enfant séparé de sa mère, ce sont des pleurs, des cris qui témoignent du désarroi et de l'angoisse ressentis devant la séparation. Puis la résignation s'installe, mais aussi, avec elle, l'apathie* et le refus d'aliments. Si personne ne vient remplacer la mère quand son absence dure trop longtemps, on remarque un arrêt du développement physique et une régression* généralisée. Les dernières acquisitions disparaissent, le langage se détériore, redevient « bébé », l'énurésie* et le balancement sont presque toujours présents. Parfois, l'enfant se fait du mal, se meurtrit.

La résistance organique est très diminuée. R. Spitz a montré les méfaits de la carence affective précoce. En testant régulièrement des bébés élevés par des puéricultrices dans une pouponnière modèle, et en les comparant à d'autres nourrissons soignés par leurs mères, détenues dans un pénitencier, il s'aperçut que ces derniers avaient un développement psychomoteur normal (quotient de développement = 105 à la fin de la deuxième année), tandis que les premiers se dégradaient progressivement. Alors qu'initialement, aux baby-tests, leur quotient de développement était de 124, ce chiffre était descendu à 72 à la fin de la première année et, après 2 ans, il n'était plus que de 45. De plus, dans la nursery modèle, un enfant sur trois (37,3 % exactement) mourut avant l'âge de 2 ans, tandis que, dans la même période, on ne déplora aucun décès parmi les enfants des détenues. Spitz et ses continuateurs ont établi que les effets de la carence affective sont d'autant plus graves qu'elle atteint les enfants plus tôt et qu'elle est plus durable. Au-delà de 5 mois de séparation, il y aurait apparition de l'hospitalisme* et installation de perturbations graves dans la personnalité (intelligence et affectivité) de l'enfant.

Pour contrôler ces assertions, d'autres auteurs (J. B. Bowlby, A. Freud, etc.) ont analysé les histoires personnelles d'adultes ou d'adolescents inadaptés sociaux. Ils constatèrent que la délinquance (surtout vols et prostitution de mineures) était quatre à cinq fois plus fréquente chez les sujets carencés dans leur enfance que chez ceux élevés dans une famille normale. Une contre-épreuve fut enfin fournie par le maternage dont bénéficièrent certains enfants perturbés. À partir du moment où ceux-ci reçurent, régulièrement, les soins et la tendresse d'une infirmière, d'une puéricultrice ou d'une psychologue (autant de substituts maternels), ils reprirent goût à la vie, se remirent à manger et leur courbe de poids se redressa. L'intelligence aussi reparut. Il est des cas où la séparation d'avec le milieu familial est indispensable. Il faut alors préparer l'enfant à cette épreuve, afin de dissiper, autant que possible, l'anxiété qui en découle fatalement. De plus en plus, dans les hôpitaux et les pouponnières médicales, les mères ont la possibilité de rester auprès de leur enfant, si elles le désirent. À défaut, on leur demande de laisser à l'enfant un objet personnel (un mouchoir avec leur parfum, par exemple) et de multiplier leurs visites. Dans quelques services de pédiatrie, lorsqu'un enfant prématuré ne présente que des problèmes de thermorégulation et/ou d'alimentation, on ne le met pas dans un incubateur mais on le confie à sa mère (ou à une autre femme) qui a pour mission de le garder contre sa poitrine (méthode dite des « mères kangourous », du docteur Nathalie Charpak).

Le besoin d'aimer et d'être aimé n'est pas moins important à l'âge adulte. Quand il est contrarié par la difficulté d'établir des relations sociales (par suite de timidité, de névrose) ou par les aléas de la vie (abandon, deuil, vieillesse, isolement...), il peut donner lieu à des activités compensatoires aussi diverses que le dévouement à une œuvre charitable ou la collection de timbres. Mais quand le vide affectif n'est pas comblé, un état dépressif plus ou moins grave peut apparaître qui, parfois, mène au suicide. → **attachement, dépression, trichotillomanie.**

carence d'autorité éducative (syndrome de), ensemble de faits caractérisant la personnalité d'un sujet qui n'a pas bénéficié, dans l'enfance, de l'autorité nécessaire à son éducation.
Le syndrome de carence d'autorité éducative, décrit en 1956 par J. M. Sutter et H. Luccioni, apparaît lorsque l'enfant vit dans un milieu instable, « chaotique », sans règles ni principes. Ses manifestations essentielles sont : un moi faible, incapable d'assurer une existence cohérente ; un sentiment fondamental d'insécurité (le sujet manque de repères, il ne sait comment se conduire dans la vie) ; l'impression d'être définitivement esseulé, ce qui rend difficile voire impossible tout engagement affectif durable et profond. Dans ses relations sociales, la personne qui présente ce type de syndrome peut être inhibée, craintive, repliée sur elle-même ou, le plus souvent, expansive, provocante, agressive. Elle peut évoluer vers le déséquilibre psychique.

cas (étude de), observation approfondie de sujets particuliers qui se poursuit parfois pendant des années, au cours desquelles on recueille toutes les données possibles concernant une même personne : informations sur son milieu de vie, sur l'incidence psychologique de certains événements sociaux, sur les accidents de santé ; documents personnels : productions artistiques (dessins, peintures...), journaux intimes, etc. On procède de façon analogue pour les groupes. De l'ensemble des éléments recueillis, on tire de précieux enseignements sur les sujets eux-mêmes, mais aussi des hypothèses, sinon des lois, d'ordre général.
S. Freud, A. Binet, J. Piaget ont élaboré leurs théories à partir de quelques études de cas. On oppose à cette pratique les méthodes quantitatives, mais l'accumulation de faits et le traitement statistique ne donnent qu'une vue mathématique, abstraite de la réalité. Ce sont les études de cas qui permettent de porter des jugements décisifs.

cas limite, sujet qui se situe dans une zone frontière, aux confins de deux classes ou de deux états psychologiques.
Par exemple, on dira d'un enfant dont le quotient intellectuel se situe entre 71 et 84 qu'il est un « cas limite » ou un « cas marginal » (on dit aussi un *borderline*). En pathologie mentale, on parle d'« état limite » lorsque les symptômes observés sont intermédiaires entre la névrose et la psychose. Cependant, il ne s'agit pas d'un état prépsychotique, car il conduit rarement à la psychose. La « personnalité limite », telle qu'elle est définie dans la classification américaine de 1989 (D.S.M.III-R), peut se manifester par des actes impulsifs, tels que des dépenses inconsidérées ou le vol à l'étalage, l'instabilité et l'excès dans les relations sociales, l'instabilité affective, un mauvais contrôle émotionnel, un sentiment permanent de vacuité et d'ennui, une grande difficulté à supporter la solitude. Les personnalités limites sont très « fragiles ». De ce fait, un traitement psychanalytique, s'il est entrepris, doit être conduit avec circonspection.

castration, ablation ou destruction chirurgicale, accidentelle ou criminelle des organes de la reproduction.
La castration peut entraîner des modifications spécifiques du comportement. Cela est manifeste chez l'animal (le coq castré perd toute son agressivité et sa tendance à la domination), tandis que chez l'être humain les altérations de la personnalité sont moins évidentes. Celles-ci dépendent, surtout, des circonstances dans lesquelles la castration survient. C'est ainsi que l'on ne retrouve pas chez les soldats castrés par blessure de guerre la personnalité particulière des eunuques des anciens harems. La castration chirurgicale (ablation des testicules) a été pratiquée dans plusieurs pays, notamment en Allemagne et au Danemark, sur des criminels sexuels. Elle a

été remplacée, au début des années 70, par la castration chimique.

castration (complexe de), crainte immotivée de perdre l'intégrité de son corps.
En réalité, il s'agit moins de sentiments relatifs au corps humain vulgaire que d'un système d'émotions en rapport avec la valeur symbolique du phallus*. Ce complexe, qui reste inconscient, témoigne chez l'adulte névrosé de la persistance d'une angoisse infantile liée au problème de l'appartenance sexuelle. Parfois, il naît des menaces d'éducateurs maladroits, soucieux de réprimer ou d'éviter les « mauvaises habitudes » (masturbation). Le plus souvent, il survient naturellement chez l'enfant à partir d'un sentiment de culpabilité*, en rapport avec le complexe d'Œdipe*, et de la découverte de la différence anatomique des sexes. Le petit garçon craint de perdre ce qu'il a et qui le valorise. L'intérêt que la petite fille porte à la verge du garçon est l'expression de son désir de l'égaler ; elle envie son pénis et elle cherche les moyens de réparer le manque dont elle souffre. Avoir un enfant est l'un de ces moyens. Le désir de l'enfant viendra donc remplacer l'envie du pénis.
Pour devenir sexuellement normal, tout enfant doit surmonter le complexe d'Œdipe et l'angoisse de castration. Les psychanalystes considèrent, en effet, que le complexe de castration constitue, pour l'individu, le choc affectif le plus important de son existence, dont les prolongements peuvent retentir sur le développement ultérieur de sa sexualité et conditionner ses relations humaines futures.

catalepsie, état pathologique caractérisé par la perte momentanée de la sensibilité et de la contractilité volontaire des muscles.
Le corps du malade devient aussi plastique que de la cire molle (flexibilité cireuse) et conserve les postures qu'on lui donne sans fatigue apparente. Certaines crises de sommeil cataleptique, au cours desquelles le patient peut donner l'impression de la mort (elles sont susceptibles de durer des heures sinon des mois), se produisent à la suite de violents chocs émotionnels, d'intoxications ou d'affections du système nerveux central. La catalepsie se rencontre dans l'hystérie, l'hypnose et, surtout, dans la démence précoce à forme catatonique.

catatonie, syndrome complexe, comprenant des troubles psychomoteurs et des perturbations neurovégétatives, que l'on rencontre surtout dans la schizophrénie et, parfois, dans certaines maladies infectieuses, telle l'encéphalite psychosique azotémique aiguë.
La catatonie se caractérise, essentiellement, par un état de passivité stuporeuse, la conservation des postures imposées (catalepsie) et le négativisme (refus de parler, de manger, etc.). Parfois, des impulsions soudaines rompent cet ensemble : cris, violences, fureur rendant le malade dangereux pour son entourage. Cet état peut être passager, périodique ou chronique. Certains cas de catatonie aiguë évoluent rapidement vers la mort. Les thérapeutiques proposées varient avec les auteurs : électrochocs, neuroleptiques, hibernation artificielle. Quant aux causes de cette maladie, elles restent hypothétiques. Pour les uns, la catatonie serait d'origine psychologique (il s'agirait d'une sorte de retrait de la réalité, analogue à l'autisme), pour les autres, elle aurait une cause organique.

catharsis, mot grec signifiant « purification », « purgation ».
Chez Aristote, il définit l'effet bienfaisant de la représentation dramatique sur les spectateurs. Chez S. Freud et J. Breuer, il désigne l'effet salutaire provoqué par le rappel à la conscience d'un souvenir à forte charge émotionnelle, jusque-là partiellement ou totalement refoulé.
La méthode cathartique est utilisée en psychologie pour sa valeur thérapeutique. Les techniques employées varient de la psychanalyse classique au cri primal, en passant par la narcoanalyse et le psychodrame. Avec les enfants, on se sert surtout du jeu libre, grâce auquel les tendances profondes peuvent s'exprimer spontanément. Des figurines en pâte à modeler, des poupées ou des marionnettes, symbolisant les personnes de leur entourage (parents, frères et sœurs...), peuvent être maltraitées ou détruites sans crainte de représailles, ce qui permet aux jeunes patients de

se purifier de leur agressivité et de leur angoisse.

cécité, état d'une personne privée de la vue.
La cécité peut être congénitale (en relation avec un trouble génétique ou une affection virale, telle que la rubéole congénitale) ou encore acquise. On évalue à 30 ou 40 millions dans le monde le nombre de cas de cécité totale. Du point de vue pédagogique, on considère qu'une personne est atteinte de cécité à partir du moment où elle relève d'un enseignement spécial pour aveugles, faisant appel à des techniques particulières telles que l'écriture braille. Le diagnostic de la cécité n'est pas toujours simple car il existe des sujets qui, bien que possédant un système visuel intact, se comportent comme s'ils étaient aveugles (« cécité hystérique ») et d'autres, réellement aveugles, qui ignorent et nient leur cécité (« agnosie* visuelle »).
D'une manière générale, la cécité n'entraîne pas de retard de l'intelligence mais les aveugles congénitaux éprouvent des difficultés d'apprentissage plus importantes que les aveugles tardifs, et ils ont plus de mal que ces derniers à organiser leur espace. Du point de vue de la personnalité, les aveugles tardifs s'adaptent moins bien à leur infirmité que les aveugles de naissance. Les problèmes que posent les aveugles (1 ‰ en France) sont à la fois d'ordre psychologique, pédagogique et social. L'enfant aveugle, d'âge préscolaire, a généralement un développement psychomoteur peu différent de celui qui voit bien, sauf en ce qui concerne la coordination motrice et la marche, qui est tardive (entre dix-huit mois et trois ou quatre ans) ; le babillage dure un peu plus longtemps.
Il n'existe en France que quelques écoles spécialisées disposant de classes maternelles pour aveugles. Chez les enfants aveugles, on note en moyenne un retard scolaire de 2 à 3 ans, dû en particulier à leur entrée tardive à l'école (les parents hésitent à les placer en internat), à une santé fragile, à l'utilisation de l'écriture braille. Pour ceux qui ne lisent pas le braille, il existe des « optophones » qui convertissent les lettres en sons et une « machine à lire » (*Kurzweil Reading Machine*, K.R.M. 400).

censure, contrôle critique des actes d'une personne.
S. Freud a donné ce nom à l'instance psychique découverte par la psychanalyse*, qui trie, parmi les sentiments intimes, ceux que la conscience* peut admettre, et rejette les autres parce qu'ils sont dangereux ou non conformes aux exigences sociales. Ceux-ci, refoulés dans l'inconscient* mais ne perdant rien de leur dynamisme, réapparaissent, sous une forme déguisée, dans les rêves, les actes manqués ou les symptômes névrotiques.
→ appareil psychique.

centilage, classement obtenu en divisant un échantillon représentatif d'une certaine population en cent parties d'effectif égal (« centiles »).
Cet étalonnage repose sur le principe de l'ogive de Galton*. Le centile donne le rang d'un sujet dans le groupe auquel il appartient.
→ test.

centre d'action médico-sociale précoce (C.A.M.S.P.), établissement de dépistage et de traitement des troubles psychologiques, moteurs ou sensoriels dont peuvent souffrir de jeunes enfants.
Les C.A.M.S.P. sont définis précisément par un décret du 15 avril 1976, qui fixe les conditions de leur agrément. Ils ont la même vocation que les centres* médico-psychopédagogiques, mais ils ne reçoivent que les enfants d'âge préscolaire. On y retrouve des équipes pluridisciplinaires (médecins, pédagogues, psychologues, rééducateurs, etc.) qui, après avoir établi un bilan et un diagnostic, entreprennent la rééducation ou le traitement psychothérapique de l'enfant, en s'efforçant de faire participer ses parents.

centre d'aide par le travail (C.A.T.), établissement particulier, accueillant des adultes handicapés, quelle que soit la nature de leur handicap, ayant une capacité de travail inférieure à un tiers de la normale.
Les C.A.T. offrent aux personnes sévèrement handicapées des possibilités d'activité professionnelle, un encadrement éducatif, une surveillance médicale, un soutien psychologique et un milieu de vie susceptible de favoriser

leur développement personnel en vue de leur intégration sociale. L'admission dans un C.A.T. est subordonnée à la décision de la commission* technique d'orientation et de reclassement professionnel (Co.T.O.Re.P.). Elle ne devient définitive qu'après une période d'essai (de 6 mois au plus). Les activités professionnelles sont des plus variées, depuis les travaux de terrassement jusqu'à la finition de petit matériel d'équipement industriel. Les travailleurs perçoivent un salaire (généralement faible) qui est couvert par le produit du travail. Les C.A.T. sont soumis à la législation du travail. Leurs dépenses de fonctionnement sont prises en charge par le service départemental d'aide sociale.

centre médico-psychopédagogique (C.M.P.P.), établissement public ou privé où s'opèrent le dépistage et le traitement des enfants et des adolescents, la plupart du temps en situation d'échec scolaire, dont l'inadaptation est liée à des troubles neuropsychiques ou à des troubles du comportement.
Les promoteurs des C.M.P.P. furent A. Berge et G. Mauco, qui ouvrirent le « Centre Claude-Bernard », à Paris, en 1946. Peu de temps après, J. Boutonier et M. Debesse créèrent des organismes semblables à Strasbourg (1947) et à Mulhouse (1949). Depuis, le nombre des C.M.P.P. n'a pas cessé d'augmenter. Leur mission est double : établir un diagnostic et traiter les troubles, sans retirer les sujets de leur milieu naturel. Le plus souvent, il s'agit de perturbations psychologiques mineures ou de difficultés instrumentales (troubles de la psychomotricité, du langage) traitées soit par la psychothérapie*, soit par la rééducation*. Le traitement comprend une action sur la famille, qui peut bénéficier de conseils pédagogiques, éducatifs ou psychologiques. Les C.M.P.P. ont un champ d'action voisin de celui des réseaux d'aides* spécialisées (R.A.S.) et des dispensaires d'hygiène* mentale.

cérébral, personne chez qui prédomine la vie intellectuelle.
Décrit sous ce terme par C. Sigaud et L. Mac Auliffe, ce type d'individus se caractérise par un corps élancé, longiligne, et une attitude générale effacée. Le cérébral correspond au nerveux d'Hippocrate et, dans la terminologie de E. Kretschmer, au leptosome.

cérébrotonie, dans la typologie* de W. H. Sheldon, composante tempéramentale où prédominent la tension nerveuse, le doute et l'inhibition.
Le cérébrotone (ou cérébrotonique) préfère la méditation et l'expression symbolique à l'action directe. Le cérébrotone extrême, qui vit replié sur lui-même, présente habituellement des troubles fonctionnels : insomnie, fatigue chronique, troubles cutanés.

cerveau, formation nerveuse constituée par les hémisphères cérébraux et les structures qui les unissent.
Chez l'homme, les atteintes cérébrales sont toujours très graves. Un enfant malformé, qui vient au monde sans cerveau (on dit qu'il est anencéphale), est réduit à une vie strictement végétative. Chez les animaux, la destruction du cerveau n'a pas le même caractère de gravité. Pendant longtemps, on a cru que les « facultés » de l'esprit étaient localisées dans le cerveau. Actuellement, on pense qu'il n'y a pas de centre vraiment spécialisé de la mémoire, du langage, etc., mais seulement des circuits cérébraux. Si la destruction d'une zone du cortex entraîne la disparition (pas toujours définitive) d'une fonction, cela ne signifie pas que le siège de cette fonction est atteint, mais que les circuits sont rompus. **→ activation, localisations cérébrales, médiateur, neurone, synapse.**

chaîne (travail à la), mode de travail où le produit à fabriquer se déplace à une cadence déterminée et s'arrête, successivement, devant les ouvriers, chargés chacun d'une opération particulière.
Certains ouvriers préfèrent le travail à la chaîne au travail libre, car ils se sentent dégagés de toute responsabilité. D'autres, au contraire, ne supportent ni le rythme que la chaîne leur impose ni le travail parcellaire qu'ils effectuent, et souffrent des relations dépersonnalisées qui existent à tous les échelons. Le travail à la chaîne tend à disparaître. Progressivement, le travail de l'homme se

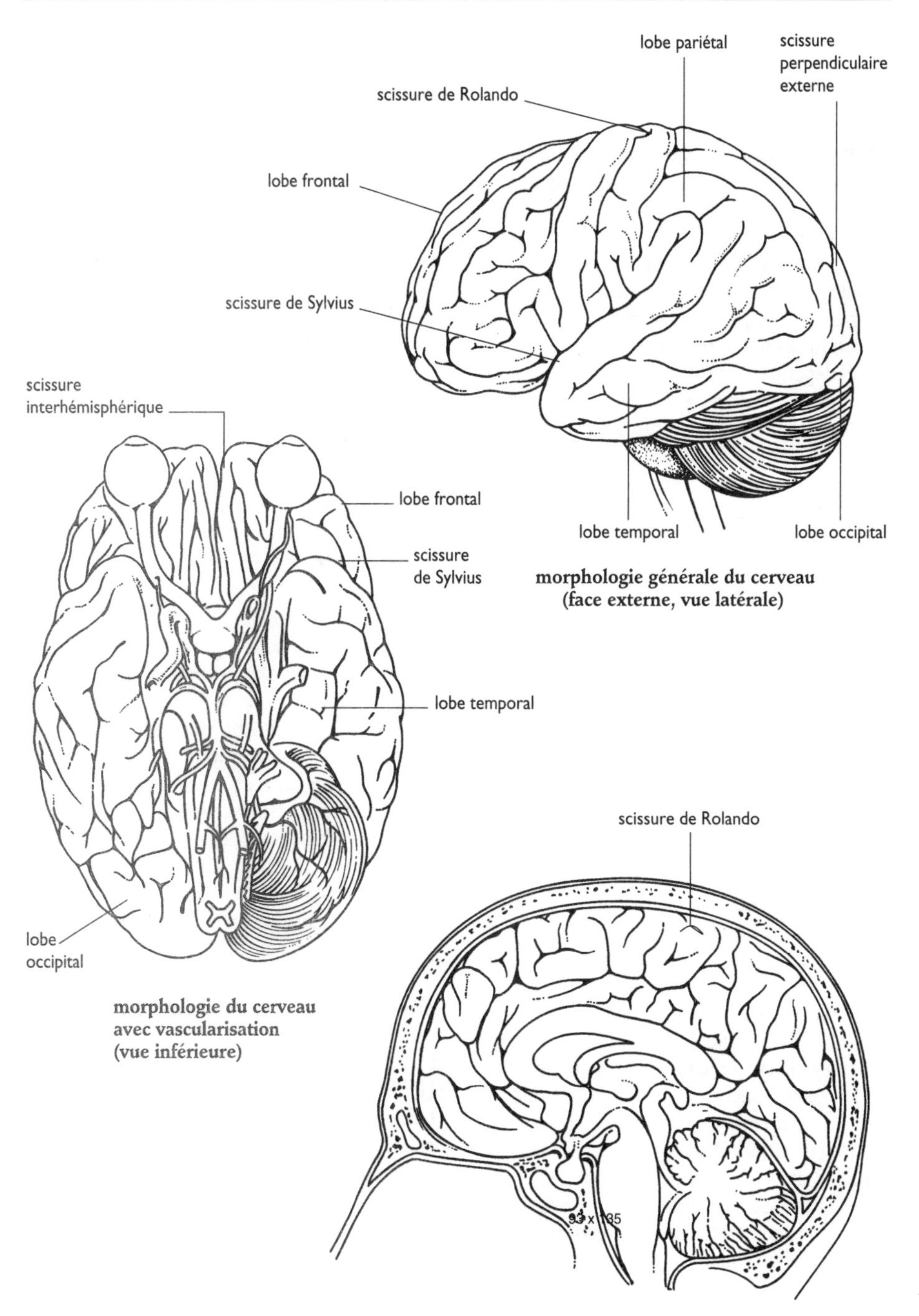

morphologie générale du cerveau (face externe, vue latérale)

morphologie du cerveau avec vascularisation (vue inférieure)

coupe sagittale du cerveau dans la boîte crânienne

limitera aux tâches de commande et de réparation, qui font appel à l'esprit de réflexion et de décision.

champ psychologique, expression due à K. Lewin qui désigne tous les faits physiques, biologiques, sociaux, psychologiques (conscients et inconscients) existant à un moment donné pour un individu ou un groupe, dont ils déterminent le comportement.
Les perceptions, les motivations, les idéaux, les conduites d'une personne ou d'une collectivité dépendent des conditions socioculturelles, économiques, etc., qu'ils influencent simultanément. Par exemple, un écolier tenté d'aller jouer au lieu de faire ses devoirs y renonce. Son comportement s'éclaire si l'on considère la totalité de la situation, non seulement le besoin de jouer de l'enfant mais aussi les recommandations de sa mère, sa crainte du maître, sa volonté de réussir, etc. La théorie du champ évite les explications « fixistes », fondées sur l'attribution d'un caractère déterminé. Ses principes permettent de mieux comprendre aussi certains faits sociaux, tels que la violence exercée contre une minorité raciale.

Charcot (Jean Martin), neurologue français (Paris 1825 – lac des Settons, Nièvre, 1893)
Professeur d'anatomie pathologique à la Salpêtrière, il a décrit la symptomatologie de la plupart des grandes maladies organiques du système nerveux ; il a accordé une importance particulière à la névrose*, qu'il définit comme « un état morbide ayant évidemment pour siège le système nerveux et qui ne laisse sur le cadavre aucune trace matérielle décelable ». S'occupant de l'hystérie*, il constate que les crises sont provoquées par le souvenir enfoui d'un violent choc émotionnel. Il fut l'un des premiers à utiliser l'hypnose* et la suggestion pour traiter cette affection. Ses leçons, traduites dans les principales langues, sont assidûment suivies et lui valent une réputation mondiale. S. Freud a été l'un de ses disciples. Il a eu pour élèves directs des neurologues français, comme J. Babinski, J. Déjerine, P. Marie, qui ont rendu célèbre l'école de la Salpêtrière.

charge de travail, dépense énergétique que doit fournir un travailleur pour accomplir une tâche.
La mesure de la *charge physique* d'un travail est, théoriquement, relativement simple. Elle est fondée principalement sur des critères physiques, tels que la consommation d'oxygène respiré et des indices physiologiques, comme la fréquence cardiaque et la température du corps. La *charge mentale* est plus difficile à évaluer car elle peut varier d'une personne à l'autre et, pour un même opérateur, d'un moment à l'autre. Elle est aussi fonction de la personnalité du travailleur et de l'intérêt qu'il trouve dans son travail. D'autres facteurs, tels que l'ambiance et les relations interpersonnelles dans l'atelier, agissent aussi sur la charge de travail.

chiffre noir, mesure de la criminalité restée impunie.
Entre la délinquance réelle et la délinquance connue, il y a une marge que les criminologues s'efforcent d'apprécier. Ils disposent à cette intention de questionnaires que doivent remplir, anonymement, des individus appartenant à des échantillons de populations. Dans certains de ces questionnaires, il est demandé aux personnes interrogées de mentionner les délits qu'elles ont commis à l'insu de la police, dans les autres, d'indiquer les délits ou les crimes dont elles ont été les victimes, mais qu'elles n'ont pas porté à la connaissance des autorités.

chimiotaxie, réaction d'attraction ou de répulsion d'un animal provoquée par un agent chimique.
Le bombyx du mûrier, alerté par l'odeur de la femelle, se dirige vers celle-ci (chimiotaxie positive) même si elle se trouve à des kilomètres de lui. Un jeune vairon, attaqué par un adulte de la même espèce, émet une « substance d'effroi » qui fait fuir l'agresseur (chimiotaxie négative) et l'empêche ainsi de détruire ses congénères.

chirologie, science de la main.
L'étude scientifique de la main se distingue nettement de la chiromancie des diseurs de bonne aventure. Des chercheurs, tels C. Wolff

(1943) ou D. W. Smith (1970), travaillant sur de grandes quantités d'empreintes palmaires, ont observé des corrélations entre le caractère et le dessin de la main. La chirologie est une science en formation.

choc, traumatisme créant une perturbation dans l'organisme.
Le *choc émotionnel* ou « choc affectif » résulte de l'apparition brutale et inattendue d'un élément nouveau dans la vie d'un individu, qui modifie de façon importante son existence, et auquel il ne parvient pas, momentanément, à s'adapter. Le plus souvent, il s'agit d'une frustration : perte d'un être cher, rupture amoureuse... Mais une surprise agréable peut entraîner les mêmes bouleversements. Des modifications humorales et neurovégétatives se produisent alors dans l'organisme, comparables à celles d'un choc biologique. Dans le traitement des maladies mentales, les *chocs thérapeutiques* sont encore parfois employés, bien que leur efficacité soit discutée. Leur but est de provoquer une perturbation brusque de l'équilibre intérieur, humoral et végétatif des malades. → **électrochoc, stress.**

chômage, privation de travail.
Les conséquences psychologiques et même somatiques du chômage sont souvent dramatiques. Généralement, on assiste à l'installation progressive d'un état dépressif : au fur et à mesure que les jours passent sans travail, l'individu se sent dévalorisé ; pour obtenir un nouvel emploi, il diminue sans cesse ses prétentions. Vis-à-vis des siens, il se sent plus ou moins coupable. Le chômage prolongé, en aliénant l'individu de la communauté humaine, constitue une grave menace pour sa santé mentale ; il a des répercussions jusque sur les enfants, dont beaucoup vivent dans l'anxiété, ce qui ne manque pas d'affecter leur travail scolaire.

chorée, maladie nerveuse appelée communément « danse de Saint-Guy ».
Elle atteint surtout les enfants de 7 à 13 ans vivant dans de mauvaises conditions d'hygiène, privés d'air et de lumière. Rarement reconnue au début, cette maladie, qui se manifeste par des mouvements involontaires (agitation désordonnée et grimaces), irréguliers (vilaine écriture), expose les enfants aux punitions des éducateurs.
Le traitement (hygiène, repos) permet la guérison rapide dans les cas bénins. La *chorée aiguë,* dite « de Sydenham », est de nature rhumatismale et infectieuse ; elle s'observe dans les méningites et au cours des maladies infantiles, telles que la rougeole, les oreillons ou la coqueluche. Il existe d'autres chorées, chroniques, qui débutent à l'âge adulte. La plus fréquente, la *chorée de Huntington,* se caractérise par des mouvements choréiques lents, une altération du caractère (dépression ou agressivité) et de l'intelligence. C'est une maladie héréditaire, dégénérative, atteignant le cortex cérébral et les noyaux gris centraux de la base du cerveau.

chronique, action ou état durable.
En psychologie animale, on prépare certains animaux dits « chroniques » afin de réaliser des expériences fréquemment répétées. Depuis 1950, à la suite de R. G. Heath, on utilise des microélectrodes implantées à demeure dans le cerveau de nombreux animaux, afin d'étudier le fonctionnement de cet organe. Par une petite brèche pratiquée dans la boîte crânienne, on enfonce dans la masse cérébrale de minuscules électrodes à pointe mousse. Ces microélectrodes sont reliées aux appareils de stimulation et d'enregistrement, soit par de longs fils souples, d'une finesse extrême, soit par transmission radioélectrique. La tolérance aux implants est excellente ; certains animaux les gardent plus de 4 ou 5 ans.

chronobiologie, science qui a pour objet l'étude de la périodicité des phénomènes biologiques.
Depuis les unicellulaires jusqu'à l'homme, il existe des phénomènes biopériodiques : migration annuelle des hirondelles, règles de la femme, etc. Ces rythmes biologiques sont inscrits dans le patrimoine génétique des êtres vivants et ne sont que faiblement influencés par les conditions du milieu.
L'homme possède une rythmicité non seulement dans ses activités et son alimentation, mais encore dans ses fonctions physiologiques : tension artérielle, température corpo-

relle, etc. Le fonctionnement génital féminin, qui a été bien étudié, depuis 1976, par les Américains E. Knobil et Ferin, obéit à une périodicité quasi horaire : un flux important d'hormones hypothalamiques toutes les 60 à 90 minutes ; une pulsation d'hormones hypophysaires toutes les heures. Les cycles biologiques paraissent ordonnés principalement par l'alternance des jours et des nuits et par d'autres variations de l'environnement, telles les phases de la lune et la succession des saisons. Cependant, chez l'homme, le facteur le plus puissant semble être de nature psychosociale, car c'est la manière dont nous répartissons notre activité et notre repos qui agit comme « synchroniseur » essentiel. L'une des applications pratiques de la chronobiologie est la « chronopharmacologie », qui s'efforce de déterminer l'effet des drogues et des médicaments en fonction des rythmes biologiques.

cinéma, technique audiovisuelle offrant de grandes qualités au point de vue pédagogique.
Les nombreuses enquêtes effectuées prouvent que l'on acquiert davantage de connaissances par le cinéma que par les méthodes traditionnelles. Cela est dû, pour une part, à la fascination exercée par l'image en mouvement et aux possibilités de cette technique : gros plan, ralenti, schéma, dessin animé, couleur, etc. Quant à la télévision, elle apprend à l'enfant à modeler ses attitudes et ses conduites sur les modèles proposés, mais ceux-ci ne sont pas toujours exemplaires.

cinèse ou **kinèse**
Réaction motrice non dirigée de certains êtres vivants, provoquée par une variation durable de l'intensité d'un agent physique (lumière, chaleur, etc.) ou chimique externe auquel ils sont soumis.

circoncision, intervention chirurgicale bénigne consistant à exciser le prépuce.
Elle est pratiquée en Afrique, en Amérique du Sud, en Océanie. Les uns la considèrent comme la marque d'appartenance au groupe et comme le signe de l'alliance divine avec Abraham, les autres comme une mesure d'hygiène, mais il est possible aussi que cette opération symbolise la renonciation aux péchés de la chair (Philon) et la castration*. Elle a, dans certaines structures sociales, une valeur rituelle d'entrée dans le monde viril adulte. Les jeunes garçons, longuement préparés, l'attendent avec joie comme le signe de leur indépendance.

Claparède (Édouard), psychologue et pédagogue suisse (Genève 1873 – id. 1940).
Il fut professeur à l'université de Genève et dirigea le laboratoire de psychologie qui lui était attaché. Son rayonnement intellectuel et l'influence de sa pensée continuent de s'exercer sur des générations de pédagogues, à travers ses nombreuses publications dont : *l'École sur mesure* (1920), *Comment diagnostiquer les aptitudes des écoliers* (1924), *l'Éducation fonctionnelle* (1930).
Aux théories statiques de son époque, qui font de la psychologie une science analytique et mécaniste, il oppose une conception dynamique et fonctionnelle de cette discipline. La psychologie doit étudier les phénomènes psychiques par rapport à l'ensemble des réactions de l'organisme, en les réintégrant dans la totalité de la conduite ; tout fait mental est une conduite et toute conduite est adaptative. Ses méthodes sont l'observation et l'expérimentation. Ayant découvert et énoncé un certain nombre de lois psychologiques, Claparède les applique à la pédagogie (*Psychologie de l'enfant et pédagogie expérimentale*, 1905). Ses principes se retrouvent dans le mouvement pédagogique appelé « école active* ».

classification, opération consistant à regrouper dans un certain nombre de « classes » des éléments présentant un ou plusieurs caractères communs.
La classification a pour but de retrouver rapidement un objet par la place qu'il occupe, ou de préparer la découverte des lois en rapprochant des objets ayant le plus de ressemblances naturelles.
Selon J. Piaget, la pensée passe par les phases sensori-motrice, préopératoire et intuitive avant de parvenir, entre sept et douze ans environ, au stade des opérations concrètes*, qui implique la maîtrise du classement (sériation*) d'objets matériels. Au niveau pré-

opératoire et intuitif, les enfants qui doivent « mettre ensemble ce qui va ensemble » commencent par établir des « collections figurales », c'est-à-dire qu'ils effectuent un classement empirique en rangeant dans la même classe, par exemple, un arbre et une maison, ou un triangle et un carré parce que cela évoque une maison. → **opératoire (théorie).**

clastomanie, impulsion morbide à détruire.
Cette tendance pathologique se rencontre chez certains déficients intellectuels ou chez des aliénés. Il s'agit, le plus souvent, d'un comportement malin, la destruction n'atteignant que des objets de valeur. → **colère, malignité.**

claustrophobie, peur morbide des espaces clos.
Dans cette névrose phobique, l'angoisse naît chaque fois que le patient se trouve dans un endroit fermé (voiture, cabinet, salle de spectacles, etc.). Il éprouve alors une impression d'étouffement qui peut être intense. À l'origine de cette névrose, on peut trouver, au-delà du souvenir lointain d'une forte émotion, un sentiment inconscient de culpabilité lié à des pulsions sexuelles et à l'isolement qu'impose l'autoérotisme. Le traitement psychanalytique permet d'obtenir la guérison de ces troubles.

climat, ambiance intellectuelle et morale régnant dans un groupe.
La sécurité affective, les bonnes relations humaines accroissent l'efficience, tandis que les sentiments de frustration et d'insécurité la diminuent. De nombreux enfants qui ne réussissent pas en classe vivent dans un climat psychologique détérioré (mésentente des parents, hostilité du maître, moqueries des condisciples). Dans les usines, après avoir étudié l'ouvrier, indépendamment de tout contexte, on accorde de plus en plus d'intérêt à sa vie psychologique, à ses soucis, à ses sentiments d'homme en relation avec autrui, ce qui a pour effet d'augmenter la productivité.

clinique (psychologie), méthode particulière de compréhension des conduites humaines qui vise à déterminer, à la fois, ce qu'il y a de typique et ce qu'il y a d'individuel chez un sujet, considéré comme un être aux prises avec une situation déterminée.
S'efforçant de comprendre le sens des conduites, elle analyse les conflits de la personne (ou du groupe) et ses essais de résolution. La psychologie clinique utilise les renseignements fournis par l'enquête sociale (témoignages recueillis dans l'entourage du sujet), les techniques expérimentales (tests d'intelligence, de caractère, etc.), l'observation du comportement, l'entretien tête à tête, les données de la biotypologie et celles de la psychanalyse. Ensuite, elle s'efforce d'intégrer tous les éléments recueillis dans une représentation d'ensemble suffisamment cohérente du comportement du sujet dont elle veut faire apparaître les motivations et la signification profondes. À partir de l'étude approfondie de cas, la psychologie clinique espère parvenir à une généralisation scientifique valable.

Cl.I.S. → **intégration scolaire (classe d').**

clivage → **Klein (Melanie).**

clochard, personne sans travail ni domicile.
Il s'agit, le plus souvent, d'un névrosé, incapable de s'adapter aux règles de la vie sociale et, notamment, d'occuper un emploi stable. Généralement, il a connu, dans son enfance, un « attachement » défectueux ou des traumatismes affectifs (rejet, mésentente familiale, etc.).

clonie ou **clonus**
Dans le bégaiement, répétition spasmodique d'une syllabe ou d'un mot. En neurologie, le mot *clonus* désigne les contractions répétées et involontaires d'un muscle ou d'un groupe musculaire. → **épilepsie.**

coarté ou **coarcté**, rétracté.
Ce terme, introduit par H. Rorschach, caractérise un type d'individu qui ne manifeste, dans son test, aucun caractère extratensif* ou introversif*. Il s'agit alors, fréquemment, de

personnes sèches et « étriquées » ou inhibées, déprimées.

cocaïne, substance toxique extraite des feuilles du cocaïer.
Les Péruviens en mâchent les feuilles pour tromper leur faim et augmenter leur résistance physique. La cocaïne, poudre blanche que l'on prise ou que l'on dilue dans l'eau avant de se l'injecter, crée une agréable excitation intellectuelle.
En France, malgré son prix élevé (1 000 F le gramme, en 1988), cette drogue* redevient à la mode : 36 personnes interpellées en 1975, 505 en 1987. La consommation régulière de cocaïne entraîne des troubles hallucinatoires (visions animées) et la sensation d'être dévoré par des parasites logés sous la peau. Elle engendre une forte dépendance psychique. Le traitement de cette redoutable toxicomanie ne peut se faire qu'à l'hôpital. Il dure au moins un an et les récidives sont fréquentes. La cocaïnomanie a beaucoup de similitudes avec l'intoxication aux amphétamines.

cognition, acte de connaissance.
La psychologie cognitive est la discipline, située au carrefour de la biologie, de la psychologie, de la linguistique et même de l'informatique, qui a pour objet les mécanismes de la pensée grâce auxquels s'élabore la connaissance, depuis la perception, la mémoire et l'apprentissage jusqu'à la formation des concepts et au raisonnement logique. On appelle « tests cognitifs » les épreuves psychométriques qui permettent d'évaluer les connaissances d'un sujet, tels les tests* de niveau scolaire ou ceux de connaissances techniques, utilisés pour la sélection professionnelle.

cognitive (thérapie), forme de traitement psychologique reposant essentiellement sur le dialogue et ayant pour but d'apprendre au patient à soumettre ses sentiments et ses émotions à l'examen de la raison.
Pour l'un de ses fondateurs, le médecin américain Albert Ellis (1958), la thérapie cognitive est une école de sagesse et de réalisme visant à accueillir le monde dans sa quotidienne vérité et à s'accepter soi-même tel que l'on est. Selon cet auteur, plus de lucidité évite de graves mécomptes. La démarche de Aaron T. Beck (1976, 1996) s'apparente à la maïeutique de Socrate : par ses questions et ses reformulations, le psychothérapeute amène le sujet à prendre conscience de certaines de ses attitudes. Il ne moralise jamais et ne donne pas de conseils, mais se contente d'apprendre au patient à réfléchir de façon critique sur son propre comportement et ses attentes. Pour cela, il lui demande aussi de noter régulièrement, sur un carnet de bord, ses pensées et ses émotions significatives survenues entre les séances hebdomadaires. La durée totale d'une thérapie cognitive, qui est souvent associée à la thérapie comportementale*, peut varier de trois mois à deux ans. Ses meilleures indications sont les troubles anxieux, les dépressions*, à l'exception des états mélancoliques, les phobies, les obsessions* et les névroses traumatiques*.

cognitivisme (latin *cognoscere*, « connaître »), courant de pensée moderne ayant pour objet la connaissance en tant qu'activité.
Le cognitivisme rejoint l'épistémologie génétique générale, la psychologie et la neurophysiologie, puisqu'il ambitionne de comprendre la genèse des phénomènes de l'esprit et le fonctionnement du cerveau. Pour décrire la façon dont s'élabore la pensée (comment les choses acquièrent un sens, comment on les mémorise, comment on les exploite et les restitue, etc.), plusieurs disciplines sont sollicitées : outre celles déjà citées, le cognitivisme fait appel à la linguistique, à l'informatique (recherches sur l'intelligence artificielle), à l'anthropologie et à la philosophie. Cette doctrine, dont on peut voir les signes annonciateurs dans les théories de E. C. Tolman* (1932), de K. Lewin* (1936 à 1944), de J. Piaget* et de ses collaborateurs D. E. Berlyne* et Jérôme Bruner, s'est imposée en France dans les années 1980, en réaction aux théories béhavioristes alors dominantes.
→ néobéhaviorisme.

cojumeaux (méthode des), méthode du jumeau témoin imaginée par A. Gesell*.
Il s'agit de l'observation systématique de vrais jumeaux – ayant donc la même constitution

physique – que l'on soumet à des régimes différents. D'autres méthodes gémellaires, telles que l'étude des jumeaux élevés séparément, permettent de préciser les influences respectives de l'hérédité et du milieu dans la constitution de la personnalité. L'observation de longue durée montre qu'à l'adolescence les jumeaux se différencient de plus en plus l'un de l'autre, mais qu'à partir de soixante ans ils se ressemblent davantage. La part des facteurs héréditaires n'est donc pas constante au cours d'une vie.

colère, émotion subite, de tendance agressive, qui se manifeste par une vive animation expressive, gestuelle et verbale, parfois incontrôlable.
Classiquement, on distingue la colère pâle ou livide et la colère rouge, ainsi définies par la coloration du visage. Chez les enfants, on observe des « colères blanches » qui tendent à la syncope. La colère survient dans des situations de frustration, quand l'individu se révèle incapable de les dominer. Chez certaines personnes faibles ou névrosées, la colère offre aussi l'occasion d'affirmer leur personnalité mal assurée. Quand on n'ose pas affronter le sujet de la colère, un déplacement s'effectue sur les choses ou les êtres sans défense, les enfants ou les animaux. La psychanalyse y décèle une régression au stade sadique-anal.
Sous l'influence de l'éducation, l'être humain apprend à contrôler les expressions motrices et verbales de la colère. Pourtant, certaines fureurs explosent au moindre prétexte. Elles sont le fait d'individus prédisposés, qui présentent une fragilité organique, par suite d'un dérèglement endocrinien (quand la glande thyroïde ou les surrénales sont trop actives), ou une déficience du système nerveux central, comme dans l'épilepsie ou l'alcoolisme chronique. Les états coléreux s'accompagnent, parfois, d'un obscurcissement de la conscience, qui peut ne laisser aucun souvenir. → **sham rage.**

colérique
Type de personnalité se définissant, dans la classification de G. Heymans et E. D. Wiersma, par une forte émotivité (E), un grand besoin d'activité (A) et des réactions immédiates (P). Le trait dominant du colérique est moins la colère que la vivacité de ses réactions, son impulsivité, son activité exubérante, sa vitalité, son impatience. → **caractérologie.**

collectif (test), test appliqué à plusieurs personnes à la fois.
Surtout employées en psychologie militaire et industrielle, pour la sélection du personnel, ces épreuves ont le grand avantage d'être rapides dans l'administration et la correction. Diffusées sous forme de cahiers, de questionnaires, de projections fixes, de disques, etc., elles permettent de connaître les aptitudes intellectuelles et le caractère des sujets examinés. Ce système ne rend pas possible la connaissance fine des personnes, que seuls les tests individuels peuvent donner.

collectionnisme, tendance à accumuler des objets.
L'arriéré, le vieillard dément amassent les choses les plus hétéroclites : bouts de ficelle, pierres brillantes, etc., tandis que le névrosé recherche des objets particuliers : mouchoirs fins, lingerie féminine... Chez ce dernier, le choix des éléments est lié au type de névrose.

Columbia (échelle de maturité mentale de), test individuel d'intelligence pour enfants de trois à douze ans souffrant de trou-

1

2

3

4

5

6

Planche sur le modèle du test de Columbia : « Parmi les six figures suivantes, trouver celle qui ne va pas avec les autres. »

bles moteurs ou de surdité et de déficits du langage.
Ce test se compose de cent planches cartonnées, blanches ou diversement teintées, sur lesquelles figurent des dessins géométriques, des personnes, animaux, plantes, objets de la vie courante, facilement identifiables. Le sujet doit indiquer, par le geste ou la mimique, l'image qui « ne va pas avec les autres ». Dans les premières planches, toutes les figures – sauf une – sont identiques. Par la suite, la difficulté s'accroît. Le test de Columbia est une épreuve de pensée conceptuelle apparentée à celles de L. S. Vygotsky, de K. Goldstein ou de J. Piaget.

Comenius (nom latin de **Jan Amos Komensky**), pédagogue tchèque (Nivnice, Moravie, 1592 – Amsterdam 1670).
Pasteur de l'Église protestante, proscrit de son pays ravagé par la guerre de Trente Ans, il mène une vie errante, cherchant en Europe des secours pour ses frères persécutés. Pendant ses loisirs, il trouve le temps d'écrire une quarantaine d'ouvrages pédagogiques dont : *Janua linguarum reserata* (1631), [*la Porte d'or* (1898)] ; *Didactica Magna* (1632) [*Grande Didactique* (1952)].
Ses recommandations prophétiques sur l'éducation se trouvent en partie réalisées dans notre pays trois siècles plus tard : démocratisation de l'enseignement, écoles maternelle et primaire obligatoires, éducation des arriérés. Il préconise l'orientation professionnelle à 14 ans, l'aide matérielle de l'État aux étudiants pauvres, la formation morale, esthétique et physique des élèves. Il demande que les écoliers expérimentent, manipulent les objets, visitent les ateliers, excursionnent dans la nature. À ce titre, Comenius peut être considéré comme le véritable fondateur de l'école active*.

comitialité
Synonyme d'épilepsie.

commandement, façon de diriger.
Il n'existe pas une forme unique de commandement mais une multitude de types, dont chacun varie avec les caractéristiques propres à chaque groupe. Un bon commandement assure une performance collective élevée et fait progresser le groupe vers le but fixé ; il est source de satisfaction pour ses membres et renforce leur cohésion. Le commandement autoritaire permet d'atteindre une grande efficacité mais entraîne des insatisfactions qui nuisent au moral du groupe. Le commandement démocratique crée un meilleur climat et permet aux minorités d'apporter une contribution qui risquerait d'être perdue dans une autre ambiance. → **autorité, leader.**

commission départementale de l'éducation spéciale (C.D.E.S.), instance créée, dans chaque département français, par la loi du 30 juin 1975 en faveur des personnes handicapées, ayant compétence pour les enfants et les adolescents.
La C.D.E.S. peut être amenée à se prononcer sur l'orientation* de tous les enfants et adolescents handicapés, de leur naissance jusqu'à leur entrée dans la vie active, au plus tard jusqu'à l'âge de 20 ans. Son rôle est de promouvoir les diverses actions nécessaires pour donner aux handicapés la meilleure éducation possible. Elle est appelée à se prononcer, en cas de nécessité, sur leur orientation vers des structures appropriées, et sur l'attribution aux familles d'une aide financière. Il ne lui revient pas de donner son avis sur le placement dans des établissements conçus pour accueillir des adultes, tels que les centres* d'aide par le travail ou les ateliers* protégés. La tâche dévolue à la C.D.E.S. étant très vaste, possibilité lui a été donnée de déléguer certaines de ses compétences à des commissions de circonscription de deux sortes : celles qui ont compétence pour les enfants de l'enseignement préscolaire et élémentaire (C.C.P.E.) et celles qui ont à connaître le cas des élèves relevant de l'enseignement du second degré (C.C.S.D.). Au sein de ces commissions se retrouvent des enseignants, des psychologues, des médecins, des éducateurs, des représentants d'associations de parents.

commission technique d'orientation et de reclassement professionnel (Co.T.O.Re.P.), instance créée, dans chaque département français, par la loi du 30 juin

1975 en faveur des personnes handicapées, ayant compétence pour les adultes.
La Co.T.O.Re.P. se prononce, notamment, sur l'orientation du sujet handicapé soit vers un emploi compatible avec ses aptitudes, soit vers un stage de réadaptation, soit vers un atelier* protégé ou un centre* d'aide par le travail (C.A.T.). Il lui revient aussi d'apprécier si l'état de la personne concernée justifie l'attribution de l'allocation aux adultes handicapés.

communication, relation entre individus.
La communication est, tout d'abord, une perception. Elle implique la transmission, intentionnelle ou non, d'informations destinées à renseigner ou à influencer un individu ou un groupe récepteurs. Mais elle ne s'y réduit pas. En même temps qu'une information est transmise, il se produit une action sur le sujet récepteur et un effet rétroactif (*feed-back*) sur la personne émettrice, qui est influencée à son tour.
Le langage* n'est pas la seule conduite de communication. La mimique et le geste en sont d'autres. D'autre part, toutes les communications ne s'expriment pas rationnellement. On perçoit plus que ce qui est clairement communiqué. S. Freud a même pu parler de communication d'inconscient à inconscient, exprimant par là que les individus sont capables de percevoir des indices ténus dont ils n'ont pas conscience.
La communication n'est pas un privilège humain. Elle existe aussi, indubitablement, chez les animaux et les plantes. L'abeille butineuse indique par une danse, aux autres membres de la ruche, l'endroit où se trouvent des fleurs, leur distance et la qualité du pollen (K. von Frisch). Des pins, des peupliers, des érables blessés avertissent leurs congénères du dommage qu'ils ont subi, ce qui a pour effet de déclencher, dans toute la colonie, un mécanisme chimique de défense contre les agresseurs (P. Caro, 1983). De la bactérie à l'homme, tous les êtres vivants ont besoin pour vivre et survivre d'être informés de façon permanente à la fois sur leur état et sur celui du milieu extérieur. Les signaux utilisés sont des plus variés : visuels, comme chez le ver luisant, électriques (gymnote), sonores (pinson), ultrasonores (chauve-souris), tactiles (fourmis) ou chimiques (phéromones émises par le bombyx du mûrier).

comparée (psychologie), branche de la psychologie qui s'efforce de faire apparaître des similitudes ou des différences psychologiques en mettant en parallèle l'homme et l'animal, les hommes ou les groupes humains entre eux, en fonction des races, des milieux culturels, des niveaux socio-économiques, des âges, etc.
L'expérience de W. N. Kellog élevant son fils avec un jeune chimpanzé du même âge, les recherches de O. Klineberg sur les jeunes Indiens des réserves et les enfants blancs fréquentant les mêmes écoles, celles de A. Gesell sur les jumeaux, toutes les études qui mettent en jeu un groupe ou un sujet témoin entrent dans le cadre de la psychologie comparée.

compensation, action de contrebalancer une déficience.
Ce processus psychologique, souvent inconscient, consiste à compenser un manque ou une infirmité, réels ou supposés, par un comportement secondaire parfois bien adapté à la réalité. Selon la théorie d'A. Adler, Napoléon Bonaparte aurait cherché la gloire pour faire oublier sa petite taille. Plus près de nous, Wilma Rudolph, surnommée « la Gazelle noire », est devenue championne olympique (1960), dans l'épreuve de course à pied sur 100 m et 200 m, après avoir vaincu la poliomyélite qui l'avait terrassée. Mais la compensation peut s'exercer aussi sur un plan imaginaire : elle est alors le fait de névrosés ou de délirants, qui vivent en pensée des exploits fabuleux ou se prennent pour des personnages extraordinaires, afin de masquer leur échec dans la vie sociale. → **volonté.**

compétition, aspiration simultanée au même statut, au même titre.
La compétition stimule les meilleurs mais inhibe certains individus qui, plutôt que de s'exposer à perdre, préfèrent ne pas y participer et restent repliés sur eux-mêmes. Selon R. May, la compétition serait l'une des causes majeures d'une névrose culturelle qui fait des êtres humains soit des personnes soumises et

conformistes, soit des révoltés. Pour sa part, M. Sherif, expérimentant sur deux groupes d'écoliers engagés durant plusieurs jours dans des jeux compétitifs, observa l'émergence rapide de conduites hostiles et agressives que ni les repas pris en commun ni les distractions ne purent réduire. La compétition est un fait culturel que l'on ne retrouve pas dans toutes les sociétés ; elle serait inexistante chez les Hopi, les Arapesh de Nouvelle-Guinée et les Zuñi du Nouveau-Mexique.

complètement (test de), épreuve psychologique consistant à compléter un ensemble.
Il peut s'agir de *tests intellectuels*, dans lesquels le sujet doit trouver la fin d'une série donnée, telle que, 1, 2, 4, 8, 16... ; 1, 3, 4, 7, 11..., ou de *tests affectifs*. Ceux-ci prennent la forme de phrases incomplètes (« l'ambition de Paul serait de... ») ou de petites histoires à terminer librement qui permettent d'explorer l'affectivité de l'enfant, sans le mettre ouvertement en cause. L'interprétation, qui se situe essentiellement sur le plan symbolique, exige des connaissances psychologiques approfondies.

complexe, ensemble de tendances inconscientes qui détermine les attitudes d'un individu, son comportement, ses rêves, etc.
Pour beaucoup de personnes, le contenu de ce concept reste assez flou. Les unes pensent qu'il s'agit d'un conflit* intérieur, opposant la conscience morale aux pulsions* sexuelles et agressives, les autres, qu'il est causé par un choc intense, de nature sexuelle. Presque tout le monde croit que c'est un phénomène morbide. Mais il n'en est rien. Dans la terminologie psychanalytique, ce mot recouvre une combinaison de traits personnels, de désirs, d'émotions, de sentiments, d'attitudes affectives contradictoires, pratiquement toujours inconscients, le tout organisé en un ensemble indissoluble, et faisant partie intégrante de la personnalité.
Les complexes se forment dans les premières années de la vie. À leur base, on retrouve toujours le couple amour-haine. Ils ne sont pas pathologiques, mais ils peuvent le devenir à la suite des modifications qu'ils subissent ou d'hypertrophies secondaires. Quand ils ne se résolvent pas normalement, ils entraînent des troubles caractériels chez l'enfant et se prolongent par des désordres nerveux chez l'adulte. Chaque événement important de l'histoire d'un enfant est susceptible de déclencher la formation d'un complexe. La naissance d'un cadet dans une famille, par exemple, entraîne une série de modifications dans les attitudes de chacun de ses membres. Par la force des choses, la mère, accaparée par les soins à donner au nouveau-né, se détourne de son aîné. Celui-ci, se sentant frustré, devient jaloux et agressif à l'égard du puîné. Il en veut aussi à sa mère qui se détourne de lui. Agité de sentiments contradictoires, d'amour et de haine, de désir de réconciliation et d'agression, il est anxieux. Parfois, il régresse, ne veut plus aller à l'école maternelle, se procure des satisfactions autoérotiques, recommence à parler comme un bébé et à mouiller ses culottes. C'est, pour lui, une expérience pénible, traumatique, qui détermine sa conduite et la formation d'un « complexe d'intrusion » (J. Lacan). Par la suite, tout peut rentrer dans l'ordre, mais dans son psychisme il reste une trace, qui est susceptible d'être réactivée par de nouvelles expériences à peu près similaires. Il devient sensible à l'injustice, révolté, autoritaire ou soumis, égoïste ou altruiste, selon le tempérament et l'éducation. Son caractère se forme en fonction de la situation frustrante, sa personnalité s'organise et intègre les motivations et les conduites complexuelles. La protestation inconsciente contre la présence de « l'intrus » peut se transposer, des années plus tard, dans le domaine social, et se manifester, par exemple, par l'incompatibilité d'humeur avec certaines personnes, ressenties comme étant rivales. **→ castration (complexe de), infériorité (complexe d'), Œdipe (complexe d'), sevrage.**

comportement, conduite d'un sujet considéré dans un milieu et dans une unité de temps donnés.
Le comportement, qui dépend à la fois de l'individu et du milieu, a toujours un sens. Il correspond à la recherche d'une situation ou d'un objet susceptible de réduire les tensions (C. L. Hull) et les besoins de l'individu. Depuis

le réflexe, qui tend à supprimer l'excitation, jusqu'à la névrose, conçue comme réaction inadéquate à l'angoisse, tous les comportements ont une signification adaptative. → **béhaviorisme.**

comportementale (thérapie) ou **thérapie du comportement**, méthode de traitement psychothérapique fondée sur les lois et les principes de l'apprentissage, notamment ceux du conditionnement, et visant à remplacer les attitudes inadéquates par d'autres, mieux adaptées.
La thérapie du comportement est issue des travaux de I. P. Pavlov et du béhaviorisme*. Elle constitue un système cohérent dont la clé de voûte est la notion de renforcement*. Un symptôme névrotique (phobie, tic, énurésie...) est considéré comme étant un comportement « appris » mais inadapté ; on s'efforcera donc de le remplacer par une réponse mieux ajustée. Par exemple, un sujet inhibé socialement s'entraînera à s'affirmer devant autrui, à exprimer et à contrôler son agressivité. Une autre forme de thérapie du comportement est la « pratique négative ». Dans ce cas, il s'agit de répéter, volontairement et de façon intensive, le comportement que l'on voudrait faire disparaître, un tic, par exemple. D'autres techniques font appel au dégoût et à l'aversion, à la peur et à l'anxiété ou encore au renforcement positif (récompense). → **immersion (thérapie par).**

compulsion, tendance impérieuse à accomplir un acte.
Dans la névrose obsessionnelle, le sujet exécute certains gestes irrationnels, tels que la rectification de la position de tous les tableaux de la maison, en sachant que cela ne correspond à aucune raison logique, mais par nécessité de conjurer l'angoisse qui naîtrait si ces actes n'étaient pas exécutés. D'après S. Freud, les compulsions seraient des « formations de compromis » entre certains désirs et les exigences morales du sujet.

conation, ce terme est employé en psychologie française avec le sens d'« effort de volonté ».
Les aspects conatifs (ou volitionnels) d'une personne, liés aux motivations et aux pulsions, constituent les fondements de l'affectivité. On peut les apprécier qualitativement grâce aux techniques projectives.

concept, représentation mentale abstraite et générale d'un objet.
Le concept est une construction symbolique de l'esprit qui, par-delà les données sensorielles, atteint l'essence des objets et les réunit dans un même ensemble. La pirogue, le dériveur léger, le chalutier, le porte-avions sont des bateaux ; le voleur et l'escroc sont des délinquants ; la fièvre typhoïde et la tuberculose sont des maladies. Les concepts « bateau », « délinquant » et « maladie » sont les produits de notre expérience, que le langage permet d'exprimer symboliquement.
Le concept est un instrument intellectuel qui permet de saisir les relations existant entre certains phénomènes. Sa possession facilite l'action, son absence la contrarie : un expérimentateur apprend à un singe à éteindre une bougie à l'aide de l'eau tirée d'un robinet, puis il transpose la même action sur un lac. L'animal retourne, avec sa cruche, jusqu'au robinet au lieu de puiser l'eau du lac. S'il avait possédé le concept « eau », il se serait épargné cette peine. La formation des concepts, particulièrement bien étudiée par J. Piaget, est fonction de la maturation intellectuelle et du développement du langage. On apprécie le niveau de la pensée conceptuelle d'un sujet par des tests de classement d'objets, de couleurs et de formes différentes.

concrète (opération), dans la terminologie de J. Piaget, processus de pensée portant directement sur la réalité tangible et non sur des propositions verbales.
Les opérations concrètes apparaissent vers 7 ou 8 ans. Vers 12 ou 13 ans, elles font place aux opérations formelles grâce auxquelles le raisonnement hypothético-déductif devient possible. → **opératoire (théorie).**

concrète (psychologie), psychologie en rapport avec la réalité.
En 1929, C. Politzer*, fondateur d'une *Revue de psychologie concrète*, s'attaque à la psycholo-

gie scientifique qui étudie l'homme dans le cadre du laboratoire, indépendamment de ses conditions de vie. Hostile à cette forme de recherche artificielle, il préconise une approche différente de l'être humain, fondée sur la compréhension des comportements, envisagés par rapport à l'ensemble du « drame » individuel.

condensation, accumulation de sens dans un seul élément.

Les mots d'esprit, les rêves*, les lapsus*, les symptômes névrotiques traduisent d'une façon abrégée et symbolique les sentiments d'une personne. Un homme rêve, par exemple, qu'il va se fixer dans une grande ville, baignée par une rivière, qui s'appelle « Parsbourg ». L'analyse de ce nom montre qu'il est composé de syllabes appartenant à Paris et à Strasbourg, et qu'en réalité le rêveur, également attaché à ces deux villes, était incapable de se décider en faveur de l'une ou de l'autre. La condensation, surtout celle des personnages, aboutissant parfois à une extrême concision, contribue à donner au rêve sa richesse et son caractère d'étrangeté.

conditionnel (réflexe), réponse de l'organisme à un signal neutre (sonnerie, ampoule qui s'allume...) après que celui-ci eut été fréquemment associé à l'excitant naturel, seul capable, à l'origine, de provoquer ce réflexe.

Si je donne un léger choc sur la patte d'un chat, il la retire ; c'est un réflexe naturel de défense. Si je répète fréquemment cette expérience en la faisant précéder immédiatement d'une sonnerie qui annonce le choc, il finit par se produire un transfert de pouvoir de l'excitant naturel au stimulus artificiel. On peut remarquer, en effet, après un certain temps, que la sonnerie seule entraîne la même réaction de défense de l'animal que le choc lui-même : un réflexe conditionnel s'est établi. On doit à I. P. Pavlov (1897) et à ses élèves l'étude scientifique de ces phénomènes qui sont à la base de l'acquisition des habitudes* et d'une grande partie de notre comportement*.

conditionnement, ensemble des opérations associatives par lesquelles on arrive à provoquer un nouveau comportement chez l'animal ou chez l'homme.

Le domaine des réflexes conditionnels semble infini. Par la méthode du conditionnement, on a pu apprendre à des poissons rouges à parcourir des labyrinthes peu compliqués. Même la résistance de l'organisme aux microbes est un réflexe susceptible d'être conditionné (S. Metalnikov, 1928). En effet, si l'on inocule des antigènes microbiens à un chien, son organisme réagira par la production d'anticorps (substance défensive). Si l'on fait précéder les injections d'un léger choc électrique, celui-ci suffit à provoquer l'apparition des anticorps. Le conditionnement est une technique utilisée couramment en thérapeutique psychiatrique pour traiter certaines névroses, désintoxiquer les alcooliques ou guérir les enfants de la peur, de l'énurésie, du bégaiement ou de l'insomnie. → **comportementale (thérapie).**

conditionnement opérant, technique d'apprentissage mise au point par B. F. Skinner* (1938).

Opposée au conditionnement pavlovien classique, la méthode du conditionnement opérant s'efforce de se rapprocher de la réalité en laissant l'animal actif libre d'agir sur son milieu. Il n'y a plus de réponse provoquée mais seulement des actes spontanés suivis d'un renforcement*. Par exemple, en appuyant sur un levier, un chat recevra du lait ou, encore, en poussant sur un bouton toutes les 19 secondes, un singe évitera un choc électrique. Grâce à cette technique, il a été possible d'apprendre à des pigeons à rechercher des naufragés et des épaves et à signaler leur présence en appuyant sur des boutons, chaque fois qu'ils aperçoivent sur l'océan des objets de couleur rouge, orange ou jaune (couleurs conventionnelles des signaux de détresse et des gilets de sauvetage). Lorsque la détection est confirmée, ces nouveaux guetteurs sont récompensés par de la nourriture.

conditionnement opérant (thérapie par), forme de thérapie comportementale fondée sur le renforcement assujetti à la réponse.
Les thérapies par conditionnement opérant utilisent, généralement, un renforcement* positif, tel qu'une friandise, une caresse ou de l'argent. Par exemple, dans le cas de l'anorexie mentale, on renforcera positivement toute prise de nourriture, tandis que le refus d'alimentation sera volontairement ignoré par l'équipe soignante. Cette pratique peut être aussi employée pour éduquer les arriérés ou rééduquer les psychotiques. On utilisera dans ces cas le système des jetons (ou des « bons points »), dans lequel chaque réussite ouvre droit à une récompense (sortie, télévision, chocolat...).

conduite, ensemble des actions par lesquelles un organisme cherche à s'adapter à une situation déterminée.
Ce terme, très fréquemment employé en psychologie jusque dans les années soixante, tend à être supplanté par celui de comportement*. Pourtant, la conduite ne se réduit ni à des données matérielles et objectives, telles que des réactions motrices et sécrétoires, ainsi que l'entendaient les béhavioristes, ni aux seules réactions de l'organisme considéré dans son milieu, cherchant à diminuer les tensions suscitées par celui-ci. C'est une réponse à une motivation*, qui met en jeu des composantes psychologiques, motrices et physiologiques. La communication, par exemple, est une conduite psychosociale qui vise à transmettre à autrui une information, par l'emploi du langage, de la mimique, des attitudes, des gestes, etc.

conflit, lutte de tendances, d'intérêts ; situation dans laquelle se trouve un individu qui est soumis à des forces de directions opposées et de puissances à peu près égales.
Un rat affamé, attiré par de la nourriture située à une extrémité de la cage qu'il ne peut atteindre qu'après avoir franchi une grille électrisée, se trouve dans une situation conflictuelle (appétence contre aversion). L'obligation pour un enfant de faire un travail désagréable sous peine de punition (aversion contre aversion) ou celle de choisir entre deux parties de plaisir également attirantes (appétence contre appétence) suscitent une tension intrapsychique. Quand le conflit se révèle insoluble, l'angoisse naît et des troubles névrotiques s'installent.
Pour résoudre les conflits intrapsychiques, l'être humain dispose de nombreux moyens, tels que le refoulement, le déplacement vers un but substitutif, la sublimation, etc. Outre les conflits affectifs, il en existe d'autres, d'ordre cognitif (intellectuel) ou social. Le *conflit cognitif* survient lorsqu'une personne est placée devant des informations contraires aux opinions qu'elle professe. → **dissonance cognitive.**

conformisme, attitude qui vise à maintenir l'individu en accord avec son groupe social.
Pour la grande majorité des êtres humains, le conformisme est une condition de santé mentale. Le refus d'accepter les normes sociales isole l'individu de la communauté à laquelle il devient plus ou moins étranger. Leur transgression est presque toujours punie, la punition pouvant aller du châtiment violent à la dérision (non-conformisme vestimentaire, par exemple). Le conformisme s'accompagne souvent d'une fidélité au groupe, qui peut amener ses membres à œuvrer contre leur propre intérêt.

confusion mentale, état pathologique dans lequel les pensées sont brouillées.
Il s'agit, habituellement, d'une situation temporaire, consécutive à une intoxication, une maladie infectieuse, un traumatisme crânien ou un choc émotionnel intense. Le malade a un air égaré, il ne reconnaît plus les siens, ne sait plus où il se trouve, est désorienté dans le temps et présente des troubles de la mémoire. Bien que la confusion mentale puisse survenir à n'importe quel âge, elle se rencontre plus fréquemment chez les personnes âgées de plus de 60 ans ou chez celles dont le cerveau a subi des altérations (toxicomanes, alcooliques...). Cette maladie évolue généralement d'une manière favorable si elle est traitée rapidement. Si la cause n'est pas trouvée ou traitée, la confusion s'installe et

peut aboutir à un état confusionnel organique chronique.

connaissance, savoir.
L'acquisition des connaissances est fonction des moyens intellectuels d'un sujet, de sa personnalité et des méthodes qu'il utilise.
Toute connaissance est relative et le même objet, appréhendé par deux observateurs utilisant des méthodes distinctes, a toutes les chances d'apparaître différent à leurs yeux. Ce que nous nommons « réalité » n'est qu'un reflet du monde, élaboré par notre cerveau. Lorsque nos connaissances s'accroissent, il n'y a pas seulement augmentation des acquisitions mais, surtout, réorganisation de l'ensemble de celles-ci. Par exemple, dans la cure psychanalytique, la découverte par le patient de la signification d'un symptôme névrotique peut entraîner sa guérison. La connaissance nouvelle modifie la structure de la personnalité, dans ses aspects intellectuels et affectifs.

conscience, connaissance immédiate que chacun possède de son existence, de ses actes et du monde extérieur.
La conscience, qui organise les données de nos sens et de notre mémoire, qui nous situe dans l'espace et le temps, n'existe pas en tant que fonction particulière, organisée et ayant un « siège » dans le cerveau. Elle est sans intériorité ni extériorité, elle est rapport au monde perçu. H. Bergson l'assimile à l'attention, S. Freud à la perception, C. G. Jung à l'état de veille, les neuropsychologues à la fonction vigile.
J. Delay distingue sept niveaux de conscience. Le plus élevé correspond à l'hyperactivation du cerveau (vigilance excessive, émotions fortes), le plus bas correspond au coma (les excitations sensorielles ne provoquent plus que de très faibles réactions motrices). Entre ces extrêmes se situent la vigilance attentive, la vigilance diffuse, la rêverie ou l'endormissement, le sommeil léger et le sommeil profond. Ce que l'on a coutume d'appeler « conscience » se limite aux niveaux précédant l'endormissement. Au-delà, la conscience n'est pas abolie – puisque l'on rêve et qu'on s'en souvient – mais la pensée est surtout fixée sur les pulsions* et l'affectivité* (conscience onirique).

conseil conjugal, aide psychologique apportée aux couples en difficulté, afin d'améliorer leurs relations réciproques.
Né dans les pays anglo-saxons, le conseil conjugal s'est développé en France, au début des années 60, avec la création de l'Association française des centres de consultation conjugale. Des hommes (33 %), des femmes et des couples s'adressent aux conseillers conjugaux pour exposer leurs ennuis et trouver une solution à leurs problèmes. Il s'agit, le plus souvent, de mésentente entre les époux due à des divergences de vues sur l'éducation des enfants ou sur le travail de la femme hors du foyer, à des difficultés de communication interpersonnelle, à une sexualité perturbée, à la méconnaissance des désirs et des besoins de l'autre, au chômage, etc.
Les conseillers conjugaux évitent de donner des conseils. Leur rôle est d'amener les consultants à analyser sans passion leur situation. Éventuellement, lorsqu'ils se trouvent en face de personnes trop perturbées, ils les dirigent vers une consultation médico-psychologique ou vers un spécialiste des maladies mentales. Les conseillers conjugaux sont aussi appelés à faire l'éducation sexuelle des enfants et des adolescents, soit à la demande d'organismes privés, soit dans des établissements d'enseignement publics.

conseiller d'orientation-psychologue, spécialiste chargé d'informer les élèves de l'enseignement secondaire et les étudiants sur les études et leurs débouchés, ainsi que sur leurs propres possibilités, afin qu'ils puissent décider de leur orientation.
En 1988, il y avait en France 519 centres d'information et d'orientation et 4 313 directeurs et conseillers d'orientation-psychologues. La tâche de ces derniers est considérable : en 1986, 2 620 000 jeunes ont bénéficié d'actions d'information et 1 580 000 d'entre eux ont été pris en charge. Les conseillers d'orientation-psychologues utilisent des méthodes empruntées essentiellement à la psychologie clinique et à la psychologie sociale, notamment les techniques psychométriques (tests

collectifs et individuels, inventaires de personnalité et/ou d'intérêts* professionnels), l'entretien et la discussion en groupe. Ils jouent aussi un rôle important auprès des enseignants, au sein des conseils de classe, par l'éclairage nouveau qu'ils apportent sur leurs élèves.

conservation
Dans la théorie opératoire* de J. Piaget, schème de la pensée logique apparaissant chez l'enfant entre 7 et 12 ans environ, et d'après lequel le sujet sait que certaines transformations d'un objet (par exemple sa forme) ne modifient pas ses autres qualités (son poids, par exemple).

conservation (instinct de), ensemble des mobiles qui poussent un individu à se conserver en vie.
Dans toutes les espèces animales, on observe ce désir de conservation, qui se manifeste en particulier dans les comportements agressifs (pour se défendre ou satisfaire sa faim), le besoin de repos et la sexualité. Cependant, chez l'homme, cet instinct reste dépendant des conditions sociales. Des groupes entiers d'individus ont disparu, en Polynésie par exemple, en l'espace d'une génération, par suite de l'invasion de leur territoire par les Blancs. Ce n'est pas qu'ils furent exterminés par la guerre ou la maladie, mais, selon toute vraisemblance, parce qu'ils avaient perdu le goût et leur raison de vivre.

constitution, ensemble de dispositions congénitales, morphologiques et psychophysiologiques d'un individu.
Il existe de nombreux types constitutionnels que l'on a essayé de réduire à quelques groupes principaux. E. Dupré distinguait huit constitutions : émotive, cyclothymique, paranoïaque, perverse, mythomaniaque, schizoïde, glischroïde, psychopathique ; E. Kretschmer en retenait trois : athlétique, leptosome, pycnique ; C. G. Jung se limitait à deux : l'introversion et l'extraversion.
Toutes ces classifications sont simplificatrices. Mais elles ont le mérite de souligner l'existence d'un fonds commun à certains individus, qui conditionne leurs conduites. Ainsi, J. Masserman a observé que des singes placés dans des situations de tension identiques réagissaient différemment selon les espèces : les uns devenaient agressifs, d'autres s'immobilisaient, d'autres présentaient des troubles psychosomatiques.

contagion mentale, transmission involontaire de symptômes mentaux pathologiques à d'autres personnes.
Celles-ci, influencées par un malade, se mettent à l'imiter, adoptant ses attitudes et allant même jusqu'à épouser ses idées délirantes. À la base de la contagion mentale, il y a un phénomène de suggestibilité* qui cesse lorsqu'on sépare le malade « inducteur » des sujets contaminés. Elle est spécialement fréquente dans l'hystérie et la psychologie des foules.

contraception → régulation des naissances.

contrainte (double) → lien (double).

contrainte (névrose de), synonyme de névrose obsessionnelle.
Dans la nouvelle traduction française des écrits de S. Freud (*Œuvres complètes*, 1988), cette expression remplace l'ancienne, « névrose obsessionnelle », car elle est plus proche du sens allemand. **→ obsession.**

contre-transfert → transfert.

contrôle des naissances → régulation des naissances.

conversion, transformation d'une émotion, d'un affect refoulé en manifestation corporelle.
La tendance proscrite, ne pouvant apparaître librement à la conscience sous peine de susciter de l'angoisse, s'exprime symboliquement par un symptôme somatique. Le « langage du corps » remplace la parole. On observe alors des paralysies sans atteinte du système nerveux, des cécités, des surdités ou des mutités sans lésion des organes de la vue, de l'audition ou de la phonation. Le trouble est fonctionnel et correspond à une finalité in-

consciente. Le choix des organes a aussi un sens que l'exploration de l'inconscient, par la narcoanalyse, les techniques projectives ou la psychanalyse, permet de comprendre. La conversion, considérée comme une défense contre l'angoisse, est le mécanisme fondamental de l'hystérie. Elle ne doit pas être confondue avec les manifestations psychosomatiques (pâleur, rougeur du visage) provoquées par les émotions, auxquelles sont sujets beaucoup d'individus anxieux ou nerveux.

convulsion, contraction soudaine et involontaire des muscles due à une décharge neuronale.
On distingue les convulsions toniques des convulsions cloniques. Les premières, peu fréquentes, sont caractérisées par la raideur du corps, tandis que les secondes sont constituées par une série de secousses musculaires rythmiques. Dans l'enfance, quand le cerveau est hyperexcitable, les convulsions accompagnent souvent les fortes fièvres (40 °C) provoquées par certaines maladies infectieuses, telle la coqueluche. Isolées, elles ne laissent pas de séquelles ; répétées, elles traduisent une atteinte cérébrale. Il existe aussi des convulsions sans fièvre, d'origine métabolique (déficience en calcium, en glucose), ou dues à un abaissement permanent du seuil d'excitabilité du cerveau (épilepsie). Dans ce deuxième cas, les crises peuvent être déclenchées par une émotion.

coordination motrice, liaison harmonieuse des mouvements.
Elle suppose l'intégrité et la maturité du système nerveux. Une bonne coordination neuromusculaire est nécessaire dans presque tous les actes de la vie, des plus simples aux plus complexes. Dans la vie professionnelle, une bonne coordination visuomotrice ou audiomotrice (poursuite des sons émis par des satellites artificiels, par exemple) est souvent indispensable. Pour apprécier cette aptitude, divers tests ont été construits, tels le test des mouvements conjugués (en associant les mouvements de deux manettes qui commandent un pointeau, il faut suivre une ligne courbe) ou l'Audiokinétron de R. Anderhuber (1972), dans lequel le sujet, à partir de deux commandes manuelles (une manivelle et un levier), doit « courir » après un son qui a tendance à disparaître. Des études ont montré qu'il existe une relation étroite entre la réussite à ces épreuves et la commande des machines.

coping (mot anglais construit à partir de *to cope*, « tenir tête à quelqu'un », « faire face à une situation »), modalité adaptative s'apparentant à une réévaluation d'un problème tenant compte autant des ressources personnelles (cognitives et affectives) d'un individu que de son environnement.
Ce concept, popularisé par les Américains R. S. Lazarus et ses collaborateurs (1978, 1984, 1990), désigne un processus plutôt qu'un état. Il caractérise le compromis ou plutôt la succession d'arrangements mis en œuvre par un sujet pour faire face à une situation éprouvante (maladie grave, deuil ou tout autre stress*). Par exemple, la personne pourra se centrer sur le problème et rechercher les moyens de le résoudre ; ou encore, elle essayera de résister en contrôlant sa tension émotionnelle, soit en sollicitant une aide extérieure (sociale, psychologique, morale, religieuse...), soit en s'efforçant de réévaluer positivement ou de minimiser l'événement menaçant, soit enfin en pensant aux choses agréables de la vie.

coprolalie, langage obscène ou ordurier.
Relativement fréquente chez les adolescents timides, cette conduite reflète leur désir de s'affirmer en choquant les membres de leur entourage. On la retrouve aussi dans certains états pathologiques (manie, schizophrénie, maladie de Gilles de La Tourette, par exemple) et chez de jeunes enfants frustrés affectivement. Chez ces derniers, elle peut envahir toute la sphère du langage et exprimer leur hostilité envers le monde qui ne les aime pas. La coprolalie disparaît quand le sujet retrouve la sécurité affective.

coprophagie, action de manger des excréments.
La coprophagie est normale chez certains insectes, tel le bousier (scarabée) qui consomme

les excréments de mammifères, ou chez certains rongeurs, mais elle ne l'est pas chez l'homme. La coprophagie, encore appelée « scatophagie », se rencontre le plus souvent chez les idiots ou chez les déments, mais elle peut aussi se voir dans la névrose d'abandon ou après certains traumatismes affectifs graves.

corrélation, rapport de termes, dont l'un appelle logiquement l'autre.
Dans la croissance des individus, la taille et le poids augmentent simultanément. À l'école, les élèves brillants réussissent généralement dans toutes les matières, tandis que les enfants inintelligents échouent presque partout. Dans ces différents cas, on dit qu'il y a corrélation positive entre les éléments variables. En statistique, on appelle coefficient de corrélation l'indice qui exprime le degré de liaison de deux variables déterminées (la taille et le poids d'un groupe d'individus, par exemple). Selon que celles-ci varient dans le même sens, en sens contraire ou indépendamment l'une de l'autre, le coefficient de corrélation prend des valeurs qui tendent vers + 1, – 1 ou 0. Grâce à l'étude des corrélations existant entre divers tests intellectuels, C. E. Spearman* a réussi à mettre en évidence un facteur commun (le facteur G) que l'on peut assimiler à l'intelligence générale.

Co.T.O.Re.P. → commission technique d'orientation et de reclassement professionnel.

couleur, impression qualitative produite sur l'œil par la lumière.
Une étude, datant de 1987, effectuée par l'INSERM, a confirmé les effets de la couleur sur la physiologie. On a découvert que le rouge provoque une augmentation de la fréquence cardiaque, tandis que le vert la diminue. Par l'emploi judicieux des couleurs, il semble possible de diminuer la fatigue, d'augmenter le rendement et de créer un climat psychologique agréable. Il existe même une « chromothérapie » qui est l'utilisation, dans un dessein thérapeutique, des propriétés sédatives ou excitantes de certaines couleurs.

créativité, disposition à créer qui existe à l'état potentiel chez tout individu et à tous les âges.
Étroitement dépendante du milieu socioculturel, cette tendance naturelle nécessite des conditions favorables pour s'exprimer. La crainte de la déviation et le conformisme social sont le carcan de la créativité. Pour libérer l'imagination de ses entraves, les psychologues ont mis au point des techniques de discussion en groupe, où la consigne est d'exprimer toutes les idées, y compris les plus extraordinaires. Chacun y faisant assaut d'ingéniosité, sans crainte d'être critiqué, les problèmes les plus difficiles trouvent des solutions inattendues. C'est ainsi que les physiciens du *National Accelerator Laboratory* de Batavia (Illinois, États-Unis) en sont arrivés à employer un furet, équipé d'un harnais et d'un écouvillon pour nettoyer l'intérieur de l'accélérateur de particules (un tube de 500 m et de 15 cm de diamètre) qu'ils utilisent.

crime, infraction grave à la loi civile ou morale.
On distingue deux grandes catégories de crimes : ceux que l'on peut appeler « pathologiques », parce qu'ils sont commis par des sujets atteints de troubles mentaux, et les autres.
Les crimes pathologiques sont relativement peu nombreux : 1. ils sont le fait d'*épileptiques* dans la période de confusion* mentale qui succède à la crise comitiale. L'acte, d'une extrême violence, jaillit soudainement. Après la crise, le malade n'a aucun souvenir ; 2. l'homicide absurde, brutal et inattendu est commis par de jeunes *schizophrènes*. Parfois, c'est l'être le plus cher, la mère, qui en est la victime ; 3. les *paranoïaques* et les *délirants* arrivent, par une suite de déductions fausses, à rendre autrui responsable de leurs malheurs et de leurs souffrances. Leur crime est, à leurs yeux, un acte justicier.
La deuxième catégorie de crimes sont le fait d'individus, ni névrosés ni fous, qui ont choisi par leur action de s'isoler de la société. Une nouvelle science, la criminologie*, s'est constituée, groupant des spécialistes de diverses disciplines (biologistes, sociologues, médecins, psychologues, juristes) qui s'efforcent d'étudier le criminel et de le comprendre.

criminologie, science qui étudie les causes du comportement antisocial de l'être humain et cherche à y remédier.

Apparue au XVIIIe siècle avec les travaux de J. C. Lavater et de F. J. Gall, la criminologie s'est développée surtout à partir du XIXe siècle. Selon les écoles, l'accent était mis tantôt sur les anomalies physiques et mentales (thèse illustrée par le concept de « criminel-né », de C. Lombroso), tantôt sur l'influence du milieu social, à laquelle G. de Tarde, É. Durkheim et A. Lacassagne attachent une importance particulière. Par la suite, on s'est efforcé d'opérer la synthèse de ces éléments et d'étudier le criminel « dans sa relation avec autrui, en débat avec la réalité interhumaine » (A. Hesnard). Souvent, le sens de l'acte criminel ne peut apparaître que s'il est situé dans la totalité du vécu du délinquant.

La plupart du temps, le crime* correspond à une tendance justicière, dont la cause profonde est une blessure personnelle subie dans l'enfance. Un jeune homme de 16 ans, sain d'esprit, tue la maîtresse de son oncle. Le crime est inexplicable. L'adolescent s'était conduit parfaitement jusqu'alors. Intelligent, travailleur, sérieux, il donnait toute satisfaction. Contre la victime, de son propre aveu, il n'avait aucun grief à formuler. Mais il avait vu pleurer sa tante, ce qui lui était insupportable. Il est devenu son justicier. Cependant, cette explication n'était pas suffisante. Il manquait une dimension essentielle : la résonance affective qui a entraîné l'acte criminel et que l'examen psychologique a pu révéler. Ce jeune homme avait souffert dans son enfance du comportement volage de son père. Il avait vu pleurer sa mère et partagé ses angoisses. Il aurait voulu tuer la maîtresse de son père (sinon son père lui-même) pour que sa mère ne pleure plus. Lorsque, des années plus tard, il rencontra au foyer de son oncle une situation analogue, il y eut réactivation des souvenirs enfouis et sommation des émotions. Brusquement, il lui est apparu qu'il devait supprimer cette injustice ; il est devenu le justicier d'autrui (de sa tante et de sa mère) et de lui-même.

L'étude du criminel nécessite un travail d'équipe. Les divers spécialistes contribuent, chacun en ce qui le concerne, à sa connaissance. Les facteurs socio-économiques, la constitution physique, l'intelligence, l'affectivité sont indissolublement liés dans le crime. C'est tout l'ensemble organisé de ces éléments qui peut expliquer la délinquance*. La misère, l'inadaptation consécutive à l'immigration et ses phénomènes d'acculturation, la structure instable de la société (périodes de guerre, de révolution...) jouent un rôle certain dans la criminalité. Mais il semblerait qu'il existe aussi un facteur constitutionnel parmi les causes de la délinquance. En effet, les travaux des psychologues américains S. Glueck et W. H. Sheldon ont montré qu'il y a une relation positive entre le type morphologique mésomorphe* et la criminalité. D'autre part, des électroencéphalographistes ont noté la présence de différences significatives entre les tracés des sujets normaux et ceux des délinquants.

Les études psychologiques montrent, enfin, que les criminels ne sont pas moins intelligents que les non-délinquants, mais qu'ils sont plus souvent impulsifs, agressifs, méfiants, rebelles devant toute autorité et ayant tendance à s'affirmer socialement. Leur « moi » doit dominer ; seule compte la satisfaction de leurs besoins. Dans sa *Confession véridique d'un terroriste albinos* (1984), le Sud-Africain B. Breytenbach rapporte comment un codétenu a vendu sa fiancée pour trois paquets de tabac. Incapable de se mettre à la place de son prochain – qu'il déconsidère –, le délinquant ramène tous les problèmes à sa personne. Il manque de maturité dans son jugement et d'autocritique, tire rarement les leçons des expériences passées, a un mauvais contrôle émotionnel et a toujours tendance à se considérer comme frustré, victime d'une injustice. Il est vrai que, dans la majorité des cas, les délinquants sont issus de foyers dissociés, dans lesquels la mésentente régnait, où ils n'étaient ni compris ni aimés. On constate donc que le criminel n'est ni un malade ni un pervers, mais un individu agressif, mal adapté socialement, qui n'arrive pas à résoudre ses conflits, vit comme un persécuté, avec un sentiment permanent de frustration et, obscurément, recherche la condamnation de la société.

La rééducation du criminel suppose la connaissance approfondie de son histoire et de sa personne. L'apprentissage d'un métier est utile dans bien des cas ; mais il est fort difficile, voire impossible, de donner au délinquant l'affection qu'il n'a jamais reçue, le sens de sa valeur personnelle qu'on lui avait niée, le climat moral sécurisant qui lui avait toujours fait défaut. Les mesures éducatives, la psychothérapie restent des recours possibles, mais il vaudrait mieux pouvoir réduire la criminalité en luttant contre la misère, les taudis et l'alcoolisme, en éduquant le public aussi, par la presse et la radio-télévision, plutôt que d'essayer de rendre à la société ceux qui s'en étaient écartés. C'est à cette mission préventive que devraient se consacrer, principalement, les criminologistes modernes.

cri primal, forme de traitement, due à Arthur Janov (1967), fondée sur la reviviscence des souffrances passées.
Cette psychothérapie se divise en deux périodes. Au cours de la première, d'une durée de trois semaines, le patient est isolé et livré à ses propres fantasmes. Ses seuls contacts avec autrui sont ceux qu'il a avec son thérapeute. Celui-ci l'invite à se remémorer son passé et à ne pas contrôler ses sentiments. Submergé par ses émotions, il se laisse aller à crier, pleurer, appeler ses parents.
Au cours de la deuxième période, qui peut s'étendre sur plusieurs mois, le sujet est intégré dans un groupe où se déroulent des séances comparables. En revivant des événements douloureux, tels que la peur d'être placé en pension, le sujet se libère de ses tensions. Le « primal » est plus qu'une abréaction et qu'une catharsis, car il peut même s'accompagner de manifestations somatiques, comme par exemple des ecchymoses apparaissant à l'endroit où le sujet reçut des coups lorsqu'il était enfant. Les conceptions de Janov s'inscrivent dans le courant américain de la psychologie humaniste.

crise, manifestation soudaine d'une rupture d'équilibre.
L'existence humaine est jalonnée de crises, dont la première est la naissance (l'entrée dans la vie est accompagnée de cris). Par la suite, l'être passe par une série d'étapes critiques, dont les principales sont le sevrage, l'entrée à l'école, l'adolescence et la ménopause. M. Debesse a étudié, sous le nom de « crise d'originalité juvénile », le comportement révolutionnaire de l'adolescent qui cherche, maladroitement, à affirmer sa personnalité. Les émotions violentes, les frustrations longues et pénibles provoquent des crises nerveuses d'agitation ou de colère.

croissance, processus dynamique du développement.
La croissance est une impulsion qui caractérise l'organisme vivant et commence à partir de la fécondation. Organisation progressive des tissus, des organes et du comportement, elle repose essentiellement sur la maturation, mais dépend aussi, pour une part, des influences du milieu (qui favorisent ou retardent le développement) et de la culture. La croissance connaît des phases alternées de brusques poussées et de consolidation. Souvent aussi, dans le domaine mental, on observe des retours en arrière (régression*), quand le sujet se heurte à un obstacle.

croyance, attitude d'une personne à l'égard d'une idée, d'un fait, qu'elle tient pour fondé.
P. Janet distinguait les croyances rationnelles et expérimentales des croyances personnelles et sentimentales, dans lesquelles l'élément rationnel intervient peu ou pas du tout. « Je crois que Dieu existe » est d'une tout autre essence que la proposition : « Je crois que demain et les jours suivants le soleil se lèvera. » Dans le premier cas, la foi religieuse soutient ma croyance, dans le second, c'est l'observation quotidienne et l'information scientifique qui l'assurent.
La force d'une croyance varie selon les individus et, chez une personne, selon les moments de son existence. Le raisonnement ne prédomine pas dans la croyance, et c'est bien parce qu'elle obéit à d'autres conditions, irrationnelles et affectives, que celle-ci peut résister fermement au réel. La croyance remplit une fonction utile. « L'homme, disent D. Krech et R. S. Crutchfield (1952), se donne des croyances pour répondre à des situations problématiques. »

cubes (test des), épreuve non verbale d'intelligence.
Dû à S. C. Kohs (1920), ce test utilise des cubes colorés avec lesquels le sujet doit reproduire des dessins géométriques variés (sorte de mosaïques), de complexité croissante, dans un temps limité. Plaisant, parce qu'il se présente comme un jeu, il fait surtout appel au sens de l'observation, à l'organisation visuomotrice, au raisonnement logique et à l'aptitude à l'analyse et à la synthèse. Il est souvent employé dans les consultations psychologiques.

culpabilité, état de celui qui a commis une faute.
À côté de la culpabilité réelle, objective, qui est la violation grave d'une règle, on trouve chez de nombreux individus un sentiment plus ou moins net de faute subjective, qui s'exprime inconsciemment dans le comportement, ou inspire cette angoisse de l'homme traqué pour un crime non révélé ou imaginaire. D'après les psychanalystes, ce sentiment trouverait sa source dans le complexe d'Œdipe*.
Lorsque le sentiment de culpabilité devient intense, il peut déterminer la névrose et même la folie. Certains délirants s'accusent de toutes les fautes du monde, vivent dans un état permanent de culpabilité douloureuse, cherchent à se punir, à se mortifier, à se mutiler et même à se tuer. Dans son ouvrage *l'Univers morbide de la faute* (1949), A. Hesnard a montré qu'à la base de toute folie il y a une culpabilité irréelle, dont les racines sont infantiles, que le malade essaye désespérément d'annuler parce qu'elle constitue une menace redoutable pour sa valeur personnelle.

culture, développement du corps et de l'esprit sous l'action du milieu social.
Toute société humaine, même la plus primitive, possède sa culture qui conditionne le développement total de ses membres. C'est elle qui transforme l'individu en un type déterminé. La relation entre la personnalité et la culture est si étroite qu'il est possible de décrire un type moyen de Français, d'Anglais, d'Italien où l'on retrouve les principales caractéristiques nationales de chacun. La culture donne à l'homme son humanité. Les enfants sauvages*, qui ont été élevés par des animaux, n'ont plus rien d'humain : ils se déplacent à quatre pattes, se nourrissent comme les bêtes, ne parlent pas et l'expression de leurs émotions nous est incompréhensible. Doit-on considérer que la culture est l'apanage de l'homme ? De nombreux auteurs (R. M. Yerkes, M. Kawaï) pensent que ce phénomène apparaît aussi dans les sociétés animales. E. Kant (1803) avait déjà observé, par exemple, que des jeunes moineaux placés au milieu de canaris imitent leur chant. D'autre part, des petits loriots isolés de leurs parents sont capables d'« inventer » un chant original que, plus tard, d'autres jeunes congénères apprendront ; on a créé ainsi « une nouvelle école de musique du loriot. » (W. E. D. Scott).
La culture est un phénomène de socialisation, fondé sur l'apprentissage, qui permet l'intégration de l'individu à son groupe. Elle existe dans toutes les sociétés humaines et, probablement aussi, chez certaines espèces animales.

cybernétique, science des communications et des régulations de tout système organisé et autorégulé (machine ou être vivant).
Le domaine de la cybernétique intéresse non seulement les physiciens et les mathématiciens, mais aussi les neuropsychologues et les psychiatres, car il existe une certaine analogie entre les mécanismes physiques des cerveaux électroniques, capables de se gouverner, de s'orienter (radar, fusée à tête chercheuse), et ceux de la pensée humaine. Bien que l'on ait démontré l'existence de circuits nerveux (loi de la réciprocité des connections, de R. Lorente de Nó), il est improbable que l'on puisse jamais réduire le cerveau humain à un assemblage de structures neuroniques. La créativité est le propre de l'homme. La machine ne possède que l'intelligence que celui-ci lui a déléguée.

cycloïdie, dans la typologie de E. Kretschmer, degré extrême de la cyclothymie, à la limite du pathologique. On y reconnaît, sous une forme atténuée, les signes caractéristiques de la psychose maniaque-dépressive.

L'activité a tendance à osciller, soit spontanément, soit sous l'influence d'événements extérieurs, entre la gaieté et la tristesse, l'euphorie et la dépression, l'excitation hypomaniaque et l'apathie. L'instabilité de l'humeur va de pair avec des préoccupations pratiques, matérialistes et une sensibilité chaleureuse mais superficielle. La structure mentale cycloïde est associée, avec une fréquence significative, au type constitutionnel « pycnique ».

cyclothymie, humeur évoluant par phases entre la gaieté et la tristesse.
D'après E. Kretschmer, les individus peuvent se classer en deux grands groupes : les cyclothymes et les schizothymes. Les premiers, d'apparence physique plutôt trapue et ronde (« pycnique »), se caractérisent par leurs possibilités d'accord et de vibration avec le monde. D'humeur mobile, ils suivent les oscillations de l'ambiance, réagissant selon la situation par la joie, la colère ou la tristesse. (E. Bleuler les qualifie de « syntones ».) Ils sont sociables et réalistes.
Quand la cyclothymie prend un caractère exagéré, que le sujet passe de la bruyante gaieté à la dépression pour des motifs banals, on entre dans le domaine pathologique. Ces variations ne font plus partie de la cyclothymie mais de la cycloïdie*, qui peut aboutir à la « folie circulaire » ou psychose maniaque-dépressive.

Dalton (plan), technique pédagogique expérimentée pour la première fois, en 1920, à Dalton (Massachusetts, États-Unis).
Son auteur, Miss H. Parkhurst, institutrice rurale imprégnée des idées de J. Dewey*, veut avant toute chose individualiser l'enseignement. Chaque écolier doit progresser à son rythme. Il n'y a donc plus de leçons magistrales, de livres d'étude, ni de classement. À leur place, l'enfant dispose de fichiers dans lesquels il trouve des indications de travail, des renseignements, des références, des exercices que le maître contrôle individuellement. Les classes sont remplacées par des laboratoires spécialisés. L'écolier reste dans chaque section aussi longtemps qu'il le désire, pourvu qu'à la fin du mois il ait étudié toutes les matières prévues au programme. Par cette méthode, l'enfant acquiert le sens des responsabilités et de sa valeur ; il s'habitue à travailler seul et éprouve davantage de satisfactions. → **active (école).**

débilité mentale → déficience intellectuelle.

décilage, division d'un ensemble statistique, représentatif d'une population déterminée, en dix classes d'effectif égal.
Cet étalonnage*, qui repose sur le principe de l'ogive de Galton*, permet de situer un individu par rapport à la population à laquelle il appartient. Le décilage n'est pas une mesure, mais un classement. Par exemple, si l'on fait passer un test psychométrique à cent écoliers du même âge et que l'on classe par ordre croissant de grandeur toutes les notes relevées, on obtient une courbe ayant approximativement l'apparence d'un S couché ou d'une semi-ogive, avec un palier représentant la mesure la plus fréquemment rencontrée. La division de l'effectif en dix parties égales fournit des classes (les « interdéciles ») dont on peut établir les valeurs limites correspondantes, puisqu'il suffit de les lire en ordonnée. Le cinquième décile correspond à la médiane. Aux extrémités se situent les élèves les plus faibles et les mieux doués. Dans la terminologie française, le premier décile est celui qui est supérieur ; dans la terminologie anglo-saxonne, c'est l'inverse.

décision, choix entre plusieurs possibilités.
La décision succède généralement à une délibération. L'enfant, qui vit essentiellement dans le présent, est incapable de délibérer longtemps, d'imaginer clairement l'avenir ; il se décide par impulsion. Certains adultes, manquant de maturité, se comportent de la même façon. D'autres, au contraire, se révèlent incapables de choisir. Les décisions prises en groupe sont, généralement, plus audacieuses que celles prises individuellement.

Decroly (Ovide), médecin et psychopédagogue belge (Renaix, Belgique, 1871 – Uccle 1932).
Decroly voudrait faire de l'école le prolongement du milieu naturel de l'enfant, un lieu où l'on étudie concrètement la réalité, où la pédagogie s'organise autour des besoins essentiels et des intérêts de chacun : se nourrir, se protéger contre les intempéries, se défendre contre les dangers extérieurs, agir et se récréer. La base de tous les exercices étant l'observation, le maître doit mettre l'écolier en

contact direct avec le monde des êtres et des choses qui l'entoure. L'enfant doit travailler sur les documents qu'il a recueillis lui-même. Son vocabulaire qui s'enrichit n'est pas formé de mots vides, mais de termes pleins d'expériences vécues. La lecture, l'écriture, le calcul qui s'y rapportent ne sont plus des exercices fastidieux, mais des travaux vivants, liés à la vie de l'enfant. Pour s'exprimer, il ne dispose pas seulement du langage écrit ou parlé, mais encore du dessin, du modelage, de la danse, du chant et du jeu dramatique. Les méthodes pédagogiques de Decroly (jeux éducatifs, méthode globale, centres d'intérêt) ont connu une grande faveur auprès des éducateurs occidentaux.

dédifférenciation, évolution d'un processus allant du plus complexe au plus simple.
Dans le domaine psychologique, ce mécanisme est lié à la régression. Il se manifeste par une diminution de la richesse des activités d'un individu, qui deviennent moins spécifiques. En pathologie nerveuse, on désigne sous le même terme, à la suite de J. H. Jackson, le processus de désintégration des fonctions supérieures observé lors d'atteintes cérébrales. Jackson conçoit le système nerveux central comme une structure hiérarchisée, comportant plusieurs degrés, chacun contrôlant le niveau qui lui est inférieur. La désintégration d'une fonction supérieure a donc pour effet de libérer la fonction immédiatement sous-jacente. Dans une perspective proche, H. Ey (1900-1977) a développé une théorie *organo-dynamique* de la psychiatrie, dans laquelle la maladie mentale est envisagée comme « une forme de régression ou d'arrêt de développement de la vie psychique, déterminée par un trouble de son substratum organique » (1951). Cette atteinte nerveuse a pour effet de libérer « des conflits et des pulsions archaïques ou inconscientes ».

défense (mécanismes de), mécanismes psychologiques dont la personne dispose pour diminuer l'angoisse née des conflits intérieurs.
Dans la vie quotidienne, ces défenses jouent plus ou moins consciemment. Ce sont, par exemple, les grimaces de l'écolier qui imite le maître : en s'identifiant à ce dernier, il dédramatise la situation et maîtrise son anxiété. Il existe un grand nombre de mécanismes susceptibles de « protéger » le moi* contre les exigences des instincts et de réduire les tensions. Mais tous n'ont pas la même valeur adaptative. Le *refoulement** aura pour fonction de réprimer une tendance jugée dangereuse (l'agressivité, la sexualité) et de la rejeter hors du champ de conscience ; la *sublimation**, au contraire, transformera cette pulsion en activité socialement appréciée (l'agressivité devient goût de la compétition sportive, par exemple). D'autres procédés défensifs ont été décrits : la fantaisie, la négation de la réalité, l'identification à l'agresseur, la rétraction du moi, la rationalisation, la régression, la formation réactionnelle, l'isolation, l'annulation rétroactive, la projection, l'introjection, le retournement contre soi, la transformation en contraire.

déficience intellectuelle, insuffisance ou retard dans le développement de l'intelligence.
La déficience intellectuelle entraîne une incapacité sociale qui peut, dans les cas les plus graves, justifier l'institution d'une tutelle. Par suite de son défaut d'intelligence, le retardé mental est inadapté à la société. Manquant de discernement, naïf et influençable, il se révèle parfois dans l'impossibilité de subvenir à ses besoins et de prendre soin de lui-même. Il est alors nécessaire de le placer dans un établissement approprié à son état.
Le dépistage des déficients intellectuels n'est pas aussi aisé qu'on pourrait le croire. Certains individus dociles, bien éduqués, possédant une excellente mémoire et une grande facilité verbale, ont des connaissances générales étendues qui font illusion. À l'opposé, d'autres personnes, ternes, effacées, timides, ont un bon niveau intellectuel, alors qu'on aurait tendance à croire le contraire. Les psychologues utilisent la méthode des tests pour apprécier le niveau d'intelligence des personnes examinées. Pour ces spécialistes, la déficience intellectuelle peut se définir statistiquement, par la référence à la moyenne de la population générale : un retardé mental se situe dans l'aire de la courbe qui comprend les

2,2 % inférieurs de la population totale ; son quotient d'intelligence est égal ou inférieur à 68 à l'échelle de Wechsler*. Le retardé mental ne souffre d'aucune maladie particulière. C'est simplement quelqu'un qui n'arrive pas à s'adapter harmonieusement à son groupe social par suite de son insuffisance intellectuelle. → **arriération, écart type.**

déficient, sujet qui présente une insuffisance mentale, motrice ou sensorielle.
L'éducation des enfants déficients intellectuellement ou aveugles, sourds-muets, infirmes moteurs, incapables de suivre des classes normales, se fait dans des institutions spécialisées, disposant de techniques et de matériel pédagogique adaptés à leur cas. Dans la plupart des villes, il existe des Cl.I.S.*, intégrées dans les écoles primaires, et des instituts* médico-pédagogiques, mais leur nombre est insuffisant. → **enseignement spécial, handicapé.**

défoulement, action de ramener à la conscience des idées et des tendances refoulées.
L'extériorisation des conflits intérieurs peut survenir accidentellement (à l'occasion de libations alcooliques, par exemple) mais elle est généralement provoquée par des techniques psychothérapiques, telles que la narcoanalyse, la psychanalyse ou le psychodrame. Grâce à ces méthodes, le sujet est conduit à voir clairement les causes de ses troubles et à les critiquer. Par la suite, il peut résoudre ses tensions en réprimant volontairement les tendances qu'il juge inacceptables (répression*) ou, au contraire, en les acceptant et les intégrant dans sa vie consciente. → **abréaction.**

dégénérescence, dégradation progressive de la personnalité qui s'accentue de génération en génération.
Introduit dans la littérature psychiatrique par A. Morel (1857) et popularisé par V. Magnan (1890), ce concept met l'accent sur la prédisposition héréditaire des maladies mentales. Après une vogue abusive – on parlait de dégénérescence quand le visage n'était pas régulier, les dents bien plantées, l'oreille bien formée –, ce terme est tombé en désuétude. Cependant, l'idée d'une constitution morbide continue d'exister et de susciter des recherches sur l'hérédité des psychoses, des névroses et de l'arriération.

Delay (Jean), médecin et psychophysiologiste français (Bayonne 1907 – Paris 1987).
Agrégé de médecine à 31 ans, docteur ès lettres à 35 ans, il devient à 39 ans professeur titulaire de la chaire des maladies mentales et de l'encéphale de l'université de Paris, chaire qu'il occupe jusqu'en 1970. Il fut également directeur de l'institut de psychologie à la Sorbonne (1951-1970). Il exerça une grande influence sur la psychologie et la psychiatrie contemporaines grâce à ses travaux sur le sens du toucher (*les Astéréognosies et les sensibilités cérébrales*, 1934), la mémoire (*les Dissolutions de la mémoire*, 1942 ; *les Maladies de la mémoire*, 1943), *les Dérèglements de l'humeur* (1947), les émotions, les mécanismes physiologiques et biologiques de l'électrochoc, la psychopharmacologie (drogues hallucinogènes, « tranquillisants », etc.). Son œuvre littéraire est également importante : trois recueils de nouvelles et, surtout, *la Jeunesse d'André Gide* (1957). Il fut élu membre de l'Académie de médecine (1955) puis membre de l'Académie française (1959).

délinquance, ensemble des infractions aux lois de la société.
Chaque société a ses criminels, dont le nombre est sensiblement stable d'une année à l'autre (en France, le taux moyen se situe autour de 6 ‰). Mais, lors de brusques mouvements sociaux (exode rural, développement rapide de l'industrie) et, surtout, pendant les périodes troublées (récession économique, révolution, guerre et après-guerre), la criminalité augmente considérablement (de 1963 à 1981, la criminalité globale, en France, a quadruplé).
Les délinquants se recrutent surtout chez les hommes (85 %), n'ayant pas de qualification professionnelle, issus de foyers dissociés (75 % pour les meurtriers et 85 % pour les voleurs). En ce qui concerne les causes de la délinquance juvénile (31 000 délinquants en France, en 1988), on retrouve les facteurs psychosociaux (alcoolisme des parents, mésentente* conjugale, chômage, dénuement, ca-

rence d'autorité éducative, misère affective des enfants), auxquels viennent s'ajouter la déficience intellectuelle et les troubles du caractère (80 % des délinquants juvéniles sont des arriérés ou des caractériels). → **crime, perversion.**

délire, désordre de la pensée qui fait prendre pour réels des faits imaginaires.
Cet état psychique, plus ou moins durable, se rencontre dans les maladies mentales mais aussi dans les maladies infectieuses, les intoxications (alcoolisme, toxicomanie...) et même quand il n'y a qu'une forte fièvre. Parfois, le délire devient chronique. Son installation permanente dénote un trouble grave de la personnalité et modifie profondément les rapports du malade avec son entourage. Les délires chroniques (délires paranoïaques, psychoses hallucinatoires chroniques, délires fantastiques) occupent une grande place dans la pathologie mentale de l'adulte à cause de leur variété et de leur importance. Leurs manifestations, leurs mécanismes constitutifs et leur évolution sont extrêmement variables.
Au XIXe siècle, V. Magnan proposa une description évolutive des délires en distinguant quatre phases successives : inquiétude, idées de persécution, idées de grandeur et démence*, mais l'on s'est aperçu depuis que ce schéma ne pouvait s'appliquer à tous les cas. Actuellement, l'intérêt se porte sur l'étude fondamentale de la personnalité. En effet, il est impossible de dissocier le délire de l'histoire du malade, de son affectivité et de ses expériences vécues. Selon les psychanalystes, le délire serait l'expression de sentiments refoulés que la personnalité consciente du malade ne peut accepter. Celui-ci éprouve donc comme venant de l'extérieur ce qui lui appartient en propre (« on me fait dire des obscénités, on voudrait me pousser à commettre des actes immoraux... »). Le délire paranoïaque aurait la même racine : l'idée « je le hais » devient « il me hait ». À partir de ce moment, le malade, déchargé de toute culpabilité, peut laisser s'exprimer librement son agressivité et peut aller jusqu'au meurtre.
L'état délirant n'implique pas l'existence d'une déficience intellectuelle. Certains malades possèdent une intelligence remarquable. Ils peuvent continuer à avoir une activité normale et, tant qu'on n'aborde pas le chapitre spécial de leur délire, ils ne se distinguent pas des autres personnes normales. Les thèmes délirants sont innombrables : persécution, frustration, culpabilité, grandeur, possession, etc. Certains s'accompagnent d'images d'une telle intensité qu'elles en deviennent hallucinatoires. Il existe des délires partagés par une ou plusieurs autres personnes. Ainsi, des familles entières peuvent être prises dans des réseaux délirants, chacun apportant un argument supplémentaire qui vient renforcer la conviction des membres du groupe. → **hallucination, paranoïa, schizophrénie.**

delirium tremens, délire alcoolique aigu ou délire tremblant.
Il s'agit d'un épisode aigu de l'alcoolisme chronique, qui peut apparaître exceptionnellement à la suite de l'augmentation des doses alcooliques, mais qui survient régulièrement après un sevrage brutal de l'alcool (la classification américaine des troubles mentaux identifie le delirium tremens au « syndrome de sevrage alcoolique » [D.S.M. III-R, 1989]). Le malade, baigné de sueur, tremblant de tous ses membres, se voit entouré d'animaux répugnants (crapauds, rats, serpents, araignées...) contre lesquels il se débat et qu'il cherche à fuir. S'il n'est pas traité d'urgence, il peut mourir dans un accès convulsif. Généralement, en 2 ou 3 jours, grâce aux psychotropes*, le retour au calme est obtenu.

démence, affaiblissement psychique, global et progressif, dû à une affection organique du cerveau.
Le démence se caractérise, essentiellement, par la détérioration mentale. Toutes les fonctions sont atteintes. Le champ de conscience se rétrécit, l'attention devient déficitaire, la mémoire est altérée, le jugement est perturbé (un sujet vole en plein jour un tonneau de vin, le roule jusqu'à sa maison et se fait aider par deux agents de police), etc.
Le démence n'est cependant pas assimilable à l'arriération* mentale ; celle-ci est un arrêt du développement intellectuel, celle-là est une dégradation de la vie mentale. Le dément, disait J. E. Esquirol, est un riche devenu pau-

vre, tandis que l'idiot a toujours été pauvre. En même temps que l'intelligence, l'affectivité, l'humeur, le sens des valeurs morales sont atteints, ce qui explique certains actes délictueux (tels que le vol à l'étalage ou les attentats à la pudeur) et les comportements puérils : collectionnisme, fabulation, labilité affective, impulsivité, etc. Le syndrome démentiel est une manifestation de lésions cérébrales. Certaines sont, à l'autopsie, visibles à l'œil nu et relativement localisées comme les tumeurs ; les autres sont diffuses, comme dans l'artériosclérose.
Certaines formes de démence sont curables. On peut, en effet, obtenir une régression importante des troubles en supprimant leur cause (tumeur, hydrocéphalie, infection syphilitique). Mais les démences dégénératives (séniles et préséniles), la démence artériopathique et d'autres démences aux causes diverses sont incurables. En France, en 1986, on estimait à 300 000 le nombre de personnes atteintes de démence sévère. Aux États-Unis, selon A. S. Schneck (1987), ce nombre s'élèverait à 2,5 millions. La plupart des malades sont âgés de plus de 60 ans. → **Alzheimer (maladie d').**

déni → **négation de la réalité.**

dépendance, état d'une personne qui est soumise à un être ou à une chose.
La dépendance peut exister à l'égard d'un produit toxique dont on use pour en retirer du plaisir ou dissiper un malaise.
On distingue deux sortes de dépendance : 1. la dépendance *physique*, qui est un état adaptatif ayant pour conséquence l'apparition de troubles physiologiques et psychologiques intenses lorsque la prise de la drogue est suspendue (« état de manque ») ; 2. la dépendance *psychique*, caractérisée par le désir impérieux de renouveler la consommation du produit toxique. À défaut, le sujet présente un état dépressif anxieux.

déplacement, mécanisme psychologique par lequel une charge affective (émotion, pulsion) est transférée de son objet véritable sur un élément substitutif.
Chez l'animal, les activités de substitution ont été abondamment décrites par les éthologues. Par exemple, un petit passereau, le troglodyte mignon, mis en face d'un miroir, exaspéré de ne pouvoir atteindre son rival, se met à frapper du bec sur une branche. Chez l'homme, le déplacement est aussi d'observation courante : un père de famille, réprimandé par un supérieur, de retour à la maison, va s'en prendre à sa femme ou à son enfant. Dans tous les cas, le déplacement (ou l'activité substitutive) permet de réduire la tension. S. Freud a montré comment le déplacement est mis en œuvre dans l'élaboration des rêves, pour faire échec à la censure. Ce mécanisme, l'un des processus fondamentaux du fonctionnement de l'appareil* psychique, se retrouve dans les symptômes névrotiques et, d'une façon générale, dans toutes les formations de l'inconscient.

dépression, état morbide, plus ou moins durable, caractérisé essentiellement par la tristesse et une diminution du tonus et de l'énergie.
Anxieux, las, découragé, le sujet déprimé est incapable d'affronter la moindre difficulté. Aussi ne prend-il plus aucune initiative. Il souffre de son impuissance et a l'impression que ses facultés intellectuelles, notamment l'attention et la mémoire, sont dégradées. Le sentiment d'infériorité qui en résulte augmente encore sa mélancolie.
On distingue à côté des états dépressifs *constitutionnels*, relativement peu nombreux, des dépressions *réactionnelles* aux difficultés de la vie (conflit avec un supérieur hiérarchique, avec le conjoint, avec les enfants ; perte d'un être cher, d'un emploi ; exil, solitude, etc.). Le surmenage, un régime alimentaire trop sévère, le raccourcissement des jours (Rosenthal 1985) peuvent entraîner aussi la dépression nerveuse. Selon les données de l'Organisation mondiale de la santé (O.M.S.), de 5 à 10 % de la population mondiale présenterait des troubles dépressifs de l'humeur. En France, d'après un sondage de l'Institut français d'opinion publique (I.F.O.P.), réalisé en 1987, il y aurait six à sept millions de personnes affectées par ce syndrome. Les plus touchées sont les femmes (60 %), mariées, appartenant à la

classe ouvrière, et les personnes ayant un niveau d'instruction supérieur (enseignants, cadres, chefs d'entreprises), d'âge mûr (45 à 54 ans).
La dépression existe aussi chez l'enfant. Elle se manifeste, généralement, par un dérèglement de l'humeur (ennui, désintérêt, indifférence) et des troubles du comportement (instabilité, agressivité, opposition, baisse du rendement scolaire, boulimie ou anorexie, parfois énurésie). L'une des causes de ces désordres est le dommage subi par les parents (licenciement, maladie, etc.).
On appelle *dépression anaclitique* (R. Spitz) l'ensemble des désordres physiques et psychiques qui s'installent progressivement chez le bébé qu'on a séparé de sa mère, après qu'il a eu avec elle une relation satisfaisante pendant, au moins, les six premiers mois de sa vie. D'abord exigeant et pleurnicheur, l'enfant finit par refuser tout contact humain. Il dort mal, ne progresse plus dans son développement psychomoteur et perd du poids ; après le troisième mois, le visage se fige dans une expression de tristesse, le regard est absent, les pleurs cessent et il tombe dans un état léthargique. Si la séparation affective n'excède pas 3 à 4 mois, ces troubles sont susceptibles de disparaître. Au-delà, le pronostic d'évolution reste sombre. → **carence affective, hospitalisme.**

dépressive (position) → **Klein (Melanie).**

déréelle (pensée), système de pensée en désaccord avec le réel et la logique.
La rêverie, dans laquelle on s'imagine accomplissant des prouesses, fait partie de ce système. Mais, c'est dans la schizophrénie que la pensée déréelle (ou déréistique) s'épanouit. Enfermé dans son autisme, coupé du monde ambiant, le malade édifie son univers, régi par ses propres lois, indépendantes de notre logique.

dermatoptique ou **photodermique (sensibilité)**, sensibilité diffuse des téguments à la lumière.
D'après G. Viaud, cette sensibilité serait responsable, en premier lieu, de la phototaxie* de certains animaux, tels que les daphnies. Elle correspond à une caractéristique générale de tout protoplasma. On la retrouve, en effet, dans le règne végétal et dans le règne animal. Des expériences sur le lombric, la larve de mouche (privés naturellement d'organes visuels), la blatte ou le triton (aveuglés pour les besoins de l'expérimentation) ont montré que ces animaux restaient sensibles à l'influence de la lumière. Privés de sens visuel, il ne peut s'agir que d'une perception extraoculaire. Les savants ont établi que la peau, dans ce cas, joue le rôle d'organe récepteur.

Chez l'homme, l'existence d'une telle sensibilité est très contestée. L. Farigoule (Jules Romains [1885-1972]) a cru déceler chez celui-ci une « vision paroptique » (1920), que certains (R. Maublanc) s'efforcèrent vainement de développer chez les aveugles. Cet échec, associé à de nouvelles recherches négatives consacrées au même sujet, fit croire que la thèse du précédent auteur était erronée. Cependant, des travaux effectués en Russie (Nijni Taghil, 1962) et aux États-Unis (Youtz, 1964) confirmeraient la possibilité d'une « vision extrarétinienne » dans l'espèce humaine. Les recherches de Leonardo Cohen et de ses collaborateurs, de l'Institut national de la santé de Bethesda (Maryland, États-Unis), montrent qu'il existe une liaison fonctionnelle entre le toucher (lecture du braille) et le cortex visuel (*Nature*, 11.9.1997). → **plasticité neuronale.**

déséquilibre mental, anomalie de la personnalité entraînant l'inadaptation sociale.

Le déséquilibre psychique se caractérise, essentiellement, par la variabilité de l'humeur, l'hyperémotivité et l'instabilité qui pousse les sujets à entreprendre plusieurs tâches successivement. Leurs rapports avec les membres de leur entourage sont soumis aux mêmes fluctuations et sont souvent orageux. Opposition précoce aux parents, fugues, vagabondage, vols, alcoolisme, toxicomanie, tentatives de suicide jalonnent leur histoire personnelle depuis l'enfance.

Pendant longtemps, on a pensé que le déséquilibre mental était constitutionnel mais, actuellement, on accorde une importance déterminante aux influences éducatives, notamment à la carence d'autorité, à la mésentente conjugale, à l'instabilité du milieu de vie. Les tentatives thérapeutiques et d'insertion professionnelle sont souvent décevantes. Le concept de « déséquilibre mental » est absent de la nosographie américaine (D.S.M. III). La description qui s'en rapproche le plus correspond à la personnalité antisociale. → **psychopathie.**

désir, tendance devenue consciente de son objet.
La faim, par exemple, est un besoin* que je cherche à satisfaire, et mon désir de manger, né de celui-ci, est la conscience que j'ai de cette situation. Si je mange avant que ma faim ne s'affirme, le désir n'aura pas le temps de naître ; pour qu'il apparaisse, il est nécessaire qu'un obstacle surgisse. Le désir naît de la frustration. Il donne à la vie affective sa tonalité, suscite les sentiments et les passions, est à la base de la vie active. Cependant, s'il est vrai que la volonté ne s'exerce pas sans désir préalable, celui-ci n'implique pas, automatiquement, l'acte volontaire. En effet, je peux être conscient de ma faim, désirer manger et, pourtant, ne rien faire pour satisfaire mon besoin.

désorientation, égarement, perplexité.
D'une façon implicite, l'être humain se situe dans le temps et dans l'espace. Dans certaines affections (confusion mentale, démence, syndrome de Korsakov), la perte de ce sens de l'orientation s'avère durable. Le malade, incapable de différencier les parties de son espace vital et de les restructurer en un ensemble cohérent, s'égare dans les lieux connus, confond le passé et le présent, se croit chez lui alors qu'il est à l'hôpital, et n'arrive même plus à mettre de l'ordre dans son schéma* corporel.

dessin, ensemble des lignes et contours d'une figure.
En psychologie, le terme « dessin » dépasse la seule représentation au crayon ou à la plume. Il désigne aussi bien le dessin coloré aux crayons de couleur qu'à l'aquarelle. Les psychologues utilisent le dessin surtout avec les enfants. Ils l'emploient comme test de développement mental, comme moyen d'étude du caractère et de l'affectivité. Le dessin évolue avec le développement psychologique. De 2 à 3 ans, l'enfant ne peut que gribouiller ; par la suite, il essaye de respecter un modèle et, à 5 ou 6 ans, il sait « dessiner ». Jusqu'à 6 ans, tous les enfants, quelle que soit leur origine ethnique ou socioculturelle, dessinent de la même manière. En leur demandant de dessiner un « bonhomme », la psychologue américaine F. Goodenough* a établi un bon test d'intelligence, simple et séduisant, qui permet de contrôler aisément leur niveau intellectuel. Il existe encore d'autres tests de dessin, destinés aux mêmes fins, qui consistent à reproduire des « formes géométriques » (Rey, Benton).
Pour étudier le caractère des enfants, on utilise le dessin libre ou à thème. On tient compte, à la fois, de l'aspect formel des dessins (emplacement sur la feuille, appui du trait, choix des couleurs) et de leur contenu, qui révèle le monde enfantin, ses expériences vécues, directement ou sous forme symbolique. Les psychanalystes d'enfants se servent des dessins pour comprendre les drames enfantins et aider leurs jeunes patients à les dépasser.

détecteur de mensonge, appareillage complexe fondé sur les associations de mots et sur les effets physiologiques des émotions.
Habituellement, la réponse émotionnelle à une situation donnée s'accompagne de modification des rythmes cardiaque et respiratoire, de la diminution de la résistance électrique de la peau et de variations déterminées des ondes électriques du cerveau. En utilisant simultanément un psychogalvanomètre pour les réponses électrodermales*, un pneumographe pour le rythme respiratoire et un sphygmographe pour le pouls et la pression artérielle, on obtient divers tracés grâce auxquels il est possible d'établir si le sujet examiné présente des réactions émotionnelles lorsqu'il répond à certaines questions ou prononce certains mots. Malgré ses qualités, le détecteur de mensonge* reste un instrument très imparfait.

détérioration mentale, affaiblissement intellectuel, qui peut être dû soit au processus normal du vieillissement, soit à la maladie mentale.
Chez la plupart des êtres humains, la courbe de développement de l'intelligence commence à décliner, insensiblement, entre 25 et 30 ans, pour devenir plus perceptible avec l'âge. Cela n'a rien d'étonnant si l'on songe qu'après 30 ans nos capacités physiques (force, résistance) et sensorielles (vue, ouïe) décroissent aussi rapidement. La détérioration mentale n'est pathologique qu'à partir du moment où la perte d'efficience intellectuelle devient exagérée. Elle n'implique pas obligatoirement un processus organique : le rendement d'un individu peut être diminué sans que son potentiel intellectuel soit atteint (cela est particulièrement net dans les dépressions). La mesure de la détérioration mentale repose sur la comparaison des résultats obtenus à certains tests. Les uns, tels que les épreuves de mémoire ou de calcul mental, indiquent le niveau actuel du sujet, les autres (vocabulaire, connaissances générales...) témoignent de ses capacités antérieures. Cette méthode, née d'une idée de H. Babcock, est étayée par de nombreuses constatations expérimentales.

détour, moyen utilisé pour dépasser un obstacle et atteindre son but.
La conduite du détour est impossible sans intelligence*. Tandis qu'une poule se heurte au grillage qui l'empêche d'atteindre la nourriture, un chat ou un chien le contourne. Ceux-ci ont une intelligence supérieure à celle-là, mais inférieure à celle du chimpanzé qui est capable d'aller chercher une planchette de bois, d'en détacher une baguette et de l'introduire dans un tube pour pousser une friandise qui s'y trouve coincée (N. Ladyguina-Kohts). L'aptitude au détour paraît si intimement liée aux capacités intellectuelles qu'on a pu dire que « l'intelligence, c'est le détour ».

développement, série d'étapes par lesquelles passe l'être vivant pour atteindre son plein épanouissement.
Chez l'homme, le développement n'est pas réductible à la seule croissance. Sous l'influence des conditions physiologiques et socio-affectives, de nouvelles formes de fonctionnement apparaissent qui conduisent le nourrisson soumis au principe de plaisir (enfermé dans la seule recherche de la satisfaction de ses besoins) à l'état d'adulte aux prises avec la réalité. Progressivement, le comportement se différencie et l'être humain devient plus indépendant des contingences extérieures. Par exemple, le bébé réagit à la douleur par l'agitation de son corps tout entier, alors que l'enfant plus âgé se contente de soustraire le segment du corps affecté par l'excitation.
Chaque être humain a un rythme de croissance qui lui est propre ; on y remarque des poussées rapides, des paliers, des retours en arrière, mais pratiquement jamais un développement linéaire. Cependant, il existe un certain nombre de lois valables pour tous. Par exemple, il a été établi que le développement psychomoteur suit un axe « tête-pied » (encore appelé axe céphalo-caudal), c'est-à-dire que la maturation du système nerveux se réalise de telle façon que l'enfant acquiert d'abord le contrôle de la tête, puis des membres supérieurs, enfin celui des membres inférieurs. L'utilisation des baby-tests permet aux psychologues de savoir si le développement des bébés s'effectue normalement. Les meilleures conditions pour que celui-ci se déroule harmonieusement sont : une bonne hygiène, une ambiance stable et chaleureuse et des soins affectueux.

Devereux (George), ethnopsychologue américain d'origine hongroise (Lugos, région du Banat, Hongrie [auj. Lugoj, Roumanie], 1908 – Paris 1985)
Diplômé de l'Institut d'ethnologie de Paris, il va étudier « sur le terrain » les Hopis et les Mohaves (Amérique du Nord), les Roros (Mélanésie), les Pygmées Karuamas (Nouvelle-Guinée) et les Moïs Sédangs (Sud Viêt-nam). De retour aux États-Unis, il obtient le doctorat de philosophie (1935) puis les diplômes de psychanalyste (1952) et de psychologue (1959). En 1963, il s'établit en France, où il devient directeur d'études associé à l'École des hautes études en sciences sociales. Devereux est, avec H. Ellenberger, l'un des fondateurs de l'ethnopsychiatrie. Parmi ses ouvrages, citons : *Essais d'ethnopsychiatrie générale*

(1970), *Ethnopsychiatrie complémentariste* (1972), *Psychothérapie d'un Indien des Plaines* (1982), *Histoire et psychanalyse* (1985).

Dewey (John), psychologue et pédagogue américain (Burlington, Vermont, 1859 – New York 1952).

Professeur de philosophie et de psychologie à l'université de Chicago (1894), il crée une « école-laboratoire », annexée à sa chaire, dans laquelle il expérimente ses techniques éducatives. Au lieu du climat autoritaire traditionnel, il y introduit l'engagement libre et la démocratie. Le maître est un guide, qui conseille et aide comme le ferait un camarade plus expérimenté. À l'égard de l'écolier, il se comporte comme un partenaire égal, à qui il fait partager son expérience. Le point de départ de son action est le problème de l'enfant, celui auquel il se heurte dans la situation spécifique actuelle. Dewey attend de l'écolier qu'il agisse au lieu d'écouter, qu'il fasse ses propres expériences au lieu d'admettre d'emblée et sans esprit critique les informations reçues. Ses travaux ne sont pas seulement verbaux, sans fin précise mais, au contraire, orientés vers un but pratique bien défini, la réalisation d'un projet personnel, librement choisi : fabriquer du pain, des objets en céramique ou de l'électricité, par exemple. Pour résoudre son problème, l'enfant doit se documenter (par des visites, des enquêtes, des lectures) et organiser son travail. Parmi les nombreux ouvrages de Dewey, retenons : *l'École et l'enfant* (1913), *Démocratie et éducation* (1916), *Expérience et éducation* (1938). → **active (école), Dalton (plan).**

diagnostic, aboutissement logique d'une série d'investigations destinées à mieux comprendre le comportement d'une personne, le fonctionnement d'un groupe ou la situation d'une entreprise.

Tout diagnostic repose sur trois grands principes : l'information doit être abondante et variée ; elle doit être rapportée au sujet, considéré dans son historicité et dans ses relations avec son milieu ; l'interprétation* la plus probable sera celle qui rendra compte du maximum de faits, grâce à un minimum d'hypothèses.

Le diagnostic psychologique est un acte de première importance, car il conditionne le traitement et l'évolution ultérieure du sujet. Il exige de la part du psychologue la maîtrise parfaite de ses techniques, une grande expérience, une vaste culture et beaucoup d'intuition. De plus en plus, le travail d'équipe remplace l'acte individuel. Grâce à cette coopération, les erreurs de diagnostic sont éliminées et l'on ne voit plus, par exemple, d'enfants souffrant de carence affective considérés comme des arriérés, ni de tumeurs cérébrales méconnues.

On appelle *groupe de diagnostic* une réunion de personnes, venues d'horizons divers, qui acceptent de vivre certaines expériences communes, pendant plusieurs jours, dans l'intention de comprendre les phénomènes se produisant dans les ensembles restreints.

didactogénie, ensemble des troubles psychologiques ou psychosomatiques provoqués chez des élèves par certains enseignants.

Il n'est pas rare que des maîtres se montrent pour le moins maladroits avec leurs élèves. Les uns, particulièrement exigeants, multiplient les devoirs ; les autres, surmenés ou excédés par leur tâche, s'emportent, menacent ou humilient les écoliers. Ce faisant, ils soulagent leur tension nerveuse mais ils accablent les enfants, qui peuvent développer une aversion pour l'école, voire pour les études en général, s'enferment dans le mutisme ou sombrent dans la dépression.

différenciation, passage du général au particulier, d'une condition globale et homogène à une autre plus spéciale et hétérogène.

La différenciation caractérise le développement d'un individu. On l'observe dans tous les domaines. Dès la fécondation, ce processus est mis en œuvre. À l'origine, toutes les cellules, issues de la segmentation de l'œuf, sont identiques. Mais, progressivement, elles acquièrent des formes, des structures et des fonctions nouvelles (certaines deviennent des neurones, d'autres des cellules sensorielles, etc.). De même, le comportement du petit enfant, d'abord indifférencié, s'enrichit progressivement en se ramifiant en variétés distinctes. Ses expressions émotionnelles,

d'abord limitées au plaisir et à la douleur, deviennent plus précises ; sa conduite sociale devient plus sélective.
La connaissance procède du même principe : au départ, on possède quelques idées générales sur une question, mais, avec la réflexion et l'acquisition du savoir, celles-ci se diversifient en notions spécifiques.

différenciée (pédagogie), méthode d'enseignement individualisé, souple et variée, dont l'intention est que chaque élève progresse sur le chemin de la connaissance en allant à son rythme, en tenant compte de ses intérêts, de ses désirs, de sa motivation à apprendre et de ses spécificités culturelles.
La pédagogie différenciée ne croit pas au dogme d'une école égalitaire, selon lequel tous les enfants seraient susceptibles de suivre un même itinéraire, de bénéficier d'un enseignement uniformisé, d'une durée déterminée, et de progresser à la même allure. Tout au contraire, elle prend en compte la singularité de l'individu et lui offre les moyens de devenir acteur de son propre développement. Le concept de pédagogie différenciée est dû à Louis Legrand, qui le proposa dans les années 1960, mais l'idée se retrouve chez des psychologues, tels que É. Claparède* qui préconisait la création d'une « école sur mesure » (1920), et des enseignants, comme C. Freinet*. La mise en œuvre d'une telle méthode est difficile, car elle nécessite beaucoup de moyens matériels, mais elle a été rendue possible par la loi d'orientation sur l'éducation n° 89-486, du 10 juillet 1989, qui prévoit l'élaboration de projets d'établissements et de projets personnels pour les élèves, lesquels doivent aussi apprendre à s'évaluer en faisant des bilans réguliers. Pour qu'elle réussisse, un certain nombre de conditions doivent être remplies. La première est la constitution d'une équipe, qui se concerte souvent. La deuxième est l'information régulière de tous les partenaires, y compris les élèves et leurs parents. La troisième est la possibilité de disposer d'un emploi du temps souple. Mais avant toute chose, l'enseignant doit connaître ses élèves, non seulement le niveau de leurs connaissances mais encore leurs besoins. Il découpera ensuite le programme en séquences et déterminera, pour chacune d'elles, le minimum commun que tous les enfants devront acquérir dans un laps de temps donné. Les techniques les plus diverses seront utilisées, depuis l'étude individualisée jusqu'au travail libre par groupes, du contrat négocié à la méthode des projets*. Il incitera les élèves à faire leurs propres recherches, en utilisant tous les moyens d'information disponibles (revues, encyclopédies, Internet...) ; il les encouragera à travailler en équipe et à faire preuve de créativité, par exemple, en produisant un journal, des bandes dessinées ou une pièce de théâtre. Chacun d'eux aura à cœur d'évaluer ses progrès, en répondant à un certain nombre de questions, et se contrôlera en demandant à ses camarades de donner leur avis à ce sujet. Cette confrontation de points de vue différents est très formatrice. À la fin de chaque séquence, le professeur procédera à un bilan des acquis pour vérifier que la norme fixée a été atteinte. Si ce n'est pas le cas, il prolongera la durée de cette partie du programme pour reprendre les points non maîtrisés. → **active (école), Dewey (John), Freinet (Célestin).**

différentielle (psychologie), étude comparative des différences individuelles.
Les êtres humains se différencient les uns des autres par leurs caractéristiques physiques (âge, sexe, taille, poids, couleur de la peau, des cheveux...) et mentales (intelligence, aptitudes, caractère...). L'objet de la psychologie différentielle est la connaissance de ces différences. Son but n'est pas seulement spéculatif, mais surtout pratique, et son champ d'application englobe aussi bien l'orientation scolaire et professionnelle que la criminologie. Elle s'efforce de connaître les aptitudes d'un individu, de comprendre sa personnalité en fonction de son bagage héréditaire et des influences subies dans son milieu (éducation, culture...). Elle utilise, essentiellement, les méthodes psychométriques (tests).

digestif, dans la classification de C. Sigaud (1908), l'un des quatre types morphologiques essentiels se caractérisant notamment par un abdomen volumineux et d'importants besoins végétatifs.

Ce type correspond à l'endomorphe* de William Herbert Sheldon et au pycnique* de Ernst Kretschmer.

dipsomanie, tendance excessive à consommer des boissons alcoolisées, se manifestant de façon intermittente, parfois périodique.
Ce besoin irrépressible peut durer plusieurs jours, durant lesquels le sujet est plongé dans une profonde ivresse dont il ne conserve plus qu'un vague souvenir. Il apparaît surtout chez les sujets cyclothymiques. La dipsomanie doit être distinguée de la *potomanie*, qui est le besoin impérieux et permanent de boire n'importe quelle boisson, même son urine si le sujet n'a rien d'autre à sa disposition. → **soif.**

dissociation, rupture d'harmonie, dislocation de la personnalité.
Chez le schizophrène, on note des bizarreries dans le comportement : des sourires tandis qu'il exprime sa douleur, des ruptures brutales du cours de la pensée qui saute du coq à l'âne, un discours incohérent, etc. Ces symptômes expriment la perturbation psychique, la dislocation du moi du malade. Pour décrire ces symptômes, P. Chaslin utilisait le terme de « discordance », et E. Bleuler, en allemand, celui de *Spaltung*. → **cachinnation.**

dissonance cognitive, concept proposé par L. Festinger pour désigner le malaise psychique dû au fait que l'on est partagé entre deux ou plusieurs idées contradictoires.
L'homme a besoin de cohérence logique et d'harmonie affective. Mais il arrive que cette harmonie soit perturbée par des événements inattendus. Par exemple, l'un de mes amis professe tout à coup des opinions politiques contraires aux miennes. Pour réduire cette « dissonance », je devrai faire intervenir un autre élément qui m'aidera à dépasser la contradiction et à retrouver mon équilibre intérieur. Je pourrai, par exemple, rejeter l'information reçue (« je ne crois pas qu'il puisse trahir ses idées »), ou en minimiser l'importance (« il s'apercevra vite de son erreur »). Je puis aussi rompre avec mon ami, ce qui est une manière de transformer mon environnement, ou encore modifier ma position en changeant d'opinion.

distraction, déplacement de l'attention d'un sujet vers un objet différent de ce qui l'occupait initialement.
La distraction correspond à une défense inconsciente de la personne contre une situation pénible. Dans l'industrie, on s'efforce de diminuer les fluctuations de l'attention, dont les conséquences sont parfois dramatiques, en créant des pauses dans la période de travail et en réduisant les bruits nocifs. La distraction peut être due aussi au conflit de deux motivations, l'une consciente, l'autre inconsciente. Par exemple, après avoir écrit une lettre qui m'ennuyait, je l'oublie dans ma poche. Enfin, il existe une autre variété de distraction, qui est celle du savant isolé (distrait) du monde parce qu'il vit enfermé dans sa recherche. Dans ce cas, il ne s'agit plus de faiblesse de l'attention mais de restriction du champ de conscience. Différentes expériences permettent de supposer qu'il existe un appareil de contrôle qui filtre les messages sensoriels et ne laisse parvenir au cortex que les plus significatifs.

divorce, rupture légale du mariage.
En France, en 1900, on comptait un divorce sur vingt mariages, en 1988, cette proportion est proche de un sur trois. Paris a déjà atteint le niveau des États-Unis, où un mariage sur deux aboutit au divorce. Cette augmentation connaît, au moins, trois raisons : la remise en question de la famille, sous sa forme traditionnelle ; l'émancipation de la femme ; l'assouplissement de la législation.
Presque toujours, le divorce est la conclusion d'une mésentente conjugale, grave et durable, dont l'origine peut être sexuelle, caractérielle ou culturelle. Il est rare que des époux se séparent sans haine ni acrimonie. Mais ce sont les enfants qui pâtissent le plus de cette situation. Pour les garçons âgés de 6 à 8 ans, la perte du père équivaut à un deuil. Il leur faut en moyenne une dizaine d'années pour qu'ils en acceptent le fait. Selon J. Wallerstein (1986), près de 40 % des enfants de divorcés qu'elle a suivis durant 15 ans ont souffert, à un moment ou à un autre, d'un état dépressif.

docimologie, étude scientifique des méthodes d'examens et de concours.

La notation des épreuves par les professeurs n'est jamais très objective. Chacun a ses critères de référence. Cela crée de telles divergences dans les notes qu'on a pu parler parfois de scandale. Les premières recherches systématiques sur la validité des examens traditionnels, fondées sur le contrôle statistique, entreprises dès 1922 par M. et H. Piéron puis continuées par H. Laugier et D. Weinberg (1927 à 1933), ont montré sans équivoque leur trop grande imprécision. Mais les examens traditionnels résistent à tous les assauts. Néanmoins quelques améliorations apparaissent, telles que la double correction et la prise en compte croissante du dossier scolaire. La docimologie voudrait obtenir un perfectionnement plus grand des méthodes d'examen et une formation technique des examinateurs.

dopage ou **doping**, terme dérivé de l'anglais *to dope*, traduisant l'utilisation d'un excitant.
Le dopage est fréquemment le fait d'intellectuels ou de sportifs qui veulent augmenter artificiellement leurs capacités mentales ou physiques. C'est une pratique dangereuse. Le coureur cycliste britannique Tom Simpson en est mort, lors de l'ascension du mont Ventoux (1967). Le recours au dopage est le fait de personnalités faibles, manquant de confiance en elles ou voulant faire illusion.

dopamine → médiateur chimique.

double lien → lien (double).

douleur, sensation pénible, d'origine physique ou psychique, qui provoque une réaction de l'organisme, généralement une conduite d'évitement.
La douleur est un signal, un moyen de défense de l'organisme, qui a pour fonction de faire cesser l'excitation dangereuse. Elle est préventive, car elle permet de différencier ce qui est nocif de ce qui ne l'est pas, et éducative : le jeune enfant qui se brûle légèrement à la flamme d'une allumette évitera, par la suite, de jouer avec le feu. La sensibilité douloureuse, qui a ses récepteurs, ses « messages » biochimiques, ses voies et ses centres nerveux (R. Melzack et P. D. Wall, 1965), dépend partiellement des conditions psychologiques et sociales : le martyr semble anesthésié par sa foi ; beaucoup d'Indiens d'Amérique, conditionnés par leur éducation, paraissent ignorer la douleur et, depuis quelques décennies, on apprend aux femmes enceintes la psychoprophylaxie, qui vise à rendre l'accouchement indolore. **→ endorphine, souffrance.**

doute, hésitation, incertitude quant à la réalité d'un fait, à la vérité d'une énonciation, à une conduite à tenir.
Chez certains individus, le doute est permanent. Il s'applique aux idées et aux actes. Le sujet ne peut rien faire sans vérifier perpétuellement les opérations précédentes ; il s'épuise, devient stérile et en arrive à douter de sa propre existence. Il s'agit, dans ce cas, du doute obsessionnel, névrotique, que la psychothérapie et surtout la psychanalyse peuvent arriver à réduire.

Down (syndrome de) → mongolisme.

drogue, produit naturel ou synthétique capable de modifier le comportement de celui qui le consomme et d'engendrer une dépendance.
Les drogues peuvent être classées en cinq groupes : 1. les *stupéfiants*, ou « drogues dures », qui comprennent, notamment, la cocaïne et les opiacés (opium, morphine, héroïne, codéine) ; 2. les drogues *enivrantes*, telles que l'alcool, l'éther et l'acétate d'anyle, présent dans certaines colles pour modèles réduits ; 3. les *hallucinogènes**, tels que le chanvre indien, ou cannabis (70 à 85 % des toxicomanes français sont des consommateurs de chanvre indien) ; 4. les *stimulants* psychiques ou psychoanaleptiques. Dans ce groupe, on trouve des produits comme le café, le thé et le tabac, mais aussi les amphétamines*, qui ne sont délivrées que sur ordonnance médicale ; 5. les *hypnotiques*, tels que les barbituriques, trop souvent présents dans la pharmacie familiale.
Aux États-Unis, la toxicomanie* est devenue l'une des préoccupations majeures du gouvernement qui a consacré, en 1987, 3,5 milliards de dollars pour lutter contre ce fléau.

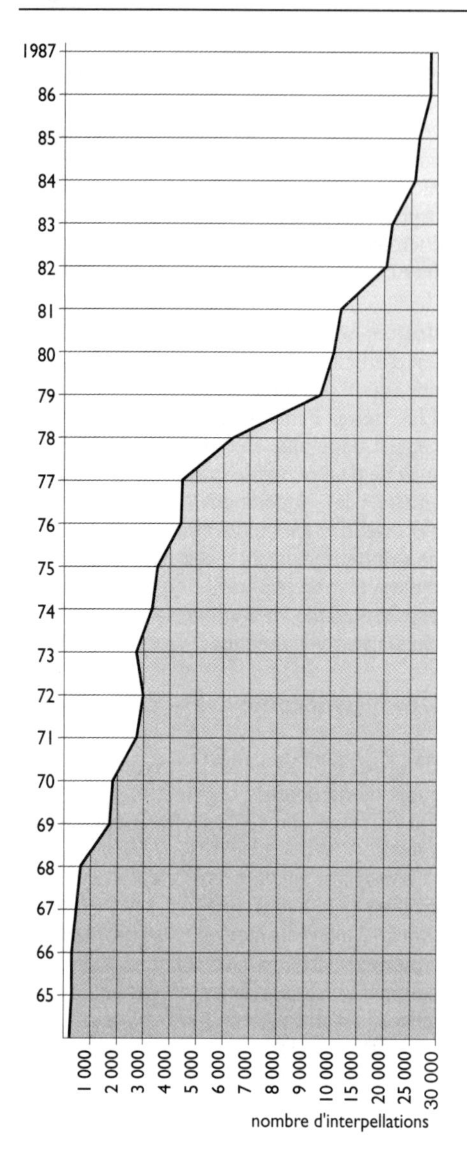

Nombre d'interpellations pour usage de drogues de 1965 à 1987, en France.

L'on ne cesse de s'interroger sur ce qui pousse tant de personnes à user de la drogue, au risque d'en mourir. Plaisir uniquement physique ? Désir de s'affirmer en défiant la société dont on transgresse les lois ? Communion avec un groupe ? Manque fondamental que l'on voudrait combler ? Chantage vis-à-vis des siens ? Imprudente curiosité transformée en piège dont on ne peut plus sortir ? Les réponses ne peuvent être ni uniques ni générales. Cependant, les statistiques montrent que c'est chez les plus défavorisés et chez les sujets mal insérés socialement que se recrutent les consommateurs de drogues : 0,08 % de cadres supérieurs, 0,67 % de cadres moyens, 20,72 % d'employés et 49,61 % de personnes sans profession définie (O.C.R.T.I.S., 1988). D'autre part, nous pouvons dire que les toxicomanes ont en commun la recherche d'un plaisir immédiat, obtenu sans effort. En effet, ces substances stimulent les « centres de plaisir » découverts dans le cerveau par J. Olds (1954). Ce sont les mêmes structures, encore appelées *système récompensant du cerveau*, qui nous procurent la joie lorsque nous avons créé une belle œuvre, accompli un exploit ou, tout simplement, terminé notre travail de façon satisfaisante.

L'usage de la drogue serait peu répréhensible si la stimulation répétée des centres de plaisir ne provoquait une habituation*, nécessitant des doses chaque jour accrues. Corrélativement, il se produit une sorte d'« inertie » ou de non-réponse de ces structures cérébrales aux activités physiques ou intellectuelles, dont le plaisir était la récompense* normale. Dans de pareilles conditions, il ne reste au sujet désenchanté que la désespérance ou le retour à la drogue. Il est presque impossible de lutter contre le plaisir obtenu sans effort. On comprend pourquoi le combat contre la toxicomanie passe, essentiellement, par la prévention.

Dumas (Georges), psychologue français (Lédignan, Gard, 1866 – id. 1946)

Ancien élève de l'École normale, agrégé de philosophie, il fut reçu docteur en médecine (*les États intellectuels dans la mélancolie*, 1894) et docteur ès lettres (*la Tristesse et la Joie*, 1900). Chargé de cours, puis professeur titulaire à la Sorbonne (1912), il écrivit et dirigea plusieurs ouvrages dont un *Traité de psychologie* (1923) et dirigea le *Nouveau Traité de psychologie* (sept volumes de 1931 à 1946), qui ne fut jamais terminé.

Durkheim (Émile), sociologue français (Épinal 1858 – Paris 1917)

Agrégé de philosophie, docteur ès lettres (1893), il fut professeur à la Sorbonne et l'un des promoteurs de l'école sociologique française. Ses idées majeures ont été exprimées dans sa thèse principale, *De la division du travail social* (1893). Il y montre que la conscience individuelle est soumise à la conscience collective autant, sinon davantage, qu'aux influences corporelles. Son ouvrage *le Suicide* (1897) repose sur la notion que l'autodestruction est liée aux conditions sociales, à une impossibilité d'intégration du sujet dans la communauté humaine. Il a encore formulé *les Règles de la méthode sociologique* (1895) et étudié *les Formes élémentaires de la vie religieuse : le système totémique en Australie* (1912). On lui doit d'autres ouvrages importants dont *Éducation et sociologie* (1922) et *l'Éducation morale* (1925).

dynamique (psychologie), branche de la psychologie qui étudie les forces qui s'exercent sur l'être humain et leurs conséquences dans l'organisation de la personnalité.
Elle envisage l'homme dans son champ* psychologique, agissant et réagissant, soumis aux tensions intérieures et extérieures, dans son réseau de relations humaines. Elle fait appel aux données de la psychologie sociale* et de la psychanalyse pour comprendre les comportements et les motivations (souvent inconscientes) des individus. → **Lewin (Kurt).**

dysarthrie, trouble de la parole.
L'articulation des mots est défectueuse, les syllabes sont répétées, le sujet bredouille. La dysarthrie a une origine centrale. Elle s'observe surtout dans certaines maladies organiques du cerveau telles que le delirium* tremens, la démence* ou la paralysie* générale d'origine syphilitique. → **dyslalie.**

dyscalculie, perturbation dans l'apprentissage du calcul, chez des enfants possédant cependant une intelligence normale.
Ce trouble accompagne assez souvent la dyslexie* et repose, comme celle-ci, sur des difficultés d'organisation spatiale (l'écolier ne sait pas très bien par où commencer ses additions, par exemple). Cet embarras n'est que transitoire ; il disparaît facilement avec une rééducation appropriée, associée parfois à un soutien psychothérapique. Les dyscalculiques sont nombreux. Selon J. Vogler (1988), au sortir de l'école élémentaire, 25 % des enfants ne maîtrisent pas la division (55 % si l'opération comporte des nombres décimaux). D'autre part, certains écoliers échouent en calcul parce qu'ils ne comprennent pas les énoncés des problèmes, car leur vocabulaire est insuffisant. Nous voyons donc que l'élève n'est pas seul en cause dans la dyscalculie ; l'école y est aussi impliquée. Chez les adultes, on rencontre des troubles du calcul dans les états d'affaiblissement intellectuel (ils peuvent être l'un des premiers symptômes de la démence) ou par suite d'une lésion du cortex cérébral, comme dans l'aphasie. → **opératoire (théorie).**

dysgraphie, trouble de l'écriture.
Les difficultés graphiques qui apparaissent chez des enfants d'intelligence normale sont souvent dues à une contraction musculaire exagérée, liée à des perturbations d'origine émotionnelle. L'écriture penche dans tous les sens, ne respecte pas les lignes et devient illisible. Cette anomalie s'améliore et disparaît même complètement par la rééducation psychomotrice et la graphothérapie*.

dysharmonie, discordance dans le développement de certaines fonctions, lequel ne s'est pas réalisé de la façon attendue, synchrone et harmonieuse.
La croissance physique, intellectuelle et affective d'un enfant connaît des progrès, des arrêts (fixation*) et même des retours en arrière (régression*). Trois facteurs, au moins, interviennent dans le développement : la maturation, l'apprentissage et la motivation. Par exemple, un bébé normal, âgé de 15 mois, dont l'équipement nerveux, osseux et musculaire est suffisant pour marcher, ne se déplacera pas s'il ne le désire pas, s'il n'a pas été suffisamment stimulé ou si le fait de marcher lui paraît dangereux. De la même façon, il existe des dysharmonies concernant le développement des fonctions intellectuelles, l'acquisition des connaissances, la psychomotricité et l'épanouissement affectif. Un enfant

peut être surdoué dans un domaine et totalement déficient dans un autre.
On nomme *dysharmonie évolutive* l'organisation pathologique de la personnalité qui recouvre toutes les discordances dans le développement intellectuel et affectif. Il s'agit d'un état prépsychotique, susceptible d'évoluer vers une psychose.

dyslalie, trouble de l'articulation verbale dû à des malformations ou à des lésions des organes périphériques de la phonation (langue, dents, lèvres, palais...).
Le sujet est dans l'impossibilité de prononcer correctement un mot ou un son déterminé (il dira *ze* pour *je* ou *che* pour *ce*, par exemple). La correction de ces troubles est possible grâce à une rééducation conduite par un spécialiste (orthophoniste). → **dysarthrie.**

dyslexie, trouble de l'acquisition de la lecture.
Habituellement, un enfant de six ans apprend à lire sans difficulté. Mais de nombreux écoliers, intelligents (10 % d'après B. Hallgren), n'y parviennent pas. Sains d'esprit, ne présentant aucune déficience sensorielle (myopie, surdité...) ou motrice, rarement absents de l'école, ils ne parviennent pas, malgré leurs efforts et ceux de leurs maîtres, à lire aisément ; ils continuent d'inverser les syllabes (*caramade* au lieu de *camarade*, *ruilesser* au lieu de *ruisseler*, etc.) et de mutiler les mots et les phrases jusqu'à les rendre méconnaissables. Déficients en lecture, déficients en orthographe, ils se découragent, négligent les autres matières, deviennent des élèves meurtris et aigris par leurs échecs. Certains écoliers deviennent révoltés, les autres déprimés ou indifférents.
Par ses conséquences sociales et psychologiques, la dyslexie constitue un important problème pédagogique qu'il est nécessaire de bien connaître. Les causes de cette « infirmité sociale » (J. Boutonier) sont mal connues. Des difficultés de latéralisation, d'orientation dans l'espace (savoir où est la droite et la gauche, le dessus et le dessous, etc.) sont fréquemment trouvées, de même que la gaucherie* contrariée, ce qui a fait dire à certains auteurs que ce trouble est lié à l'organisation cérébrale, à une prédominance hémisphérique droite.
Mais d'autres chercheurs (J. de Ajuriaguerra) pensent qu'il s'agirait plutôt d'un manque de motivation pour apprendre, d'une absence de curiosité intellectuelle. En réalité, si dans la dyslexie on trouve souvent des facteurs affectifs associés à des difficultés d'organisation spatio-temporelle, aucun ne lui est propre. Il s'agit d'un phénomène dont les causes sont complexes, en partie héréditaires, en partie affectives et, pour une part non négligeable, pédagogiques ; on a pu constater, en effet, que plus le maître est expérimenté, moins il y a de dyslexiques dans sa classe (E. Malmquist).
Certains cas de dyslexie s'améliorent spontanément, vers huit ou neuf ans ; d'autres, au contraire, laissent de sérieuses séquelles. La rééducation peut s'entreprendre à n'importe quel âge. Le but n'est pas de refaire un nouvel apprentissage de la lecture, mais bien de modifier le système de pensée de l'écolier. D'abord, il faut lui apprendre à organiser l'espace et le temps par des exercices appropriés. Mais aucune rééducation ne peut réussir sans la participation active des parents et des maîtres qui doivent faire répéter les exercices et, surtout, modifier leur attitude. Au lieu de harceler l'écolier et de le déprécier, il importe de réduire son anxiété en le réhabilitant, en l'encourageant. Cependant, il serait préférable d'éviter ce trouble. Cela est possible dans la mesure où l'on ne fait pas faire à l'enfant d'apprentissage prématuré de la lecture (pas avant six ans) et si l'on n'attend pas que s'aggravent les troubles observés à ce moment-là. Quand, après les deux premiers mois d'exercice, un jeune écolier n'arrive pas à dépasser les difficultés rencontrées, il est utile de le présenter à une consultation spécialisée.

dysorthographie, trouble de l'apprentissage de l'orthographe.
Parfois, on la rencontre isolément, mais le plus souvent elle est associée à la dyslexie*. Les lettres peu différentes, soit par leur graphisme (*m* et *n*, *p* et *q*), soit par leur prononciation (*v* et *f*), sont confondues, leur place dans les mots n'est pas respectée. La dysor-

thographie est due à une mauvaise organisation spatiale (confusion entre la droite et la gauche, le haut et le bas) mais aussi, dans certains cas, à des difficultés affectives chez l'enfant.
Le nombre d'écoliers qui ont une mauvaise orthographe, sans être pour autant dysorthographiques au sens où nous venons de l'entendre, est très élevé. En effet, selon une enquête du ministère de l'Éducation nationale (1987) auprès d'un échantillon représentatif de plus de 2 000 élèves du cours moyen 2e année, plus de 50 % des écoliers ignorent les accords du participe passé et 70 % font, au moins, six fautes en dictée.

dysphorie, trouble de l'humeur caractérisé par un émoussement de l'intérêt et un sentiment général d'insatisfaction.
Le sujet paraît désabusé, désenchanté. Parfois, il recherche une excitation factice dans l'alcool ou la drogue et peut finir par se suicider.

dysplasie, trouble du développement corporel caractérisé par un modelé inharmonieux ou des difformités.
Dans le système biotypologique de E. Kretschmer, la dysplasie est un type morphologique qui présente des déviations par rapport aux trois principaux : asthénique* (ou leptosome), athlétique* et pycnique*. Dans le système de W. H. Sheldon, la dysplasie est une variable morphologique secondaire qui s'ajoute aux trois composantes fondamentales : endomorphisme*, ectomorphisme*, mésomorphisme*. Les personnes chez qui cette variable prédomine appartiennent au type dysharmonique.

dysplastique, dans la classification de E. Kretschmer, type physique réunissant des caractéristiques appartenant aux trois autres types : pycnique, leptosome et athlétique, ce qui lui donne un aspect inharmonieux.
Par exemple, un sujet aura des jambes courtes et fortes, des épaules étroites et des bras grêles.

Ebbinghaus (Hermann), psychologue allemand (Barmen, auj. dans Wuppertal, 1850 – Halle 1909)
Il est surtout connu pour ses recherches en psychologie expérimentale portant sur les conditions de l'apprentissage et de la mémoire. En utilisant des listes de syllabes dépourvues de signification, qu'il fait apprendre à des étudiants, il établit une série de lois, désormais classiques (relatives au nombre des répétitions, à la position des éléments dans les séries, etc.), sur lesquelles reposent les théories modernes de l'apprentissage.

écart type, indice statistique relatif à la dispersion des résultats autour de la valeur centrale.
L'écart type, encore appelé *déviation standard, écart étalon* ou *écart quadratique moyen*, se définit comme la racine carrée de la variance (c'est-à-dire de la moyenne arithmétique des carrés des écarts individuels par rapport à la moyenne)

$\sigma = \sqrt{\frac{\Sigma\,(x - m)^2}{n}}$. Dans une distribution normale, les notes se répartissent symétriquement autour de la moyenne, de telle façon que la courbe obtenue a l'allure d'une cloche (courbe de Laplace-Gauss). L'écart type est, graphiquement, la distance qui sépare le point d'inflexion de la courbe en cloche de son axe de symétrie. Entre – 1 et + 1 écart type, ou sigma (σ), 68,2 % de la population sont contenus ; entre – 2 et + 2 sigmas, il y en a 95,4 %. On peut considérer qu'entre – 3 et + 3 sigmas la totalité de la population est incluse. La plupart des tests modernes (échelles de

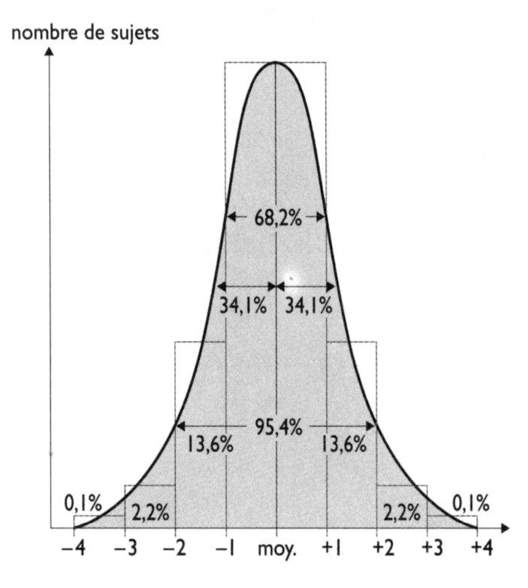

L'écart type est représenté sur la figure par la distance qui sépare le point d'inflexion de la courbe en cloche de son axe de symétrie.

Wechsler*, par exemple) sont étalonnés à partir de cette valeur fondamentale. La déficience intellectuelle appelée « débilité mentale » peut être définie comme une déviation négative d'au moins 2 sigmas par rapport à la moyenne.

Eccles (sir John Carew), neurobiologiste australien (Melbourne, 1903 – Locarno, Suisse, 1997).
Après ses études de médecine à Melbourne (1925), il étudie la neurophysiologie à Oxford, auprès de sir Charles Scott Sherrington (Londres, 1857 – Eastbourne 1952), dont il deviendra le continuateur. De 1937 à 1944, il dirige un laboratoire de recherches à Sydney, puis enseigne successivement à Otago (Nouvelle-

Zélande) et à Canberra (Australie). Ses travaux les plus importants portent sur les synapses*, l'influx nerveux et les processus biochimiques responsables de sa propagation. En 1963, il obtient le prix Nobel de médecine, qu'il partage avec les Britanniques A. L. Hodgkin et A. F. Huxley. Parmi ses nombreux ouvrages, citons : *The Human Mystery*, 1979 ; *The Human Psyche*, 1980 ; *Evolution of the Brain : Creation of the Self*, 1989 (*Évolution du cerveau et création de la conscience*, 1992). Dans ce dernier livre, la thèse proposée est qu'au centre de notre univers mental « il existe une entité non matérielle dont l'origine dépasse le cadre de l'explication purement scientifique ». → **médiateur chimique, neurone, synapse.**

échantillon, fraction représentative d'un ensemble défini.
Il est exceptionnel que l'on puisse examiner la totalité des individus d'une population déterminée. Habituellement, l'observateur doit se limiter à une partie de celle-ci, nommé *échantillon*. Mais le choix de l'échantillon est délicat.
Pour éviter de favoriser certaines parties de la population au détriment d'autres, psychologues et sociologues utilisent diverses méthodes, telles que : 1. l'échantillonnage *aléatoire*, où l'on tire au hasard, dans la population définie, les éléments destinés à constituer l'échantillon ; 2. l'échantillonnage *par grappes*, qui se résume à tirer au sort des « grappes » (ouvriers d'une même usine...) dans lesquelles tous les sujets seront interrogés ; 3. l'échantillonnage *aréolaire*, consistant à prélever l'échantillon dans des aires géographiques délimitées soit par des voies de communication (routes, cours d'eau...), soit par le quadrillage d'une photo aérienne ou d'une carte géographique ; les aires-échantillons étant tirées au sort, on détermine ensuite, par le même procédé, les personnes qui seront contactées ; 4. l'échantillonnage *par quotas*, qui consiste à élaborer un « modèle réduit » de la population. Il existe encore d'autres façons de constituer un échantillon, mais les raffinements méthodologiques ne mettent pas le chercheur à l'abri de certains pièges logiques. → **sondage, statistique.**

échec, insuccès.
L'échec ne dépend pas du niveau absolu de réalisation d'une action. C'est, essentiellement, une notion subjective. On connaît l'échec quand on n'atteint pas le but fixé. En général, les échecs dépriment et, s'ils se répètent fréquemment (insuccès scolaires, professionnels, sentimentaux...), sont susceptibles d'entraîner des troubles névrotiques. De nombreux individus timides, irrésolus, résignés, les subissent comme une fatalité ; ils se conduisent dans l'existence comme s'ils étaient voués à l'impuissance. Pour certains, on dirait même qu'ils font exprès d'échouer, comme pour se punir d'une culpabilité* inconsciente.

écholalie ou **échophrasie**, répétition en écho, par un sujet, des mots et des phrases prononcés devant lui.
Ce trouble du langage apparaît chez les déficients* mentaux, influençables, et dans certains états démentiels.

écholocation ou **écholocalisation**, mode de repérage d'un obstacle ou d'un corps dans l'espace en utilisant le phénomène de l'écho.
L'écholocation est fondée sur la réflexion des ondes sonores ou ultrasonores. Les ondes émises par l'animal, réfléchies par un obstacle, sont captées par un organe récepteur* et transmises au cerveau. La différence de temps existant entre l'émission du signal* et la réception de son écho permet à l'animal d'évaluer la distance de l'obstacle. Les chauves-souris, certains oiseaux, les dauphins et les phoques utilisent cette sorte de sonar pour s'orienter et repérer leurs proies.

échophrasie → écholalie.

éclairage, distribution de la lumière.
La lumière a sur l'organisme une action qui déborde le cadre de la vision. Elle a un effet stimulant sur le système nerveux. Son absence entraîne l'indolence (observations des explorateurs au sujet des effets de la nuit polaire) et son retour l'excitation, l'appétit, etc. Divers travaux (N. E. Rosenthal, 1984 ; C. J. Hellekson, 1985 ; C. Bucheli, 1986) mon-

trent qu'il est possible d'améliorer des états dépressifs en exposant les malades à une lumière artificielle intense (photothérapie). Dans les ateliers et les écoles, un bon éclairage (suffisant, bien réparti) évite la fatigue et les accidents.

école, établissement qui dispense un enseignement collectif.
L'entrée à l'école pose au jeune enfant des problèmes, parfois dramatiques, dont les parents ne soupçonnent généralement pas l'existence. Pour le nouvel écolier, il s'agit de s'intégrer dans un milieu différent de celui qui lui était familier, régi par des lois et une discipline auxquelles il n'était pas habitué, dans lequel il lui faut occuper de nouveaux rôles.
Parallèlement à l'acquisition des outils de la culture (lecture, écriture, calcul) et des moyens logiques de la pensée, l'école offre à l'enfant le moyen de se socialiser en établissant des liens de camaraderie et en se libérant progressivement de certaines attaches familiales. Traditionnellement, elle ne vise pas seulement à transmettre la culture* mais, surtout, à intégrer l'enfant à la collectivité, en lui faisant partager les normes et les valeurs admises. Une autre de ses ambitions est de compenser les déficiences culturelles du milieu familial et de donner à tous les élèves les mêmes chances de réussite sociale. Mais P. Bourdieu et J. C. Passeron (*les Héritiers*, puis *la Reproduction*, 1970) ont montré que les déterminismes sociaux sont immuables et que l'école ne pouvait que reproduire les inégalités sociales. Depuis des années, en France, l'école est en crise. Beaucoup d'enseignants paraissent désabusés. Ils hésitent sur le choix des méthodes pédagogiques et ne savent comment faire face, à la fois, au désarroi des élèves et aux exigences contradictoires des familles et de l'administration. → **active (école).**

écologie, science des rapports existant entre les êtres vivants et leur milieu.
La psychologie écologique (Lewin*) étudie le comportement des personnes en relation avec leur environnement physique et social. Elle s'attache particulièrement à mettre en évidence l'influence de celui-ci sur les variables psychologiques, c'est-à-dire les idéaux, les besoins, les motivations, les buts, les perceptions, etc. Les études écologiques ont montré, par exemple, que l'inadaptation sociale varie proportionnellement à la mobilité sociogéographique : la délinquance est particulièrement élevée dans les populations d'immigrants, et la proportion des troubles mentaux est plus forte dans les grandes villes et dans les quartiers « de brassage » (autour des gares, par exemple) que dans les autres lieux.

économique (psychologie), discipline ayant pour objet l'étude des conduites humaines dans les secteurs de la production, de la distribution et de la consommation des ressources.
Il existe presque toujours une différence entre les besoins et les désirs de l'homme et ses possibilités de les satisfaire. La psychologie économique étudie les comportements individuels (motivations, décisions d'achat...) et ceux des groupes. L'une de ses méthodes est le sondage d'opinion, pratiqué régulièrement pour apprécier les attentes des consommateurs.

écriture, représentation graphique du langage et de la pensée.
L'écriture est apparue il y a environ 6 000 ans. À l'origine, elle se limitait à une juxtaposition de dessins sommaires d'objets concrets exprimant une idée (idéogrammes). Puis le graphique s'est stylisé en même temps qu'il se chargeait de sens nouveaux, qu'il prenait une signification symbolique, abstraite. Dans la langue chinoise, par exemple, la représentation simplifiée de deux mains tendues, qui exprimait initialement le geste scellant le contrat d'amitié conclu par deux personnes, se retrouve dans le caractère qui signifie « compagnon » ou « ami ».
L'alphabet, qui fut inventé par les Sémites, est dérivé de l'idéogramme. L'apprentissage de l'écriture suppose un âge mental d'au moins 5 ans et une bonne orientation spatiale (reconnaissance de la droite et de la gauche, du haut et du bas). Les dysgraphies* sont généralement associées à des troubles de la motricité ou à une gaucherie* contrariée. La qualité

de l'écriture est aussi influencée par l'état d'esprit de celui qui écrit. Cela est surtout manifeste chez les malades mentaux dont le graphisme (boucles, fioritures, ponctuation symbolique) reflète le trouble de leur pensée.
→ **graphologie.**

ecstasy, substance de synthèse, dérivée de l'amphétamine*, consommée pour ses effets euphorisants et psychostimulants.
Découverte en 1914, la méthylène-dioxy-méth-amphétamine (M.D.M.A.) sombra dans l'oubli parce qu'elle ne présentait aucun intérêt médical. Mais dans les années 1960, le chimiste américain Alexander Shulgin remarqua ses propriétés excitantes. En effet, la M.D.M.A., bientôt appelée « ecstasy », augmente la vigilance de l'individu et lui donne le sentiment d'avoir une énergie musculaire décuplée. Les jeunes qui la consomment (de 5 à 7 % des 18-26 ans) se rassemblent souvent par centaines pour des *rave-parties* au cours desquelles ils dansent pendant des heures et « délirent » ensemble (*to rave*, délirer) sur des musiques répétitives (techno). L'usage de l'ecstasy est interdit par la loi du 31 décembre 1970 sur les stupéfiants*, car cette drogue* est responsable d'intoxications aiguës et parfois même de décès, consécutifs à une augmentation de la température du corps dépassant 42 °C. Parmi ses autres effets indésirables, nous relevons des troubles du sommeil, la perte de l'appétit, une hypertension artérielle. L'arrêt de la consommation s'accompagne souvent de dépression et, parfois, de confusion mentale.

ectomorphe
Dans la typologie de W. H. Sheldon*, sujet mince, délicat et fragile, aux muscles légers et aux membres relativement longs, chez qui, proportionnellement à la masse corporelle totale, le cerveau et le système nerveux central sont importants et tendent, en un certain sens, avec la peau, à dominer l'économie du corps. Le terme d'« ectomorphe » a été choisi par référence au feuillet externe de l'embryon (ectoderme) dont ces organes sont dérivés. À ce type morphologique correspond habituellement un tempérament* « cérébrotonique ».

ectomorphie ou **ectomorphisme**
Dans la typologie de W. H. Sheldon, ensemble des caractéristiques de l'ectomorphe.

éducation, art de développer les qualités morales, intellectuelles, artistiques et physiques que l'enfant possède à l'état potentiel.
L'éducation ne vise pas à modifier la nature de celui qu'on élève, mais à l'aider à se développer harmonieusement dans son milieu. Elle nécessite la connaissance de ses besoins, des lois de sa croissance physique et mentale, et dépend de l'idée que l'on se fait de l'homme : à Sparte, ville militaire de la Grèce antique, les enfants étaient soumis à une discipline de fer.
Malgré les recommandations des grands pédagogues (Montaigne, Comenius*), l'éducation autoritaire persista jusqu'au début du XXe siècle et ce n'est que sous l'influence des travaux des psychologues contemporains (Binet*, Claparède*, Dewey*, Wallon*) qu'une forme plus adaptée d'éducation s'est répandue. Celle-ci commence dès la naissance de l'enfant, et même avant, par celle des parents. C'est à cette tâche nécessaire que se consacrent les « écoles des parents », fondées (1928) et animées par des humanistes et des psychopédagogues (A. Isambert, A. Berge...), dont les cercles d'études et les conférences sont assidûment suivis.

effort, mobilisation des forces individuelles pour vaincre une difficulté.
L'effort dépensé résulte, à la fois, des exigences de la situation, des ressources (force musculaire et morale) et des motivations (compétition, passion, etc.) de la personne. Il peut s'exercer sur les plans : moteur, quand il s'agit de surmonter une résistance physique ; intellectuel, dans le cas de la concentration de l'attention ; ou moral, s'il s'agit de lutter contre une tendance néfaste (alcoolisme, par exemple).
Le sentiment d'effort précède la fatigue*. Il ne survient que si l'appel énergétique dépasse un certain seuil, celui qui correspond à la mise en action des réserves de l'organisme.

ego, mot latin signifiant « moi ».
Dans le langage psychanalytique, l'*ego* désigne la fraction de la personnalité qui équilibre les forces auxquelles l'individu est soumis, c'est-à-dire ses propres pulsions (tendances profondes), sa morale (ou, plus exactement, son surmoi*) et, enfin, la réalité du monde extérieur. La psychologie du moi (en anglais, *Ego psychology*) a été particulièrement développée par A. Freud, à qui l'on doit *le Moi et les mécanismes de défense* (1936) et, aux États-Unis, par E. Kris, R. Lœwenstein et H. Hartmann, lequel a écrit *la Psychologie du moi et le problème de l'adaptation* (1930).

égocentrisme, tendance à faire de soi le centre de l'univers.
L'égocentrisme est normal chez l'enfant jusque vers 6 ou 7 ans. Durant cette période, la différenciation entre le moi* et le monde extérieur s'effectue progressivement, mais la pensée reste essentiellement subjective : l'enfant n'envisage les phénomènes observés ou les problèmes qui se posent à lui que de son propre point de vue. Il dira, par exemple : « regarde, papa, la lune me suit ! » ou encore, si on lui demande s'il a un frère et qu'il répond affirmativement, à la question suivante : « et ton frère, en a-t-il un ? », il répondra « non ». Cette attitude peut persister chez certains sujets, déficients intellectuels, arriérés affectifs ou névrosés incapables de « décentration » (de se mettre à la place d'autrui). L'égocentrisme ne doit pas être confondu avec l'égoïsme*, qui est l'amour exagéré de soi.

égoïsme, amour excessif, voire exclusif, de soi.
L'attachement que l'égoïste porte à lui-même l'amène à subordonner l'intérêt d'autrui au sien propre. Un certain degré d'égoïsme est nécessaire, mais l'égoïsme absolu, qui n'est pas compensé par de l'altruisme*, est insensé : inéluctablement, il se traduit par l'isolement de l'individu au sein de son groupe, voire par le suicide* (É. Durkheim). L'égoïste rapporte tout à lui ; le non-égoïste obéit à un système de valeurs qui dépasse sa propre individualité. Le premier a aussi davantage de difficultés à trouver un sens à son existence, parce qu'il est moins porté par la collectivité. C'est ce qui explique, probablement, pourquoi le taux de suicides chez les célibataires est plus élevé que chez les personnes mariées.

élaboration, ensemble des opérations intellectuelles par lesquelles des éléments simples (sensations, désirs, etc.) sont transformés en perceptions, images, souvenirs ou pensées. Freud appelle *élaboration* le processus psychique inconscient à partir duquel les idées latentes d'une personne se manifestent dans le rêve, sous une forme condensée et concrète, en images visuelles : par exemple, une carte de visite bordée de noir représente la mort.

électrochoc ou **sismothérapie**, thérapeutique psychiatrique consistant à provoquer une crise épileptique artificielle, en faisant passer une décharge électrique à travers le cerveau.
Ce traitement, dû à U. Cerletti et L. Bini (Milan, 1938), a une influence réelle sur de nombreux mélancoliques et, parfois, sur de jeunes schizophrènes. Mais son mode d'action reste mystérieux. Plusieurs hypothèses plus ou moins satisfaisantes ont été avancées : la stimulation électrique libère des hormones et des substances encore inconnues ; le choc mobilise les défenses de l'organisme ; le psychisme se reconstruit selon un ordre nouveau ; le courant électrique agit sur un centre régulateur de l'humeur, situé à la base du cerveau. Malgré ses avantages pratiques, cette technique répugne à beaucoup de psychiatres qui suspectent son côté « magique » (en appuyant sur un bouton, on guérit le malade) et lui préfèrent les psychotropes.

électrodermale (réponse), phénomène complexe lié à l'activité du système nerveux sympathique, qui se manifeste par une variation de la résistance électrique de la peau, à la suite d'une excitation sensorielle ou d'une émotion, susceptibles de provoquer l'activité des glandes sudoripares.
Les premières études de ce phénomène remontent à la fin du XIXe siècle (R. Vigouroux, C. Ferré, J. Tarchanoff). En 1909, l'ouvrage de l'Allemand O. Veraguth sur le « réflexe psychogalvanique » suscite de nombreux travaux. En 1963, V. Bloch montre qu'il y a

diverses réponses électrodermales, liées non seulement au fonctionnement du système nerveux sympathique, mais aussi à celui de la formation réticulaire (partie centrale du tronc cérébral s'étendant du bulbe au diencéphale) et du cortex. Les réponses électrodermales varient considérablement d'une personne à l'autre et, chez le même sujet, d'un moment à l'autre.

émotion, réaction globale, intense et brève, de l'organisme à une situation inattendue, accompagnée d'un état affectif de tonalité pénible ou agréable.
Les émotions occupent une place fondamentale en psychologie, car elles sont étroitement liées aux besoins, aux motivations, et peuvent être à l'origine de troubles mentaux ou psychosomatiques. Malgré les nombreux travaux effectués, la nature, le mode d'action, la fonction de l'émotion restent hypothétiques. On a particulièrement bien étudié ses manifestations physiologiques (modification des rythmes cardiaque et respiratoire, relâchement des sphincters, sécheresse de la bouche, transpiration, etc.), ses répercussions sur les fonctions mentales (augmentation de la suggestibilité, diminution du contrôle volontaire) et les conduites qu'elle suscite (pleurs, fuite...) ; on a dégagé, dans l'expression des émotions, la part due à la culture (en Chine, la colère fait ouvrir des yeux ronds). Mais les conditions de l'émotion et ses bases psychophysiologiques sont encore mal connues.
L'émotion dépend non seulement de la nature de l'agent émotionnel, mais, surtout, de l'individu, de son état actuel physique et mental, de sa personnalité, de son histoire personnelle, de ses expériences antérieures. S'il existe des émotions collectives dues à certaines conditions exceptionnelles qui ont, pour la plupart des personnes, la même signification (panique consécutive à un tremblement de terre), l'émotion reste essentiellement individuelle. D'une façon générale, elle se manifeste lorsque le sujet est surpris ou quand la situation dépasse ses possibilités. Elle traduit sa désadaptation et l'effort de son organisme pour rétablir l'équilibre momentanément rompu. L'émotion n'est pas la prise de conscience des réactions physiologiques dues à cette désadaptation, ainsi que le pensait W. James (« j'ai peur parce que je tremble »), mais la connaissance de la signification de la situation (« l'ours est dangereux ») et la démobilisation des défenses personnelles (je me laisse envahir par l'émotion). Ce qui explique le comportement de certains rescapés de catastrophes (emmurés au fond d'une mine, par exemple), qui s'évanouissent ou sont pris de tremblements nerveux peu après avoir été sauvés.
En général, les désordres physiologiques dus aux émotions sont temporaires. Mais il arrive que le choc émotionnel soit si violent ou si persistant que l'organisme s'épuise à rétablir l'équilibre et que des lésions, telles que l'ulcère gastrique, apparaissent (Selye*). La médecine psychosomatique* a mis en évidence le rôle important des facteurs émotionnels dans de nombreuses affections aussi diverses que l'asthme, l'eczéma, l'obésité ou la tuberculose pulmonaire.

émotivité, aptitude à réagir aux événements, même anodins, en éprouvant des émotions.
L'individu émotif est impressionnable ; il vibre pour peu de chose, paraît susceptible et vulnérable, mais n'est pas pour autant inadapté. Quand elle n'est pas exagérée, l'émotivité est normale et utile car elle suscite un comportement adapté à la situation. L'émotivité peut être constitutionnelle ou acquise. H. S. Liddell, en plaçant des moutons dans une chambre noire et en leur donnant de petits chocs sur une patte, auxquels ils ne pouvaient pas se soustraire, les a rendus hyperémotifs : alors qu'auparavant ils étaient calmes, depuis l'expérience ils sursautaient au moindre bruit, la nuit. Les caractérologues considèrent l'émotivité comme l'une des trois propriétés fondamentales du caractère, les deux autres étant l'activité* et le retentissement* des impressions.

empathie, résonance, communication affective avec autrui.
Une mère connaît intuitivement les besoins et les sentiments de son nourrisson avec lequel elle est en communication. Cette mystérieuse capacité est liée, vraisemblablement, au fait qu'initialement l'enfant ne fait qu'un

avec sa mère. Elle explique aussi que les enfants, même tout petits, sont au courant des soucis, des inquiétudes et des joies de leurs parents. L'empathie est à la base de l'identification* et de la compréhension psychologique des autres.

empreinte perceptive → imprégnation.

encoprésie, incontinence involontaire des matières fécales, le plus souvent diurne, indépendante de toute atteinte organique, survenant chez un enfant ayant dépassé l'âge normal d'acquisition du contrôle des sphincters (2-3 ans).
La plupart du temps, elle se manifeste chez des garçonnets (de 75 à 90 % des cas selon les auteurs), perturbés affectivement, qui expriment ainsi, inconsciemment, leur agressivité à l'égard d'un entourage frustrant et le désir qu'on s'occupe d'eux. En règle générale, leur but est atteint, puisque les parents et les éducateurs réagissent, presque toujours, en punissant celui qui se remet à souiller son lit ou sa culotte. Et, pour l'enfant encoprétique, c'est déjà une petite satisfaction, car il est parvenu à attirer l'attention sur lui. Un tel comportement cède, généralement, sous l'effet de la psychothérapie. **→ régression.**

endomorphe
Terme proposé par W. H. Sheldon* pour désigner le sujet dont le corps est gras, mou, rond, sans relief musculaire et chez qui les viscères et l'appareil digestif occupent une place importante. Ce terme a été choisi par référence au feuillet interne de l'embryon (endoderme) dont les éléments fonctionnels du système digestif sont presque entièrement dérivés. À ce type morphologique correspond habituellement le tempérament « viscérotonique* » caractérisé par la sociabilité et l'amour de la bonne chère.

endomorphie ou **endomorphisme**
Dans la typologie de W. H. Sheldon, ensemble des caractéristiques de l'endomorphe*.

endorphine, substance peptidique provenant de l'organisme même et dont les propriétés pharmacologiques sont celles de la morphine.
L'idée qui présida à la découverte des endorphines tient en deux propositions : 1. il existe nécessairement dans le cerveau des récepteurs spécifiques de la morphine ; 2. l'organisme produit des substances ayant une action morphinique (inhibition de la douleur).
En 1975, J. Hughes et H. W. Kosterlitz isolent dans le cerveau du porc les premières endorphines, qu'ils nomment « enképhalines ». Quelques mois plus tard, d'autres endorphines sont isolées à partir de l'hypophyse par R. Guillemin et d'autres chercheurs. Les endorphines jouent le rôle d'hormones quand elles sont produites par les glandes endocrines (hypophyse, surrénales) ; elles agissent comme médiateurs chimiques, ayant une action inhibitrice, lorsqu'elles sont sécrétées par les neurones* du système nerveux central (cerveau, moelle épinière). Elles modèrent ou empêchent la libération de « substance P » (neurotransmetteur du message douloureux), sont impliquées dans la faim et la soif et prennent une part importante dans le contrôle de la vie émotionnelle, notamment dans la régulation du plaisir.

enfance, période de la vie qui s'étend de la naissance à l'adolescence.
Sous l'impulsion de la psychologie moderne, l'enfant n'est plus considéré comme un adulte auquel il manque les connaissances et le jugement, mais comme un individu ayant sa mentalité propre et dont le développement psychologique est régi par des lois particulières.
L'enfance est l'étape nécessaire à la transformation du nouveau-né en adulte. Plus on monte dans l'échelle zoologique, plus la durée de l'enfance s'allonge : trois jours chez le cobaye, neuf ans chez le chimpanzé, vingt-cinq ans chez l'homme, selon A. Gesell*. L'être humain a besoin de cette longue période pour comprendre et assimiler les structures culturelles complexes auxquelles il devra s'adapter.
Dans cette période dynamique et d'une extrême richesse, où la croissance se fait dans tous les domaines à la fois, on distingue trois grands stades* (que les pédagogues avaient déjà remarqués) : la première enfance, jusqu'à trois ans ; la deuxième enfance, de trois ans à six ou sept ans ; et la troisième enfance, qui se termine par la puberté. Le développement de

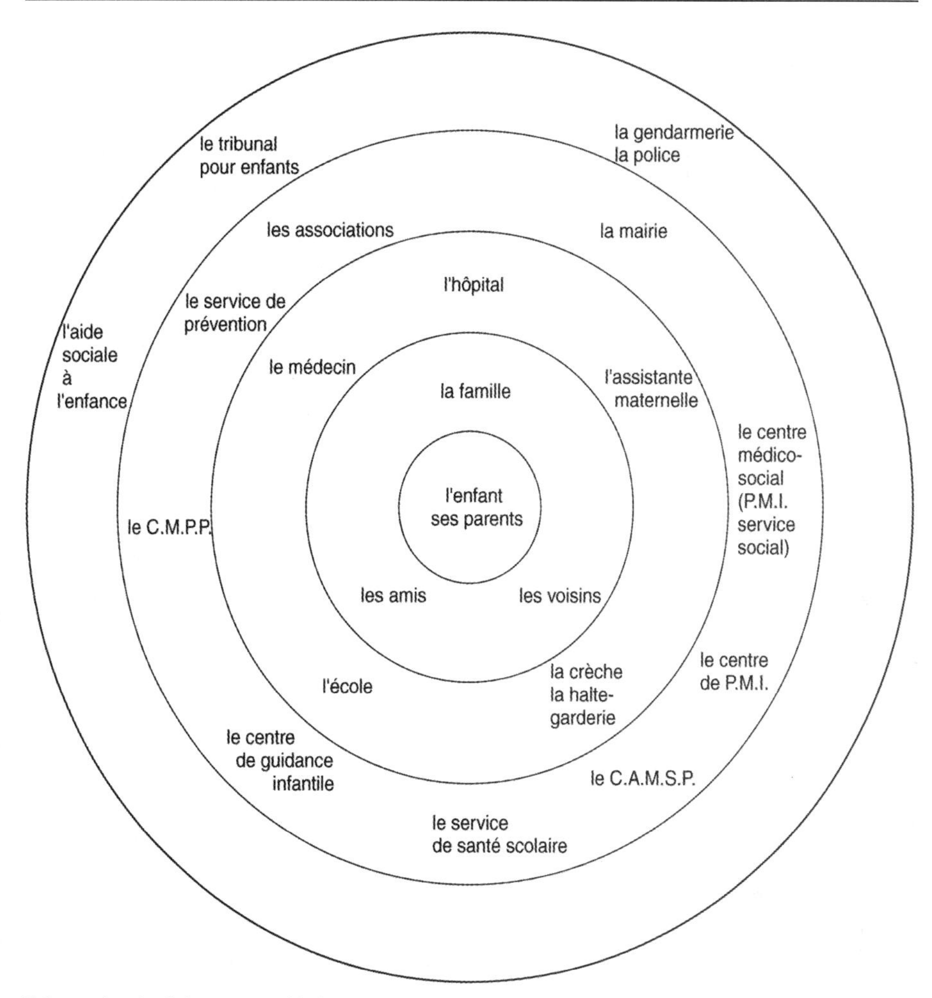

Enfant maltraité : Ci-dessus, ensemble des personnes, des équipes et des services pouvant venir en aide à l'enfant et à ses parents.
(A.S.E. : Aide sociale à l'enfance ; C.A.M.S.P. : Centre d'action médico-sociale précoce ; C.M.P.P. : Centre médico-psycho-pédagogique ; P.M.I. : Protection maternelle et infantile).
(Extrait du *Dossier technique* « 50 000 enfants sont maltraités. En parler c'est déjà agir », chap. 3, « La protection de l'enfance en danger, cadre juridique, institutions, procédures », p. 23. Publié par le ministère des Affaires sociales et de la Solidarité nationale, Paris, 1986.)

l'enfant se fait selon un processus de différenciation* progressive. Le sevrage est un des premiers faits psychologiques qui lui permettent de se différencier de sa mère et de prendre une meilleure conscience du réel. Avec les progrès enregistrés dans les domaines psychomoteur (usage de la main, acquisition de la station debout et de la marche) et verbal (mots, phrases), son univers s'élargit, ses intérêts augmentent, sa pensée s'affermit. À trois ans, il découvre sa personnalité, qu'il affirme en employant les pronoms *je* ou *moi* et en s'opposant, sans motif, à autrui. À partir de ce moment, ses acquisitions se font à un rythme de plus en plus rapide.

enfant maltraité, enfant victime de violences ou de mauvais traitements.
Selon C. H. Kempe (1977), 2 000 enfants meurent chaque année, aux États-Unis, des

TABLEAU DES ÉQUIPES ET DES RESPONSABLES VENANT EN AIDE À LA FAMILLE

		les services	les responsables	les équipes		les modes d'intervention
Protection sociale et médico-sociale	Service départemental	Service social.	La conseillère technique.	Les assistantes sociales de secteur.	*Rattachés aux services publics ou à des services privés conventionnés*	- Permanences, - visites à domiciles.
		P.M.I.	Le médecin responsable de P.M.I.	Des médecins, des puéricultrices, des sages-femmes.		- Consultations en centre de P.M.I., - visites à domicile, - accueil à la journée (crèche, assistante maternelle).
		A.S.E.	L'(es) inspecteur(s).	Des travailleurs sociaux (assistantes sociales, éducateurs, travailleuses familiales), des psychologues.		- Aide financière - aide éducative et psychologique dans la famille, - recueil de l'enfant (établissement ou assistantes maternelles).
	Services d'État	Santé scolaire.	Le médecin responsable.	Des médecins, des infirmières, des assistantes sociales.		- Visites médicales, - entretiens.
		Pédopsychiatrie.	Le médecin-chef.	Des psychiatres, des psychologues, psychorééducateurs, orthophonistes.		- Consultations de guidance infantile, - psychothérapie, - rééducation, - placement.
Protection judiciaire		Parquet.	Le procureur ou le substitut des mineurs.	La brigade des mineurs ou la gendarmerie.		Enquête et, si urgence, retrait de l'enfant. Saisine du juge des enfants. Éventuellement, saisine du juge d'instruction.
		Tribunal pour enfants.	Le président, le(s) juge(s) des enfants.	Les travailleurs sociaux de l'Éducation surveillée ou de services spécialisés habilités.		- Observation de la situation de l'enfant dans sa famille, - action éducative dans la famille dite « en milieu ouvert », - placement de l'enfant : • dans une famille, • dans un établissement, • à l'A.S.E.

suites de mauvais traitements ; en Allemagne, ils seraient 1 000 (C. Biermann, 1969) et, en France, de 300 à 600 (ministère des Affaires sociales, 1986). Le nombre des enfants maltraités dans notre pays s'élevait à 21 000 en 1996, dont 26 % étaient âgés de moins de six ans. Les plus touchés sont d'une part les nourrissons, d'autre part les adolescents (48 % des violences sont de nature sexuelle chez les filles et 70 % sont des sévices physiques chez les garçons). Dans la généralité des cas, les auteurs de mauvais traitements font partie de la famille proche (85,73 %) ou de l'entourage (8,98 %). [Source : O.D.A.S., 1996.]
Souvent l'alcoolisme, la misère, l'entassement dans des logements insalubres, la tradition de violence (beaucoup de pères et de mères violents ont été des enfants battus) sont à l'origine de ces mauvais traitements. Mais tous les milieux peuvent être touchés. Les parents qui maltraitent leurs enfants se sentent d'autant plus culpabilisés que les images de la mère et du père, véhiculées par les mass media, sont survalorisées. Pour éviter que ces personnes ne se trouvent dans un trop grand isolement et marginalisées, des « écoles de parents » ont créé, depuis 1971, dans plusieurs villes de France, des permanences téléphoniques où les parents qui ne supportent plus leur enfant ont la possibilité d'exprimer anonymement leur tension. Pour leur part, les services publics ont mis sur pied un système de protection sociale, médico-sociale et judiciaire dont l'essentiel est résumé dans le tableau synoptique et le diagramme des pages précédentes. → **sévices, signalement.**

enseignement, action de transmettre les connaissances.
Les problèmes de l'enseignement concernent non seulement les professeurs, les élèves et les parents, mais, au-delà, la communauté nationale tout entière. La formation éducative des hommes n'est pas seulement un problème humain, c'est aussi un sujet économique primordial pour lequel les nations civilisées consentent de grands sacrifices.
Pour l'année 1984, en Angleterre, les dépenses publiques affectées à l'enseignement représentaient 5,2 % du produit national brut ; en France, elles s'élevaient à 6,1 % Quant à l'Union soviétique, c'est 7 % de son produit national brut qu'elle y a consacrés, en 1986 (source : Unesco). Notre pays, qui fut si longtemps à l'avant-garde de la civilisation, est actuellement défavorisé par comparaison avec d'autres nations, dont la proportion des travailleurs intellectuels s'accroît sans cesse. Au moment où nous assistons à une expansion démographique qui bouleverse les structures traditionnelles de la vie nationale, notre enseignement éprouve la nécessité, pour s'y adapter, de se réformer sinon de se transformer. En 1967, la scolarité obligatoire a été prolongée jusqu'à 16 ans. En 1975, le « collège unique » a été instauré (tous les élèves sont rassemblés dans les mêmes classes et tous les professeurs enseignent dans toutes les classes). Mais ces réformes seront insuffisantes tant que l'on ne pensera qu'à former des citoyens utiles et spécialisés. → **école, éducation.**

enseignement spécial, ensemble des moyens pédagogiques et des mesures éducatives mis en œuvre pour permettre aux enfants et aux adolescents inadaptés de développer toutes leurs possibilités, en vue d'une insertion sociale et professionnelle la meilleure possible.
L'enseignement spécial officiel date de la loi du 15 avril 1909. Il a été réformé par le décret du 6 janvier 1959 et de nouveau défini dans la loi du 30 juin 1975 d'orientation en faveur des personnes handicapées, qui a créé des « commissions* de l'éducation spéciale ». Freiné par les deux guerres mondiales, l'enseignement spécial connaît son plein développement depuis les années 50 (décret du 5 mars 1956), singulièrement depuis la loi du 30 juin 1975 qui fait du dépistage et de la réadaptation* des handicapés une « obligation nationale ».
En 1987, d'après les statistiques du ministère de l'Éducation nationale, le nombre d'enfants et d'adolescents relevant de l'éducation spéciale s'élevait à 341 088 (pour 240 450 d'entre eux, il s'agissait de déficients* intellectuels). La plus grande partie (200 089) était prise en charge par l'Éducation nationale, le reste par le ministère des Affaires sociales. En 1984, dans notre pays, selon l'Unesco, les dépenses publiques courantes affectées à l'enseigne-

ment spécial se montaient à 7 milliards 895 millions de francs, soit 3,05 % du total des dépenses publiques destinées à l'enseignement. → **aide spécialisée.**

entretien, conversation suivie.
Utilisé comme méthode d'observation, pour juger de la personnalité d'un sujet, ce procédé, qui fait partie de tous les examens psychologiques, facilite la synthèse des divers résultats obtenus. Il est employé couramment en psychologie clinique (il permet la solution des problèmes du patient) et a été adopté par les psychologues industriels et militaires pour sélectionner les cadres et les officiers. Il existe différentes techniques d'entretien (on questionne ou on laisse parler sans intervenir, par exemple) mais la conversation se déroule toujours dans un climat bienveillant, dans lequel le sujet peut s'exprimer librement.

énurésie, émission involontaire et inconsciente d'urine.
Le petit enfant qui mouille son lit jusqu'à quinze ou dix-huit mois parce qu'il n'a pas encore acquis le contrôle de ses sphincters n'est pas énurétique. En règle générale, on parle d'énurésie quand l'émission involontaire et répétée des urines (parfois diurne, mais le plus souvent nocturne) est le fait d'un sujet âgé de plus de quatre ans et qu'elle ne peut être attribuée à aucune lésion organique. L'énurésie est relativement fréquente. Selon les estimations, il y aurait de 10 à 15 % d'énurétiques chez les enfants et de 0,5 % (C. Vidailhet, 1984) à 3 % (F. C. Cushing, 1975) chez les adultes. Il n'y a pas d'explication unique de cette affection, mais de plus en plus les auteurs s'accordent à penser que le facteur psychique y joue un rôle capital. On a constaté, en effet, que l'énurésie apparaissait chez des enfants dont les parents s'apprêtaient à divorcer ou qu'elle coïncidait avec la naissance d'un petit frère ou d'une petite sœur, avec l'admission à l'école maternelle, etc. Dans certains cas, il s'agit d'une régression à l'état de bébé. Il est vain et barbare de vouloir guérir cette affection par les chocs électriques (matelas spécialement agencés pour envoyer une décharge électrique au dormeur dès qu'il urine). Il vaut mieux rassurer et déculpabiliser l'enfant et le faire participer à son traitement.

éonisme, perversion sexuelle, différente de l'homosexualité, où l'homme se travestit en femme pour son propre plaisir.
Ce fut probablement le cas du chevalier Charles d'Éon (1728-1810), dont on emprunta le nom pour désigner le travesti masculin. Selon H. Ellis, il s'agirait d'une inversion sexuelle exprimée symboliquement sur le plan vestimentaire. Pour A. Hesnard, au contraire, la pulsion érotique est authentiquement orientée vers la femme, qui est désirée, mais reste distante. Ne pouvant la posséder, l'homme se l'approprie en s'identifiant à elle par ce qu'elle a de plus représentatif : le vêtement.

épilepsie, maladie nerveuse, caractérisée généralement par des convulsions et la perte de conscience.
La crise épileptique est provoquée par la décharge intempestive des cellules cérébrales. Elle peut être spectaculaire (grand mal), avec chute, contractions spasmodiques du corps, morsure de la langue, perte des urines, et angoissante pour les assistants, au point que, dans la Rome antique, elle apparaissait comme un mauvais présage et suffisait à dissoudre les assemblées publiques. Mais elle peut être aussi limitée (petit mal) à quelques absences* ou secousses musculaires (myoclonies) et même passer inaperçue chez les enfants, quand elle se produit la nuit (dans ce cas, il y a émission d'urine, que l'on confond généralement avec l'énurésie).
Cette maladie, très répandue (5 ‰ de la population totale), frappe indistinctement toutes les couches sociales : Jules César, F. M. Dostoïevski, V. Van Gogh étaient épileptiques. Elle est, pour une faible part, héréditaire (6 % des cas) et, pour le reste, causée par des accidents de l'accouchement, des traumatismes crâniens, des encéphalites, des tumeurs cérébrales, etc. Dans le déclenchement des crises, les facteurs affectifs jouent un rôle manifeste. Les chocs psychologiques suffisent souvent à les provoquer. Certains psychanalystes pensent qu'elles ont une signification symbolique pour le sujet, qui exprimerait ainsi le désir de se retirer du monde réel traumatisant. Le traitement de l'épilepsie

consiste à diminuer la sensibilité du cerveau aux stimulus par l'administration de médicaments (barbituriques, hydantoïnes, etc.) et à supprimer tous les excitants, tels que l'alcool et le café. On parvient ainsi à faire disparaître toutes les crises.

épileptoïdie
Constitution mentale décrite principalement par E. Kretschmer et par F. Minkowska, dans laquelle se retrouveraient les traits supposés de la mentalité épileptoïde, caractérisée notamment par l'immaturité, l'explosivité, la lenteur d'esprit, la « viscosité mentale » (glischroïdie*) et la tendance à la religiosité. Le terme *épileptoïdie* est malheureux, car il suggère que tous les épileptiques ont ce type de caractère, ce qui n'est pas le cas. Par contre, les traits de personnalité décrits ci-dessus s'observent dans de nombreuses altérations cérébrales organiques, différentes de l'épilepsie*. Pour ces raisons, la notion d'épileptoïdie est de moins en moins usitée.

épuisement professionnel, état d'une personne de métier dont les forces physiques et le tonus nerveux se trouvent réduits par suite d'une charge de travail excessive ou de conditions d'exercice éprouvantes.
Nombre de professionnels engagés dans le domaine social voient leur enthousiasme se tarir avec le temps. Les auteurs anglo-saxons désignent sous le nom de *burn out* (éteint, consumé) ce sentiment de découragement qui s'empare de beaucoup de travailleurs sociaux à un moment de leur carrière, et dont l'expression symptomatique la plus répandue est le repli sur soi, le doute, l'absence d'engagement. Certains changent d'activité ou même de profession ; d'autres se défendent en mettant la plus grande distance possible entre eux et les familles, sur lesquelles ils vont disserter à loisir, en tenant de grands discours théoriques ; quelques-uns essaieront coûte que coûte de tenir malgré tout et feront de leur vie un véritable apostolat. Les raisons de l'épuisement professionnel tiennent en partie à la personne elle-même (défaut de maturité et insuffisance de la formation) et en partie à l'environnement social (manque de communication et échanges conflictuels avec les autres travailleurs sociaux ou avec les autorités administratives et judiciaires).

équipe, groupe de personnes unies dans une tâche commune.
La pédagogie moderne encourage la formation d'équipes composées de quelques enfants, en vue de réaliser un projet librement choisi par eux. En France, R. Cousinet a appliqué cette méthode pendant 20 ans sur un millier d'écoliers. L'esprit des classes s'en trouve transformé, les élèves travaillent ardemment, mais, si les personnalités s'épanouissent, la quantité d'acquisitions faites par ce moyen reste inférieure à celle transmise par l'enseignement traditionnel.
Dans le domaine de la santé mentale, le travail en équipe nécessite des réunions fréquentes, non seulement pour discuter des cas des patients, mais aussi pour examiner les sentiments qu'ils inspirent aux thérapeutes (contre-transfert). → **active (école), transfert.**

ergographe, appareil servant à enregistrer le travail d'un muscle ou d'un membre.
Le plus connu est celui de A. Mosso. Dans cet appareil, le sujet doit, en fléchissant un seul doigt, soulever un poids dont les déplacements sont inscrits par un système enregistreur. Les tracés obtenus permettent d'étudier les modifications de ce travail dues à la fatigue, aux stimulants psychiques, etc.

ergonomie, ensemble des études et des recherches qui ont pour but l'organisation méthodique du travail et l'aménagement de son équipement, afin de rendre le système « homme-machine » le plus efficace possible.
Cette science, née des difficultés croissantes de la sélection professionnelle, s'efforce de déterminer les conditions d'adaptation du travail à l'homme. Au lieu de demander à l'ouvrier qu'il s'adapte à la machine et à son environnement, des équipes composées de psychologues, d'ingénieurs, de physiologistes s'efforcent d'aménager ceux-ci en fonction du travailleur. Leurs études aboutissent à diminuer la fatigue et les accidents en réduisant la chaleur et les bruits inutiles, en remplaçant les signaux inefficaces par de meilleurs, en modi-

fiant la disposition des moyens de contrôle, etc. Après s'être intéressée aux postes de travail puis à l'atelier, l'ergonomie se préoccupe aujourd'hui du fonctionnement de l'entreprise tout entière. À la fin des années 80, l'intérêt de l'ergonomie s'est déplacé sur l'organisation sociale du travail et ses facteurs psychosociologiques, tels que la participation des travailleurs à la conception de leur tâche (P. Cazamian, 1987).

ergothérapie, méthode de rééducation et de traitement des handicapés physiques ou mentaux par le travail.
Dans l'Antiquité, déjà, on connaissait la valeur thérapeutique de l'activité laborieuse, mais c'est pendant la Seconde Guerre mondiale que l'ergothérapie s'est particulièrement développée.
Le but poursuivi est une reprise de contact du malade avec la réalité professionnelle et sa resocialisation, grâce à l'établissement de nouvelles relations humaines. On considère que le travail est désaliénant parce qu'il annule, momentanément, le vécu psychopathologique de celui qui s'y livre. D'autre part, il est l'occasion de reprendre conscience de ses capacités renaissantes et de retrouver la confiance en soi.

Erikson (Erik Homburger), psychanalyste américain d'origine allemande (Francfort-sur-le-Main 1902 – Harwich, Massachusetts, 1994).
Installé à Vienne, il entreprit et acheva une formation psychanalytique à l'Institut de psychanalyse de cette ville. En 1933, il émigra aux États-Unis, où il se fixa définitivement. Durant les deux décennies qui suivirent, il occupa divers postes de recherche et d'enseignement à Harvard, Yale et Berkeley. De 1960 à 1970, il fut nommé professeur de « développement humain » et chargé de cours de psychiatrie à Harvard. Ses recherches sur les Indiens du Dakota et de Californie, dans les années 30, l'amenèrent à modifier ses conceptions psychologiques. Certains syndromes ne pouvaient s'expliquer par la psychanalyse. Au cœur de plusieurs problèmes de l'Indien, il trouvait un sentiment de « déracinement », l'impression d'une discontinuité entre le mode de vie présent (dans les réserves) et l'histoire de son peuple. À cette rupture d'avec le passé s'ajoutaient un refus des valeurs de la culture des Blancs et l'impossibilité de se reconnaître dans le futur offert par ces derniers. Les problèmes de ces hommes, remarqua Erikson, étaient davantage liés au moi et à la culture qu'aux pulsions sexuelles.

Dans son livre *Enfance et société* (1950), Erikson apporte trois contributions majeures à l'étude de la personne : 1. tout d'abord, il soutient que le développement personnel se poursuit d'un bout à l'autre de l'existence ; 2. ensuite, il suggère qu'à côté des stades psychosexuels décrits par Freud, il y a des stades psychosociaux, au cours desquels l'individu établit de nouvelles orientations, importantes pour lui-même et pour son monde social ; 3. enfin, il prétend que chaque stade possède à la fois une composante positive et une composante négative, le « choix » s'effectuant sous l'influence de l'interaction sociale (interaction de l'individu avec lui-même et avec son environnement). C'est ainsi que, dans la première année de la vie, le bébé, totalement dépendant d'autrui, verra se développer en lui une confiance fondamentale si les soins dont on l'entoure sont de bonne qualité. Par contre, s'il est négligé, il connaîtra la crainte, le soupçon, la défiance envers le monde en général et les gens en particulier. Mais une telle attitude n'est pas définitive.

Erikson distingue ainsi, dans la vie humaine, huit âges auxquels correspondent huit états bipolaires : 1. la première année est le moment de la confiance ou de la défiance ; 2. de 2 à 3 ans, celui de l'autonomie ou du doute ; 3. entre 4 et 5 ans, celui de l'initiative ou de la culpabilité ; 4. de 6 à 11 ans, c'est l'époque industrieuse, où s'affirment les habiletés, ou celle de l'infériorité ; 5. de 12 à 18 ans, l'adolescent acquiert son identité (identité psychosociale, sens de ce qu'il est, d'où il vient et où il va) ou, au contraire, voit naître une « diffusion » du rôle (sentiment de ne pas savoir ce que l'on est, où l'on va, à qui l'on se rattache) ; 6. le sixième stade, qui s'étend de la fin de l'adolescence au début de l'âge mûr, est celui de l'intimité (capacité de partager sa vie avec une autre personne) ou de l'isolement ; 7. à

l'âge mûr, le sujet a le choix entre la générativité (s'intéresser à d'autres personnes que les membres de sa famille, à la société) ou le souci exclusif de soi-même ; 8. enfin, le dernier âge de la vie est marqué d'un côté par l'intégrité personnelle (l'individu considère sa vie passée avec satisfaction), de l'autre par le désespoir, le sentiment d'échec, le regret de ce qui aurait pu être.
Une telle conception de l'existence, qui relativise l'importance des conflits de l'enfance et l'influence des parents, n'ignore pas le rôle que peuvent jouer la société et le sujet lui-même dans la formation de la personne. De plus, elle est porteuse d'espérance puisque, à chaque âge de la vie, les échecs antérieurs peuvent être corrigés.

Éros (du grec *erôs*, « amour » et, « dieu de l'Amour »). Ensemble des pulsions sexuelles et des désirs amoureux qui en découlent.
Dans la théorie freudienne, ensemble des pulsions de vie.
Selon Freud, la finalité de ces pulsions est de créer des liens forts et nombreux entre les êtres vivants. → **amour, libido.**

érotisme, sensualité.
En psychopathologie, ce terme est fréquemment employé pour traduire l'exagération des pulsions sexuelles, qui peuvent envahir tout le champ de conscience d'un sujet. Selon les personnalités, il peut se manifester par un comportement libertin, la névrose obsessionnelle (quand l'individu lutte contre ses penchants) ou même le délire.

espace vital, champ psychologique qui englobe la personne et son environnement (Kurt Lewin).
Dans cet espace se situent les variables interdépendantes, susceptibles de déterminer le comportement de l'individu à un moment donné. En limitant l'étude d'un sujet à son espace vital, Lewin se contente d'expliquer sa situation psychologique concrète. Il considère, en effet, que les prédictions lointaines sont vaines, car elles peuvent, à tout moment, être influencées par les événements imprévisibles du monde extérieur.

étalonnage, échelle établie sur un échantillon aussi représentatif que possible d'une population définie et homogène, à laquelle on rapporte les notes obtenues par un sujet.
Il existe deux modalités d'étalonnage : la première fait appel à la notion d'écart par rapport à la moyenne (plus exactement, à l'écart* type) tandis que la deuxième est fondée sur la division des notes, en fonction du fractionnement en pourcentages égaux de l'effectif de l'échantillon. Tous les tests* sont étalonnés. Cela permet de situer un individu par rapport à la population de référence et de prédire, par exemple, sa réussite scolaire ou professionnelle.

état limite → cas limite.

étayage, terme utilisé par S. Freud pour désigner la relation étroite qui existe primitivement entre la pulsion* sexuelle et certaines grandes fonctions physiologiques essentielles à la vie.
Cette relation est particulièrement nette dans l'activité de succion* du jeune enfant. L'enfant qui suce son pouce recherche un plaisir déjà éprouvé : celui de la tétée. Les lèvres et la bouche de l'enfant ont joué le rôle de zone* érogène, excitée par l'afflux du lait chaud. → **autoérotisme.**

éther, liquide volatil obtenu par l'action de l'acide sulfurique sur l'alcool éthylique, d'où son nom d'éther éthylique.
L'utilisation de l'éther comme euphorisant fut jadis très répandue, particulièrement en Irlande. De nos jours, cette toxicomanie est plus rare, quoique en nette progression. L'ivresse éthérique se manifeste par de la gaieté, une excitation motrice, des états d'extase, de l'agressivité. Parfois il s'y ajoute une sensation de légèreté extrême. Dans l'*éthérisme subaigu*, un délire hallucinatoire semblable au delirium* tremens peut apparaître. Le traitement de l'éthéromanie nécessite l'isolement du sujet. Le sevrage* ne provoque pas de manifestations trop pénibles. → **drogue.**

ethnocentrisme, attitude d'esprit, universellement répandue, consistant à rapporter tous les phénomènes sociaux à ceux qui nous

sont habituels, parce que propres au groupe auquel on appartient.
De façon inconsciente, le type humain de la société dont nous faisons partie nous sert de référence pour juger les autres. Les individus dont le comportement dépasse certaines limites paraissent suspects (on les traite de marginaux, de fous, ou de hors-la-loi) ou, s'ils viennent d'autres horizons, ils suscitent l'étonnement, à moins qu'ils ne soient considérés comme extrahumains (cas des premiers Blancs arrivant en Afrique noire). Certaines peuplades indiennes manifestent leur ethnocentrisme en se désignant sous le nom de *Réché* (« les vrais hommes »).

ethnopsychiatrie, étude et traitement des maladies mentales en fonction des groupes ethniques ou culturels auxquels appartiennent les sujets qui en sont atteints.
Les principaux promoteurs de l'ethnopsychiatrie sont G. Devereux* et H. Ellenberger.

éthologie, science des mœurs.
L'éthologie est une branche de la psychologie animale*. Elle étudie le comportement spontané des animaux dans leur milieu naturel ou dans des conditions très proches de celui-ci. Chaque espèce a son monde propre (*Umwelt* de J. von Uexküll) qu'il faut connaître pour comprendre les conduites animales. L'œil de la grenouille ne perçoit que les contours mobiles et les ensembles lumineux changeants, ce qui réduit le monde visuel de ce batracien à certains objets en mouvement : une grenouille happera une petite feuille voletant mais mourra de faim sur un tapis de mouches mortes.
Nous voyons que chaque espèce découpe dans le monde qui l'entoure une fraction significative, déterminée par son organisation sensorielle. Dans le même ordre d'idée, nous dirons que le léopard en cage paraît inintelligent, incapable de résoudre un problème de simple détour* pour atteindre un appât, car le monde artificiel dans lequel on l'a placé n'a aucune signification pour lui. Dans la nature, au contraire, où toute chose porte un sens, il se révèle capable de faire des détours considérables pour capturer sa proie. Le domaine de l'éthologie s'est étendu aux mœurs humaines. La psychologie moderne n'envisage plus l'homme isolé comme objet d'étude, mais le replace dans son milieu et considère tous les faits psychologiques (perception, communication, apprentissage, etc.) sous l'angle psychosocial. → **Lorenz (Konrad).**

eugénique ou **eugénisme**, méthode dérivée de l'étude de l'hérédité, qui a pour but l'amélioration de l'espèce humaine.
Avec B. Russell (1929), on peut distinguer deux formes d'eugénique : l'une *positive*, qui consiste à favoriser le développement des « bonnes souches », l'autre *négative*, qui vise à décourager la prolifération des « mauvaises souches ». Au début des années 80, aux États-Unis, à l'initiative de M. R. Graham, une banque de sperme des prix Nobel a été créée et des femmes « surdouées » ont été inséminées avec des spermatozoïdes d'éminents savants (A. Coriat, 1987). Pour empêcher les sujets tarés de se reproduire, certains pays préconisent non seulement la contraception et l'avortement thérapeutique, mais encore la stérilisation. La Chine, par exemple, qui comptait en 1987 4,4 millions d'handicapés de naissance, a élaboré une loi sur l'eugénisme, dans l'intention de réduire le nombre de ces infirmes et d'« élever la qualité de la nation chinoise ». Si les conseils d'eugénique sont utiles, la stérilisation est discutable, car elle comporte le danger de pouvoir être imposée autoritairement et étendue à des groupes entiers d'individus jugés « déviants ».

eunuchisme, état morphopsychologique susceptible d'être observé chez l'homme dans certains cas d'insuffisance génitale.
Sur le plan physique, le signe le plus net est l'absence des caractères sexuels secondaires (barbe, pilosité). Au point de vue psychologique, on observe de façon permanente une grande douceur et une certaine timidité, probablement liées à un sentiment d'infériorité*.

excitation, stimulation d'un récepteur sensoriel.
L'appareil nerveux transmet le message contenu dans l'excitant et mobilise l'énergie de l'organisme qui est prêt à y répondre. Ce mot a encore d'autres sens. Il peut expri-

mer la réaction du corps au stimulus* (K. M. B. Bridges appelle *excitation* la réponse émotionnelle unique du nouveau-né à tout excitant) et, plus généralement, l'état transitoire d'exaltation mentale et d'agitation motrice dans lequel peut être plongé un sujet soumis à des émotions intenses, ou à la suite d'une intoxication (alcoolisme, par exemple). La grande excitation, durable, se rencontre chez le maniaque, qui est joyeux, loquace, toujours en mouvement et paraît infatigable. Quand l'agitation est extrême ou violente, il est nécessaire de recourir aux neuroleptiques* ou au lithium et d'isoler le malade dans une chambre modérément éclairée. → **manie.**

exhibitionnisme, impulsion morbide à montrer ses organes génitaux dans un lieu public.
On la trouve chez certains débiles mentaux ou déments, dont le sens moral est affaibli, mais aussi chez des individus d'intelligence normale. L'exhibitionnisme, en tant que perversion sexuelle, s'intègre dans une structure névrotique dont il n'est qu'une manifestation. Il est lié à l'immaturité affective et au complexe de castration*. Selon les psychanalystes, l'exhibition des organes génitaux serait, inconsciemment, le moyen de se rassurer quant à leur possession. L'exhibitionnisme est généralement considéré comme étant peu accessible à la thérapeutique. Cependant, des « guérisons » auraient été obtenues grâce à la psychothérapie* d'inspiration analytique et à la thérapie comportementale*.

expectation, attente d'un sujet qui, se fondant sur les éléments objectifs en sa possession, escompte une certaine réussite.
L'expectation coïncide rarement avec la performance attendue, car elle est influencée par les désirs et les craintes de la personne. → **aspiration.**

expérimentale (psychologie), branche de la psychologie qui soumet à l'expérimentation les faits connus par l'observation, afin de les vérifier et d'en établir les lois.
En faisant apprendre à des sujets une liste de syllabes dépourvues de sens, H. Ebbinghaus* a démontré l'existence d'un certain nombre de lois relatives à la mémoire et à l'apprentissage. Pour sa part, en agissant sur une seule variable (la présence de la mère), R. Spitz* a révélé les méfaits de la carence affective précoce.
Presque tous les faits psychiques sont susceptibles d'être étudiés scientifiquement. Mais la psychologie expérimentale se heurte à des obstacles d'ordre moral (on ne peut expérimenter librement sur l'homme). Pour les surmonter, elle fait appel à la psychologie animale. En utilisant des rats blancs, C. J. Warden a étudié la force des tendances* (la tendance maternelle est plus forte que la soif, qui est plus forte que la faim, etc.). La psychologie expérimentale cherche à dégager les lois générales auxquelles tout individu est soumis, afin de mieux faire apparaître ce qu'il a de singulier, d'irréductible et qui le différencie des autres.

expertise mentale, examen de la personnalité effectué par un médecin psychiatre ou un psychologue clinicien, à la requête d'une autorité judiciaire ou administrative.
Les expertises psychiatriques et psychologiques sont surtout fréquentes dans les affaires criminelles, où le tribunal a besoin de savoir si, au moment du crime, le prévenu était dans un état de « démence » ; s'il est toujours dangereux ; s'il existe chez lui des anomalies mentales ; s'il est susceptible de guérir et de se réinsérer dans la société ; s'il est accessible à une sanction pénale. Généralement, le juge d'instruction commet deux experts (psychiatre et psychologue), qui peuvent remettre deux rapports séparés ou un seul texte après avoir confronté leurs points de vue.

expression, manifestation extérieure de la pensée ou des états psychiques.
L'expression est une conduite de communication née de la vie sociale et qui contribue à maintenir sa cohésion. Les attitudes, la mimique, la parole, l'écriture, le dessin ont pour raison d'être la transmission à autrui d'une information. Le petit enfant qui se fait mal en tombant ne pleure que si sa mère ou quelqu'un de son entourage est présent : ses larmes sont une quête de consolation. La forme de l'expression varie d'une culture à l'autre. Au Japon, on sourit pour exprimer sa

colère ou lorsqu'on subit une réprimande. L'expression affective est un langage que l'on apprend ; elle fonctionne comme un moyen de communication. Le schizophrène devient étranger à son groupe parce qu'il a perdu l'usage normal de ce langage : sa mimique ne correspond plus aux sentiments exprimés (il rit à propos d'événements tristes) et le vocabulaire qu'il utilise, trop riche en néologismes, nous devient incompréhensible.
Les techniques expressives sont très utilisées en psychologie clinique et en psychopathologie, soit comme moyen de connaissance de la personne, soit comme thérapeutique. En Afrique noire, les malades s'expriment surtout par la danse, le rythme, le battement des tambours et le « discours fou » (mots jetés, criés, hurlés ou psalmodiés).

extase, état ineffable où le sujet paraît plongé dans le ravissement.
Ses fonctions végétatives (respiration, circulation) sont très ralenties, il ne perçoit plus les messages du monde extérieur. L'extase mystique vraie peut s'accompagner d'un niveau moral très élevé et entraîner la réalisation de grandes entreprises. En psychopathologie, on observe parfois des états extatiques qui s'entremêlent de préoccupations érotiques ou religieuses, mais n'aboutissent à rien.

extasie → ecstasy.

extérocepteur, récepteur sensitif localisé à la surface du corps.
Les extérocepteurs reçoivent et transmettent les messages du monde extérieur visuels, auditifs, cutanés et chimiques (dépendant de l'odorat et du goût).

extrasensorielle (perception), connaissance directe, indépendante des voies sensorielles normales.
Depuis la plus haute antiquité, on observe que certaines personnes sont capables de connaître des faits et des événements qui se situent dans de telles conditions que l'utilisation des moyens normaux de connaissance se trouve exclue. Longtemps négligés et méprisés par les savants, ces phénomènes sont maintenant l'objet d'études scientifiques. Il existe dans la plupart des grands pays des laboratoires de recherche axés sur les perceptions extrasensorielles, dont le plus célèbre est celui de la Duke University (Durham, Caroline du Nord, États-Unis), fondé en 1930 par J. B. Rhine. Les travaux effectués, soumis à l'analyse statistique, paraissent confirmer l'existence, chez certains sujets, d'une connaissance paranormale. **→ occultisme, parapsychologie, télépathie.**

extratensif, dans la classification de H. Rorschach, type de « résonance intime » fourni par le psychodiagnostic*, où la formule principale K/C fait apparaître une prédominance des réponses couleur (C), liées à l'état émotionnel du sujet, sur les réponses mouvement (K), lesquelles semblent traduire ses possibilités d'identification. Le sujet extratensif est orienté vers l'action et le monde extérieur ; il a des contacts sociaux aisés.
Le concept d'extratension (d'où est tiré « extratensif ») dérive de celui d'extraversion employé par C. G. Jung. Mais, alors que ce dernier considère que l'on ne peut être qu'extraverti ou introverti, Rorschach pense que le même individu connaît des « moments introversifs* » et des « moments extratensifs ». C'est pour souligner cette divergence qu'il adopte une terminologie différente.

extraversion, trait de personnalité caractérisé par une tendance à extérioriser ses sentiments, dans la typologie de C. G. Jung.
L'extraverti* est tourné vers le monde extérieur. Il est sociable, a beaucoup d'amis, aime rire et s'amuser, laisse paraître ses sentiments et son caractère, recherche les échanges affectifs et intellectuels avec les autres et s'épanouit à leur contact. Pour H. J. Eysenck, l'extraversion est l'un des pôles d'une dimension bipolaire dont l'autre est l'introversion*.

extraverti, type psychologique défini par C. G. Jung, dont le trait essentiel consiste en une ouverture au monde extérieur.
Dans sa typologie, Jung distingue quatre catégories de personnes parmi les extraverties : 1. celles qui sont dominées par la *pensée* ; 2. celles qui sont orientées par le *sentiment* ; 3. celles pour qui la *sensation* prédomine ; 4. celles qui obéissent à leur *intuition*.

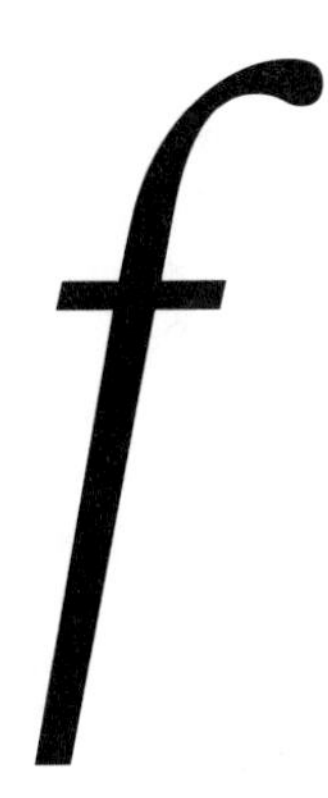

fables (test des), méthode projective imaginée par L. Düss, consistant à faire terminer par un enfant de petites histoires qu'on lui raconte.
Généralement bien acceptée par les enfants, qui sont séduits par son côté attrayant, cette méthode donne au psychologue de précieux renseignements sur leur état affectif, leurs désirs et leurs craintes. Cette technique, relativement complexe dans son interprétation, fait appel à des concepts psychanalytiques.

fabulation, récit imaginaire présenté comme étant réel.
On distingue deux sortes de fabulations : l'une que l'on pourrait qualifier de normale, car elle est fréquente chez l'enfant, influencé par des lectures ou des films qui ont frappé son imagination*, et l'autre qui est nettement pathologique. Dans le premier cas, le sujet n'ignore pas qu'il fabule, tandis que dans le second cas, il en est inconscient. J. Delay* réserve le terme de *fabulateur* au malade qui prend ses productions imaginaires pour des souvenirs authentiques. La fabulation est un trouble de la mémoire que l'on rencontre dans certaines affections mentales telles que le syndrome de Korsakov*. → **mensonge, mythomanie.**

faim, sensation qui accompagne le besoin de manger.
À la suite des travaux de W. B. Cannon, on a pensé que l'impression de faim était directement liée aux contractions de l'estomac, puis on s'est aperçu que l'ablation de cet organe ne modifiait en rien cette sensation. De même, la diminution du taux du sucre sanguin (J. Mayer, 1955) ne suffit pas davantage à expliquer cette sensation.
La faim relève d'un mécanisme psychophysiologique complexe où interviennent notamment l'appareil digestif, le système nerveux central, le système neuroendocrinien, les amines biologiques (en particulier la dopamine et la sérotonine qui sont en interaction) et les endorphines*. L'organisme tout entier est impliqué dans ce processus, ce qui faisait dire au biologiste espagnol R. Turro (1914), dans une intuition géniale, que la faim est la sensation provoquée par la détresse nutritive de l'ensemble des cellules du corps. Actuellement, nous entrevoyons comment s'effectue la régulation de l'appétit. Certains faits (la transfusion du sang d'un animal affamé à un animal normal provoque des contractions stomacales) font croire à l'existence d'une hormone spécifique qui agirait sur l'hypothalamus (base du cerveau) où se situent les centres facilitateurs et inhibiteurs de la faim. La stimulation de ces centres, par des influx d'origine sensorielle (odeurs, saveurs...) ou même par des émotions, suffit aussi à provoquer la faim ou la satiété. → **alimentation, anorexie, boulimie.**

familiale (thérapie), psychothérapie collective s'adressant, à la fois, au malade et aux membres de sa famille avec lesquels il vit habituellement.
Pour comprendre le problème du malade, il est nécessaire de le considérer dans ses rapports avec les autres membres de sa famille. Dans les séances de psychothérapie* familiale, le patient et ses proches exposent librement leurs soucis, leurs inquiétudes, leur ma-

laise. La non-directivité du thérapeute pousse les participants à reproduire dans la situation psychothérapique les comportements qu'ils ont en famille, ce qui permet de mieux comprendre leur système de relations. Certains psychothérapeutes interprètent les faits observés en se référant aux principes psychanalytiques ; la plupart se fondent sur les théories de la communication. Cette forme de psychothérapie se révélerait efficace avec les psychotiques, les toxicomanes et les délinquants.

famille, institution sociale fondée sur la sexualité et les tendances maternelles et paternelles, dont la forme varie selon les cultures (monogamique, polygamique, polyandrique, etc.).
Dans la société occidentale, la famille a pour fonction essentielle d'assurer la sécurité de ses membres ainsi que l'éducation des enfants. Ceux-ci y acquièrent le langage, les coutumes et les traditions de leur groupe. Par le jeu de l'imitation et de l'identification aux parents, ils élaborent leur personnalité, forment leur caractère et passent de l'égoïsme à l'altruisme.
La famille est nécessaire au développement de l'enfant mais la qualité de celui-ci dépend de la valeur de celle-là. L'autoritarisme est néfaste au même titre que le laisser-faire : ici, l'on suscite les exigences, l'insécurité, la paresse ; là, on crée des situations frustrantes d'où découlent l'agressivité refoulée et l'anxiété. La cohésion de la famille est un facteur important dans l'évolution ultérieure de ses membres. On a montré, en effet, la relation positive qui existe entre l'alcoolisme, la maladie mentale, la délinquance et la dissociation familiale. → **carence, mésentente conjugale.**

fantaisie, imagination créatrice.
L'être humain se trouve constamment soumis à des frustrations. Ses besoins profonds sont rarement satisfaits d'une façon directe et immédiate. Pour résoudre les tensions qui résultent des situations conflictuelles, l'individu dispose de nombreux mécanismes de défense*. L'un de ceux-ci est la fantaisie : elle consiste à reporter inconsciemment la pulsion sur le plan imaginaire, afin de la satisfaire, symboliquement, par la création d'images. La fantaisie alimente les rêveries, les rêves et certains délires. Elle est fréquente chez les enfants et se manifeste chez les adultes normaux à la suite d'échecs.

fantasme, fantaisie stable et attachante.
Certains sujets, mal adaptés au monde dans lequel ils vivent, développent des productions imaginaires qui s'apparentent au rêve ou à la rêverie : ils se voient riches, puissants, aimés par une personne prestigieuse, mais ne sont pourtant pas tout à fait dupes de leurs chimères. Le fantasme est un leurre qui entretient la névrose*.

fantôme (membre), illusion de posséder encore un membre retranché.
Ce phénomène serait très fréquent puisque, selon les auteurs, on le rencontrerait chez 85 à 100 % des amputés. Les personnes concernées ont l'illusion de percevoir encore leur membre absent et même, parfois, d'en souffrir. Ce sentiment est lié au schéma* corporel, élaboré depuis l'enfance et qui reste indélébile.

fatigue, impression de malaise et diminution de la capacité d'agir qui apparaissent après un effort important.
Réaction normale, la fatigue est, à la fois, signal d'alarme et mise en jeu des défenses de l'organisme. La *fatigue aiguë* (celle qui naît d'une longue marche, par exemple) disparaît rapidement avec le repos. Au contraire, la *fatigue chronique,* consécutive à un effort journellement répété, a des effets durables qui lui donnent un caractère pathologique. Il s'ensuit une usure nerveuse qui se traduit par une asthénie* généralisée, des douleurs diffuses (dans le dos, l'abdomen), des difficultés intellectuelles (instabilité de l'attention, pertes de mémoire), des modifications du sommeil et de l'humeur (irritabilité, pessimisme, anxiété, indécision) et, parfois, des troubles psychosomatiques* (ulcère gastrique, hypertension artérielle) ou mentaux. On évalue à un tiers la proportion des travailleurs présentant des manifestations névrotiques consécutives à la fatigue. Il existe aussi de mystérieuses fatigues, telle celle apparue aux États-Unis en

1982, qui affecte généralement des hommes jeunes, blancs, appartenant à des milieux aisés. Ceux-ci se sentent soudainement épuisés, déprimés, incapables de faire un effort intellectuel et présentent différents troubles neurologiques. Toutes les étiologies possibles ont été envisagées (virus, bactéries, parasites, etc.), mais les causes de cette forme de fatigue restent encore inconnues. Le traitement de la fatigue est, essentiellement, le repos au grand air, mais le véritable remède est préventif : il consiste à aménager le travail de façon à supprimer les microtraumatismes (bruits inutiles, éclairage défectueux) et à suivre les règles d'une bonne hygiène.

Fechner (Gustav Theodor), philosophe et psychologue allemand (Niederlausitz 1801 – Leipzig 1887).
Esprit encyclopédique – il est à la fois médecin, mathématicien, professeur de physique (1834) puis de philosophie (1846) –, il étudie la vision des couleurs, la perception sonore et s'intéresse à la psychophysique, dont E. H. Weber était l'initiateur. S'inspirant des travaux de ce dernier sur les sensations, il énonça une loi (« la sensation croît comme le logarithme de l'excitation ») qu'il crut pouvoir généraliser à tous les faits de conscience. Il est l'un des premiers auteurs à avoir introduit la mesure en psychologie. Parmi ses écrits, citons : *Éléments de psychophysique* (1860).

Ferrière (Adolphe), psychologue et pédagogue suisse (Genève 1879 – id. 1960).
Il est l'un des fondateurs de l'Institut Jean-Jacques Rousseau (Genève, 1912), de la Ligue internationale pour les écoles nouvelles (1921) et du Bureau international de l'éducation (1925). Critique lucide et perspicace de l'enseignement traditionnel, il voulut transformer l'école en la rendant « active* ». Il préconisa « le vrai travail », l'initiative individuelle, l'activité de groupe. On lui doit plusieurs ouvrages, dont *l'École active* (1922).

fétichisme, déviation sexuelle se manifestant par un attachement érotique à un objet (chaussure, culotte, etc.) ou à l'une des parties du corps d'autrui.
Cette perversion se rencontre chez des sujets affectivement immatures, fixés à un stade lointain du développement. Elle a souvent une signification symbolique et semble liée aux premiers émois sexuels de l'enfant. D'après S. Freud, le fétichisme serait une défense contre l'angoisse de castration.

fidélité, qualité d'une épreuve qui donne des résultats à peu près identiques lorsqu'on l'applique plusieurs fois à un même groupe de sujets.
On évalue la fidélité d'un test* en le faisant passer deux fois, après un certain laps de temps et dans les mêmes conditions, à un même échantillon d'individus, et en déterminant le degré de corrélation qui existe entre les deux séries de mesures. Avec un bon test, on obtient des indices variant entre 0,80 et 0,90 (0,85 avec le Binet-Simon). Pour supprimer les effets de l'apprentissage, on peut augmenter le temps qui sépare les deux applications ou utiliser des tests « parallèles » (par exemple, toutes les questions paires puis les questions impaires de la même épreuve).

figure, forme qui émerge d'un ensemble.
Le vase de fleurs que je vois sur mon bureau est un objet aux contours bien dessinés, qui s'individualise par rapport à l'arrière-plan de la table. Le thème d'une symphonie est la mélodie qui s'en détache. Vase et mélodie sont des figures distinctes des ensembles perçus, dont elles font partie. Ces notions de figure et de fond sont extensibles à tous les domaines. La maladie est une « figure » qui apparaît sur l'arrière-fond de l'organisme. Un retard scolaire n'est que l'émergence d'un trouble (figure) lié étroitement à la santé et aux conditions psychosociales (fond) de l'écolier. Lorsqu'une image est constituée par deux figures de prégnance* égale, elle apparaît réversible. → **Gestaltpsychologie.**

fixation, attachement excessif à une personne, un objet ou une représentation inconsciente *(imago)*.
S. Freud appelle *fixation d'une tendance* le fait que celle-ci s'attarde à une phase déterminée du développement psychosexuel. Par exemple, l'enfant à qui l'on a donné à téter au-delà

des limites normales aura du mal à dépasser le stade oral où il s'est complu. Il l'abandonne à regret et tend inconsciemment, chaque fois qu'il subit un échec, à recréer, imaginairement, les conditions du passé dont il a la nostalgie.

fixe (idée), idée permanente, préoccupante, obsédante, qui résiste à l'analyse intellectuelle et que le sujet ne peut chasser.
Elle se trouve dans de nombreux états psychiques tels que la névrose* obsessionnelle, la jalousie ou la mélancolie.

flegmatique, type caractérologique dont les traits principaux sont la méfiance à l'égard de l'émotivité, la maîtrise de soi, le respect des règles.
Dans la caractérologie* de l'école franco-hollandaise, le flegmatique se définit par une faible émotivité (nE), une activité lente mais constante (A), la lenteur des réactions aux impressions, ou secondarité* (S).

folie, trouble de l'esprit, déraison.
Ce terme, trop vague, n'est plus guère employé en langage médical, sauf dans quelques expressions telles que « folie des grandeurs » ou « folie circulaire ». La psychiatrie moderne a converti la déraison en maladie mentale. Elle a classé les affections en psychoses* et névroses*, imaginé toutes sortes de traitements (hydrothérapie, sismothérapie*, chimiothérapie, psychothérapie*...), mais elle reste incapable de dire pourquoi telle personne est folle. Plus grave encore, il n'est pas sûr que l'on sache distinguer un sujet fou d'un sujet sain. Au début des années 70, aux États-Unis, L. Rosenhan a organisé l'expérience suivante : trois femmes et cinq hommes (quatre psychologues, un psychiatre, un pédiatre, un peintre, une ménagère) devaient tenter de se faire admettre dans l'un des douze hôpitaux psychiatriques désignés, simplement en disant qu'ils entendaient des voix confuses. Sitôt admis, les pseudopatients devaient se comporter normalement, être disciplinés et aimables et dire que les voix avaient disparu. Tous, sauf un, furent admis avec un diagnostic de schizophrénie. Leur hospitalisation dura 19 jours en moyenne. La supercherie ne fut jamais découverte et ils furent renvoyés dans leurs foyers comme « schizophrènes en état de rémission ». Le danger d'une telle incertitude est extrême car quiconque se singularise d'une certaine façon risque d'être qualifié de « fou ».

fonction, ensemble d'opérations étroitement dépendantes les unes des autres, dont le jeu harmonieux exprime la vie de l'organisme.
Selon J. Dewey*, la fonction constitue l'unité fondamentale de toute conduite. Elle est un acte adapté. Le jeu, par exemple, n'est pas accidentel : c'est une fonction, dit É. Claparède*, car il satisfait les besoins présents de l'enfant, tout en l'aidant à préparer son avenir. Des mécanismes psychologiques, tels que la fantaisie ou le refoulement, ont aussi une valeur fonctionnelle, car ils sont des modes de défense de la personnalité contre les tensions qu'elle subit.

fonctionnel, qui concerne une fonction.
La *psychologie fonctionnelle* est une méthode d'approche de l'activité mentale. Au lieu de se poser les questions : « Quelle est la nature de la vie psychique ? » (point de vue structural) ou « Comment les opérations mentales se déroulent-elles ? » (point de vue mécaniste), elle recherche le pourquoi des phénomènes psychologiques, leur signification, leur valeur adaptative (quelle est la fonction de l'émotion, du rêve, etc.). Son point de vue est dynamique. Elle pose le problème de la conduite et débouche sur l'action pratique, car le but postulé appelle la recherche de moyens. Par exemple, si l'on considère le sommeil comme une fonction de défense contre l'épuisement, et certaines névroses* comme le résultat d'une sursollicitation*, on pensera à instituer des cures de sommeil pour traiter les troubles névrotiques.
L'éducation nouvelle est fonctionnelle en ce sens qu'elle ne considère plus l'intelligence comme une entité, mais comme un outil à la disposition de l'enfant. Pour que celui-ci s'en serve, il faut qu'il en éprouve le besoin, que son intérêt soit éveillé. C'est en se fondant sur les besoins et les intérêts de l'enfant qu'on

peut le mieux l'instruire et développer ses ressources naturelles.

force, pouvoir d'action.
La psychologie dynamique tend à expliquer les conduites d'un individu à partir des forces internes et externes qui s'exercent sur lui. Il ne s'agit plus de forces hypothétiques, invérifiables (telles que l'instinct), mais de forces susceptibles d'être définies objectivement, par l'observation du comportement dans un champ psychologique limité, et parfois quantifiables expérimentalement.
Par exemple, il est possible de mesurer l'attachement d'une rate à ses petits en notant le nombre de chocs qu'elle accepte de subir en passant sur un plancher électrifié pour aller les rechercher. K. Lewin* distingue plusieurs types de forces : les forces de *progression,* qui sont dirigées vers ou contre une région d'attraction ou de répulsion ; les forces de *contrainte,* qui freinent les forces de progression et dépendent, à la fois, des obstacles physiques ou sociaux et des capacités individuelles ; les forces *induites,* qui sont indépendantes des besoins de l'individu, mais correspondent aux désirs d'une autre personne (une mère qui agit sur son enfant) ; enfin, les forces *impersonnelles,* qui sont des exigences de fait. Toutes ces forces, susceptibles d'agir simultanément sur l'individu, déterminent son comportement.

forclusion, terme proposé par J. Lacan pour désigner un mécanisme de défense spécifique de la psychose, consistant en un rejet hors de l'univers symbolique du sujet d'une représentation insupportable et de l'affect qui lui est attaché.
Le moi se conduit comme si la représentation n'avait jamais existé. Cependant, bien que rejetée et abolie à l'intérieur, celle-ci tend à revenir du dehors, en particulier sous forme d'hallucination. La forclusion s'apparente au déni* de la réalité et au refoulement* névrotique, mais elle est plus radicale puisque les « signifiants » forclos (non symbolisés) ne seraient pas intégrés à l'inconscient du sujet. Ce terme fait partie du vocabulaire lacanien. Dans la traduction française des *Œuvres complètes* de Freud (1988 et *sq.*), on lui a préféré celui de *rejet.*

formation réactionnelle, conduite issue du conflit entre le sens moral et une tendance inacceptable. Il arrive qu'une mère rejette inconsciemment son enfant, mais il est rare qu'elle exprime ouvertement son hostilité à son égard. Le plus souvent, l'anxiété née de cette situation se transforme en une peur immotivée de perdre l'enfant, en une sollicitude excessive, en attitude captative. Pour lutter contre son agressivité, la mère réagit en déployant un amour tyrannique. Les formations réactionnelles sont des comportements inverses des pulsions latentes : la propreté excessive exprime la lutte de l'enfant contre son penchant à jouer avec la saleté et la pitié naît de ses tendances sadiques. De nombreux traits de caractère ont cette origine.

forme, organisation dans laquelle chaque élément n'existe que par son rôle dans la construction.
Une mélodie est une forme que nous reconnaissons même quand elle est transposée dans un autre ton. Les notes n'étant plus les mêmes, nous ne pouvons reconnaître ce chant que par la relation qui subsiste entre les parties, c'est-à-dire l'organisation des éléments sonores. C'est elle, et non pas les notes,

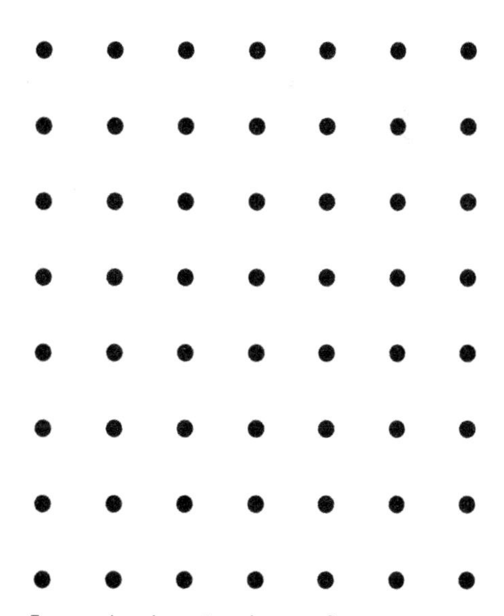

En regardant les points de cette figure, nous avons tendance à les organiser en séries de lignes, de colonnes ou de carrés, comme s'il s'agissait de formes séparées.

que nous appréhendons immédiatement, dans sa signification globale. D'une façon générale, nous percevons des ensembles organisés et non pas leurs éléments constitutifs. La forme est une donnée immédiate de la conscience résultant de la tendance spontanée des éléments à se structurer : dans le ciel étoilé, par exemple, nous distinguons des constellations (Grande Ourse, Orion, etc.). Il existe de bonnes formes, symétriques, complètes, qui se détachent facilement du fond et d'autres, asymétriques et incomplètes.

Les bonnes formes sont constantes, c'est-à-dire qu'elles tendent à garder leurs caractéristiques propres malgré les modifications de présentation. Les autres ont tendance à être vues comme les bonnes formes correspondantes lorsqu'on les aperçoit au tachistoscope (un cercle brisé semble continu).

La psychologie de la forme, fondée au début du XXe siècle par trois psychologues berlinois, M. Wertheimer, K. Koffka et W. Köhler, fut introduite en France par F. Guillaume*. Elle considère tous les phénomènes comme des ensembles ayant une structure et des lois propres. Leur décomposition en éléments ne nous renseigne pas sur leur nature, car ils ont une unité naturelle. L'œuvre architecturale que j'admire est autre chose que la somme de ses pierres, le corps autre chose que la somme des organes. Les éléments s'intègrent dans l'ensemble qui commande leur équilibre et explique les parties. La psychologie de la forme a joué un rôle considérable dans le développement des idées modernes. Elle est à l'origine des conceptions unitaires de l'organisme (K. Goldstein*), de nouvelles théories sur l'intelligence et la mémoire (les souvenirs obéissent aux lois de la forme : on s'en souvient d'autant mieux qu'ils sont organisés en un tout significatif). Elle a influencé la pensée de philosophes tels que M. Merleau-Ponty.*
→ **Gestaltpsychologie.**

formelle (opération) → **opératoire (théorie).**

foule, rassemblement d'un grand nombre de personnes en une masse confuse.

Selon les conceptions de G. de Tarde (1843-1904) et de G. Le Bon (1841-1931), la foule n'est qu'une masse hétérogène d'individus, sans lien particulier, réunis par hasard, n'ayant ni loi ni obligation, groupés occasionnellement en un ensemble éphémère. Les psychosociologues modernes distinguent, au contraire, plusieurs types de foules, qui possèdent leurs caractéristiques propres : les unes sont organisées à l'avance (meeting) ; les autres sont occasionnelles (bals populaires) ou spontanées (badauds attirés par un accident).

Les foules sont capables de réactions excessives d'enthousiasme ou de violence, auxquelles les hommes les mieux contrôlés n'échappent pas. Pour expliquer l'unanimité de ces mouvements, on a invoqué la contagion* mentale. En réalité, l'individualité des sujets ne se dissout pas dans la foule. Chacun possède des prédispositions qui déterminent sa conduite. Ces tendances, dont on a montré l'origine psychologique et socio-économique (les violences collectives augmentaient dans le sud des États-Unis quand il y avait mévente du coton, par exemple), trouvent l'occasion de s'exprimer dans les manifestations populaires où l'individu, devenu anonyme, est encouragé par le sentiment d'unanimité qu'il rencontre.

foyer protégé, centre d'hébergement destiné à des personnes handicapées.

Pour beaucoup de malades mentaux, à peu près guéris ou très améliorés, la sortie de l'hôpital constitue une épreuve redoutable. Afin de les aider à se réadapter progressivement à la vie sociale, il s'est créé des foyers protégés, qui sont des milieux de vie aménagés en fonction de leurs besoins et de leurs carences. Certains de ces foyers, annexes d'hôpitaux, de cliniques psychiatriques ou de centres* d'aide par le travail, groupent de douze à quinze malades qui, légalement, ne sont plus hospitalisés, mais sont considérés comme des travailleurs liés par contrat à l'établissement qui les emploie.

Il existe aussi des foyers protégés individuels (placements familiaux, surveillés par les services médico-sociaux spécialisés), dans lesquels les malades trouvent l'encadrement social dont ils ont besoin → **atelier protégé, maison d'accueil spécialisée, réadaptation.**

Frankl (Viktor E.), psychiatre autrichien (Vienne, Autriche, 1905 – id. 1997).
Après avoir adhéré à la doctrine freudienne, il fut séduit par la *Daseinsanalyse* (analyse existentielle), méthode de psychothérapie définie par Ludwig Binswanger (1881-1966) consistant en une approche compréhensive de l'être humain et qui emprunte ses concepts à la philosophie existentialiste, spécialement à la phénoménologie. Déporté dans un camp de concentration (Dachau), il publie sur cette tragique épreuve un témoignage émouvant, *Ein Psycholog erlebt das Konzentrationslager*, 1947 (*Un psychiatre déporté témoigne*, 1967). En 1946, il devient professeur de neurologie et de psychiatrie à l'université de Vienne. Il est le fondateur d'une nouvelle forme de psychothérapie, la « logothérapie* ». Parmi ses ouvrages, citons : *Die Existenzanalyse und die Probleme der Zeit*, 1947 ; *Logos und Existenz*, 1951 ; *Das Menschenbild der Seelenheilkunde. Drei Vorlesungen zur Kritik des dynamischen Psychologismus*, 1959 (*La Psychothérapie et son image de l'homme*, 1970), *Psychotherapy and Existentialism*, 1967 ; *The Will to Meaning*, 1968. On pourra encore lire en français : *Découvrir un sens à sa vie avec la logothérapie*, 1988, et *Raisons de vivre*, 1993.

Freinet (Célestin), pédagogue français (Gars, Alpes-Maritimes, 1896 – Vence 1966).
Instituteur partisan de l'*École nouvelle*, il fonde son enseignement sur l'intérêt, l'activité, la libre expression de l'enfant, le travail collectif, l'engagement et la responsabilité. En 1924, il introduit l'imprimerie à l'école qui débouche sur une correspondance entre les élèves de différents établissements et aboutit à deux revues : *la Gerbe* (recueil de textes d'enfants) et *l'Imprimerie à l'école* (depuis 1945, *l'Éducateur*). En 1935, avec sa femme, Élise, qui était institutrice, il fonde sa propre école à Vence (Alpes-Maritimes).
Freinet a élaboré un matériel pédagogique très utile, notamment des « fichiers autocorrectifs » et des « bandes enseignantes » permettant le travail scolaire individuel. Il a aussi créé un mouvement, *l'École moderne française* (1944), qui attire beaucoup de jeunes instituteurs de France et de l'étranger (plus de dix mille d'entre eux utilisent actuellement les techniques de Freinet). Parmi les ouvrages de ce pédagogue, citons : *l'École moderne française* (1944), *les Dits de Mathieu* (1959), *les Techniques Freinet de l'école moderne* (1964). Ses écrits, rassemblés par Madeleine Freinet et Jacques Bens, ont été réédités par les éditions du Seuil (Paris, 1994, 2 vol.).

Freud (Anna), psychanalyste anglaise d'origine autrichienne (Vienne 1895 – Londres 1982).
Ses conceptions sur le traitement psychanalytique des enfants diffèrent sensiblement de celles de M. Klein. Elle mit en lumière l'importance du rôle de la mère dans le développement de l'enfant, à partir des observations faites dans les pouponnières de Hampstead. Sa contribution théorique majeure à la psychanalyse est *le Moi et les mécanismes de défense* (1936, trad. fr. 1949). On pourra aussi lire en français : *le Normal et le Pathologique chez l'enfant* (trad. fr. 1965), *le Traitement psychanalytique des enfants* (1946), *l'Enfant dans la psychanalyse* (1976).

Freud (Sigmund), neuropsychiatre autrichien, fondateur de la psychanalyse (Freiberg, Moravie, auj. Příbor, République tchèque, 1856 – Londres 1939).
Poursuivant ses études médicales à Vienne, il se spécialise en neurologie, fait d'importants travaux sur l'anatomie comparée du système nerveux et sur les encéphalopathies infantiles, et découvre les propriétés anesthésiques de la cocaïne. Privat-dozent de la faculté de Vienne, il vient en France pour compléter sa formation médicale : en 1885, il suit l'enseignement de J. M. Charcot, à la Salpêtrière et, quatre ans plus tard, celui de H. Bernheim, à Nancy. Installé à Vienne, il devient le collaborateur de J. Breuer, avec lequel il publie en 1895 ses *Études sur l'hystérie*.
Convaincu que les névroses sont des maladies psychiques indépendantes de toute lésion organique, causées par des chocs affectifs oubliés, il est à la recherche d'une méthode susceptible de ramener au jour les traumatismes enfouis. Après avoir utilisé, successivement, l'hypnose, puis un traitement par questions, il emploie la méthode des libres associations et formule la *règle de*

non-omission (le patient doit dire tout ce qui lui vient à l'esprit). Il étudie les rêves, en démonte les mécanismes principaux, élabore les notions de censure, de refoulement, de libido, d'inconscient, préparant par phases successives une nouvelle psychologie, connue sous le terme de *psychanalyse*. Il ne s'agissait plus d'une simple thérapeutique, mais d'une doctrine qui remettait en question les idées que l'on se faisait de la condition humaine.
Avec courage et constance, S. Freud continua sa recherche, en dépit de l'hostilité que ses conceptions révolutionnaires suscitaient. Son œuvre est considérable. « Par sa fécondité, dit É. Claparède, elle constitue l'un des événements les plus importants qu'ait jamais eu à enregistrer l'histoire des sciences de l'esprit. »
Parmi ses très nombreux ouvrages, citons : *la Science des rêves* (1900), *Introduction à la psychanalyse* (1916-1917), *Inhibition, symptôme et angoisse* (1926). Le premier volume de la traduction française des œuvres complètes de Freud est paru en 1988. Vingt autres devaient le suivre.

Friedmann (Georges), sociologue français (Paris 1902 – id. 1977).
Ancien élève de l'École normale, agrégé de philosophie (1926) et docteur ès lettres (1946), il est directeur d'études à l'École pratique des hautes études (1948) et directeur du Centre d'études des communications de masse. Ses recherches portent essentiellement sur la psychosociologie du travail. Parmi ses nombreux ouvrages, citons : *Problèmes humains du machinisme industriel* (1946), *Où va le travail humain ?* (1950), *le Travail en miettes* (1956), *la Puissance et la sagesse* (1970).

frigidité, impossibilité pour la femme d'éprouver des sensations voluptueuses dans les rapports sexuels.
Ce trouble, très fréquent dans nos pays (1/3 des femmes environ), peut avoir des causes organiques locales ou, le plus souvent, psychologiques. Il peut être lié à la maladresse du conjoint, mais aussi au refus inconscient du plaisir et de la condition féminine. Très souvent, la frigidité traduit un conflit intérieur, qu'un examen approfondi permet de préciser. Pour traiter ce trouble, le psychothérapeute se fait rassurant et fournit au couple tous les renseignements et les conseils techniques dont il a besoin. Les sexologues W. H. Masters* et V. E. Johnson ont mis au point une méthode de rééducation psychosexuelle (cure intensive de 15 jours), qui procurerait 80 % de guérisons durables.

Frisch (Karl von), zoopsychologue autrichien (Vienne 1886 – Munich 1982).
Il est surtout connu par ses travaux sur l'orientation et l'échange d'informations chez les abeilles, mais c'est aussi lui qui découvrit, chez le vairon, la première « substance d'alarme ». Il s'agit d'une sécrétion chimique libérée par l'animal blessé ou seulement effrayé (on l'appelle aussi « substance d'effroi »), qui avertit ses congénères de la présence d'un danger et les fait fuir. K. von Frisch a publié de nombreux ouvrages, dont certains ont été traduits en français : *Vie et mœurs des abeilles* (1955), *Architecture animale* (1976), *le Professeur des abeilles* (1987), *Mémoires d'un biologiste. Von Frisch (1886-1982)* [1988]. En 1973, avec K. Lorenz et N. Tinbergen, il obtient le prix Nobel de médecine.

Fröbel (Friedrich), pédagogue allemand (Oberweissbach 1782 – Marienthal 1852).
Fortement influencé par J. H. Pestalozzi*, mais ayant également découvert Comenius*, il entreprend de mettre ses propres idées pédagogiques en pratique et fonde, en 1816, à Keilhau, l'Institut universel allemand d'éducation.
Restreignant volontairement son champ d'action aux jeunes enfants, après s'être occupé des écoliers, il observe les tout-petits et les bébés. En 1836, il ouvre à Blankenburg (Thuringe) le premier *Kindergarten* (jardin d'enfants), où le jeu occupe une place essentielle. Par la suite, l'idée de jardin d'enfants a fait fortune. On en trouve désormais un peu partout dans le monde, y compris dans les pays en voie de développement et en Chine populaire.

Fromm (Erich), psychanalyste américain d'origine allemande (Francfort-sur-le-Main 1900 – Muralto, Suisse, 1980).

Avec M. Mead et G. Gorer, il a développé la théorie du « caractère national » qui amène l'individu à désirer se conduire comme son rôle social l'exige. Il fait du besoin social l'élément fondamental de la psychologie humaine. Toute connaissance individuelle devrait passer par l'étude des relations interpersonnelles, car ce qui est essentiel, c'est moins la satisfaction ou la frustration des pulsions instinctuelles que la qualité du lien interhumain. En conséquence, les problèmes les plus importants sont l'amour, la haine, l'amitié, la jalousie, etc. L'homme a besoin des autres pour se réaliser, pour développer sa créativité. Il aspire à une société aimante et fraternelle. Fromm est un humaniste, un marxisant et un moraliste.
Parmi ses principaux ouvrages traduits en français, citons : *la Peur de la liberté* (1941, trad. 1963), *l'Homme pour lui-même* (1947, trad. 1967), *la Crise de la psychanalyse. Essais sur Freud, Marx et la psychologie sociale* (1970, trad. 1971), *la Passion de détruire* (1975), *Grandeur et limites de la pensée freudienne* (posthume).

frustration, état de celui qui est privé d'une satisfaction légitime, qui est trompé dans ses espérances.
La frustration peut être due à l'absence d'un objet (manque de nourriture) ou à la rencontre d'un obstacle sur la voie de l'assouvissement des désirs. Les difficultés sont dites *externes* quand elles sont issues du milieu (des fruits sont sur l'arbre, mais le garde champêtre veille), *internes* quand elles dépendent de l'individu (son sens moral lui interdit de marauder).
La frustration ne se définit cependant pas par l'obstacle, car, en réalité, rien ne nous permet de savoir ce qui sera apprécié comme tel par le sujet. Une même situation peut être ressentie comme favorable par une personne et vécue comme frustrante par une autre. La guérison, par exemple, n'est pas toujours gratifiante, car certains trouvent plus d'avantages à être malades (ils n'ont plus de responsabilités, on s'occupe d'eux...) que bien portants. Nous ne savons donc s'il y a frustration pour un individu qu'en étudiant son comportement.
Les réactions à la frustration sont variables : elles dépendent de la nature de l'agent frustrant et de la personnalité de celui qui y est soumis. D'une façon générale, la réponse est agressive. L'hostilité peut être dirigée vers l'obstacle (le petit enfant se met en colère contre sa mère), déplacée sur un substitut (il frappe son ours) ou retournée contre soi (certains suicides d'écoliers, consécutifs à une réprimande, s'expliquent par ce mécanisme). Dans d'autres cas, l'agression, totalement inhibée, est remplacée par la régression* à un stade antérieur du développement (réapparition de l'énurésie...).
Selon leur importance et le moment où elles se produisent, les frustrations entraînent des conséquences plus ou moins durables chez ceux qui les subissent. Elles sont d'autant plus graves qu'elles se manifestent précocement. J. Mac V. Hunt a montré que le comportement d'amassage était plus intense et prolongé chez des rats privés de nourriture dans leur jeune âge que chez ceux qui avaient toujours reçu une alimentation abondante. Le développement général est aussi affecté par les carences* affectives précoces. Expérimentant sur deux chevreaux jumeaux allaités par leur mère, l'un en étant séparé chaque jour pendant une heure et les deux privés de lumière, H. S. Liddell observe que le chevreau non séparé s'adapte, tandis que le second meurt. Dans une nursery modèle, R. Spitz a constaté que les enfants privés de leur mère présentaient une sensibilité accrue aux infections banales (37 % de mortalité) par rapport à ceux d'une maison maternelle (aucun décès) qu'il suivait simultanément. Des frustrations moins massives, telles que la privation de la douceur maternelle, ont des conséquences caractérielles : l'enfant devient égoïste, hypersensible et dépendant de ses parents. L'éducation ne consiste pas à supprimer les frustrations, mais à les doser, en fonction de la résistance de l'individu.

frustration (test de), technique projective destinée à évaluer la personnalité d'un sujet à partir de ses modes de réaction à la frustration.
Le *Picture Frustration Study* à été conçu et mis au point par S. Rosenzweig, en 1944, aux États-Unis. Il consiste en un cahier de 24 dessins représentant des personnages placés dans

une situation frustrante (par exemple, une voiture éclabousse un piéton), sur lequel le sujet examiné doit inscrire ses propres réponses. Celles-ci sont ensuite codifiées et interprétées en se référant à la théorie générale de la frustration de l'auteur.

fugue, fuite de son domicile, escapade.
En France, les fugues se chiffrent aux environs de 100 000 par an (M. Choquet, S. Ledoux, *Adolescents*, I.N.S.E.R.M., 1994). Elles sont chez l'enfant et l'adolescent l'épilogue d'un conflit* avec l'entourage (parents, maîtres ou éducateurs), à la fois réaction d'opposition au milieu* qui ne les satisfait pas et espoir confus de trouver ailleurs ce qui leur a été jusqu'ici refusé. Des adultes névrosés, déséquilibrés ont parfois la même attitude. La fugue, conduite consciente, est alors l'aveu d'un échec.
D'autre part, certaines disparitions du foyer répondent à un mouvement impulsif, quasi automatique, plus ou moins conscient. On les observe dans l'épilepsie, la schizophrénie et les états confusionnels.

fuite des idées, exaltation psychique.
Tous les processus mentaux paraissent accélérés, les idées se précipitent tumultueusement, s'enchaînent au mépris de la logique, au gré d'associations superficielles, en un discours incohérent. Cette manifestation s'observe principalement dans la manie*.

g

Gallup (George Horace), journaliste et statisticien américain (Jefferson, Iowa, 1901 – Tschingel, Suisse, 1984).
Il fonda son propre institut de sondage d'opinion publique (1935) et créa une méthode d'enquête par questionnaires individuels qui reçut une consécration éclatante en 1936, quand elle lui permit de prédire le triomphe de F. D. Roosevelt aux élections présidentielles, avec seulement une erreur de six pour cent.

Galton (ogive de), courbe étudiée par F. Galton, représentant la répartition des notes en fonction des rangs.
Si, par exemple, on fait ranger sur un seul front et par ordre de taille un grand nombre de conscrits, on remarque qu'entre les extrémités, où se situeront quelques sujets très petits ou très grands, se trouve la majeure partie de la population. Si l'on joint par une ligne continue les sommets des têtes, on dessine une courbe en forme d'ogive. Enfin, si l'on divise l'effectif de l'échantillon* considéré en fractions égales : en 4 (quartiles), en 10 (déciles) ou en 100 (centiles), on obtient des classes dont on connaît les valeurs limites correspondantes, puisqu'il suffit de les lire en ordonnée. Ce procédé permet d'obtenir une échelle de référence (appelée étalonnage), grâce à laquelle il est possible de classer n'importe quel sujet appartenant à la même population. En psychométrie, ce système est fréquemment utilisé pour étalonner les tests*.

galvanotaxie, réaction d'orientation et de locomotion d'un organisme mobile soumis à l'action d'un courant électrique continu.
On dit que la galvanotaxie est positive quand l'animal est attiré par l'électrode positive (ou

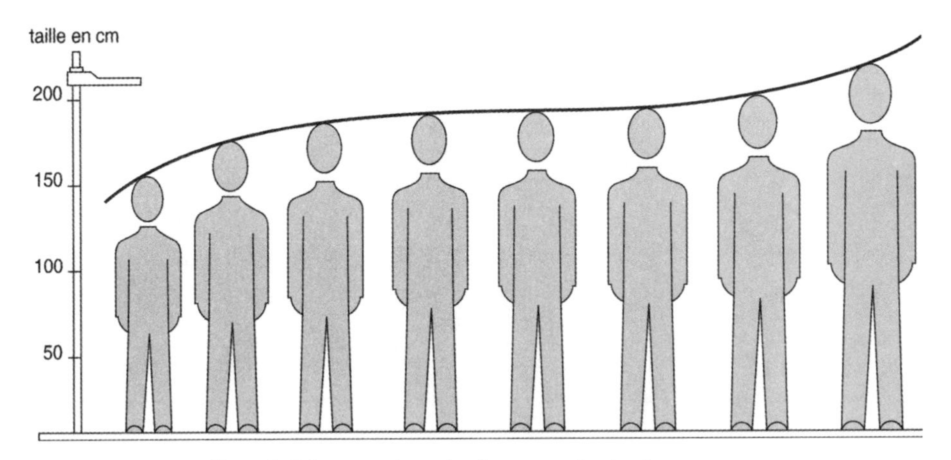

Ogive de Galton : *représentation des notes en fonction des rangs.*

anode) et négative quand le déplacement se fait vers la cathode. La connaissance du comportement galvanotaxique des poissons est à la base de la pêche électrique. Cette méthode consiste à créer dans l'eau, au moyen d'un groupe électrogène, un champ électrique produit par du courant continu. Les poissons, attirés par l'anode, s'immobilisent à son voisinage, littéralement anesthésiés. La pêche électrique permet, dans un cours d'eau, de sélectionner les espèces, d'éliminer certaines variétés nuisibles, comme le poisson-chat, de marquer les poissons dont on veut suivre la croissance et les déplacements, etc.

G.A.P.P. → groupe d'aide psychopédagogique.

gâtisme, incontinence des urines et des matières fécales chez l'adulte.
Cet état peut être dû à des lésions du système nerveux ou à une déchéance mentale.

gaucherie, état de celui qui a tendance à se servir spontanément de sa main gauche.
La gaucherie n'est pas une infirmité. Elle correspond à une organisation nerveuse symétrique de celle du droitier. Tandis que, chez celui-ci, il existe une dominance cérébrale gauche, chez le gaucher, elle est à droite (en effet, en raison du croisement des fibres nerveuses, un hémisphère cérébral commande la moitié opposée du corps). Cela ne constituerait aucun problème si l'entourage du gaucher n'intervenait abusivement pour le contrarier, créant ainsi une situation conflictuelle génératrice de troubles aussi divers que la dyslexie, le bégaiement ou l'énurésie. En présence d'un enfant soupçonné de gaucherie, il est recommandé de s'abstenir de toute intervention intempestive et de laisser faire le temps, car souvent il ne s'agit que d'un retard de la maturation neuropsychique.

Gauss (courbe de), courbe étudiée, simultanément, par P. S. Laplace et C. F. Gauss, qui représente la répartition normale des effectifs en fonction des valeurs.
Si, par exemple, l'on fait ranger côte à côte des colonnes de conscrits ordonnées selon les tailles, on obtient des files de longueurs différentes : aux extrémités, elles sont très courtes (car il y a peu de nains et peu de géants), tandis qu'elles atteignent leur importance maximale au centre, c'est-à-dire aux valeurs moyennes. Vue à vol d'oiseau, la population considérée se répartit, à peu près, de la façon indiquée. Si l'on joint par une ligne continue les points extrêmes de chaque file, on obtient une courbe en cloche, dont il est aisé de déterminer les valeurs centrales et la dispersion. La distribution des notes d'un bon test* obéit à la loi normale. La plupart des épreuves psychométriques modernes sont étalonnées à partir des valeurs tirées de la courbe de Gauss. **→ écart type.**

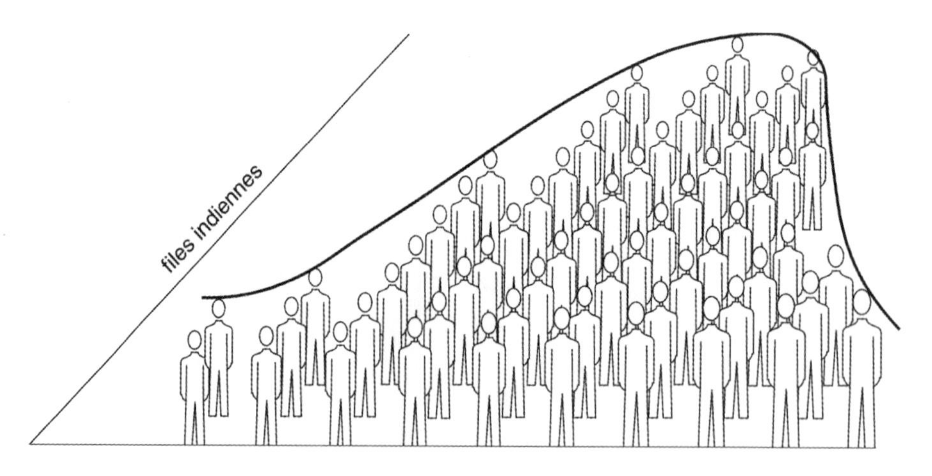

Courbe de Gauss : *représentation normale des effectifs en fonctions des notes.*

gazouillis → babillage.

génétique (psychologie), étude du développement mental de l'enfant.
Elle décrit la transformation de l'enfant en adulte, ses progrès, les stades par lesquels il passe, et cherche à comprendre leur signification fonctionnelle. A. Gesell aux États-Unis, J. Piaget en Suisse, H. Wallon en France furent les théoriciens de cette psychologie qui repose sur les notions clés de maturation* et d'apprentissage*. La psychologie génétique englobe l'épistémologie génétique, dont l'objet se limite à la genèse des catégories essentielles de la pensée.

génie, sujet éminent, doué d'une créativité exceptionnelle.
Certains psychologues de langue anglaise ont cru pouvoir définir le génie par le niveau atteint aux tests d'intelligence. L'individu qui obtient un quotient d'intelligence supérieur à 145 (c'est-à-dire qui se situe à plus de 3 écarts* types au-dessus de la moyenne, parmi le 0,1 % supérieur de la population) serait proche du génie. Mais la réussite exceptionnelle à des épreuves intellectuelles ne suffit pas pour attribuer cette qualité à une personne. Selon F. Galton, le génie est celui qui, du fait de sa puissance créatrice et de la valeur de son travail, occupe la position d'un homme sur un million, et dont la perte est cruellement ressentie par la partie la plus intelligente de la nation (A. Einstein, par exemple).

génital (stade), dernier stade du développement sexuel de l'être humain, caractérisé par le primat des organes génitaux.
On distingue deux phases dans ce stade. La première, précoce, se situe approximativement entre trois et cinq ans ; elle correspond à la phase phallique* au cours de laquelle l'enfant, renonçant aux satisfactions des stades précédents (oral* et sadique-anal*), s'affirme en tant qu'être sexué. La seconde est plus tardive ; elle s'instaure après la période de latence*, au moment de la puberté, et correspond à l'organisation définitive de la sexualité, dans sa forme adulte, propre à la génération. Pour certains auteurs, seule cette seconde phase mérite d'être appelée stade génital. Ils considèrent que l'organisation génitale infantile (phase phallique) n'est, en réalité, qu'une organisation prégénitale, au même titre que les phases orale et sadique-anale, car les pulsions partielles ne s'unifient et ne s'organisent définitivement qu'à la période pubertaire.

géotaxie, réaction d'orientation et de locomotion d'un organisme animal, provoquée et entretenue par les champs de gravitation, en particulier par la pesanteur.
Lorsque le mouvement s'effectue dans le sens descendant, la géotaxie est positive ; dans le sens opposé, elle est négative. La géotaxie positive (enfouissement) paraît être, le plus souvent, une réaction adaptative de fuite, provoquée par un agent physique. **→ taxie.**

gérontologie, étude des conditions et des conséquences de la vieillesse.
Cette nouvelle science répond à la nécessité urgente de résoudre les problèmes psychobiologiques et sociaux des personnes âgées, dont le nombre s'est considérablement accru depuis la fin de la Seconde Guerre mondiale. Il existe une psychologie du troisième âge, conditionnée par le vieillissement physique, les modifications inéluctables des relations sociales et l'approche de la mort. D'une façon générale, toutes les aptitudes se détériorent progressivement (force musculaire, fonctions intellectuelles, dynamisme) ; l'affectivité s'émousse, l'égocentrisme reparaît. Il est difficile de bien vieillir, de quitter sans amertume son champ d'action, de se « reconvertir ». Aussi n'est-il pas rare d'observer des troubles de l'humeur, des réactions d'isolement, de dépression ou de révolte, voire des troubles mentaux (névroses et psychoses de la ménopause* et de la période d'involution).
→ retraite, sénilité.

Gesell (Arnold), psychologue américain (Alma, Wisconsin, 1880 – New Haven 1961). Comme sa mère, institutrice dans une école pour enfants difficiles, il enseigne d'abord comme instituteur et devient principal de collège. Mais, sentant la nécessité d'une formation psychologique, il devient l'élève de S. Hall et obtient, en 1906, le grade de docteur en philosophie. Sans abandonner ses activités pédagogiques, il entreprend des études médicales, à la fin desquelles il est nommé professeur d'hygiène de l'enfant à l'école de médecine de Yale. Dans ses cours, il ne présente pas d'enfants déficients à ses étudiants mais des normaux, car on ignore à peu près tout de leur développement. Pendant des années, il étudie les mêmes sujets, en utilisant les tests (il a créé des baby*-tests), l'analyse cinématographique (110 km de films, mis en fiches) et la méthode des cojumeaux*. Comme H. Wallon, en France, il a introduit en psychologie la notion de maturation et insisté sur les conditions humaines de la croissance. De son œuvre, extrayons sa trilogie : *le Jeune Enfant dans la civilisation moderne* (trad. 1949), *l'Enfant de 5 à 10 ans* (trad. 1949), *l'Adolescent de 10 à 16 ans* (trad. 1959).

Gestaltpsychologie ou **gestaltisme,** psychologie de la forme.
La *Gestalttheorie* fonde la psychologie sur la notion de structure, envisagée comme un tout significatif de relations entre les stimulus et les réponses. Cette école psychologique propose d'appréhender les phénomènes dans leur totalité, sans dissocier les éléments de l'ensemble où ils s'intègrent et hors duquel ils ne signifient plus rien. D'abord appliquée à la perception, la *Gestalttheorie* s'est étendue à toute la psychologie puis à d'autres disciplines : sociologie, anthropologie (A. L. Kroeber, C. Lévi-Strauss), linguistique (N. S. Troubetzkoï, R. Jakobson) et même à la médecine

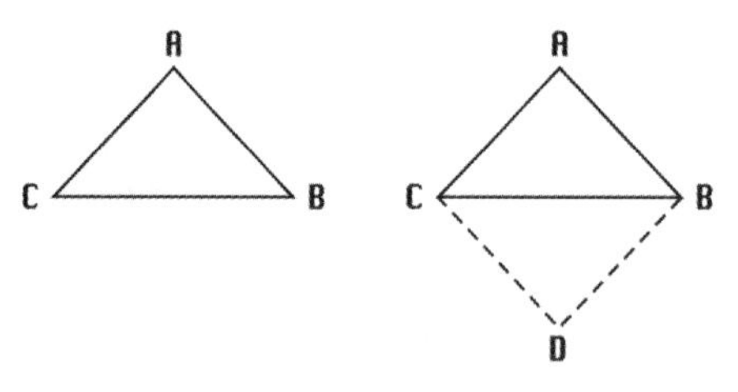

Gestaltpsychologie. La résolution d'un problème et la Gestalttheorie (d'après P. Guillaume, *la Psychologie de la forme*, Paris, Flammarion, 1937, p. 174) *: calculer la surface du triangle isocèle ABC, rectangle en A, connaissant AB = a. La réponse $a^2/2$ est évidente dès que le triangle ABC est perçu comme la moitié d'un carré ABDC. « C'est la métamorphose de la figure qui constitue le raisonnement », écrit Guillaume.*

(K. Goldstein). Les gestaltistes pensent que l'homme et ses œuvres ne peuvent être envisagés que dans leur globalité.

glischroïdie, viscosité mentale.
Sous cette appellation, F. Minkowska groupe un ensemble de conduites intellectuelles et affectives (lenteur de l'idéation, adhésivité particulière à l'égard des personnes et des choses) qui seraient caractéristiques de la personnalité de l'épileptique. → **épileptoïdie.**

globale (méthode), méthode de lecture idéovisuelle et analytique due à O. Decroly*. Ce dernier, considérant que l'apprentissage doit se faire par différenciation progressive, en allant de ce qui est compris immédiatement vers ce qui l'est moins, propose d'apprendre à lire aux enfants en suivant une démarche inverse de la méthode traditionnelle. Celle-ci commence par les sons élémentaires et des lettres (le *b, a, ba*) pour former les mots. Decroly dit que l'enfant n'est pas capable d'une telle abstraction. Il perçoit le tout, globalement, avant de pouvoir en distinguer les éléments par l'analyse. Il faut donc lui donner à lire immédiatement des phrases qui suscitent son intérêt, des ordres simples. Ce n'est qu'ensuite qu'il analysera les parties de la phrase, qu'il la décomposera en mots et qu'il arrivera aux lettres et aux sons.
De vives critiques ont été adressées à cette méthode. Ses détracteurs prétendent que les enfants capables de réciter par cœur leur livre de lecture ne savent pourtant pas lire. Ils disent aussi qu'elle est directement responsable de l'accroissement du nombre des écoliers dyslexiques*. Ces accusations ne doivent pas faire abandonner une méthode qui, si elle est correctement appliquée, peut être favorable à beaucoup d'écoliers.

glossolalie, création volontaire d'une langue en apparence nouvelle.
Cette entreprise, quasi impossible, est le fait de malades mentaux qui ont la conviction d'utiliser un langage neuf, de sens égocentrique, en modifiant les phrases et les mots d'idiomes connus. D'abord incompréhensible pour un non-initié, ce langage néoformé devient accessible lorsqu'on en apprend la syn-

taxe élémentaire et le vocabulaire, dont le sens reste fixe. La glossolalie correspond donc à l'altération superficielle du langage, qui peut et veut être traduit, au contraire de la schizophasie*, où le trouble est plus profond.

Goldstein (Kurt), neurologue américain d'origine allemande (Kattowitz, auj. Katowice, Pologne, 1878 – New York 1965).
Après avoir enseigné la neurologie et la psychiatrie dans plusieurs universités d'Allemagne (Königsberg, 1912 ; Francfort-sur-le-Main, 1918 ; Berlin, 1922), il quitte son pays pour fuir le régime nazi (1933). Réfugié aux États-Unis, il reprend son enseignement à l'université Columbia (1936), puis à Harvard (1940). Ses travaux sur les blessés du cerveau l'ont amené à critiquer la théorie des localisations* cérébrales, à reconsidérer le problème du fonctionnement du système nerveux et de l'organisme en général. Il arrive à la conviction que celui-ci se comporte comme un ensemble corps-esprit indissociable, qu'il réagit dans sa totalité quand une partie est affectée et que le tout règle les parties. Son ouvrage fondamental sur *la Structure de l'organisme* a été traduit en français en 1951.

Goodenough (test de), test d'intelligence mis au point par F. Goodenough (1886-1959).
D'application extrêmement simple (un enfant doit dessiner sans modèle un bonhomme, que l'on évalue selon certains critères précis), ce test* permet d'apprécier rapidement l'âge mental des enfants entre 3 et 13 ans et de suivre facilement leur développement intellectuel (voir illustration ci-dessous).

goût, inclination, désir.
Les goûts ne se confondent pas avec les aptitudes. Leur connaissance est cependant précieuse pour conseiller utilement un sujet dans le choix d'une profession. Ils sont, en effet, l'indication d'une mentalité particulière, d'une disposition d'esprit dont il faut tenir compte. Les goûts sont liés à la personnalité. Certaines épreuves projectives* (préférences musicales de R. B. Cattell ou picturales de P. Roubertoux, M. Carlier et J. Chaguiboff) visent à les faire apparaître pour connaître l'individualité d'un sujet.
Dans le domaine de l'alimentation, il existe des anomalies du goût, ou *dysgueusies*. On les décrit sous le nom de « pica ». Elles peuvent être en relation avec un trouble mental (arriération, sénilité) ou une carence physiologique (sodium, fer, phosphate...).

grand mal → épilepsie.

Résultat du test de Goodenough : de gauche à droite, dessin d'un enfant de 7 ans et 9 mois d'intelligence supérieure, d'un enfant de 8 ans d'intelligence médiocre, d'un enfant de 9 ans et demi atteint de débilité mentale.

graphologie, étude de l'écriture.
La graphologie, dont les véritables créateurs sont l'abbé J. H. Michon (1806-1881) et, surtout, J. Crépieux-Jamin (1858-1940), s'occupe, essentiellement, de découvrir le lien existant entre l'écriture et la personnalité de son auteur. Elle peut être considérée comme une méthode d'investigation psychologique. L'acte d'écrire est, en effet, une conduite expressive qui dépend non seulement de facteurs socioculturels (apprentissage), mais encore de composantes affectives. S'il est pratiquement impossible de trouver deux écritures identiques, il n'est pas rare de relever des analogies frappantes entre les productions graphiques de personnes différentes.
Il existe une typologie fondée sur les écritures (graphotypologie) comme il y a une biotypologie*. La graphologie est couramment utilisée en sélection professionnelle (la plupart des entreprises commerciales et industrielles demandent un *curriculum vitae* manuscrit) et, en orientation professionnelle, comme examen complémentaire. Bien que sa validité soit réelle, il n'est pas douteux que ses bases sont encore mal assurées et qu'il reste tout un long travail de recherche à effectuer (standardisation des normes, études de corrélation entre traits de caractère et traits d'écriture) avant de lui donner toute l'importance qu'elle pourrait avoir.

graphothérapie, forme de psychothérapie fondée sur les exercices d'écriture.
Elle vise à obtenir un redressement moral du sujet en lui faisant exécuter des gestes harmonieux, d'une qualité supérieure à ceux que son écriture habituelle reflète.
→ **dysgraphie.**

grégarisme, tendance à se rassembler, à vivre en groupe.
L'homme est un être sociable. Il n'aime pas la solitude, probablement parce que, dès sa naissance, il s'est trouvé dans un milieu humain et qu'il a fortement valorisé le visage et la personne de ses parents, dont il dépendait totalement. La recherche de compagnie est universelle. Chez l'enfant, elle se manifeste spontanément dans ses activités de jeux collectifs, et, chez l'adulte, par sa participation à la vie des foules. Les rapports familiaux sont à la base du comportement grégaire de l'homme, qui trouve, dans le groupe*, la sécurité et un certain nombre d'autres avantages pratiques.

grossesse, état psychophysiologique de la femme qui attend un enfant.
Source de joie ou d'angoisse, la grossesse est toujours un épisode important de la vie d'une femme. Sur le plan psychologique, la femme voit se reposer certains problèmes de son enfance liés à la qualité de ses relations avec sa mère. Toutes deux sont devenues égales, mais, selon la maturité affective de la jeune femme, cette situation peut s'accompagner de sentiments particuliers (culpabilité, rivalité, etc.). L'annonce de la première grossesse apporte à certaines femmes une satisfaction extraordinaire que l'analyse psychologique permet de rapporter, parfois, à un complexe de castration* jusque-là non résolu. Le désir ardent de maternité chez les femmes stériles ou, au contraire, la crainte d'avoir un enfant créent des tensions émotionnelles qui peuvent se manifester par un ensemble de symptômes appelé « grossesse nerveuse ». Tous les signes cliniques de la grossesse y sont : arrêt des règles, nausées, augmentation progressive de l'abdomen, etc., mais la femme n'est pas enceinte.

groupe, ensemble humain structuré, dont les éléments s'influencent réciproquement.
Il existe un grand nombre de variétés de groupes : famille, équipe de travail, gang, personnel d'une usine, etc. Certains sont spontanés (bandes d'enfants), d'autres institutionnalisés ; leurs membres sont soumis à des règles qui naissent progressivement de la vie du groupe ou qui lui sont préexistantes ; les uns constituent une fin en soi (pour satisfaire des besoins socioaffectifs), les autres un moyen de parvenir à un but (groupes de travail).
Tous les groupes s'interpénètrent : par exemple, la grève est une action déclenchée par une organisation syndicale ; mais celle-ci subit l'influence de ses adhérents, qui sont eux-mêmes sensibles à l'ambiance générale de leur milieu*. Le groupe est déterminé par les individus dont il conditionne en retour, en

grande partie, le comportement. Son influence se manifeste moins comme une pression exercée de l'extérieur que comme une adaptation plus ou moins spontanée de ses membres au milieu social.
Les êtres humains ont besoin du groupe, qui satisfait leurs besoins de sécurité et de communication (C. H. Cooley). Ils en acceptent les lois pour ne pas être punis ou en être exclus (conformisme), mais surtout parce qu'ils subissent la suggestion du prestige de la majorité et qu'ils s'identifient au groupe auquel ils sont attachés. L'individu qui a modelé son comportement en fonction de celui du groupe tend à prendre celui-ci comme système de référence (R. Merton, 1957) et à juger les autres d'après ses normes. L'étude des groupes permet de connaître les forces qui s'y exercent et d'organiser de nouveaux rapports sociaux. Ses applications pratiques vont de la modification des structures sociales d'une usine à la psychothérapie collective, telle que la pratiquent des ligues d'anciens malades (Association des alcooliques anonymes, par exemple).

groupe d'aide psychopédagogique (G.A.P.P.), équipe constituée par un psychologue et un ou plusieurs éducateurs, qui veillent à l'adaptation scolaire des élèves en participant à l'observation continue dont ils sont l'objet.
Dans l'enseignement public, en France, les G.A.P.P. ont été créés par la circulaire ministérielle du 9 février 1970 qui organise la prévention des inadaptations* en milieu scolaire. Ils sont l'un des éléments du dispositif mis en place au niveau de l'enseignement préélémentaire et élémentaire.
Chaque G.A.P.P. a la charge d'un ou de plusieurs groupes scolaires. Il intervient sous forme de rééducations pratiquées individuellement ou par petits groupes, dès que les maîtres en font la demande. Les écoliers continuent de fréquenter leur classe normale ou spéciale dans l'école. Le psychologue scolaire et les maîtres spécialisés pour la réadaptation psychopédagogique (R.P.P.) ou psychomotrice (R.P.M.) agissent en concertation étroite avec leurs collègues enseignants ainsi qu'avec le médecin et l'assistante sociale. Le G.A.P.P. est intégré au milieu scolaire. Ce n'est ni une structure concurrente ni une organisation parallèle. Les membres du G.A.P.P. sont, pour les enseignants, des interlocuteurs disponibles, qui participent à la vie de l'école et, chaque fois que cela est possible, aux réunions du conseil des maîtres. Ils sont aussi des interlocuteurs des familles et jouent le rôle délicat de médiateurs entre l'élève, les parents et l'école.
Selon les données statistiques du ministère de l'Éducation nationale, il y avait en 1987, en France métropolitaine, 2 584 G.A.P.P. D'autre part, si l'on considère la variation des effectifs d'élèves scolarisés, on observe une diminution continue du nombre des écoliers admis dans les classes spéciales des écoles primaires (baisse de 5 522 élèves entre 1983 et 1984). On peut mettre à l'actif des G.A.P.P. l'amélioration enregistrée car, sans leur soutien, beaucoup d'écoliers seraient dirigés vers l'enseignement spécial. Les G.A.P.P. ont été remplacés, en 1990, par les R.A.S.E.D*.

groupe de diagnostic → diagnostic.

groupe (psychothérapie de), méthode de traitement collectif des troubles physiques ou mentaux dus à un conflit intrapsychique.
L'idée de regrouper des patients pour discuter ensemble de leurs problèmes remonte au début des années 30 (J. L. Moreno*, 1932). Elle se fonde essentiellement sur deux observations : lorsque plusieurs personnes sont réunies, elles s'influencent réciproquement ; il est plus facile de voir et de comprendre les problèmes d'autrui que les siens. Il existe de multiples formes de psychothérapies collectives, dont les principales sont la discussion libre (les participants expriment spontanément ce qu'ils ressentent et pensent) et le psychodrame*.
Pour certains auteurs, tels que P. Joshi (1975), la psychothérapie de groupe répondrait à la forme nouvelle que prend la maladie mentale, plus agie que vécue, plus sociale et moins individuelle. Son intention majeure serait une meilleure prise de conscience, par l'individu, du contexte social qui l'entoure (J. C. Sager et H. S. Kaplan, 1972).

guerre, lutte entre les peuples (guerre étrangère) ou entre partis (guerre civile).
Les causes de la guerre seraient, d'après la théorie freudienne, d'origine individuelle : en chacun de nous il existerait une agressivité latente qui trouverait un débouché socialement acceptable dans la guerre. Mais cette théorie paraît insuffisante car la guerre, bien que largement répandue, n'est pas universelle : il existe des peuples qui n'ont jamais combattu (L. T. Hobhouse). D'autre part, chez ceux qui la pratiquent, on a pu l'expliquer par d'autres mobiles, tels que le jeu, la recherche du prestige (Indien des Plaines), les besoins religieux (s'approprier des victimes sacrificatoires) ou économiques (se procurer des esclaves, s'emparer des biens du voisin).
Dans notre société, la guerre repose surtout sur des facteurs économiques. Lorsque ses conditions de vie sont mauvaises et que la propagande de ses dirigeants amène une nation à considérer un autre peuple comme la cause principale de ses frustrations, l'agressivité se polarise sur celui-ci, et les risques de conflit s'accroissent dangereusement. Cependant, ce ne sont jamais les peuples qui déclenchent la guerre, mais toujours les chefs d'État, qui la considèrent parfois comme nécessaire pour éviter de graves crises intérieures dans leur pays. De nos jours, les dangers d'une destruction totale sont tels que l'on assiste à une solidarité nouvelle entre les nations, décidées à tout mettre en œuvre pour empêcher une conflagration funeste.

guidance (centre de), centre médico-psychologique, où des médecins, des psychologues, des rééducateurs et des assistants sociaux examinent les enfants inadaptés, les guident dans leurs propres efforts pour découvrir et développer leurs potentialités personnelles et les rééduquent, sans les retirer de leur milieu naturel.
Cette formule de réadaptation, respectueuse de la personne, est plus économique et, surtout, moins traumatisante que la rééducation en internat. Elle s'est considérablement développée depuis le début des années 60, avec l'accroissement des centres* médico-psychopédagogiques (C.M.P.P.) et, depuis 1976, avec la création des centres d'action médico-sociale précoce (C.A.M.S.P.).

Guillaume (Paul), psychologue français, (Chaumont 1878 – Lannes, Haute-Marne, 1962)
Professeur à la Sorbonne, il fait connaître la Gestaltpsychologie en France par son livre *la Psychologie de la forme* (1937). Ses recherches ont surtout porté sur la psychophysiologie, la psychologie animale et la psychologie de l'enfant. On lui doit plusieurs ouvrages, dont *l'Imitation chez l'enfant* (1925), *la Formation des habitudes* (1936) et un *Manuel de psychologie* (1931).

habitat, espace occupé par une espèce animale ou végétale, dans lequel elle vit et se développe. Par extension, ensemble des conditions de logement de l'homme.
L'habitat, qui a une action certaine sur l'organisme et la psychologie de l'individu, correspond à une nécessité biologique (protection contre le froid et les dangers divers) et psychologique (détente). Il est, à la fois, refuge et lieu géométrique de l'affectivité, l'endroit où les relations socioaffectives jouent librement. L'équilibre nerveux dépend, en grande partie, de la qualité du logement. Si l'espace y est trop réduit, il s'ensuit une fâcheuse promiscuité et la détente devient impossible ; les mères envoient jouer leurs enfants dans la rue et les époux rentrent le plus tard possible à la maison. La dégradation familiale, l'alcoolisme, la délinquance juvénile, les troubles mentaux sont en étroite relation avec un mauvais habitat.

habituation, terme employé par R. Dodge (1923) pour désigner le phénomène, très général et vital, d'accoutumance d'un organisme à certaines excitations sensorielles répétées, auxquelles il ne réagit plus car elles ont perdu leur signification.
Par exemple, si l'on fait tomber une goutte d'eau sur la corolle d'une anémone de mer, celle-ci se contracte mais, à la vingtième excitation, elle cesse de réagir. L'habituation correspond à un niveau élémentaire d'apprentissage*.

habitude, disposition relativement stable née d'un exercice prolongé.
Il existe des habitudes motrices, cognitives, sociales, etc., qui sont créées par la répétition régulière d'un événement. Cependant, la répétition n'est pas la seule condition de l'habitude. Pour que celle-ci s'établisse, il faut que l'organisme s'y prête, qu'il soit mûr pour la recevoir : un enfant ne peut apprendre à marcher ou à écrire que s'il a atteint un certain niveau de maturation*. La fonction de l'habitude est économique : elle libère l'esprit des actes qui peuvent être automatisés (marcher, conduire un véhicule...). Elle présente pourtant un danger, celui d'appauvrir l'être humain, de le figer dans un réseau d'automatismes, de scléroser son esprit et son affectivité.

hachisch, substance enivrante, extraite du chanvre indien *(Cannabis indica)*.
Ce produit, pressé en plaquettes, pains ou cubes, peut être mangé ou fumé (pur ou mélangé à du tabac) dans un « shilom » (pipe spéciale). Le hachisch contient jusqu'à 15 % de cannabinol, principe actif toxique du chanvre. Il provoque une ivresse euphorique et expansive, mais de fortes doses peuvent entraîner de véritables crises de dépersonnalisation (cannabisme). À long terme, sa consommation, même à dose modérée, entraîne un état d'apathie et de paresse, des altérations bronchiques, un vieillissement prématuré, une diminution des défenses immunologiques (G. Nahas) et des troubles de la pensée.
→ **anandamide, toxicomanie.**

hallucination, perception, par un sujet éveillé, d'un objet sensible qui n'existe pas dans la réalité.
Les hallucinations élémentaires (lueurs, sons) ou complexes (personnages, phrases) peuvent

porter sur tous les sens (olfaction, toucher, etc.). Elles sont en relation avec une excitation pathologique des récepteurs* sensoriels (une otite peut entraîner des perceptions auditives troublées), du cerveau (tumeur) ou une atteinte diffuse du système nerveux par une infection ou une intoxication (delirium* tremens). On les trouve aussi associées à certaines maladies mentales (schizophrénie*, délire*) et particulièrement au délire chronique hallucinatoire. Les hallucinations semblent liées à une dissolution de la conscience et au mécanisme psychologique de la projection*. Expérimentalement, on a pu provoquer des hallucinations chez des sujets normaux, en les plaçant, durant quelques heures, dans un état d'isolement sensoriel absolu. Il semble que la privation d'excitation entraîne une baisse de tonus du cortex cérébral, qui se met à fonctionner différemment. Dans les délires et la schizophrénie, il y aurait le même abaissement fonctionnel, dont l'origine exacte reste inconnue.

hallucinogène, drogue d'origine végétale ou synthétique qui engendre des hallucinations.
La mescaline* (extraite du peyotl, cactus d'Amérique centrale) et la psilocybine (tirée d'un champignon mexicain) sont traditionnellement utilisées par les Indiens d'Amérique, lors de cérémonies religieuses. Parmi les hallucinogènes synthétiques, le plus connu est le L.S.D.* Sous leur influence, le sujet voit des couleurs très vives, les distances sont modifiées, tout son environnement baigne dans une grande clarté. L'affectivité est aussi transformée : désintérêt pour le monde extérieur, perte des notions de temps et d'espace, euphorie ou angoisse, etc. Les sujets sont passifs et inactifs. Ces drogues n'entraînent pas de dépendance physique mais, en revanche, elles peuvent créer une dépendance psychique.

handicapé, personne diminuée physiquement ou présentant une déficience mentale.
Ce terme est préférable à celui d'infirme, parce qu'au-delà de la notion de déficit il évoque l'idée d'un désavantage à compenser dans une compétition normale. En 1987, selon une publication du ministère des Affaires sociales et de l'Emploi, il y avait 3,1 millions de personnes handicapées en France. L'ampleur du problème a conduit le Parlement français à voter la loi d'orientation du 30 juin 1975. Cette loi pose comme principe que « la prévention et le dépistage des handicaps, les soins, l'éducation, la formation et l'orientation professionnelle, l'emploi, la garantie d'un minimum de ressources, l'intégration sociale et l'accès aux sports et aux loisirs du mineur et de l'adulte handicapés physiques, sensoriels ou mentaux constituent une obligation nationale ».
Les handicaps les plus graves peuvent être surmontés. On a vu, en Russie, des amputés des deux mains apprendre la menuiserie ; en Angleterre, des amputés des deux bras ont appris la dactylographie. Les progrès de la technique et, surtout, la volonté de ces personnes permettent de surmonter les plus grands obstacles. Le désir des handicapés de participer à la vie normale les conduit à accomplir, parfois, de véritables exploits, tel G. Breton qui, aveugle, a parcouru 4 200 km en tandem (1987). → **atelier protégé, centre d'aide par le travail, enseignement spécial.**

haptonomie (grec *haptein*, « saisir »). Technique proposée par Franz Veldman (1945), qui privilégie le contact, le toucher et la parole, afin de créer chez le sujet un sentiment de sécurité.
Ses applications vont de l'« accouchement sans douleur » au traitement de l'anxiété.

harcèlement sexuel, fait d'importuner une personne par des propositions, des paroles ou des actes indécents et déplacés, que la victime ressent comme étant une condition honteuse, offensante et déshonorante.
Le harcèlement sexuel sur le lieu de travail est des plus courants. Selon Jane Aeberhard-Hodges (1997), du Bureau international du travail, des millions de femmes en sont les victimes, mais peu d'entre elles se risquent à porter plainte de crainte de perdre leur emploi (15 000 accusations aux États-Unis, en 1996). La situation devient particulièrement critique lorsque le tourmenteur est un supérieur hié-

rarchique susceptible d'influer sur la carrière, la promotion ou l'affectation de la personne concernée. Le harcèlement sexuel provoque un stress* qui peut avoir des conséquences néfastes sur la santé mentale et physique de la victime ; il contribue aussi à créer une ambiance* de travail délétère, responsable d'une diminution de la productivité. C'est pourquoi il existe des lois qui condamnent explicitement de telles pratiques. En France, depuis la loi du 2 novembre 1992, le harcèlement sexuel est un délit puni d'un an d'emprisonnement et de 100 000 F d'amende (article L. 222-33 du Code pénal. Voir aussi le Code du travail, articles L. 122-34 *sq.*). Cependant, pour que le délit soit constitué, il est nécessaire que les agissements reprochés émanent d'une personne ayant autorité sur la victime. **→ abus sexuel.**

haschisch → hachisch

Hebb (Donald Olding), psychologue canadien (Chester, Nouvelle-Écosse, Canada, 1904 – id. 1985).
Issu d'une famille de médecins, il voulut s'en différencier en devenant écrivain et, dans cette intention, pour mieux connaître les ressorts psychologiques de la personne humaine, il s'intéressa à l'œuvre de Sigmund Freud, ce qui l'amena à entreprendre des études de psychologie à l'université McGill, de Montréal. Parallèlement, il enseignait. C'est ainsi qu'il devint directeur d'une école primaire. À l'âge de trente ans, il partit aux États-Unis, à Chicago, pour préparer une thèse avec Karl Spencer Lashley (1890-1958), qu'il suivit à Harvard, en 1935. Sa collaboration avec ce brillant expérimentaliste lui révéla l'importance de la psychophysiologie. En 1937, il est recruté par le neurochirurgien Wilder Graves Penfield (1891-1976) à l'Institut neurologique de Montréal, pour étudier les effets des ablations chirurgicales sur la cognition*. En 1942, sur l'invitation de K. S. Lashley, il se rend à Orange Park (Floride), au laboratoire de primatologie Yerkes afin d'observer le comportement des chimpanzés. En 1949, il est nommé directeur du département de psychologie de l'université McGill, où il développe sa théorie des « assemblées cellulaires » (des réseaux de neurones, activés par des sensations, activent à leur tour d'autres neurones du cortex associatif ; il se crée ainsi des « boucles », lesquelles se déchargent en réponse à un faible stimulus). Il montre aussi l'importance du milieu* sur le développement de l'intelligence et les effets des privations sensorielles sévères sur le psychisme (détérioration de la capacité de penser et parfois même hallucinations). Parmi ses ouvrages, citons : *The Organization of Behavior : A Neuropsychological Theory*, 1949, qui constitue l'un des fondements des neurosciences modernes, et un manuel de psychologie, *A Textbook of Psychology*, 1958.

Herbart (Johann Friedrich), pédagogue et psychologue allemand (Oldenburg 1776 – Göttingen 1841)
Contre E. Kant, il affirma que la psychologie pouvait se constituer en science, même si sa méthode n'était que l'observation. Il pense que toute connaissance vient des sens et de l'expérience personnelle et que les représentations sont comme des forces dont l'action réciproque entraîne la pensée. Ces idées seront reprises plus tard par G. T. Fechner. Du point de vue pédagogique, Herbart s'est inspiré de J. H. Pestalozzi, sans adopter toutes ses idées. En plaçant l'expérience et l'utilisation des intérêts des enfants au centre des méthodes d'enseignement, il se fait le précurseur de l'école active.

hérédité, transmission des caractères physiques et psychiques des parents à leurs descendants.
Depuis les travaux de C. V. Naudin et J. Mendel, on sait que les caractères héréditaires sont transmis par l'intermédiaire des chromosomes contenus dans le noyau des cellules. L'étude de l'hérédité humaine est possible par la confrontation des jumeaux et l'établissement d'arbres généalogiques. Par exemple, H. H. Newman, étudiant vingt couples de jumeaux vrais (c'est-à-dire issus d'un seul ovule fécondé), élevés séparément depuis leur première enfance dans des milieux différents, constata l'identité de leurs niveaux intellectuels et de leurs aptitudes motrices. Dans la famille de J. S. Bach, envisagée sur

cinq générations, on relève la présence de quinze compositeurs de talent. Ces observations sont en faveur de la transmission héréditaire des aptitudes (intelligence, don musical, etc.).
Par ailleurs, sans vouloir revenir au lamarckisme, il existe indiscutablement des expériences qui démontrent la possibilité d'une transmission héréditaire de comportements acquis. Si l'on soumet trois générations de rats aux mêmes épreuves de labyrinthe*, il faut à la troisième génération dix fois moins de temps qu'aux deux premières pour réussir les épreuves auxquelles elle est soumise. En ce qui concerne certaines affections mentales, le risque de maladie passe de 1 à 20 % pour les sujets qui ont des proches parents malades. Mais l'évolution de l'être humain ne dépend que partiellement de son patrimoine héréditaire. Le milieu, l'éducation jouent aussi un rôle très important dans son devenir.

hermaphrodisme, dualité sexuelle.
L'hermaphrodisme vrai est exceptionnel dans l'espèce humaine, mais il n'est pas rare de rencontrer des pseudohermaphrodites. L'anatomie des organes génitaux externes, particulièrement la taille du pénis, décide du sexe attribué à un individu. De ce choix et de l'éducation qui s'ensuit dépend son orientation psychosexuelle. Aussi, après les premières années de la vie, on recommande de ne pas changer le sexe d'un sujet, car cela peut conduire à des désastres du point de vue psychologique. Un pseudohermaphrodite peut vivre normalement dans l'ignorance de son état. On cite même le cas de deux personnes, l'une née en 1920, l'autre en 1921, atteintes toutes deux d'hyperplasie surrénale congénitale et, de ce fait, pseudohermaphrodites, qui se sont mariées sans savoir qu'elles étaient toutes deux, génétiquement, de sexe féminin. Seulement, leur union n'a pas pu être féconde (G. Dreyfus et coll., 1966).

héroïne, poudre blanche cristalline, de saveur amère, dérivée de la morphine.
Les toxicomanes l'utilisent en prises nasales (rarement) ou préparée en solution injectable. À faible dose, elle est calmante, euphorisante et légèrement hypnotique ; elle provoque soudainement un plaisir voluptueux intense (*flash*) et des hallucinations visuelles. Ces effets se dissipent au bout de deux ou trois heures. La tolérance du corps est rapide (dix jours) et le sujet doit augmenter les quantités pour essayer de retrouver la première extase à jamais disparue. À forte dose, elle entraîne une grande agitation, de la stupeur, des convulsions et même la mort subite. L'héroïne, qui a détrôné la morphine car son action est plus intense, est actuellement la « drogue dure » la plus dangereuse et la plus utilisée en Occident (80 % des toxicomanes). Le traitement de l'héroïnomanie est une tâche ingrate.

Hesnard (Angelo Louis Marie), psychiatre et psychanalyste français (Pontivy 1886 – Rochefort 1969).
Il est le premier qui fit connaître en France la doctrine freudienne et la méthode psychanalytique (*la Psycho-analyse des névroses et des psychoses*, en collaboration avec E. Régis, 1914). Ses nombreux ouvrages : *l'Univers morbide de la faute* (1949), *Morale sans péché* (1954), *Psychanalyse du lien interhumain* (1957), *les Phobies et la névrose phobique* (1961), *Psychologie du crime* (1964), *De Freud à Lacan* (1970) constituent une œuvre de « psychanalyse ouverte », où les idées de Freud sont révisées et enrichies par les données nouvelles de la biologie, de la linguistique, de la phénoménologie et de la sociologie. Il fut aussi l'un des principaux animateurs du mouvement psychanalytique français.

holisme, théorie non analytique, qui s'efforce d'envisager l'intelligence, le fonctionnement cérébral ou l'organisme dans leur totalité.
La psychologie de la forme* (*Gestaltpsychologie**) est la plus connue des théories holistiques.

homéostasie, tendance générale de l'organisme qui vise à maintenir constantes les conditions d'équilibre de son milieu.
Cette notion, introduite en physiologie par W. B. Cannon (1926), a été étendue à la psychologie (C. P. Richter) et à l'éthologie*

(K. Lorenz). Une conduite orientée vers un but est interprétée comme la recherche d'un nouvel équilibre : la construction d'un nid, par exemple, correspond à un moyen de lutter contre l'abaissement de la température du corps. → **adaptation.**

homosexualité, inversion sexuelle.
Elle constitue un phénomène relativement fréquent puisqu'elle concernerait de 3 à 5 % de la population adulte. Aux États-Unis, en 1972, on évaluait à 4 millions le nombre d'homosexuels des deux sexes. Chez l'homme comme chez la femme, l'inversion sexuelle résulte de complexes inconscients. Selon A. Adler, il s'agirait d'un sentiment d'infériorité (la crainte de l'échec pousse l'individu à rechercher un partenaire de son sexe). Chez le garçon, elle est souvent la conséquence d'une éducation mal conduite : l'homme, trop attaché à sa mère, s'identifie à elle et se comporte comme il aurait voulu qu'elle se conduisît avec lui. Pour Freud, qui a souligné l'importance du narcissisme et du complexe de castration* dans la genèse de l'homosexualité, l'inverti rechercherait un partenaire identique à lui-même. Chez la femme, l'homosexualité serait la conséquence d'une déception lointaine, liée à la découverte des sexes : « L'homosexuelle excelle à donner ce qu'elle n'a pas, c'est-à-dire que, relevant le défi de la castration féminine, elle s'attribue imaginativement le pénis » (A. Hesnard).

hormone, substance chimique complexe, qui, déversée directement dans le sang circulant, exerce une action spécifique sur certains organes.
Nombreuses et diverses, elles sont produites par des glandes, dites « endocrines », telles que l'hypophyse, la thyroïde, les surrénales et les gonades, mais aussi par des tissus : muqueuse du duodénum, placenta, hypothalamus, etc. Les hormones jouent un rôle primordial dans le fonctionnement de l'organisme : elles interviennent dans le maintien de l'équilibre du milieu intérieur du corps, conditionnent sa morphologie (l'apparition des caractères sexuels secondaires à la puberté dépend des hormones sexuelles), agissent sur le comportement (activité sexuelle, conduite maternelle, etc.), le caractère (la femme qui a subi l'ablation des ovaires devient irritable) et l'intelligence (l'insuffisance d'hormones thyroïdiennes entraîne une diminution de l'attention et la lenteur d'esprit). Lorsqu'elles ne sont pas présentes en quantité normale dans le corps, on observe de graves désordres mentaux (crétinisme, asthénie intense, etc.).

Horney (Karen), psychanalyste américaine d'origine norvégienne (Hambourg 1885 – New York 1952).
Influencée par les théories d'A. Adler, d'E. Fromm et par la *Gestaltpsychologie**, elle s'écarte de la doctrine freudienne par l'importance qu'elle accorde au déterminisme culturel ; négligeant plus ou moins l'exploration minutieuse du passé, elle insiste sur les difficultés actuelles, responsables, selon elle, de l'apparition des tendances névrotiques dont elle s'attache à découvrir les fonctions. Elle ne cherche pas à expliquer les troubles de la personnalité présente par un conditionnement enfantin, mais à comprendre les difficultés névrotiques par la structure caractérielle du sujet. Parmi ses œuvres traduites en français, citons : *les Voies nouvelles de la psychanalyse* (1951), *la Personnalité névrotique de notre temps* (1953), *l'Auto-analyse* (1955), *Journal d'adolescence* (1987).

hospitalisme, ensemble des troubles graves, psychologiques et corporels, engendrés chez les nourrissons par un séjour prolongé en milieu hospitalier.
Malgré l'excellence des soins reçus, les bébés séparés de leur mère n'arrivent pas à se développer normalement : leur croissance physique est ralentie, le niveau intellectuel décroît, le langage reste rudimentaire, les troubles caractériels s'installent (anxiété, puis indifférence) et la résistance aux maladies diminue. Les méfaits de l'hospitalisme sont d'autant plus accentués que la séparation survient précocement et qu'elle est plus durable. Ils sont susceptibles, cependant, de disparaître (au moins en partie) avec le retour du nourrisson auprès de sa mère ou d'un substitut maternel adéquat → **carence affective.**

humaniste (psychologie), mouvement psychologique dont l'objectif déclaré est le développement personnel.

Dès le début des années 30, K. Horney* professait que la réalisation de soi est une tendance fondamentale de l'être vivant. C'est en actualisant ses potentialités les meilleures qu'une personne exprimera son moi le plus intime, qu'elle s'accomplira et participera à l'œuvre civilisatrice. À son tour, A. Maslow, à partir de nombreux exemples concrets, montra comment un individu peut être heureux et se réaliser pleinement en fournissant un travail acharné. L'être normal n'aspire pas toujours à la détente. Une tension voulue est aussi génératrice de plaisir. Nous retrouvons là des idées professées antérieurement, notamment par K. Goldstein*, K. et Ch. Bühler*. Au début des années 60, la psychologie humaniste gagna en importance et se répandit hors des frontières des États-Unis, en grande partie grâce à C. Rogers. Corrélativement, une nouvelle conception de l'existence se développait, selon laquelle l'important pour l'homme n'est pas de satisfaire ses besoins mais de vivre « comme il faut », c'est-à-dire conformément aux lois qui sont inscrites en lui. Dans cette optique, le psychologue devient un médiateur grâce auquel on peut mieux se connaître et un éducateur qui ouvre le chemin de la réalisation de soi.

humeur, disposition affective fondamentale susceptible d'osciller entre les pôles extrêmes du chagrin et de la joie.

L'humeur donne aux émotions leur coloration affective. Elle paraît liée à la constitution et dépend d'un mécanisme neurophysiologique contrôlé par le diencéphale (base du cerveau). Des lésions localisées de cette zone entraînent des troubles de l'humeur. D'une façon générale, toutes les atteintes cérébrales, qu'elles soient d'origine traumatique (blessure), infectieuse, tumorale ou autre, peuvent entraîner des modifications de l'humeur.

hygiène mentale, branche de la médecine qui étudie les moyens propres à conserver la santé mentale.

Son activité porte : 1. sur la connaissance des causes des désordres mentaux héréditaires, socioculturelles (vie professionnelle, habitat, loisirs...) et individuelles (alcoolisme) ; 2. sur l'information du grand public, par des conférences, des discussions de groupes, des brochures, sur les problèmes les plus divers (l'échec scolaire, la mésentente conjugale, etc.) ; 3. sur le dépistage et le traitement précoce des troubles caractériels et autres inadaptations, au cours des consultations médico-psychologiques gratuites organisées dans presque toutes les villes. L'efficacité des Services d'hygiène mentale dépend des moyens dont ils disposent. Sans le personnel important (médecins, psychologues, rééducateurs, assistants sociaux, secrétaires) et hautement qualifié qui leur est nécessaire, les efforts considérables qu'ils consentent risquent d'être vains, car leur action, de longue durée, s'étend sans cesse à de nouvelles couches de la population.

hyperactivité de l'enfant → instabilité.

hyperémotivité, disposition à réagir de façon exagérée aux événements.

Le sujet hyperémotif ressent intensément chaque changement de situation. La moindre excitation provoque chez lui des réactions affectives (joie, colère) et corporelles (rougeur, coliques...) disproportionnées et inadéquates. L'hyperémotivité paraît liée à la constitution. On a pu, en effet, en sélectionnant des rats, obtenir des lignées de sujets hyperémotifs. Cependant, l'hyperémotivité n'est pas exclusivement d'origine organique. Elle peut être aussi conditionnée par des chocs* affectifs (surtout lorsqu'ils se produisent dans la première enfance), tels que la séparation d'avec la mère ou l'insécurité consécutive à la mésentente conjugale.

hyperkinésie → instabilité.

hypnagogique (état), état de demi-sommeil.

Dans la période d'endormissement qui précède le sommeil véritable, des phénomènes peuvent se produire, qui sont surtout visuels (parfois auditifs, rarement olfactifs, gustatifs ou sensitifs). Chez l'adulte, les manifestations visuelles sont le plus souvent

simples : formes géométriques, points, étoiles brillantes, spirales, etc., tandis que chez l'enfant elles sont fréquemment complexes, représentant soit des paysages, soit des formes humaines ou animales statiques ou dynamiques.
Ces visions hypnagogiques, auxquelles l'adulte reste indifférent, entraînent chez l'enfant un état affectif particulier, souvent pénible et angoissant. Ces phénomènes se différencient du rêve en ce sens qu'ils sont des productions stéréotypées, auxquelles l'individu reste étranger, et qu'ils disparaissent avec le passage dans le sommeil véritable. Ils ne peuvent être non plus assimilés aux hallucinations, car ils sont critiqués, n'entraînent pas l'adhésion du sujet et s'alimentent des objets du milieu.

hypnose, état mal défini, proche du sommeil partiel, que l'on provoque artificiellement par la fixation de l'attention sur un objet brillant et par la suggestion, et dans lequel le sujet reste capable d'obéir à certaines injonctions de l'hypnotiseur.
Le sommeil hypnotique est profondément différent du sommeil normal : les perceptions sensorielles ne sont pas diminuées, l'attention peut se concentrer, différentes actions sont possibles, l'enregistrement des rythmes électriques du cerveau (électroencéphalogramme) est comparable à celui qui est obtenu pendant l'état de veille. Il s'agit donc d'une « paralysie de la volonté » (S. Freud). Sous l'effet de l'hypnose, on peut observer des effets somatiques tels que l'analgésie (suppression de la douleur) ou la modification des tissus (formation d'ampoules sur la peau, disparition des verrues...).
Selon J. Hilgard (1970), les personnes hypnotisables sont celles dont l'imagination est la plus vive, chez qui prédominent, notamment, l'esprit d'aventure, la créativité littéraire et artistique, la croyance religieuse. Au contraire, les sujets réfractaires à l'hypnose sont ceux qui manifestent un goût marqué pour les sports de compétition et pour les activités scientifiques.

hypoacousie → malentendant.

hypocondrie, préoccupation excessive d'une personne au sujet de l'état de sa santé.
S'observant continuellement, l'individu hypocondriaque, égocentrique et égoïste comme Argan, le malade imaginaire de Molière, paraît à l'affût de la moindre sensation pénible venant de son corps, qu'il ne comprend pas et qui l'angoisse. Sa recherche inquiète d'un médecin, qui comprendra sa maladie et la localisera à un organe bien défini, correspond à un besoin d'être reconnu malade, c'est-à-dire d'être dégagé des responsabilités et de bénéficier, sans aucun sentiment de culpabilité, des soins attentifs d'autrui.
L'hypocondrie se rencontre aussi bien dans les névroses que dans les psychoses. Dans le premier cas, elle garde habituellement un caractère bénin. Dans les psychoses, l'hypocondrie prend une forme délirante (elle est fréquemment liée au délire de persécution). Le délire hypocondriaque peut faire croire au malade qu'il est un mort vivant.

hypomanie, état d'exaltation qui, sous une forme atténuée, évoque la manie.
L'hypomanie peut être passagère, mais elle existe aussi, d'une façon habituelle, chez certains sujets actifs, exubérants, brouillons, sans-gêne et parfois insupportables, dont la constitution physique s'apparente au type pycnique*.

hystérie, névrose s'exprimant corporellement.
Les crises d'hystérie : convulsions tumultueuses, paralysie, perte de la vue ou de la parole, etc., ne reposent sur aucune base organique (le sujet dit qu'il ne peut plus marcher, par exemple, mais ses réflexes tendineux sont conservés) ; d'autre part, elles surviennent pratiquement toujours en public. Longtemps incomprises (au Moyen Âge on les attribuait à une possession démoniaque, au XIXe siècle à des débordements sexuels), elles furent minutieusement décrites par J. M. Charcot*, puis expliquées par S. Freud.
L'hystérie est une névrose expressionnelle. Les crises ont une signification. Elles sont la manifestation, somatique et spectaculaire, de conflits inconscients. Elles ont la valeur d'un langage : une jeune fille de vingt et un ans,

soignée par J. Breuer et Freud, en 1882, ne pouvait plus boire dans un verre ; l'analyse révéla que ce comportement était une protestation inconsciente contre la conduite d'une ancienne gouvernante qui faisait boire son chien dans un verre.
Les hystériques sont des individus émotifs et sensibles, à l'imagination débordante, suggestibles, plastiques, qui voudraient toujours plaire et séduire. N'osant pas affirmer leur personnalité, ils jouent perpétuellement un rôle qui n'est pas le leur. Ils refoulent dans l'inconscient leurs affects* interdits et ceux-ci, pour s'exprimer, se convertissent en symptômes corporels. Ce ne sont pas des simulateurs, mais des névrosés que l'on peut traiter efficacement par la psychanalyse. Outre l'hystérie de conversion, on distingue encore : l'*hystérie d'angoisse* (Freud), où prédominent les symptômes phobiques et l'anxiété mais où les manifestations corporelles de conversion sont absentes ; l'*hystérie traumatique* (Charcot), survenant après un événement traumatique ; l'*hystérie collective*, qui prend l'allure de petite épidémie.

hystéroïde, caractère psychologique dans lequel on retrouve, sous une forme atténuée, les principaux traits de personnalité des hystériques : émotivité, suggestibilité, séduction, égocentrisme, dépendance affective, etc.

iatrogénie, ensemble des troubles imprévus engendrés par l'action médicale.
Depuis l'Antiquité, on sait que la pratique de la médecine comporte toujours un risque pour le patient : par exemple, la thalidomide (tranquillisant), prescrite aux femmes enceintes, les anesthésies ou même l'aspirine, administrée à des enfants en cas de grippe ou de varicelle. Pour mieux détecter les effets fâcheux des médicaments, une nouvelle discipline médicale et pharmaceutique, la *pharmacovigilance*, s'est développée dans la plupart des pays industrialisés. Les informations recueillies dans les différents pays sont centralisées et traitées par l'Organisation mondiale de la santé. Lorsqu'une enquête démontre que des accidents sont imputables à un médicament nouveau ou ancien, ce dernier est retiré de la vente (bismuth, par exemple).

idéal du moi, modèle que l'on espère égaler.
La formation de la personnalité correspond à un lent processus de socialisation commencé dans la petite enfance. Par le jeu des identifications aux personnes aimées et admirées de son entourage, le jeune enfant construit son moi. Il se constitue ainsi un type de référence qui, chaque jour, s'enrichit et sert de modèle.

identification, mécanisme psychologique inconscient par lequel un individu modèle sa conduite afin de ressembler à une autre personne.
Chez l'enfant, l'identification, première forme de l'attachement à un parent, est une appropriation du rôle (et de la puissance) de celui-ci. Elle constitue l'un des mécanismes les plus importants de la formation de la personnalité et de l'éducation. Des perturbations dans l'identification (dues à la dissociation familiale, par exemple) entraînent la formation de troubles caractériels.

idiotie, état le plus grave de la déficience intellectuelle, caractérisé par l'impossibilité d'accéder à la parole et l'incapacité totale de prendre soin de soi-même.
Même à l'âge adulte, le développement mental de l'idiot ne dépasse pas trois à quatre ans d'âge* mental (Q.I. inférieur à 34). On observe des degrés dans l'idiotie. Au niveau le plus bas (« retard mental profond », selon la nomenclature des déficiences du 9 janvier 1989), le comportement est purement réflexe, impulsif, et les seuls apprentissages possibles sont la marche, la mastication et certains gestes simples. Dans les cas les plus favorables, qualifiés de « retard mental sévère » (Q.I. entre 20 et 34), le handicapé peut profiter d'un apprentissage systématique des gestes simples (auto-alimentation, contrôle sphinctérien...). Ces infirmes nécessitent une surveillance et une assistance constantes. Le retard mental profond et le retard mental sévère (on dit aussi « retard mental grave ») peuvent être dus, notamment, à des causes héréditaires, à des accidents au moment de la naissance ou à des encéphalites du nouveau-né. → **arriération.**

illettrisme, incapacité de lire et d'écrire, en le comprenant, un texte simple et court relatif à des faits de la vie quotidienne.
Beaucoup de jeunes adultes français (6 %), qui ont pourtant bénéficié de la scolarité obli-

gatoire, ne savent pas lire ; 14 % parviennent à peine à déchiffrer des phrases isolées ; environ un tiers des allocataires du R.M.I. éprouvent de grandes difficultés en lecture (Alain Bentolila, 1996, 1997). Selon une enquête entreprise en 1997 par l'Organisation de coopération et de développement économiques (O.C.D.E), de 9 à 10 % de la population adulte des pays de l'Europe seraient illettrés, les premiers concernés étant les femmes et les immigrés. Ces personnes se trouvent grandement handicapées dans un monde où les informations écrites foisonnent, qu'il s'agisse de panneaux routiers, de formulaires administratifs ou de notices diverses. Généralement, elles sont honteuses de cette infirmité qui les ramène au stade enfantin de la prélecture et les rend dépendantes d'autrui ; pour la cacher, elles ont souvent recours au mensonge, tel que l'oubli de lunettes, par exemple. L'illettrisme est l'une des causes de l'exclusion sociale.

illusion, erreur des sens ou de l'esprit qui fait prendre l'apparence pour la réalité.

Dans le croquis ci-après, les deux personnes qui cheminent ont exactement la même taille et pourtant l'une semble beaucoup plus grande que l'autre. Dans le dessin de Hering (p. suivante), les parallèles semblent incurvées. Ces illusions illustrent la plasticité particulière de la perception* : celle-ci est plus sensible à l'ensemble d'une figure qu'à ses éléments. La perception n'est jamais isolée. Elle s'intègre toujours dans un système. Les habitudes, les préjugés, les désirs, les émotions influencent les perceptions. L'enfant craintif, entendant le plancher craquer dans la chambre voisine, affirme avoir entendu marcher un voleur. Les phénomènes d'illusion, déformations d'objets réels, apparaissent surtout quand la conscience vigile est diminuée (endormissement, fatigue). Une forme particulière de l'illusion pathologique est la fausse reconnaissance (paramnésie). Le sujet a l'impression d'avoir déjà vu ou vécu certaines situations, de reconnaître des personnes ou des objets, de retrouver ce qu'il n'a jamais connu ; les cadres sociaux de sa mémoire semblent dissous, car il ne parvient plus à distinguer le présent du passé.

image, représentation mentale d'un objet absent.

À la différence de l'idée, plus abstraite, l'image garde quelque chose de concret. Née de l'activité spontanée de l'esprit et d'une analyse artificielle antérieure, cette représentation ne se prête pas à l'observation comme l'objet qu'elle ne peut remplacer. Elle n'est qu'une illusion d'objet, l'évocation imparfaite de celui-ci (« Comptez donc les colonnes du Panthéon, puisque vous l'imaginez si parfaitement ! » dit Alain à l'un de ses amis). Souvent, aussi, l'image est une création originale, élaborée à partir de souvenirs divers. Sous cette forme, elle apparaît fréquemment dans les rêves.

imagination, aptitude à se représenter les objets absents et à combiner les images.

L'imagination, qui se situe à mi-chemin entre la conduite intellectuelle rationnelle et la pensée strictement individuelle, soumise à la seule affectivité (rêve*, rêverie*), est liée à la structure caractérielle. Pour rompre avec un certain mode de pensée et créer de nouvelles synthèses mentales, il faut une certaine souplesse d'esprit, qui dépend, en grande partie, des attitudes profondes de la personne. Les productions imaginaires sont d'autant plus riches que le contrôle intellectuel est faible ; les états de sommeil ou d'ivresse alcoolique, où le sujet est momentanément privé de son jugement, font surgir toutes sortes de fantaisies*. Certains malades mentaux, chez qui la dissolution de la conscience est plus durable, vivent dans un monde imaginaire, incarnant les personnages de leur délire.

imago, image d'une personne formée pendant la petite enfance.

Associée aux expériences précoces, aux frustrations et aux satisfactions infantiles, cette représentation porte une forte charge affective. Des sentiments ambivalents peuvent donner naissance à deux imagos contraires (bonne mère gratifiante et mauvaise mère frustrante, par exemple). Selon que prédomine la bonne ou la mauvaise imago, le sujet aura une relation au monde différente. En effet, en vertu du mécanisme de la projection*, l'imago agit comme un prisme défor-

Les deux personnes qui figurent sur ce dessin ont la même taille (d'après N. Sillamy).

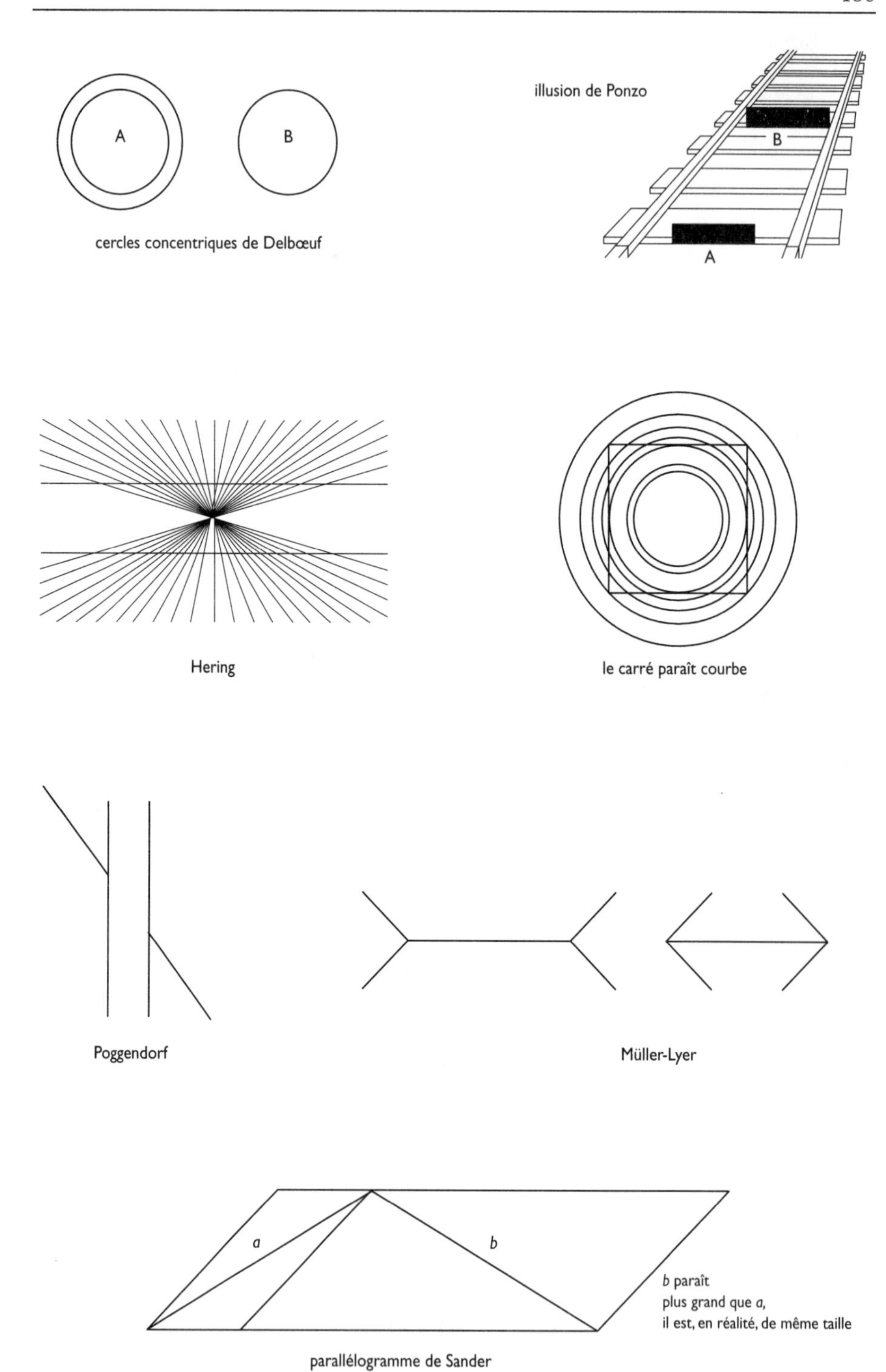

Différentes illusions d'optique.

mant (tendance à voir chez certaines personnes de l'entourage les caractéristiques essentielles de l'image conservée), oriente nos sympathies et commande, en partie, nos relations interpersonnelles.

imbécillité, déficience intellectuelle mettant une personne dans l'incapacité d'utiliser et de comprendre le langage écrit et de pourvoir à son entretien.
On n'utilise plus l'expression « imbécillité », mais celle de « retard mental moyen », figurant dans la nomenclature des déficiences (arrêté du 9 janvier 1989) et qui lui correspond à peu près. Le développement mental achevé du retardé mental moyen peut varier de 4 à 6 ans d'âge* mental (Q.I. entre 35 et 49). Ce handicapé peut acquérir des notions de communication, des habitudes d'hygiène et de sécurité élémentaire, une habileté manuelle simple (faire un lit...), mais il n'apprendra pas à lire, à écrire ou à calculer.

imitation, reproduction de phénomènes.
L'imitation n'est pas un comportement spécifiquement humain. On l'observe couramment chez les animaux : un cheval qui se met à balancer sa tête est vite imité par certains de ses voisins d'écurie. Chez l'homme, la plupart des comportements sociaux (éducation, culture, tradition, coutume, mode, etc.) reposent sur elle. Le jeune enfant reproduit les sons et les intonations, puis la syntaxe pour acquérir le langage ; vers l'âge de trois ans, il imite les attitudes de ses parents, auxquels il s'identifie. Sa personnalité se forme dans les rôles* qu'il assume : il est autrui avant d'être lui-même.
L'imitation se fait généralement de l'enfant à l'adulte et de l'inférieur au supérieur. Elle se produit aussi de société à société. Pour les Japonais, apprendre (*manubu*), c'est imiter (*manebu*). L'imitation n'a pas que des effets heureux. Les conduites criminelles s'apprennent aussi par l'exemple. C'est ainsi qu'un garçonnet de dix ans (Nice, 1988) est devenu meurtrier en voulant faire « comme à la télévision ».

immersion (thérapie par), forme de thérapie comportementale* dans laquelle le patient, en état de relaxation, est confronté avec un stimulus anxiogène.
La thérapie par immersion est l'une des techniques de thérapie par provocation d'anxiété*, dont l'intention est de faire disparaître la peur en familiarisant progressivement le patient avec l'objet de sa crainte. Le stimulus peut être un mot (« serpent », par exemple), une image, une reproduction exacte de l'objet ou l'objet réel. Par exemple, on lâche une couleuvre et l'on demande au sujet de s'en approcher, de la regarder, de l'effleurer du bout des doigts, de la flatter avec la main pendant cinq secondes, puis dix secondes, de la prendre dans ses mains, de la mettre sur l'épaule, autour du cou, enfin contre sa joue. Le rôle du thérapeute est d'encourager le patient à supporter le maximum d'angoisse. Une postcure est nécessaire pour consolider le nouvel apprentissage.

I.M.P. → institut médico-pédagogique.

imprégnation ou **empreinte perceptive**, sensibilisation profonde et durable d'un individu à un ensemble de « stimulus-signes » spécifiques d'une espèce.
L'empreinte perceptive est une forme d'apprentissage quasi instantané, une sorte d'« illumination » (insight*), qui permet au nouveau-né de connaître les caractéristiques de l'espèce à laquelle il appartient. Dès sa venue au monde, le petit animal s'empreint de l'image de celui qui assiste à sa naissance (dans la nature, c'est toujours un congénère) et qu'il suivra désormais. Connu depuis l'Antiquité, ce phénomène fut analysé et expliqué par K. Lorenz* (1935). L'imprégnation se différencie des processus d'acquisition ordinaires en ce qu'elle se produit très précocement (peu après la naissance) et que la période sensible est limitée dans le temps (pas plus de vingt heures après l'éclosion chez le canard colvert). Chez l'être humain, J. Bowlby (1959) a décrit sous le terme d'attachement* des phénomènes analogues à l'imprégnation, c'est-à-dire des systèmes innés de réponse qui assurent l'établissement de liens avec la mère ou avec un substitut maternel.

impuissance, impossibilité d'accomplir l'acte sexuel par défaut d'érection.
Le taux d'impuissance s'accroît régulièrement avec l'âge : 1 ‰ à 20 ans, 7 % à 50 ans, 25 % à 60 ans, plus de 75 % à 80 ans. Ce trouble peut être d'origine organique (alcoolisme, dysfonctionnement endocrinien...) ou psychologique. L'impuissance peut être liée à la crainte d'un échec sexuel, à l'attitude de la femme (réserve excessive, ironie...) ou à une éducation rigide. L'impuissance névrotique survient chez des personnes émotives, qui n'ont pas liquidé leur angoisse infantile de la castration* et se sentent culpabilisées par l'expérience sexuelle.
Intimement liée à la culture et aux conditions vitales, l'impuissance serait inconnue dans certaines sociétés, telles celle des Marquisiens, indigènes des îles Marquises, où la sexualité est vécue comme l'exercice d'une fonction naturelle.

impulsion, tendance à l'action irréfléchie et mal contrôlée par la volonté.
Elle correspond généralement à un besoin impérieux (faim, désir sexuel, agressivité) et se traduit par des actes incoercibles, souvent dangereux (vols, violences). Sous l'influence de l'éducation, l'individu normal arrive à maîtriser ses impulsions, mais certains sujets (psychopathes, paranoïaques, hypomanes, alcooliques...) se laissent emporter par elles. L'impulsion se distingue de la compulsion* en ce sens que cette dernière s'impose au sujet après une lutte anxieuse, tandis que la première est immédiatement acceptée.

inadaptation, défaut d'intégration au milieu.
L'inadaptation, dont les causes peuvent être physiques (infirmité motrice), sensorielles (cécité, surdité), intellectuelles (arriération) ou caractérielles, se traduit par l'impossibilité d'assumer dans la société son rôle normal, de satisfaire ses exigences et celles de l'entourage. Selon la situation où elle se manifeste, on parle d'inadaptation familiale, scolaire, professionnelle ou sociale.
Le dépistage des inadaptés par suite de déficiences « instrumentales » (faiblesse des capacités intellectuelles, par exemple) se fait à l'aide d'épreuves sensorielles et de tests* mentaux ; en France, les enfants qui semblent présenter des difficultés d'adaptation peuvent en bénéficier dès l'école maternelle. → **enseignement spécial.**

inceste, relations sexuelles entre deux membres d'une même famille qui, du fait de leurs liens de parenté, ne pourraient pas se marier.
D'une façon générale, ce sont les rapports entre parents et enfants, ou entre frères et sœurs, qui sont interdits, mais l'interdiction peut s'étendre à d'autres degrés de parenté. À Buka (Mélanésie), l'union d'un oncle avec sa nièce est considérée comme un acte horrible. En Angleterre, jusqu'en 1907, le remariage d'un veuf avec la sœur de sa femme défunte était un grand crime. D'une société à l'autre, la prohibition de l'inceste concerne des personnes différentes.
L'interdiction des rapports sexuels entre membres d'une même famille (étendue dans certains cas à tout le clan) relèverait, primitivement, de considérations pratiques : l'intérêt du groupe commande de se marier en dehors de celui-ci (exogamie) afin d'établir des relations pacifiques avec ses voisins. Les psychanalystes pensent que cette interdiction traduit les défenses inconscientes de l'homme contre ses tendances profondes. En France, on estime à environ 5 000 par an le nombre de cas d'incestes. D'ordinaire, les rapports incestueux ont débuté dans l'adolescence et se sont poursuivis. Certains se situent dans un climat de crainte mais d'autres traduisent une relation amoureuse. → **Œdipe (complexe d').**

inconscient, ensemble des processus qui agissent sur la conduite mais échappent à la conscience.
D'après la théorie freudienne, l'inconscient, entendu comme substantif, est la partie du psychisme latent, faite de désirs et de processus psychologiques dynamiques, dont on ne peut disposer, car elle échappe à la connaissance. Refoulées hors du champ de conscience par une puissance de contrôle éthique (censure*), les forces inconscientes arrivent cependant à se manifester dans certains actes de la vie quotidienne (lapsus*, oublis*), dans les rêves et les symptômes névrotiques.

Dans l'inconscient, véritable substratum de la vie psychique, naissent les désirs et les fantasmes, et s'organisent les liens interhumains et les conduites. Par exemple, l'agressivité inconsciente d'une mère pour son enfant non désiré suscite chez elle un sentiment inconscient de culpabilité, suivi d'un comportement de « rachat » inconscient, s'exprimant par des soins excessivement vigilants et affectueux. L'exploration de l'inconscient est possible par la méthode des associations libres, l'analyse des actes manqués et, surtout, l'étude des rêves. La connaissance des phénomènes inconscients est indispensable pour la compréhension et la guérison des névroses. → **appareil psychique.**

incontinence, miction ou défécation involontaire mais consciente, par altération du contrôle sphinctérien.
L'incontinence est causée par une lésion organique précise ; elle doit être formellement distinguée de l'énurésie* et de l'encoprésie*, qui sont des conduites inconscientes. L'incontinence d'urine est relativement fréquente chez les sujets âgés. Souvent, elle détermine l'hospitalisation du vieillard, ce qui ajoute à son désarroi car, soudainement, il est privé de la présence des siens, de son cadre de vie et de ses habitudes.

indice, élément perceptif naturellement lié à une situation.
Par exemple, une empreinte dans la neige est l'indice du passage d'un animal. L'indice se distingue du signe* en ce sens que celui-ci est lié intentionnellement à l'objet ou à la situation : je laisse des traces derrière moi pour retrouver mon chemin dans la forêt. Indices, signes et signaux sont à la base de toute communication.

indifférence, état de celui qui, semblant détaché des contingences matérielles, ne manifeste aucun intérêt pour le monde qui l'entoure et ne paraît éprouver aucune émotion.
Il existe deux sortes d'indifférence. La première, d'origine déficitaire, s'observe, notamment, dans les états d'affaiblissement psychique. Certains vieillards ne participent plus comme auparavant aux événements familiaux, heureux ou malheureux. Ils sont devenus indifférents, et cette indifférence affective est un déficit. L'autre variété d'indifférence peut être qualifiée de « trouble de direction » de l'affectivité. Archimède, totalement absorbé par la recherche d'un problème, pendant le sac de Syracuse, se contenta de dire au soldat qui l'apostrophait : « Ne dérange pas mes cercles ! » Son indifférence représentait un changement de direction de cette affectivité, qui se détournait de la réalité immédiate pour se concentrer, en totalité, sur la solution d'un problème de géométrie.

individualisation de l'enseignement, méthode pédagogique consistant à adapter l'enseignement à l'âge, aux aptitudes et au caractère de chaque enfant.
Appliqué dans les écoles actives*, depuis le jardin d'enfants, où l'on utilise la méthode de M. Montessori*, jusqu'aux classes secondaires, dans lesquelles on emploie le système des fiches individuelles ou l'enseignement assisté par ordinateur (« enseignement programmé »), ce procédé offre l'avantage de respecter le rythme personnel de chacun.

industrielle (psychologie), branche de la psychologie appliquée qui s'intéresse aux problèmes humains de l'industrie.
Depuis ses débuts, où elle s'est occupée surtout de sélection, cette discipline s'est étendue et diversifiée. Actuellement, elle englobe le recrutement, l'affectation, la formation et le perfectionnement du personnel, l'analyse et l'évaluation du travail, le moral des travailleurs, la résolution des conflits, les systèmes de communication au sein de l'entreprise, la sécurité du travail, etc. Son but est d'améliorer la productivité en diminuant la fatigue du travailleur et en contribuant à son bien-être sur les lieux du travail. L'expression « psychologie industrielle » tend à être remplacée aujourd'hui par « psychologie du travail » et par « psychologie des organisations ».

infanticide, assassinat d'un nouveau-né.
Chez les peuples primitifs, ce comportement, très fréquent, était déterminé par des considérations sociales : en Australie et aux Nouvelles-Hébrides, par exemple, les mères sur-

chargées de travail et ne pouvant s'occuper de plus de deux ou trois enfants enterraient les autres dès leur naissance. Il semble donc que le sentiment maternel* soit susceptible d'être dévié considérablement par les conditions sociales.

infériorité (complexe d'), sentiment d'insuffisance.
Le complexe d'infériorité fut étudié, surtout par A. Adler*, qui en a fait le fondement de sa théorie psychologique. Ce sentiment naît dans l'enfance quand le sujet prend conscience de sa faiblesse naturelle. Dès ses premières années, l'enfant s'aperçoit qu'il est contraint de faire ce qu'il ne veut pas et empêché de réaliser ce qu'il voudrait. Par rapport à l'adulte, il est dans une situation d'infériorité qui, parfois, l'accable. Si les parents exigent de leur enfant qu'il agisse au-delà de ses possibilités, le sentiment d'incapacité se confirme et s'installe, avec ses effets déprimants. L'enfant se replie sur lui-même, se retire de l'action, se réfugie dans la rêverie consolatrice, pansant ses blessures avec des illusions.
Parfois, le complexe d'infériorité se cristallise autour d'une infirmité réelle (trouble de l'élocution, laideur) ou d'une caractéristique personnelle jugée déplaisante (petite taille, taches de rousseur...). Le plus souvent, il donne lieu à des comportements de qualité inférieure (brutalité, taquinerie, despotisme, vantardise) ou se traduit par des idées dépressives. Pour éviter la formation du complexe d'infériorité, il est nécessaire de veiller à créer autour de l'enfant un climat propice à son épanouissement. Tout en l'habituant à une discipline de vie indispensable, les parents doivent supprimer les excès d'autorité ; d'autre part, ils auront à lui faire prendre conscience de ses possibilités et de sa valeur en suscitant autour de lui des occasions de succès. → **compensation.**

Inhelder (Elisabeth Barbara Augusta, dite Bärbel), psychologue suisse (Saint-Gall, Suisse alémanique, 1913 – Ausserberg, canton du Valais, Suisse, 1997).
Durant ses études à Genève, elle a pour professeurs Édouard Claparède*, P. Bovet et J. Piaget*. Avec ce dernier, elle collabore durant des décennies. En 1948, elle est nommée professeur de psychologie à l'Institut Jean-Jacques Rousseau de Genève ; en 1971, elle occupe la chaire de psychologie génétique et expérimentale de l'université de Genève, rendue vacante par le départ en retraite de Piaget. Parmi ses ouvrages, citons : *De la logique de l'enfant à la logique de l'adolescent*, 1955 ; *Apprentissage et structures de la connaissance*, écrit en collaboration avec Hermine Sinclair et Magali Bovet, 1974 ; *le Cheminement des découvertes chez l'enfant*, 1992.

inhibition, diminution ou arrêt d'une fonction.
Une forte excitation provoque souvent une inhibition. Par exemple, un coup de poing violent à l'estomac peut provoquer l'arrêt réflexe des battements du cœur ; un bruit intense efface momentanément un réflexe conditionnel (inhibition active). L'inhibition psychique est un frein pour la pensée et rend impossible l'effort mental soutenu ; l'activité psychomotrice et volontaire est diminuée. Cet état se rencontre à des degrés divers, chez les sujets émotifs (en situation d'examen, par exemple), chez les psychasthéniques et les mélancoliques.

injure, parole, attitude ou allusion à contenu symbolique, perçue et vécue par le sujet injurié comme étant dévalorisante et blessante pour lui.
Par exemple, un bossu se trouve injurié et souffre d'être désigné comme « le bossu » dans la mesure où il se sent réduit à sa bosse, c'est-à-dire dévalorisé, dépouillé de ses qualités humaines, de son savoir, de ses aspirations. L'injure peut avoir une valeur thérapeutique (catharsis*) dans la mesure où elle se substitue à l'agression physique impossible.

insight (terme anglais, sans équivalent français, sinon le mot *intuition*, réservé à la psychologie humaine). Compréhension soudaine, par un animal, d'une situation déterminée.
Après quelques essais infructueux pour atteindre une banane placée hors de sa portée, un chimpanzé empile deux caisses l'une sur l'autre et utilise une branche d'arbre comme

gaule (W. Köhler, 1925). Brusquement, la solution lui est apparue, les éléments disponibles s'étant réorganisés en fonction du but poursuivi.

instabilité, agitation excessive d'un enfant qui touche à tout, passe d'une activité à l'autre, se déplace et bavarde sans cesse.
L'instabilité psychomotrice est relativement fréquente (de 4 à 10 % des enfants scolarisés, surtout chez les garçons) ; elle constitue un handicap sérieux pour les écoliers contraints de rester immobiles et silencieux à leur place. Elle est la cause de conflits avec les parents et les éducateurs et entretient un climat d'insatisfaction généralisée. L'instabilité psychomotrice a une base constitutionnelle, mais elle est favorisée par les conditions existentielles et socioaffectives dans lesquelles sont élevés les enfants : déficit cumulé de sommeil, insécurité due à la mésentente conjugale, etc.
Selon l'importance du trouble, on parle de turbulence ou d'hyperkinésie. L'enfant turbulent parvient à se contrôler lorsqu'on lui demande de cesser de bouger ou d'être plus attentif, mais ce n'est pas le cas de l'enfant hyperkinétique. Il peut s'agir alors d'un problème neurologique, mais le plus souvent l'instabilité psychomotrice traduit un trouble affectif, un besoin d'attirer l'attention sur soi, une lutte contre la dépression. Le meilleur traitement est le conseil aux parents. Le petit instable a besoin d'une ambiance calme, d'une autorité continue, d'une compréhension bienveillante et affectueuse. Les cas rebelles peuvent faire l'objet d'une psychothérapie, voire d'un traitement psychopharmacologique, mais les résultats sont souvent décevants.

instinct, comportement spontané, inné et invariable, commun à tous les individus d'une même espèce et paraissant adapté à un but dont le sujet n'a pas conscience.
Les conceptions classiques admettaient que l'instinct était immuable. On sait aujourd'hui qu'il est susceptible de modifications. Un zoologiste, R. W. G. Hingston, pratiqua un trou dans la cellule d'une guêpe, de telle façon qu'il ne puisse être bouché de l'extérieur. L'espèce en question œuvrant toujours de l'extérieur, la guêpe travailla vainement pendant deux heures, jusqu'à la nuit, puis abandonna. Le lendemain matin, elle revint, examina la cellule endommagée des deux côtés puis entreprit de la réparer de l'intérieur (cité par W. H. Thorpe, 1956). « On trouve à tous les niveaux, et jusque chez les protozoaires, des conduites d'apprentissage*, en marge des instincts » (J. Piaget, 1965) mais plus on s'élève dans l'échelle zoologique, plus les conduites sont plastiques, susceptibles d'être influencées par l'apprentissage. Chez l'homme, les comportements préformés sont exceptionnels (tétée) ; presque toutes ses conduites sont apprises.

institut médico-pédagogique (I.M.P.), établissement public ou privé, fonctionnant en internat ou en externat et recevant des enfants d'âge scolaire présentant une déficience intellectuelle, le plus souvent associée à d'autres troubles.
L'âge d'admission peut être abaissé d'un an et le maintien dans l'établissement peut se poursuivre jusqu'à la majorité. Les élèves bénéficient d'un enseignement* spécial, dispensé par des instituteurs et des éducateurs spécialisés, éventuellement d'une rééducation du langage (orthophonie) ou de la motricité ainsi que d'une psychothérapie assurée par des psychologues ou des médecins. Les I.M.P. ont fréquemment une section professionnelle (I.M.Pro) où les adolescents reçoivent une préformation professionnelle. D'après certaines études (R. Mazin, 1972), un séjour de longue durée dans un I.M.P. – I.M.Pro serait un facteur important de réinsertion sociale.

institutionnelle (psychothérapie), au sens le plus large, effet thérapeutique qu'exerce une institution sur les malades qui y sont traités. Dans un sens restreint, ensemble des techniques psychosociologiques mises en œuvre pour améliorer les rapports interpersonnels au sein d'un hôpital afin de faire de cette institution un instrument réellement thérapeutique.
Centre de soins tout autant que lieu de vie, l'hôpital psychiatrique s'efforce, depuis le début des années 50, d'améliorer les conditions

d'existence des malades et les relations humaines en son sein. Dans cette intention, on y crée des ateliers d'ergothérapie*, des clubs d'arts plastiques, de théâtre, de musique, de sport, de yoga, etc., à la gestion desquels les malades sont associés autant que possible. Une telle vie sociale nécessite des rencontres et des échanges, ne serait-ce que pour partager les responsabilités et réduire les inévitables tensions. Lors des réunions périodiques, auxquelles participent les pensionnaires, le personnel soignant et même le personnel administratif, les difficultés rencontrées sont débattues. De telles discussions, conduites par des praticiens prudents et expérimentés, finissent par transformer le climat de l'institution : les attitudes autoritaires, agressives et inhibitrices sont progressivement abandonnées au profit de conduites plus démocratiques et plus épanouissantes.

intégration scolaire (classe d'). Classe spéciale accueillant de façon différenciée, dans certaines écoles élémentaires ou exceptionnellement maternelles, des enfants atteints d'un handicap moteur, sensoriel ou mental, susceptibles néanmoins de tirer profit, en milieu scolaire ordinaire, d'un enseignement approprié et adapté à leurs possibilités.

La loi d'orientation en faveur des personnes handicapées*, du 30 juin 1975, et celle relative à l'éducation, du 10 juillet 1989, ont fixé comme objectif prioritaire l'intégration des enfants handicapés dans le milieu scolaire ordinaire. Mais une telle action nécessite généralement une aide* adaptée à l'élève et un soutien à l'enseignant. Les circulaires n° 91-302 et n° 91-304, du 18 novembre 1991 (B.O. n° 3, du 16/1/92, du ministère de l'Éducation nationale) précisent les formes et les modalités de cette intégration qui, pour être individuelle ou collective, à temps partiel ou à temps plein, mise en œuvre dans une classe ordinaire ou spécialisée, bénéficiant ou non de soutiens extérieurs, devra toujours éviter la reconstitution des structures ségrégatives. Les classes d'intégration scolaire (Cl.I.S.), définies dans la circulaire n° 91-304, remplacent les classes de perfectionnement* et les classes pour handicapés moteurs ou sensoriels. Leur effectif est limité à 12 élèves. Il existe des Cl.I.S. pour enfants atteints d'un handicap mental, confiées à des maîtres titulaires du certificat d'aptitude aux actions pédagogiques spécialisées d'adaptation et d'intégration scolaires (C.A.P.S.A.I.S.), option E ou D ; des Cl.I.S. pour enfants atteints d'un handicap auditif, pris en charge par des maîtres possédant le C.A.P.S.A.I.S., option A ; des Cl.I.S pour déficients visuels ou aveugles, confiées à des maîtres titulaires du C.A.P.S.A.I.S., option B ; enfin, des Cl.I.S. pour enfants présentant un handicap moteur dont sont chargés des maîtres ayant le C.A.P.S.A.I.S., option C. L'admission des élèves dans les Cl.I.S. est subordonnée à la décision d'une commission* de l'éducation spéciale, généralement de la commission de circonscription de l'enseignement préélémentaire et élémentaire (C.C.P.E.). La situation des élèves est révisée chaque année. Dans chaque Cl.I.S., le maître élabore un projet pédagogique pour le groupe et un pour chaque élève. Pour chacun, il fixe des objectifs, en liaison avec la famille, et détermine les aides et les équipements dont il a besoin (ordinateurs, machines à écrire, Minitel, magnétoscopes, calculatrices...). Lorsque le recours à des intervenants spécialisés est nécessaire, c'est encore lui qui établit les liaisons nécessaires.

intellectualisation, mise à distance d'émotions et de conflits psychiques par leur expression sous forme de propositions abstraites.

Ce mécanisme de défense est utilisé surtout par les adolescents qui, en discutant d'amour libre, de politique, de religion, de mariage, etc., s'efforcent de maîtriser leurs pulsions.

intelligence, aptitude à comprendre les relations qui existent entre les éléments d'une situation et à s'y adapter afin de réaliser ses fins propres.

Pendant longtemps, on a pensé que seule l'activité conceptuelle et logique de l'homme, élaborée à partir du langage, était intelligente, tandis que les autres comportements adaptatifs résultaient de l'activité instinctive. Mais, depuis le début du XXe siècle, on a établi d'une façon certaine l'existence d'autres for-

mes d'intelligence. Aussi a-t-on proposé (E. L. Thorndike, 1920) de distinguer, au moins, trois grands types d'intelligence : intelligence *abstraite* ou *conceptuelle*, caractérisée par l'aptitude à utiliser le matériel verbal et symbolique ; l'intelligence *pratique*, qui se trouve à l'aise dans le concret, lorsqu'il faut manipuler des objets ; l'intelligence *sociale* enfin, qui implique la compréhension des êtres humains et la facilité à s'entendre avec eux. Les enfants ont une intelligence essentiellement pratique.
Cette faculté de résoudre des problèmes concrets se retrouve chez les animaux supérieurs. Les travaux de W. Koehler et de N. Ladyguina-Kohts sur les chimpanzés ont établi que les singes supérieurs sont capables de confectionner des instruments (redresser un fil de fer enroulé sur lui-même pour pousser un appât coincé dans un long tube mince). Le chimpanzé est même capable de réussir des épreuves pratiques, accessibles à l'enfant normal de neuf ou dix ans (K. Gottschaldt).
L'intelligence est l'instrument majeur de l'adaptation*. Selon leur bagage héréditaire, leur histoire personnelle et leur milieu*, les individus ont des formes et des niveaux d'intelligence différents. → **opératoire (théorie), test.**

interéducation, éducation des enfants par les enfants.
Aux XVIIIe et XIXe siècles, l'enseignement mutuel était fort répandu, les élèves les plus instruits servant de moniteurs auprès des plus jeunes. Il offrait l'avantage de satisfaire le besoin de responsabilité, fréquent chez l'adolescent, qui affirmait ainsi son moi social. L'interéducation a presque disparu de l'enseignement mais elle est toujours largement pratiquée dans les mouvements de jeunesse inspirés du scoutisme.

intérêt, ce qui importe à un moment donné.
L'intérêt naît du besoin*. J. S. Bruner et L. Postman ont montré à quel point l'intérêt pouvait avoir une influence sur la mémoire. Des étudiants se révélèrent capables de répéter, sans hésitation, des paroles prononcées incidemment devant eux parce qu'elles se rapportaient à des valeurs qui leur tenaient à cœur, tandis qu'ils avaient oublié ce qu'on leur avait dit sur des sujets de peu d'intérêt pour eux. Le sens étymologique du mot intérêt (latin *interesse,* « être au milieu de ») exprime la relation de convenance entre l'organisme et le milieu.
Tout comportement est motivé par un intérêt. Le principe d'action qu'il renferme est utilisé par les éducateurs, l'école active* y faisant constamment appel. Les systèmes pédagogiques de O. Decroly et de J. Dewey organisent les sujets d'études autour de centres d'intérêt pris dans le milieu immédiat (à partir du lait, par exemple, les enfants s'intéressent à la vache, à la fabrication du beurre, du fromage, etc.). E. Spranger distingue les intérêts théoriques (relatifs aux activités rationnelles et scientifiques), économiques, esthétiques, sociaux, politiques et religieux, qui apparaissent déjà vers 11 ou 12 ans. La connaissance des intérêts professionnels permet de conseiller utilement les adolescents dans le choix d'un métier, car il a été démontré que la réussite dans celui-ci dépend tout autant de l'intérêt qu'on lui porte que des aptitudes nécessaires à son exercice. L'*inventaire d'intérêts professionnels* de Rothwell-Miller (I.R.M.), dont la première version française, mise au point par R. Bonnardel, a été révisée par J. L. Bernaud et P. Priou (1995), permet d'apprécier douze domaines : scientifique, littéraire, social, médical, etc.

intérocepteur, récepteur sensitif innervant la surface interne du corps (C. S. Sherrington).
L'usage courant a étendu cette expression à toutes les terminaisons du champ réceptif interne, jusqu'à y comprendre les propriocepteurs* et les viscérocepteurs*.

interprétation, explication en termes clairs d'un phénomène obscur ou incompréhensible.
En psychologie, l'interprétation est, essentiellement, hypothèse. On interprète un test comme on interprète une conduite, c'est-à-dire que l'on essaie, par des déductions logiques, de rassembler en un tout cohérent le plus grand nombre de faits empiriques. Le fondement de toute interprétation est le prin-

cipe d'*idonéité*. Lorsqu'on ne connaît pas le vrai, dit F. Gonseth, il faut chercher l'idoine, c'est-à-dire ce qui convient le mieux, qui tient compte des conditions et se plie aux exigences de la logique. Les interprétations du psychologue ou du psychanalyste ne sont que des propositions plausibles ; jamais elles n'apportent de preuve.

introjection, mécanisme psychologique inconscient d'incorporation imaginaire d'un objet ou d'une personne.
Le jeune enfant qui s'identifie à son parent du même sexe imite inconsciemment ses attitudes et adopte ses manières de penser. La formation des sentiments moraux est liée à l'introjection des interdits venant des parents.

introspection, méthode d'observation des états de conscience d'un sujet par lui-même.
De Socrate à H. Bergson*, la psychologie classique s'est édifiée sur la méthode subjective. Mais les défaites de cette « psychologie à la première personne » – difficulté pour le sujet d'être un observateur impartial, de communiquer à autrui ses connaissances avec précision par suite des limitations du langage ; impossibilité d'accéder aux phénomènes inconscients – suscitèrent l'hostilité de certains psychologues (les béhavioristes), qui, voulant faire de la psychologie une science objective, prétendirent ne s'intéresser qu'aux comportements observables extérieurement et la réduisirent à une psychologie sans âme. Cependant, malgré ce courant contraire, l'introspection conserve un rôle indispensable dans la psychologie actuelle, dont elle est une méthode utile à côté de l'observation et de l'expérimentation. Les informations qu'elle apporte (sous la forme d'entretiens et de questionnaires d'auto-évaluation) sont irremplaçables en psychologie clinique.

introversif, dans la classification de Rorschach*, type de « résonance intime » mis en évidence par le psychodiagnostic, où la formule principale K/C fait apparaître une nette prépondérance des réponses mouvement (K) sur les réponses couleur (C). Le monde de l'introversif est la pensée plutôt que l'action.

introversion, repliement sur soi.
Le sujet introverti a tendance à se désintéresser du milieu ambiant et à rechercher toutes ses satisfactions dans son monde intérieur. Il se lie peu, paraît méditatif, taciturne et gauche en société.

intuition, compréhension immédiate et irréfléchie du réel.
D'après la *Gestaltpsychologie**, l'intuition serait l'appréhension directe d'éléments organisés spontanément en un ensemble déterminé. Pour P. Sorokin, c'est « une sorte d'illumination instantanée et imprévisible » qui permet d'accéder directement à l'essence d'un être ou à la solution d'un problème. C. G. Jung en fait une fonction fondamentale de la psyché, grâce à laquelle, subitement, un contenu nous est présenté, sous une forme définitive, sans que nous sachions comment il s'est constitué.
Cette capacité n'est pas également distribuée parmi les individus, mais elle est un trait caractéristique de l'enfant et du primitif. Chez les adultes, certains sont particulièrement intuitifs. On les trouve surtout parmi les écrivains et les savants. Nombre de chercheurs ou de mathématiciens, tel H. Poincaré, ont souligné le rôle prépondérant que joue l'intuition comme point de départ de leurs découvertes ou de leurs inventions. En psychologie, l'intuition est essentielle. Grâce à elle, le clinicien est transporté au cœur du sujet et appréhende « ce qu'il a d'unique et par conséquent d'inexprimable » (H. Bergson). Mais pour cette raison même, parce que souvent les données intuitives sont invérifiables, beaucoup de praticiens se méfient de l'intuition qu'ils s'efforcent de remplacer par des méthodes rationnelles. → **insight.**

isolation, mécanisme psychique ayant pour effet d'affaiblir une représentation (le souvenir d'un fait ayant provoqué une émotion intense, par exemple) en l'isolant du contexte et de son support affectif.
Coupée de tous ses liens associatifs, une telle représentation peut être évoquée sans angoisse. Ce mécanisme de défense* du moi est spécifique de la névrose obsessionnelle. C'est à lui que l'obsédé doit de paraître froid et

détaché, de pouvoir évoquer les souvenirs les plus émouvants en restant impassible.

Itard (Jean), médecin français (Oraison, Alpes-de-Haute-Provence, 1774 – Passy, Seine, 1838)
Médecin résidant de l'Institution impériale des sourds-muets (1800), il s'intéresse à Victor, l'enfant sauvage* découvert dans l'Aveyron, et entreprend de l'éduquer. Contre toute attente, Victor réussit avec succès les exercices sensoriels que lui propose son maître, puis à lire et à écrire pour exprimer ses besoins et solliciter les moyens de les satisfaire. Toutefois, en dépit de tous ses efforts, Victor ne put jamais s'exprimer oralement. Les organes de l'ouïe et de la parole, bien qu'exempts de toute lésion, semblaient, pour n'avoir pas assez tôt servi, ne pouvoir jamais être utilisés. Cette rééducation fait d'Itard le promoteur de la pédagogie des enfants anormaux. Son enseignement fut suivi par E. Seguin, qui le diffusa aux États-Unis. M. Montessori* s'en inspira pour élaborer sa propre méthode. → **période sensible.**

item, élément d'un test*.
Dans une échelle psychométrique, un item peut se présenter sous des formes diverses : questions (« qui est le président de la République ? »), actes à accomplir (« mets le cube dans la tasse »), dessin à reproduire, etc. Chaque item renvoie à un objectif bien défini.

jalousie, état affectif caractérisé par la crainte de se trouver dépossédé de ce à quoi l'on tient (puissance, amour d'une personne). D'une façon plus restrictive, on entend par jalousie le sentiment produit par la crainte qu'une personne aimée n'en préfère une autre. Pour le jeune enfant, tous ceux qui partagent avec lui l'amour et les soins de sa mère sont des usurpateurs (complexes d'Œdipe* et de Caïn). Son agressivité à leur égard s'exprime parfois dramatiquement : un enfant bat à mort son frère nouveau-né, un autre, plus âgé, jette au feu l'ours du puîné (conduite symbolique). Une telle agressivité traduit le désarroi de l'enfant qui redoute d'être délaissé, voire abandonné, au profit de son rival. Chez l'adulte, à l'origine de certains crimes (où l'on peut déceler une tendance justicière) ou états névrotiques, il n'est pas rare de retrouver des séquelles de jalousie infantile. Certains auteurs croient que ce sentiment est universel et inné. H. Wallon* rappelle que la jalousie se rencontre même chez les animaux (si l'on caresse un chien, l'autre se précipite pour prendre sa place). R. Linton observe qu'aux îles Marquises, où la liberté sexuelle est totale, les indigènes manifestent pourtant leur jalousie quand ils sont ivres, c'est-à-dire quand leur contrôle volontaire est diminué. D'autres psychosociologues (O. Klineberg), au contraire, pensent que ce sentiment est d'origine culturelle.
La jalousie ne s'attache pas au désir de jouissance exclusive des faveurs de l'autre, mais au statut social. Dans les sociétés monogamiques, l'adultère ne suscite des réactions jalouses que dans la mesure où il est générateur d'insécurité (matérielle ou affective) et où la notion de valeur personnelle (prestige, honneur) est en cause. Cela est tragiquement vrai pour le jaloux délirant, qui n'hésitera pas à défigurer ou à tuer le partenaire « aimé ». Les jaloux sont des passionnés anxieux, sadomasochistes, qui recherchent avec avidité toutes les preuves de leur infortune supposée et sont inaccessibles aux arguments raisonnables. D'après les psychanalystes (Lagache*, 1947), leur conduite serait dictée par des sentiments complexes (homosexualité latente, fixation œdipienne, haine du partenaire, etc.) dont ils n'ont aucunement conscience.

James (William), philosophe américain (New York 1842 – Chocorua, New Hampshire, 1910).
Fondateur avec C. S. Peirce de l'école pragmatiste, il publie *le Pragmatisme** (1907), dans lequel il affirme que la vérité est « ce qui est pratique, utile ou efficace ». Dans le domaine psychologique, ce médecin, venu à la psychologie par l'intermédiaire de la psychophysiologie, pense que les faits psychiques ne sont que la prise de conscience de désordres physiologiques (*Principes de psychologie*, 1890). On lui doit une critique de la théorie de l'effort de Maine de Biran (1880) et d'autres essais sur l'expérience religieuse. Les idées de James se retrouvent, appliquées à la pédagogie, chez J. Dewey* pour qui toute éducation doit tendre à adapter l'individu au monde qui l'entoure.

Janet (Pierre), psychologue français (Paris 1859 – id. 1947).
Ancien élève de l'École normale supérieure, agrégé de philosophie (1882), docteur ès let-

tres (1889) et docteur en médecine (1893), P. Janet dirigea le laboratoire de psychologie à la Salpêtrière et professa à la Sorbonne et au Collège de France (1895), en remplacement de T. Ribot. On retrouve chez lui certaines des idées de ce dernier (la psychologie doit se limiter à l'observation et à l'expérimentation), qu'il développe selon sa propre originalité. Son œuvre gravite autour des notions de force et de tension psychologiques. La « force psychologique » (ou force des tendances) correspond au *potentiel d'énergie* d'une personne et la « tension psychologique » à l'*utilisation* qui en est faite. Force et tension psychologiques peuvent être modifiées par la fatigue, les émotions, les intoxications, etc. Quand la force d'une tendance diminue, la tension se maintient difficilement et le sujet ne franchit pas le stade du désir et de la rêverie. Lorsque la force est puissante et la tension faible, l'agitation se manifeste. Parmi les nombreux ouvrages de Janet, citons *l'Automatisme psychologique* (1889), *De l'angoisse à l'extase* (1926-1928), *la Force et la faiblesse psychologiques* (1932).

jasis → babillage.

Jaspers (Karl), philosophe et psychiatre allemand (Oldenburg 1883 – Bâle 1969).
Appliquant sa réflexion au drame humain et à ses pôles principaux :la communication, la souffrance, la culpabilité, la mort, il est un des principaux philosophes existentialistes de notre époque. Selon lui, les relations humaines doivent être conçues comme les formes d'un « combat amoureux » qui oscille sans cesse de l'amour à la haine. En réaction contre le courant organiciste, il introduisit la psychologie compréhensive et la phénoménologie en psychiatrie. On lui doit une *Psychopathologie générale* (1913), qui envisage le malade « dans la totalité vivante de sa personnalité », et de nombreux autres ouvrages. → **intuition.**

jeu, activité physique ou mentale sans fin utile, à laquelle on se livre pour le seul plaisir qu'elle procure.
Pour l'enfant, tout est jeu :tout d'abord, il joue avec son corps. Par la suite, il prend plaisir à reproduire les éléments de son environnement (l'aboiement du chien...). Vers 4 à 5 ans, il imite son entourage (la maman, le médecin, etc.) Après *les jeux de rôles,* où l'identification occupe la place essentielle, viennent les *jeux de règles* (5 à 7 ans), grâce auxquels l'enfant éprouve la nécessité des conventions. Jadis méprisé, le jeu a été réhabilité par la psychologie contemporaine et l'école active, dont il constitue l'une des assises principales. L'introduction du jeu en classe fournit au jeune écolier la motivation qu'il n'avait pas. Dans beaucoup de jardins d'enfants et d'écoles maternelles, dans certaines écoles primaires aussi, on utilise les éléments sonores et colorés du matériel Montessori* et, surtout, les jeux éducatifs d'O. Decroly*. Dans le domaine psychologique, on emploie le jeu comme moyen d'investigation et de traitement, surtout avec les enfants (marionnettes, modelage), mais aussi avec les adolescents et les adultes. → **psychodrame.**

jocothérapie, thérapeutique employée en médecine psychiatrique, qui utilise les jeux (d'adresse, de compétition, etc.) pour favoriser la resocialisation des malades mentaux. (Synonyme : *ludothérapie.*)
Le but que l'on se propose d'atteindre est de sortir le malade de son oisiveté et de son isolement. Les loisirs dirigés occupent une grande importance dans les hôpitaux psychiatriques ; la difficulté à laquelle on se heurte généralement réside dans la mise en train des malades.

Jones (Ernest), neurologue et psychanalyste anglais (Rhosfelyn, auj. Gowerton, pays de Galles, 1879 – Londres 1958).
Après ses études de médecine à l'université de Londres, il fit la connaissance de S. Freud, dont il admirait l'œuvre. Nommé professeur à l'université de Toronto, il introduisit la psychanalyse au Canada et aux États-Unis. Pendant vingt-deux ans il fut le président de l'Association internationale de psychanalyse. Son œuvre comprend des études cliniques et théoriques (*Traité théorique et pratique de psychanalyse*, trad. 1925) et des essais de psychanalyse appliquée à la religion (*la Psychologie de la religion*), à l'art, aux lettres (*Hamlet et Œdipe*, trad. 1967), etc. Il a publié plusieurs études

sur Freud (*la Vie et l'œuvre de S. Freud*, trad. 1958-1969).

jouet, objet utilisé par les enfants pour s'amuser.
Les jouets sont les supports du développement intellectuel et moteur des enfants et les auxiliaires des parents. Ceux-ci en sont conscients qui, en France, consacrent chaque année 13 milliards de francs, en moyenne, en achat de jouets (R. Rérolle, 1988). Mais les meilleurs jouets ne sont ni les plus sophistiqués ni les plus luxueux.

jugement, appréciation d'un rapport entre différentes idées ; conclusion d'un raisonnement.
Le jugement ne peut s'exercer sans un minimum d'intelligence et de connaissances, mais il ne se réduit pas à celles-ci : une « tête bien pleine » n'en est pas toujours apte ; une affectivité troublée suffit à le fausser. La jalousie, par exemple, ou la paranoïa conduisent à l'aberration des idées.

Jung (Carl Gustav), psychologue et psychiatre suisse (Kesswil, Thurgovie, 1875 – Küsnacht, près de Zurich, 1961).
Il fit ses études de médecine à l'université de Bâle et les compléta, en 1902, à Paris avec P. Janet. À Zurich, il fut l'assistant d'E. Bleuler* ; puis médecin-chef de la clinique psychiatrique de l'université. Rapidement converti aux théories psychanalytiques de S. Freud, dont il devint, en 1907, le disciple et l'ami, ce fils de pasteur, rebuté par l'aspect matérialiste des idées freudiennes, se sépara de son maître, après une collaboration de cinq ans, pour fonder une nouvelle école de « « psychologie analytique ». Jusqu'en 1946, il occupa la chaire de psychologie médicale, à Bâle, puis fonda à Zurich, en 1948, l'Institut Jung, qu'il dirigea jusqu'à sa mort.

Dans de nombreux ouvrages, il développa ses idées, dont la plus importante paraît être celle de *l'inconscient collectif*, fondement de l'imagination, commun à tous les peuples à travers les âges, qui se manifeste dans les religions, les mythes et les doctrines ésotériques. Pour vérifier cette conception fondamentale, Jung entreprit une vaste enquête. À travers une série de voyages, il étudia les religions primitives et orientales et l'alchimie. Cette immense recherche confirma l'auteur dans sa croyance en l'existence d'un fonds commun universel, producteur d'archétypes, images et symboles indépendants du temps et de l'espace. Parmi ses ouvrages traduits en français, citons *l'Homme à la découverte de son âme* (1943), *Types psychologiques* (1921), *Ma vie.* (1962).

Kerschensteiner (Georg), pédagogue allemand (Munich 1854 – id. 1932)
Après avoir été successivement maître d'école, professeur de mathématiques et de sciences naturelles et conseiller scolaire à Munich (1895), il devient professeur honoraire de l'université de cette ville, où il fait des cours sur l'éducation. Son souci est d'utiliser les intérêts pratiques des élèves pour les instruire et de lier étroitement l'enseignement théorique aux exercices concrets. Ses principales œuvres sont *Die Entwickhung der zeichnerischen Begabung* (« Développement de l'aptitude au dessin », 1905), *Begriff der Arbeitsschule* (10e éd., 1953), *Theorie der Bildung* (« Théorie de l'éducation », 1926).

kinèse → cinèse.

Kinsey (Alfred Charles), biologiste américain (Hoboken, New Jersey, 1894 – Bloomington, Indiana, 1956).
Professeur de zoologie à l'université d'Indiana, il est chargé d'enquêter, en 1942, sur la sexualité des américains. Avec ses collaborateurs, il interroge 11 230 personnes (16 392 entretiens), réparties sur tout le territoire des États-Unis et représentatives de la population américaine. Les résultats de leurs travaux ont été publiés sous la forme de deux rapports, le premier relatif au comportement sexuel de l'homme (1948), le second sur celui de la femme (1953). Leurs recherches font apparaître que les conduites sexuelles de l'homme et de la femme sont extrêmement variées et que ce que l'on réprouvait hautement était de pratique courante. → **paraphilie.**

Klein (Melanie), psychanalyste anglaise d'origine autrichienne (Vienne 1882 – Londres 1960).
Ses recherches, centrées sur les conflits précoces survenant dans la relation mère-enfant, l'amènent à distinguer deux moments dans la première année de la vie, caracterisés chacun par une « relation d'objet » particulière (c'est-à-dire une façon d'appréhender l'« objet » et de se situer par rapport à lui).
Le premier de ces moments, dit « position schizo-paranoïde », couvre les trois ou quatre premiers mois de la vie. À cette période, le nourrisson établit des relations avec un « objet partiel », principalement le sein de la mère, sur lequel sont projetées les pulsions libidinales (instinct de vie) et les pulsions agressives, « sadiques orales », alors particulièrement violentes. De ce fait, le sein maternel est partagé en « bon » et « mauvais » objet. Lorsqu'il procure du plaisir*, il est le « bon sein aimé »et oriente la pulsion de vie à l'extérieur ; lorsqu'il ne donne pas ces satisfactions et qu'il est frustrant, il devient le « mauvais sein haï et persécuteur », support de la pulsion agressive. Corrélativement au clivage de l'objet, il se produit un clivage du moi (un « bon moi »et un « mauvais moi »), en sorte que les aspects « bon »et « mauvais » restent séparés et que le « bon objet »ne puisse être détruit.
À la suite de cette période, vers le quatrième mois et jusqu'à la fin de la première année, une meilleure organisation des perceptions permet au bébé de mieux se situer. Sa mère est appréhendée dans sa totalité, en tant que personne distincte de lui et qui, tantôt présente, tantôt absente, établit des relations

avec d'autres individus. C'est alors que s'instaure la *position dépressive* dont le point culminant est atteint vers le sixième mois. À l'« objet total »se rapportent, désormais, les pulsions libidinales et les pulsions destructrices. C'est le même « objet », la mère, qui est à la fois aimé et haï. L'enfant fait l'expérience de l'ambivalence*, génératrice de culpabilité. De là naissent des formations réactionnelles telles que le désir de réparer les dommages qu'il lui cause dans ses fantasmes ; les mécanismes de projection* s'atténuent tandis que ceux de l'introjection s'intensifient. Conjointement, le moi, cessant de se fragmenter en composantes « bonnes »et « mauvaises », tend vers une meilleure intégration. La position dépressive est surmontée lorsque le « bon objet » est introjecté d'une manière stable et durable.

Pour Klein, ni la première ni la seconde des deux phases qui culminent dans la prime enfance ne sont jamais définitivement abandonnées, et chaque personne, tout au long de sa vie, peut régresser vers l'une ou l'autre de ces positions. À la plus archaïque, celle où dominent le clivage de l'objet et celui du moi et où les mécanismes de défense* sont, essentiellement, la projection et l'introjection, correspondrait une structure psychotique que l'on retrouverait chez l'adulte schizophrène et chez le paranoïaque. À la seconde, où le moi est unifié et où les mécanismes de défense sont surtout les formations réactionnelles, l'isolation, etc., correspondraient des processus psychiques que l'on retrouve notamment dans le deuil et les états dépressifs. Par ailleurs, il faut noter que M. Klein fait remonter le complexe d'Œdipe* à cette seconde phase (la « position dépressive »), c'est-à-dire dès que la relation à des « personnes totales » peut s'édifier. De M. Klein, on pourra lire les ouvrages suivants : *la Psychanalyse des enfants* (1932), *Essais de psychanalyse* (1947), *Développement de la psychanalyse* (1952).

kleptomanie, impulsion irrésistible à voler sans nécessité.

Cette affection, assez rare, se rencontre surtout chez les femmes, les fétichistes et les déficients intellectuels. Le kleptomane regrette immédiatement son acte, car son sens moral est intact. → **vol.**

Korsakov (syndrome de), affection mentale d'origine toxique (alcoolisme, le plus souvent), décrite par S. S. Korsakov (1854-1900). Le malade paraît confus et distrait ; il se souvient des faits anciens mais ne fixe plus aucun souvenir (tel malade lit chaque jour le même numéro d'un journal en y trouvant toujours le même intérêt) ; pour combler les trous de sa mémoire, il fabule avec assurance ; il est désorienté dans le temps et dans l'espace (il se perd facilement). À ces troubles s'associent habituellement des douleurs, une diminution des réflexes et une atrophie musculaire.

Kretschmer (Ernst), psychiatre allemand (Wüstenrot, près de Heilbronn, 1888 – Tübingen 1964).

Après avoir étudié la médecine successivement à Tübingen, Munich et Hambourg, il occupe les fonctions de médecin assistant, puis principal de la clinique neurologique de l'université de Tübingen (1913-1926). Nommé professeur de neurologie de l'université de Marburg-sur-Lahn, il occupe cette chaire pendant vingt ans, jusqu'en 1946, date à laquelle il retourne diriger la clinique de Tübingen. Son œuvre écrite est très importante. On lui doit surtout *Paranoïa et sensibilité* (1918), *la Structure du corps et le caractère* (1921), *Psychologie médicale* (1922), *Études psychothérapeutiques* (1949).

l

labilité, terme emprunté à la chimie pour caractériser une composante instable de la personnalité, singulièrement l'attention et l'affectivité quand elles sont particulièrement mobiles.
La labilité affective, appelée aussi variabilité de l'humeur, est la succession rapide ou même la coexistence, sous l'influence de facteurs extérieurs ou de l'idéation interne, de sentiments variés et souvent contradictoires. Dans le domaine de l'affectivité, c'est le corollaire de la mobilité de l'attention et de la fuite des idées. On pourrait presque qualifier la labilité affective de « mobilité de l'affectivité » ou de « fuite des sentiments ». Elle s'observe surtout chez les enfants et chez les adultes atteints d'excitation maniaque. Dans l'enfance comme dans la manie, l'affectivité et l'idéation sont superficielles, et un état affectif succède à un autre avec une rapidité surprenante. Bien qu'elle lui ressemble, l'ambivalence* pathologique se distingue de la labilité affective par son caractère immotivé et incompréhensible.

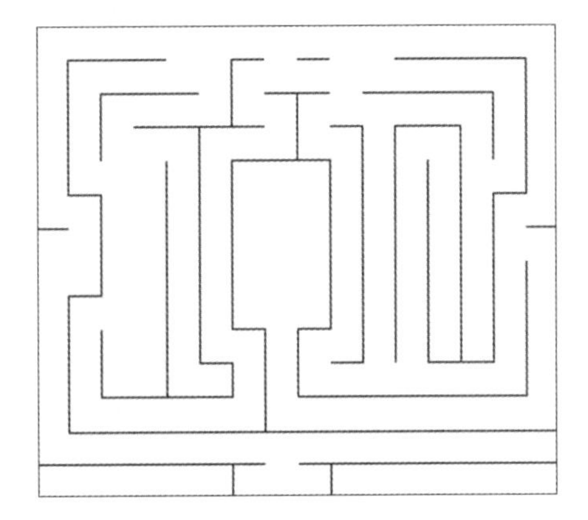

Schéma du labyrinthe de « Hampton-Court ».

labyrinthes (tests des), épreuve proposée par S. D. Porteus (1919), consistant en une série de labyrinthes imprimés, de difficulté croissante, destinée à apprécier le niveau mental et l'adaptabilité sociale des sujets qui y sont soumis.
Ceux-ci doivent parcourir chaque labyrinthe avec un crayon sans jamais revenir en arrière ni s'engager dans des impasses. Les individus impulsifs, incapables d'établir un plan d'action ou limités intellectuellement n'y parviennent pas.
D'autres labyrinthes sont fréquemment utilisés en psychologie expérimentale pour étudier la formation des habitudes. Par exemple, on enferme un animal affamé dans un dédale qui débouche sur une pièce où l'on a mis de la nourriture. Après avoir erré au hasard, le sujet découvre le bon chemin. Si l'on recommence l'expérience un certain nombre de fois, il finit par ne plus commettre d'erreur. Parmi les très nombreux modèles de labyrinthes construits pour ces expériences, le plus connu est celui dit « de Hampton-Court », imité de celui du jardin des rois d'Angleterre, situé près de Londres.

Lacan (Jacques Marie), médecin et psychanalyste français (Paris 1901 – id. 1981).
Il conçoit l'inconscient comme un réseau de « signifiants » dans lequel chaque élément est associé à d'autres ; ces combinaisons de signifiants obéissent à des lois précises et constituent des catégories et des sous-ensembles.

Et, puisque l'objet de la psychanalyse est l'inconscient, il faut, dit Lacan, le ramener dans son lieu pratique et théorique d'origine le champ de la parole, et l'étudier comme on étudie le langage, sous l'éclairage de la linguistique. L'enfant subit le langage et la culture de la société à laquelle il appartient, sans autre alternative que de les accepter ou de devenir aliéné. Dans ces conditions, l'être authentique n'est jamais dans le discours et la conduite de la personne, mais toujours caché sous son masque. Mais on n'est jamais sûr d'avoir compris cet auteur. En effet, dans son langage hermétique, voire autistique, les termes ésotériques et les néologismes abondent, et le même mot peut prendre de multiples significations. C'est à croire, dit F. Roustang (1986), que le principe d'unité de l'œuvre de Lacan, « tout entière tissée de confusions », est « l'incohérence systématisée, voulue et cultivée ». Parmi ses œuvres, citons *Écrits* (1966) et *l'Éthique de la psychanalyse* (1986).

Lagache (Daniel), psychologue français (Paris 1903 – id. 1972).

Agrégé de philosophie (1928) et docteur en médecine (1934), il est nommé professeur de psychologie successivement à la faculté des lettres de Strasbourg (1937) et à la Sorbonne (1947). Pour ce praticien de la psychanalyse, la psychologie ne peut être que « clinique »*, et son objet, l'étude des conduites* individuelles, envisagées dans une conjoncture socioaffective et culturelle déterminée. Lagache a été l'introducteur à la Sorbonne de la psychanalyse, qu'il enseigna en lui donnant une spécificité personnologique légitime et remarquable. Ses principaux ouvrages sont la *Jalousie amoureuse* (1947) et *l'Unité de la psychologie* (1949).

lallation → babillage.

langage, fonction d'expression et de communication de la pensée par l'utilisation de signes ayant une valeur identique pour tous les individus d'une même espèce et dans les limites d'une aire déterminée.

Le langage, qui est, à la fois, acte et instrument de la communication fondée sur des lois indépendantes des sujets particuliers, nous introduit à l'existence sociale.

On distingue plusieurs formes de langage : 1. *passif* (celui que l'on comprend) ; 2. *actif* (celui que l'on utilise, toujours plus réduit que le précédent) ; 3. *parlé* ; 4. *non verbal.* La parole n'est pas indispensable pour transmettre des significations de personne à personne. Les gestes, la mimique, les attitudes suffisent dans de nombreux cas à exprimer nos intentions, notre humeur, nos doutes, etc. Le langage gestuel des sourds-muets permet même d'exprimer des idées abstraites.

Le langage n'est pas réservé aux êtres humains. Les animaux possèdent leurs propres moyens de communication : cris, grognements, gémissements, etc., accompagnent les réactions affectives ; ces manifestations paraissent innées et uniformes dans l'espèce considérée. Il est possible que les animaux « parlent »entre eux. J. C. Lilly pense que les dauphins communiquent entre eux par ultrasons et disposent d'un « vocabulaire », étendu. Il a relevé qu'un animal solitaire reste silencieux, que deux dauphins « parlent » calmement tandis qu'une troupe fait (en ultrasons) un vacarme étonnant. De son côté, K. von Frisch* a montré que les abeilles possèdent un langage symbolique précis (danses sur le gâteau de cire) grâce auquel elles indiquent aux autres ouvrières la direction, la distance, l'emplacement du nectar et même sa qualité. Nous ignorons encore à peu près tout du langage des animaux, mais, de ce que nous en connaissons, il semble qu'il se différencie du nôtre par son caractère inné et, surtout, qu'il paraît lié à la situation présente (ce qui leur interdirait de se transmettre leurs découvertes).

À la différence des animaux, nous apprenons notre langage. Cette acquisition est conditionnée par la maturation* et l'intégration de l'individu dans un groupe humain. Sans l'une ou l'autre de ces conditions, l'apprentissage de la parole* est impossible : un bébé normal ne parle pas avant un an et un idiot* n'accédera jamais au plan du langage. D'autre part, un enfant laissé à l'abandon, même si son équipement nerveux et sensori-moteur est intact, ne parlera pas (c'est le cas des enfants sauvages, par exemple). Il lui manque, comme à l'enfant sourd, le modèle auditif qu'il pourrait imiter. En effet, chez l'être humain, l'imitation joue un rôle capital dans l'acquisition individuelle du langage. C'est elle qui permet à l'enfant de répéter d'abord les mots, puis les phrases, correctement, alors qu'il ignore tout de la syntaxe.

Primitivement, le nourrisson ne dispose que de la mimique, des attitudes, des sons et des cris pour exprimer ses états affectifs. À partir du deuxième mois, il commence à gazouiller (sons de consonnes) et, trouvant du plaisir dans ses vocalisations, il répète indéfiniment ses propres sons (réaction circulaire du sixième mois) avant de reproduire ceux des membres de son entourage (neuvième mois). À cette époque, il commence à comprendre certaines expressions et à acquérir un vocabulaire passif. Ses premiers mots sont généralement prononcés à un an ; ils ont la valeur de phrases : « lailai ! » peut aussi bien vouloir dire « voici du lait » que « je veux du lait ». Vers dix-huit mois, l'enfant fait des pseudophrases en juxtaposant deux mots (« Nanie bobo ! » pour « Annie s'est fait mal ») ; puis il introduit les verbes à l'infinitif et, vers deux ans, il forme des petites phrases correctes. Son vocabulaire, dès lors, s'enrichit rapidement : à quatre ans, il dispose d'environ 1 500 à 2 000 mots, à six ans de 2 500 à 3 000 mots (le vocabulaire d'un adulte moyen est de 20 000 mots environ). Ces acquisitions supposent l'intégrité des organes nerveux, sensoriels et moteurs, ainsi que des aptitudes intellectuelles suffisantes (observation, mémoire), sans lesquelles l'apprentissage de la langue est impossible. De plus, il est indispensable que l'enfant ait envie de communiquer avec les membres de son entourage. Sans ce désir, le langage, qui n'est pas naturel, reste pauvre ou seulement passif (mutisme psychogène).

Instrument privilégié de socialisation, permettant de communiquer sa pensée, d'agir sur autrui (ordres et questions appellent des réponses), de s'adapter au groupe (transmission des normes sociales) ou de se mettre en valeur (cas de l'enfant qui pose des séries de questions pour attirer l'attention sur lui), le langage sert aussi à se faire reconnaître en tant que personne par autrui ou à se libérer des tensions intérieures par l'injure, quand l'agression directe est impossible, par la confession ou la psychanalyse. Enfin, il complète les autres sources de connaissances en anticipant sur l'expérience personnelle, qu'il suscite et guide. Il constitue, à la fois, l'instrument essentiel de la pensée et le fondement de la vie sociale.

lapsus, erreur commise en parlant ou en écrivant.

Remplacer un mot par un autre peut s'expliquer par la fatigue, l'excitation ou un trouble de l'attention. Cependant, cette explication serait insuffisante d'après Freud, car ces conditions ne nous expliquent pas la forme que prend le lapsus. Comment expliquer le lapsus si fréquent qui consiste à exprimer exactement le contraire de ce qu'on a l'intention de dire ? « Je déclare la séance close ! » dit un président de chambre au moment de la commencer ; « mon mari peut manger ce que je veux » rapporte une femme autoritaire. La psychanalyse montre que les lapsus sont la conséquence de l'opposition de deux intentions différentes, dont l'une est préconsciente ou inconsciente. L'état physiologique peut favoriser les lapsus, en diminuant le contrôle de soi, mais ne les crée pas. → **acte manqué, oubli.**

latence (période de), période s'étendant de la cinquième ou de la sixième année à la puberté, au cours de laquelle la pulsion sexuelle semble apaisée.

L'enfant, sous l'effet des facteurs culturels, édifie des barrages contre ses tendances libidinales et manifeste, surtout, des intérêts intellectuels et sociaux (scolarisation). Cette éclipse passagère, normale dans notre société, n'est pas universelle. C. Lévi-Strauss, qui étudia les Indiens Nambikwara du Brésil, rapporte que les enfants se livrent sans honte, comme leurs aînés, aux jeux licites de l'amour sous l'œil amusé des adultes. Dans notre civilisation, les individus qui ne connaissent pas d'apaisement sexuel entre six et quatorze ans ne sont pas rares. Généralement, ce sont des sujets perturbés par suite de carences éducatives ou affectives, ou qui furent les victimes d'attentats à la pudeur.

latéralité, dominance fonctionnelle d'un côté du corps humain sur l'autre, qui se manifeste, en particulier, dans la préférence des individus à se servir, électivement, d'un œil ou d'un membre déterminé pour accomplir des opérations exigeant une certaine précision.

Plusieurs hypothèses explicatives de ce phénomène ont été avancées : anatomique, fondée sur le fait que l'hémisphère cérébral gauche serait mieux irrigué par le sang, sociologique, fondée sur une valorisation sociale de la droite, et, même, psychanalytique. Mais aucune de ces explications n'est tout à fait satisfaisante. Il n'y a, en effet, pas de différence significative entre les constitutions anatomiques des droitiers et des gauchers, qui se trouvent dans les mêmes proportions chez toutes les races. De plus, des études portant sur la latéralité ont montré que, chez un même individu, la dominance latérale pouvait différer de l'œil à la main ou au pied. On peut rencontrer, par exemple, des sujets gauchers pour l'œil et droitiers pour la main. Dans cette question, il est difficile de faire la part du facteur éducatif et de déterminer celle qui est physiologique. Les individus mal latéralisés éprouvent des difficultés particulières à coordonner leurs mouvements, à organiser leur activité temporo-spatiale et, surtout quand ils sont écoliers, à se servir du langage parlé ou écrit. → **dyslexie, gaucherie.**

Lavater (Johann Kaspar), philosophe suisse (Zurich 1741 – id. 1801).

Il rénova la physiognomonie*, dont les Anciens avaient jeté les fondements, et s'intéressa à la graphologie*. Il n'étudiait pas seulement l'organisation morphologique de la tête, mais essayait de déchiffrer le caractère à travers l'expression du visage et de l'ensemble du corps. *Ses Essais physiognomoniques* (1772) et ses *Éléments de physiognomonie pour favoriser la connaissance et l'amour des hommes* (1775-1778), qui connurent un très grand succès, n'avaient pas de caractère vraiment scientifique.

leader, celui qui est à la tête d'un groupe, qui l'entraîne et le dirige.

Avec l'introduction de la psychologie dans l'industrie et dans l'armée, le problème du chef s'est posé aux psychologues chargés de la sélection des cadres. Ils constatèrent tout d'abord que les opinions généralement admises (le chef est compétent, décidé, autoritaire, etc.) n'étaient pas toujours valables ; elles correspondent plus à un stéréotype social qu'à la réalité, infiniment plus subtile et complexe. Il n'y a pas seulement un type de leader mais une multitude, chacun variant avec les caractéristiques spécifiques de son groupe : unité combattante, équipe de travail, organisation de loisirs ; groupes d'enfants, d'adolescents, d'hommes ou de femmes, etc. Sous l'influence de K. Lewin et de ses élèves, l'intérêt s'est déplacé de la personnalité du meneur sur le groupe et sa dynamique interne. Le commandement n'est plus un phénomène individuel, mais le résultat des interactions sociales, de la tâche à accomplir tout autant que des facteurs personnels, de la structure et des réseaux de communication propres au groupe (transmission des informations par la voie hiérarchique, par exemple).

En expérimentant sur des petits ensembles, on a pu établir que la position d'un sujet dans un système de communication détermine sa fonction de leader ; dans un réseau en roue, c'est le sujet central (5) qui occupe cette place, car c'est lui qui reçoit et transmet le plus grand nombre d'informations. La sociométrie* montre, par ailleurs, que, dans un groupe où interviennent les sympathies et les antipathies, l'individu le plus souvent choisi par ses camarades pour ses qualités humaines joue fréquemment le rôle de chef, bien qu'il ne soit pas toujours le plus compétent. Habituellement, dans un groupe non institutionnalisé, on assiste à l'émergence de deux leaders, qui sont adoptés l'un pour ses idées et son efficacité, l'autre pour son charisme ; leurs influences se complètent, comme dans les monarchies constitutionnelles (le roi et le Premier ministre) ou les familles (le père et la mère).

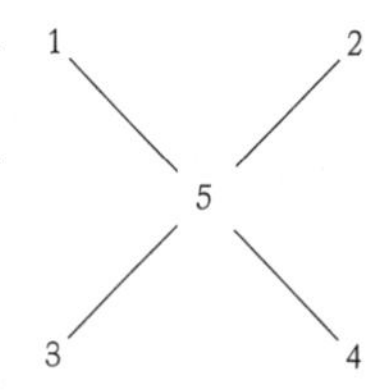

Le chef se définit moins par ses qualités personnelles que par son rôle social. C'est celui qui donne à l'ensemble la cohésion nécessaire pour réaliser les buts du groupe. En se référant à ce critère, on a créé certaines situations pour sélectionner les officiers et les chefs d'entreprise. Aux premiers on propose, par exemple, de traverser une rivière profonde avec un matériel rudimentaire et aux seconds on demande de résoudre un problème d'intérêt général, tandis que les observateurs enregistrent les conduites de chacun. On se rapproche ainsi de la situation réelle (la seule susceptible de confirmer la valeur d'un chef), mais on ne peut éviter que ces expériences restent, malgré tout, artificielles. → **commandement.**

lecture, action par laquelle on prend connaissance d'un texte écrit.
Apprendre à lire, c'est-à-dire comprendre la signification des signes codifiés par la société constitue le but premier de l'école. Cette acquisition accélère le processus de socialisation engagé par le langage oral. Elle exige certaines conditions intellectuelles et sensorimotrices : niveau mental d'au moins six ans ; pas de troubles de latéralisation, bonne orientation temporelle (rythme). Il existe différentes méthodes d'apprentissage de la lecture, dont les principales sont *synthétiques* (ou « syllabiques » : les lettres, symbolisant des sons, sont combinées en syllabes, mots et phrases) et *analytiques* (ou « globales » : l'enfant analyse des phrases), plus naturelles et attrayantes que les premières mais d'un maniement plus délicat. → **illettrisme.**

Leontiev (Alexeiev Nikolaiev), psychologue russe (Moscou 1903 – id. 1979).
Disciple de L. S. Vygotskii (1896-1934), il a été influencé par la théorie historico-culturelle de ce dernier, d'après laquelle si les hommes construisent l'histoire ils sont aussi déterminés par elle. Mais il a surtout poursuivi ses recherches dans la voie de la *théorie du reflet* de Lénine, qui conçoit l'esprit comme un reflet actif de la réalité sensible, qu'il interprète et modifie. Parmi ses œuvres citons *le Développement du psychisme* (1959 ; trad. fr. 1976).

leptosome
Individu aux formes longues, d'apparence fragile, qui serait, selon E. Kretschmer, facilement fatigable, hypersensible et tourné vers son monde intérieur. → **schizothymie.**

leptosomie, ensemble des caractères morphologiques du leptosome.
La forme extrême de la leptosomie constitue le type asthénique*.

leucotomie → lobotomie.

Lévi-Strauss (Claude), sociologue et ethnologue français (Bruxelles 1908).
Professeur au Collège de France (1959), il occupe la première chaire d'anthropologie sociale. Après avoir effectué plusieurs missions en Asie et en Amérique du Sud, il a publié d'importants ouvrages sur *les Structures élémentaires de la parenté* (1949), *l'Anthropologie structurale* (1958) et *la Pensée sauvage* (1962), qui étudie les manifestations spontanée, de la pensée humaine. On lui doit, en outre, *Tristes Tropiques* (1955) ; *le Totémisme aujourd'hui* (1962), la série des *Mythologiques* (1964-1971), *De près et de loin* (1988), et de nombreux autres travaux. En 1973, il a été élu à l'Académie française.

Lewin (Kurt), psychologue américain d'origine allemande (Mogilno, Prusse, Pologne actuelle, 1890 – Newtonville, Massachusetts, 1947). Professeur de psychologie à l'université de Berlin (1926), il émigra aux États-Unis à l'avènement du nazisme. De 1932 à 1945, il enseigna dans différentes universités (Stanford, Cornell, Harvard). Influencé par le climat de recherche américain, il délaissa les sujets classiques de la psychologie (volonté, association, perception) pour étudier, d'un point de vue dynamique, certains problèmes particuliers du comportement humain : frustration et régression (1937-1941), niveau d'aspiration (1936-1944), apprentissage (1942). Sa théorie, fondée sur la notion de « champ psychologique », le conduit à étudier expérimentalement les petits groupes et leur dynamique interne. Des extraits de son œuvre ont été publiés en français sous le titre *Psychologie dynamique* (1959). → **ambiance.**

libido, énergie motrice des instincts de vie.
La libido a une importance fondamentale dans les conduites humaines, qu'elle conditionne en grande partie. N'étant pas attachée exclusivement au fonctionnement des organes génitaux, elle peut s'orienter vers des objets ou des personnes (*libido objectale*), se tourner vers le corps propre (*libido narcissique*) ou encore alimenter les activités intellectuelles (*libido sublimée*).
Il existe un équilibre énergétique entre la libido narcissique (ou « libido du moi ») et la libido objectale : lorsque l'une augmente, l'autre baisse. Au cours de la croissance, cette énergie instinctuelle se localise sur certaines zones* érogènes, variables avec l'âge, ou sur certains objets. La psychanalyse explique de nombreux traits de caractère et la plupart des comportements inadaptés (névroses, perversions) par des fixations* durables de la libido en divers points de son évolution ou par la régression* vers l'un de ces stades. On reproche à cette théorie de ramener tous les conflits à cette seule source d'énergie.

lien (double), messages contradictoires, fréquemment répétés, enfermant deux ou plusieurs personnes dans une situation impossible.
Dans tout message parlé, on peut distinguer deux niveaux : le contenu manifeste et un message implicite (ou méta-message) contenu dans l'attitude et les intonations de la voix du locuteur. Dans l'expression : « vas-y, fais-le ! », on peut entendre l'encouragement ou la menace. Dans la seconde éventualité, l'intonation contredit l'injonction. Il existe des situations vitales où de telles contradictions se répètent fréquemment sans que l'une des personnes en cause (un enfant, par exemple) puisse les contrecarrer ni même les discuter. On dit, dans ce cas, qu'elle subit une « double contrainte » ou qu'elle est enserrée dans un « double lien ». L'hostilité d'une mère pour un enfant non désiré peut transparaître dans ses attitudes malgré ses protestations d'affection. La mère et l'enfant, enfermés dans un cercle vicieux, ne pourront en sortir que s'ils font appel à une tierce personne (un psychothérapeute, par exemple) capable d'analyser la situation. La notion de « double lien » se retrouve fréquemment dans les familles de schizophrènes. → **Bateson (Gregory).**

limitation des naissances → **régulation des naissances.**

lobotomie ou **leucotomie**, opération chirurgicale consistant à sectionner les faisceaux de fibres nerveuses intracérébrales qui joignent la base du cerveau (thalamus, hypothalamus) à l'écorce frontale.
Proposée par E. Moniz (1935) et mise au point par W. J. Freeman et J. W. Watts (1942), cette technique fut fréquemment employée, jusqu'aux années 60, dans le traitement des troubles mentaux (psychasténie, obsession, agitation chronique, etc.). Pratiquement, elle ne guérit rien, mais supprime le côté pénible de certains symptômes. Actuellement, cette méthode est abandonnée. → **neurochirurgie.**

localisations cérébrales (théorie des), conception selon laquelle une fonction particulière dépend d'une zone précise du cerveau*.
Annoncée par le système phrénologique de F. J. Gall, cette doctrine, qui affirme la correspondance entre certaines régions du cerveau et les fonctions mentales, s'est développée au XIXe siècle à partir des travaux de P. Broca sur le langage. On a pu déterminer des zones corticales liées à la vision (cortex occipital), à la sensibilité tactile (cortex pariétal), à l'audition, au langage, etc. D'une façon générale, les formations de la base du cerveau concernent la vie instinctive et émotionnelle, tandis que l'écorce cérébrale contrôle les fonctions sensorielles, motrices et intellectuelles. On ne croit plus à l'existence d'un « siège » déterminé des « facultés » mentales, mais à des zones fonctionnelles, par où passent les circuits neuroniques nécessaires à l'activité nerveuse. En cas de lésion cérébrale, les circuits détériorés peuvent être relayés par d'autres, qui s'établissent spontanément après un certain laps de temps. → **aphasie, Goldstein, Luria.**

Locke (John), philosophe anglais (Wrington, Somersetshire, 1632 - Oates, Essex, 1704).
Originaire d'une famille bourgeoise strictement puritaine, il fait ses études de médecine à Oxford, puis à Montpellier, et s'attache à la maison du comte de Shaftesbury, qu'il suit dans son exil en Hollande (1683-1689). De retour en Angleterre, après la révolution de 1688, Il publie plusieurs ouvrages philosophiques et un traité sur l'éducation (*Quelques pensées sur l'éducation,* 1693), dans lequel il condamne le système traditionnel, fondé sur le verbiage et l'étude des mots sans les objets. Locke est un précurseur de l'école active*, dont les idées généreuses n'ont pas encore réussi à se généraliser.

Loeb (Jakob), physiologiste américain d'origine allemande (Mayen, Rhénanie, 1859 - Hamilton, Bermudes, 1924).
Il étudia, à partir de 1890, les comportements d'orientation des animaux sous l'influence d'une source d'excitation externe (lumière, chaleur), qu'il assimila aux tropismes des plantes. Il étudia la sensibilité différentielle et la mémoire associative. Parmi ses ouvrages, citons *Physiologie comparée du cerveau et psychologie comparée* (1900), *Conception mécanique de la vie* (1912), *l'Organisme étudié comme un tout* (1916).

logorrhée, bavardage incoercible.
Sous une forme mineure, on l'observe chez certaines personnes futiles et chez des discoureurs qui masquent une pensé indigente par un flot de paroles « vides ». Dans le domaine pathologique, la logorrhée s'observe surtout dans les états d'excitation maniaque.

logothérapie, méthode de traitement élaborée par V. E. Frankl*, de durée brève et convenant particulièrement bien aux névroses existentielles.
Pour son auteur, l'homme moderne souffre de ne pas pouvoir donner un sens à sa vie. Ce vide existentiel engendre l'ennui et la recherche désespérée des moyens de la combattre : l'alcool, la drogue, la vitesse, le refuge dans l'activisme, etc. Doctrine spirituelle, elle voudrait conduire le sujet à découvrir un but dans son existence, à étendre l'échelle de ses valeurs (morales, sociales, esthétiques) « pour le laisser ensuite décider par lui-même à quelle fin il utilisera cet élargissement du champ de sa conscience, quelle signification concrète et quelles valeurs personnelles il entreprendra de réaliser » (V. E. Frankl, 1970). La logothérapie s'efforce de cultiver chez la personne souffrante le sens de la liberté, la responsabilité, la volonté et l'humour. Par exemple, à un vieil homme qui n'arrivait pas à se consoler du décès de son épouse, le thérapeute demanda : « Et si c'était vous qui étiez mort, comment aurait réagi votre femme ? - Elle aurait été désespérée, répondit le mari. - Donc, fit remarquer le médecin, en lui survivant, vous lui avez épargné un grand chagrin ! » Ainsi, en donnant un sens à son deuil (devenu utile), le septuagénaire put réagir. Les fondements de la logothérapie sont à rechercher dans les épreuves qu'a dû subir V. E. Frankl dans les camps de concentration nazis. C'est là qu'il découvrit le rôle fondamental du spirituel chez l'être humain. → **coping, résilience.**

loisirs, activités auxquelles on se livre de plein gré, dans le temps disponible en dehors du travail et des obligations sociales, afin de se divertir, de se reposer ou de s'instruire.
La forme des loisirs varie avec l'âge et le milieu socioculturel. Le machinisme industriel, en déshumanisant le travail (tâches parcellaires), a privé l'individu de la joie de la création. Les loisirs permettent de rétablir l'équilibre en donnant à l'homme l'occasion de réaliser la partie de lui-même que la vie professionnelle laisse insatisfaite. Avec ces progrès de l'automation, le temps consacré aux loisirs devient plus important. Les dépenses augmentent proportionnellement. Selon l'I.N.S.E.E., les Français, qui réservaient, en 1960, 5,6 % de leur budget aux loisirs, en consacreront 10 % en l'an 2000. En 1987, le total des dépenses loisirs-culture s'élevait à 232 milliards, soit environ 4 000 F par personne. → **délinquance, jeu.**

Lorenz (Konrad), éthologiste autrichien (Vienne 1903 - Altenberg, Autriche, 1989).
Après avoir enseigné la psychologie animale à

l'université de Vienne et dirigé le département de psychologie à l'université de Königsberg, il est nommé directeur de l'Institut d'études comparatives du comportement d'Altenberg. Ses travaux portent sur l'étude des animaux dans la nature ou dans des conditions aussi proches que possible du milieu naturel. Il a ainsi pu montrer le rôle social de certains stimuli spécifiques ou « déclencheurs » tels qu'une attitude, une couleur ou une odeur et élaboré la théorie du « mécanisme déclencheur inné ». D'après l'école objectiviste, chaque espèce animale est sensible à un certain nombre de stimuli (et pas à d'autres) qui déclenchent des comportements déterminés. Par exemple, l'épinoche, poisson d'eau douce, réagit par l'agressivité à la présence d'un poisson ou d'un leurre au ventre rouge. Parmi les nombreux ouvrages de Lorenz, citons *l'Agression, une histoire naturelle du mal* (1963), *Évolution et modification du comportement : l'inné et l'acquis* (1955), *les Fondements de l'éthologie* (1984), *l'Homme en péril* (1985). Avec N. Tinbergen et K. von Frisch, il obtint, en 1973, le prix Nobel de médecine. **→ imprégnation.**

Louria → Luria (Aleksandr Romanovitch).

L.S.D., puissant hallucinogène extrait des alcaloïdes d'un champignon parasite du seigle, l'« ergot de seigle ».

Une goutte sur un morceau de sucre suffit pour provoquer des transformations de l'état mental : les perceptions visuelles et auditives sont modifiées, la pensée est désorganisée, les inhibitions sont levées, le temps semble figé. Le L.S.D. (ou lysergamide) ne crée pas de dépendance physique, mais le surdosage et les produits associés (amphétamines*) peuvent produire des troubles mentaux irréversibles et, chez les femmes enceintes, être la cause de malformations du fœtus. Dans notre pays, le nombre d'usagers de cette drogue a atteint son maximum en 1982 (3 067 personnes interpellées) ; depuis, il est en décroissance régulière (86 interpellations en 1987, selon les statistiques officielles).

ludique (activité), conduite de jeu.

L'activité du jeune enfant est essentiellement ludique ; elle satisfait ses besoins immédiats et l'aide à s'adapter à la réalité, qu'il devra bientôt maîtriser. Certains auteurs distinguent le jeu* du ludisme. Ils groupent sous ce vocable les activités solitaires, telles que la résolution de mots croisés, destinées à tromper l'ennui.

ludothérapie → jocothérapie.

Luria (Aleksandr Romanovitch), psychologue et médecin russe (Kazan 1902 – Moscou 1977).

Son expérience, acquise au chevet des blessés du cerveau, l'amena à formuler un principe de *localisation* dynamique* selon lequel il existe des systèmes fonctionnels complexes qui sont sous-tendus par le travail concerté de zones cérébrales diverses et souvent éloignées. Selon ce principe, la mémoire, le langage et les autres grandes fonctions mentales ne doivent plus être considérés comme des entités spécifiques dépendant de l'activité de centres cérébraux bien délimités, mais envisagés plutôt comme des systèmes fonctionnels constitués d'ensembles dynamiques divers, très souples, et de processus interconnectés reposant sur des bases anatomiques variées, dont chacune intervient de façon spécifique dans la fonction mentale en jeu.

Pour Luria, le cortex cérébral réunit trois éléments essentiels, dont la participation simultanée est nécessaire à chaque type d'activité mentale. Le premier reçoit les messages provenant du milieu intérieur, il en fait l'analyse et la synthèse, puis assure la régulation de base du fonctionnement cortical. Anatomiquement, cet élément se trouve sur la face interne des hémisphères cérébraux correspondant au « lobe limbique » (ce dernier étant situé à la base du cerveau et délimité par les circonvolutions du corps calleux et de l'hippocampe) et à la face orbitaire du cortex frontal. Le deuxième élément recueille les informations en provenance du milieu extérieur, les analyse et en fait la synthèse ; il correspond à la face externe du cortex des hémisphères cérébraux, en arrière de la scissure de Rolando, ainsi qu'au cortex occipital interne.

Le troisième élément, constitué par le cortex de la face externe des hémisphères cérébraux, en avant de la scissure de Rolando (c'est-à-dire par la face externe des lobes frontaux), reçoit les informations transmises par les deux premiers éléments ; il élabore les programmes des comportements adaptés à la tâche à effectuer et en assure la réalisation.
Luria est l'un des fondateurs de la neuropsychologie. On lui doit de nombreux ouvrages, dont *les Fonctions corticales supérieures de l'homme* (1962), *Une prodigieuse mémoire : étude psycho-biographique* (1965), *l'Enfant retardé mental* (1974).

lymphatique, dans la théorie des quatre tempéraments d'Hippocrate, sujet chez qui la lymphe (ou « pituite ») prédomine ou est censée prédominer.
Selon cette classification, le « lymphatique » aurait le teint blafard. Il serait lent, froid et méthodique.
Actuellement, on utilise ce terme pour désigner une personne asthénique*, sans énergie, passive et molle, dont les réactions affectives et l'activité générale sont en dessous de la normale.

lysergide ou **lysergamide → L.S.D.**

m

magie, art d'agir sur les êtres et les choses par certains moyens symboliques (parole, geste...) et de produire ainsi des effets extraordinaires.
Dans certaines sociétés, dit M. Mauss, celui qui veut aveugler un ennemi fait passer un de ses cheveux dans le chas d'une aiguille qui a servi à coudre trois linceuls, puis crève les yeux d'un crapaud à l'aide de cette aiguille. Chez nous, on croise les doigts ou on touche du bois pour conjurer le mauvais sort. Ce phénomène social, universel et permanent, correspond à une croyance collective *a priori* dans le pouvoir d'action des êtres sur le monde extérieur, et, en même temps, à l'insécurité profonde qui subsiste au fond de chaque homme.
Polycrate fait le sacrifice d'une bague d'une valeur inestimable, qu'il jette à la mer pour conjurer, dit G. Gusdorf, le danger magique auquel l'expose un excès de bonheur.
Comme le pense B. Malinowski à propos des « primitifs », il semble que l'on ait recours à la magie chaque fois que l'on aborde une tâche importante, dont on croit ne pas pouvoir venir à bout par ses propres moyens. En magie, comme en religion, « ce sont les idées inconscientes qui agissent » (M. Mauss). La pensée magique n'est pas l'apanage des sujets frustes ou « primitifs ». Elle peut se manifester chez toute personne, même cultivée. Elle joue un rôle considérable chez les malades mentaux, surtout chez les délirants.

maison d'accueil spécialisée (M.A.S.), établissement réservé aux adultes handicapés, incapables d'autonomie et ayant besoin de soins constants, sous surveillance médicale.
Les M.A.S. ont été créées, par décret du 26 décembre 1978, en application de l'article 46 de la loi d'orientation en faveur des personnes handicapées (30 juin 1975). Elles s'adressent aux sujets atteints d'arriération* mentale, de troubles moteurs importants, de déficiences sensorielles, incapables de se suffire à eux-mêmes et tributaires d'une surveillance médicale et de soins constants. De taille réduite (30 à 40 lits en moyenne), elles occupent un personnel assez nombreux, capable d'assister les pensionnaires dans les actes de la vie courante (toilette, habillage, repas...), de les distraire et de les soigner. Ce personnel est encadré par une équipe comprenant généralement : psychologue, médecin, infirmier, éducateur spécialisé, psychomotricien, rééducateur. La circulaire ministérielle du 28 décembre 1978 insiste sur la nécessité de préserver les liens des malades avec leurs familles en évitant l'isolement géographique, en favorisant l'accueil de jour des handicapés, en créant des structures d'accueil des familles dans l'établissement, en faisant participer les familles à la gestion des institutions. → **placement familial spécialisé.**

Makarenko (Anton Semionovitch), pédagogue soviétique (Bielopolie, Ukraine, 1888 – Moscou 1939).
D'abord instituteur, il se consacre, après la Révolution, à la rééducation des mineurs délinquants et des adolescents inadaptés, sans foyer. Il organise, en 1920, la « Colonie Maxime-Gorki » puis, en 1927, la « Commune

F. Dzerjinski ». Dans ces collectivités, les mineurs, réunis par sections, en vue de réaliser un travail commun, sous la conduite d'un éducateur, se socialisent et, surtout, acquièrent le sens d'une « discipline consciente ». On lira le récit romancé de ses expériences dans ses ouvrages (traduits en français) : *Poème pédagogique* (1933-1935) et *les Drapeaux sur les tours* (1938).

maladie, altération de la santé par suite de l'incapacité du corps à utiliser ses défenses organiques contre une agression extérieure (traumatisme, toxi-infection, etc.) ou pour résoudre ses conflits psychologiques.
Selon le milieu auquel il appartient, le malade reconnaît plus ou moins facilement la réalité de son état (les paysans et les « cadres », percevant la maladie comme une faiblesse, y résistent davantage). Lorsque la maladie est acceptée par le sujet, il se produit, sur le plan psychologique, une sorte de régression : l'intérêt est déplacé du monde extérieur sur le corps propre, qui, tout à coup, devient prévalent ; le malade se comporte comme un enfant dépendant de son entourage, égocentrique et, parfois, tyrannique. La maladie peut satisfaire certaines personnes qui y trouvent des avantages appréciables (dégagement des responsabilités). Dans le cas des névrosés, il n'est pas rare de voir des sujets interrompre leur traitement quand ils prennent conscience qu'en guérissant ils perdront les bénéfices* de leur maladie.

malentendant, sujet dont l'acuité auditive est fortement diminuée.
Les malentendants, ou « durs d'oreille », sont des personnes qui souffrent d'une diminution de l'ouïe de 30 à 40 décibels (dB). Ils représentent plus de 1 % de la population. Le fait de mal entendre constitue un sérieux handicap dans la vie sociale. Pour les adultes, il est une gêne dont ils s'accommodent difficilement. Chez les enfants, il a une incidence majeure sur tous les apprentissages verbaux. Bon nombre d'écoliers ne réussissent pas à l'école par suite d'une hypoacousie qui leur fait confondre les sons (*ve* et *fe*, *ke* et *gue*, etc.) et les amène à entendre un mot au lieu d'un autre : « pataud » au lieu de « bateau », « monnaie » au lieu de « bonnet ». Il existe des établissements et des classes spéciales, y compris dans les écoles maternelles, pour recevoir les enfants malentendants (2 157 élèves en 1987) et des maîtres spécialisés pour les éduquer.

malignité, propension à faire le mal.
Certaines personnes prennent un plaisir malin à susciter des cabales, à propager des rumeurs malveillantes sur leur prochain. Chez les enfants, la malignité s'exerce, essentiellement, sur les animaux et les camarades plus faibles, que l'on martyrise physiquement et moralement ; parfois, elle prend pour cible un adulte, contre lequel on porte d'odieuses accusations. Cette forme de perversion agressive est souvent causée par des troubles du développement affectif.

maltraitance → sévices.

maniaque-dépressive (psychose), affection mentale caractérisée par l'alternance de phases maniaques et mélancoliques.
La psychose maniaque-dépressive est moins fréquente chez les hommes que chez les femmes (sept hommes pour dix femmes) ; elle paraît liée au type « pycnique »* (H. Luxenburger) et se transmet génétiquement. En effet, alors que la psychose maniaque-dépréssive touche environ 1 % de la population générale, sa fréquence varie de 9 à 18 % dans certaines familles. Il semble (mais ceci reste à démontrer) qu'un gène porté par le chromosome 11 joue un rôle prédisposant dans l'apparition de cette maladie (*Nature*, 26 février 1987). Cependant, des facteurs psychosociaux, les chocs* émotionnels jouent un rôle certain dans le déclenchement des troubles.

manie, état d'excitation psychomotrice et d'exaltation psychique, accompagné de bavardage incoercible, d'euphorie et de turbulence.
Plaisantant continuellement, sautant du coq à l'âne, s'agitant tapageusement, trouvant mille raisons de rire, le maniaque semble heureux de vivre et de se donner en spectacle. Ses appétits alimentaires et sexuels sont exagérés,

sa force physique augmentée. Cet état serait d'origine constitutionnelle, mais des facteurs affectifs (deuil), des intoxications (alcool, cocaïne...), des infections (encéphalites) sont susceptibles de le provoquer. L'excitation maniaque nécessite l'isolement dans un centre hospitalier spécialisé et une chimiothérapie (neuroleptiques). On voit que la manie n'a rien de commun avec les bizarreries et les petits travers (langage précieux, jeux de mots...) que, dans le langage courant, on désigne de ce nom.

marche, forme la plus ordinaire de la locomotion de l'homme.
Elle dépend de la maturation (le bébé a besoin, en moyenne, de 60 semaines pour arriver à marcher seul) et de l'apprentissage (les enfants sauvages* de la jungle trouvés à Midnapore en 1920, qui vivaient avec les loups et, comme eux, couraient à quatre pattes avec une célérité remarquable, n'apprirent que très difficilement à marcher). L'acquisition de la marche représente une étape très importante du développement humain. Chez l'enfant, les progrès sont liés à ceux de l'équilibre. Comme l'a très justement montré F. Engels, la station debout, en dispensant la main d'être un moyen d'accrochage, libère ses sensibilités de connaissance, tandis que la marche permet la découverte d'un univers dynamique, en expansion constante (d'abord limité à la chambre, il s'étend à l'appartement, à la rue, etc.).
→ période sensible.

marihuana ou **marijuana**, drogue préparée à partir des feuilles et des fleurs séchées d'une variété de chanvre proche du chanvre indien. Finement haché, ce mélange se fume comme le tabac.
Consommée sous forme de cigarettes (« joints »), la marihuana est pauvre en cannabinol (moins de 1 %), ou principe actif toxique du cannabis*. Elle procurerait la détente et faciliterait les communications entre les personnes. En ce qui concerne la toxicité de la marihuana, les avis sont partagés. En France, en 1980, G. Nahas signalait les méfaits du cannabis (hachisch et marihuana) sur l'organisme, tandis que C. Olievenstein avait tendance à les minimiser. La marihuana n'entraîne pas de dépendance physique mais son usage peut être la voie d'entrée à d'autres toxicomanies beaucoup plus dangereuses.

marionnettes, poupées que l'on fait mouvoir avec la main (celle-ci étant cachée dans une gaine) ou par des fils.
Elles sont employées non seulement pour distraire les enfants, mais, fréquemment, en psychothérapie*, pour leur permettre d'exprimer librement leurs sentiments et d'extérioriser leurs conflits. Le psychothérapeute met à la disposition des enfants et des adultes de nombreux personnages : le gendarme et le voleur, le diable, la bonne fée, des animaux, etc., et leur demande de jouer une histoire inventée. Dans le jeu dramatique, les problèmes affectifs se dévoilent, les tensions se réduisent ; il se produit, à la fois, une catharsis* (libération) et une prise de conscience qui amènent souvent la guérison des troubles caractériels.

M.A.S. → maison d'accueil spécialisée.

masochisme, perversion sexuelle caractérisée par la jouissance érotique puisée dans la souffrance.
Le masochiste goûte la douleur physique ou morale avec volupté, il la recherche, la suscite ou se l'inflige (flagellations) ; il crée de toutes pièces les situations dans lesquelles il sera dominé, humilié, mortifié. Son comportement peut être interprété comme le moyen d'obtenir le pardon d'un surmoi (conscience morale) exceptionnellement sévère, de neutraliser, par un sacrifice préalable, l'angoisse liée au plaisir sexuel interdit. L'automutilation, la toxicomanie, le jeu de la roulette russe tout comme l'incapacité à donner un sens satisfaisant à sa vie et les conduites d'échec (de ceux dont on dit qu'ils n'ont « jamais de chance » sont des comportements masochistes.

Masters (William Howell), sexologue américain (Cleveland, Ohio, 1915).
Spécialiste en gynécologie et en obstétrique, il fonde en 1952 la *Reproductive Biology Research Foundation*, où il étudie les mécanismes hormonaux de la conception. Deux ans

plus tard, avec la psychologue V. E. Johnson, qui deviendra sa femme, il commence des recherches sur la psychophysiologie* de la sexualité. Dans leur laboratoire, Masters et Johnson enregistrent les réactions sexuelles de près de sept cents hommes et femmes de tous les âges. À partir de 1959, ils entreprennent des traitements au *Central Medical Building* pour remédier aux dysharmonies sexuelles (impuissance et frigidité) et obtiennent de très forts pourcentages de guérison. Leurs recherches ont fait l'objet de plusieurs articles et ouvrages, parmi lesquels les *Réactions sexuelles* (1966), *les Mésententes sexuelles et leur traitement* (1970), *Amour et sexualité* (1987).

masturbation, activité érotique consistant à procurer des jouissances sexuelles avec la main.

Elle se rencontre normalement dans les deux sexes (85 % des femmes, 99 % des hommes selon le rapport Hite) à partir de la petite enfance et avec une fréquence particulièrement élevée chez les adolescents. Contrairement à ce que l'on a longtemps pensé, la masturbation n'est pas un phénomène pathologique. Elle ne le devient qu'à partir du moment où elle est préférée au coït normal. Elle s'accompagne alors de fantasmes et contribue à maintenir le sujet hors du réel. La masturbation ne détermine pas de troubles psychiques. Elle fait même partie des moyens thérapeutiques employés par les sexologues pour traiter les dysfonctionnements sexuels tels que l'impuissance et le vaginisme.

maternel (comportement), attachement de la mère à sa progéniture.

Par une série de travaux sur les rats blancs, C. J. Warden a montré que cette tendance est généralement plus forte qu'aucune autre (soif, faim...). Selon P. T. Young, le comportement maternel s'expliquerait, en grande partie, par la nécessité où se trouve la mère de décongestionner ses glandes mammaires douloureuses en allaitant ses petits. Mais d'autres facteurs interviennent encore dans ce comportement. Pour étudier l'influence supposée des hormones, on a procédé à l'implantation du lobe antérieur de l'hypophyse chez des rats mâles adultes, déterminant ainsi une conduite maternelle typique avec construction de nids, léchage des petits, etc. À la suite des travaux de K. Lorenz sur l'imprégnation* perceptive, des chercheurs ont essayé d'étudier les conditions de l'attachement* d'une mère pour son petit. Ainsi, une brebis apprend à reconnaître l'odeur de son agnelet dans les deux ou trois heures qui suivent sa naissance. Dans l'espèce humaine, à côté des causes biologiques et physiologiques, il en est d'autres, psychosociales, qui jouent un rôle indéniable dans cette conduite. Une femme ne sera une bonne mère que si elle a été suffisamment aimée pour s'aimer elle-même et aimer les autres.
→ **amour.**

matriarcat, organisation sociale dans laquelle la femme jouit du pouvoir.

Les ethnologues n'ont trouvé nulle part de véritable matriarcat. Il existe bien quelques rares sociétés où les femmes ont des prérogatives égales à celles des hommes (les Iroquois, les Zuñi du Nouveau-Mexique, les Khasi de l'Assam), mais même chez les Iroquois, qui se rapprochaient le plus du matriarcat, les femmes étaient exclues du conseil suprême.

maturation, série de transformations qui conduisent un organisme à la maturité.

Des hirondelles élevées dans de très petites cages, interdisant tout mouvement des ailes, effectuent leur premier vol sans aucune hésitation (D. A. Spalding, 1878 ; C. O. Whitman, 1919) quand la maturation organique a atteint un stade suffisant. De même, les enfants des Indiens Hopis, qui sont attachés sur des berceaux de bois pendant les premiers mois de la vie, se mettent à marcher au même âge que les enfants ayant eu la liberté de mouvements (W. Dennis).

La maturation s'effectue dans tous les domaines de l'organisme : nerveux, musculaire, osseux, endocrinien. Tandis que la maturité est une notion statique, l'état terminal d'un développement, la maturation est un processus dynamique, le mouvement du développement. Ce terme, qui était employé dans son sens original par les biologistes et les généticiens pour caractériser la période antérieure à la fécondation, a été popularisé par les travaux de A. Gesell sur la psychologie de l'enfant et étendu à toute l'évolution d'un organisme vers sa maturité. La maturation consiste en des changements de structure, dus essentiellement à l'hérédité et au développement physiologique et anatomique du système nerveux, qui sont surtout sensibles chez le fœtus et le nourrisson. Mais son rôle ne se limite pas aux premiers stades de la vie. Elle persiste jusqu'à l'expiration du potentiel de croissance d'un individu et entretient des relations étroites avec le milieu extérieur. D'après J. Piaget, la maturation du système nerveux fournit un certain nombre de possibilités qui se réalisent tôt ou tard (ou jamais) en fonction des expériences et de l'environnement. La maturation psychologique, par laquelle une personnalité adulte se forme, conduit l'individu à subordonner, progressivement, la recherche du plaisir au principe* de réalité.

Mauss (Marcel), sociologue et ethnologue français (Épinal 1872 – Paris 1950). Professeur à l'École pratique des hautes études, puis au Collège de France, il forma l'école ethnologique française. Mais son influence s'étendit à tout le domaine des sciences humaines : psychologie, linguistique, histoire des religions, etc. On trouvera un mélange de ses études (sur le don, la magie, la mort) dans l'ouvrage intitulé *Sociologie et anthropologie* (1950).

Mead (Margaret), ethnologue américaine (Philadelphie 1901 – New York 1978).
Elle a étudié les sociétés primitives (Manus, Samoans, Balinais) et contribué à l'essor de l'anthropologie culturelle en y introduisant des concepts modernes empruntés à la psychanalyse et à la psychologie. Elle a montré, notamment, que l'apprentissage social n'a d'effet que par le contexte culturel dans lequel il s'effectue ; que certaines « crises » psychologiques sont étroitement liées au statut social et qu'elles n'existent pas dans certaines cultures primitives. De ses nombreux ouvrages, citons *Mœurs et sexualité en Océanie* (1963), *l'Un et l'Autre Sexe : les rôles d'homme et de femme dans la société* (1966), *l'Anthropologie comme science humaine* (1971), *Une éducation en Nouvelle-Guinée* (1973).

mécanismes de défense → défense (mécanismes de).

médiateur chimique, substance chimique libérée par les terminaisons nerveuses, lors du passage de l'influx nerveux, qui assure la « commande » d'un neurone à un organe ou la « transmission » du message d'un neurone à un autre neurone. Il existe de nombreux médiateurs chimiques, dont beaucoup restent à identifier. Les plus connus sont : 1. *l'acétylcholine*, qui peut exercer soit un effet excitateur au niveau des muscles et du cerveau, soit un effet inhibiteur sur les viscères ; 2. les *amines biogènes :* catécholamines (adrénaline, dopamine, noradrénaline), sérotonine et histamine ; 3. des *acides aminés*, tel l'acide glutamique ; 4. des *polypeptides* comme les endorphines* ou la substance P. **→ synapse.**

médiation (du latin *mediare*, « s'interposer »).
Le psycholinguiste américain Charles Osgood a élaboré une théorie de la médiation que nous pourrions résumer ainsi : si un objet stimulus (S_o) déclenche une réponse totale (R_t) du sujet, un stimulus verbal (S_v) est capable d'entraîner, après association* avec S_o, une réponse partielle, « partie détachable » de R_v que l'auteur désigne par les lettres r_m ($_m$ de *meaning*, signification). Cette partie détachable, appelée « processus-signe », est susceptible de devenir elle-même un stimulus (s_m) et de produire des réponses d'une autre sorte (R_v) au stimulus verbal (S_v). Par exemple, un chien-loup effraie un enfant, qui s'enfuit ; par la suite, le nom de cet animal éveillera chez lui une « réaction représentative médiatrice », associée à la tendance à fuir, qui se traduira par une réponse verbale, telle que « j'ai peur ». La liaison associative peut être représentée par le schéma suivant :

(stimulus objet : un chien-loup)

S_0 ——→ R_t (fuite)

S_v ——→ (r_m......S_m) ——→ R_v (« j'ai peur »)

(stimulus verbal : mot « chien-loup »)

La notion de médiation, qui a son origine dans l'associationnisme et s'inscrit dans le courant néobéhavioriste*, a joué un rôle important dans les théories de l'apprentissage des années 1950 à 1970.
La vie sociale, connaît à tous les niveaux, de nombreux antagonismes : au sein de la famille, dans les entreprises, entre des États, etc. Afin qu'ils ne dégénèrent pas en divorces, troubles sociaux ou conflits armés, il est possible de recourir à la médiation, c'est-à-dire de faire intervenir un tiers dans le différend. Nous en avons eu un exemple avec l'action du secrétaire général de l'Organisation des Nations unies, M. Kofi Annan, au début de 1998, alors que la guerre risquait d'éclater entre l'Iraq et les États-Unis. Le médiateur n'est pas un arbitre, car il ne fait que suggérer aux parties antagonistes des propositions susceptibles d'aider à la solution du conflit. Son rôle est de rétablir et de faciliter le dialogue, pour tenter de parvenir à un accord entre les parties.
Dans plusieurs pays (Belgique, Italie, Grande-Bretagne, Suisse), la *médiation judiciaire* se développe depuis une décennie. En France, la loi n° 95-125 du 8 février 1995 et le décret 96-652 du 22 juillet 1996 précisent ce qu'elle est et déterminent les tâches du médiateur.
La *médiation pénale* (loi du 4 janvier 1993) est l'une des réponses judiciaires offertes au procureur de la République selon la gravité du délit. Au lieu d'envisager tout de suite la sanction, on offre au délinquant la possibilité de rechercher avec sa victime la meilleure issue au conflit. Par exemple, le sujet s'engagera à réparer les dégâts qu'il a causés ou à accomplir un travail d'intérêt général. Pour avoir librement consenti à la solution retenue, l'auteur de l'infraction se sentira davantage responsable ; il se montrera plus coopératif et le risque de récidive sera limité. Quant à la victime, qui aura elle aussi participé à la mise en œuvre d'une « réparation » conforme à son souhait, elle se montrera moins portée à la vengeance.

mégalomanie, surestimation délirante de ses capacités. Certains malades mentaux sont persuadés de détenir une puissance (sociale, physique, sexuelle, etc.) extraordinaire. Ils ne sont pas moins que monarque, « maître du monde » ou Dieu et se comportent en conséquence : telle jeune femme qui s'identifie à une souveraine, recevant la visite de son mari, se sent outragée par sa familiarité et le gifle violemment. La mégalomanie se rencontre fréquemment dans la manie, la paralysie générale et la démence sénile.

mélancolie, état morbide caractérisé essentiellement par la tristesse et la perte du goût de vivre, le temps vécu étant ralenti, figé, par inhibition de la pensée.
Lassé, prostré, enfermé dans sa douleur morale, le malade rumine des idées d'indignité, de culpabilité et d'autopunition. Cette affection peut survenir sans raison apparente ou à la suite d'un grand chagrin (deuil). Le plus souvent, elle s'intègre dans l'évolution d'une psychose maniaque*-dépressive. Elle est très dangereuse, car elle peut conduire le malade à des actes désespérés, tels que le suicide, précédé, dans certains cas, du meurtre d'autres membres de la famille (des enfants, par exemple, afin de les soustraire à une vie douloureuse). Elle est améliorable par la chimiothérapie.

mémoire, persistance du passé.
Tous les êtres vivants, les animaux les plus inférieurs ont une mémoire. On s'en aperçoit, par exemple, quand on transporte dans un aquarium des vers plats des plages de la Bretagne où ils vivent. Leurs mouvements d'enfouissement et d'ascension dans le sable, jusqu'alors rythmés par les marées, persistent dans leur nouveau milieu durant quelques jours. La mémoire fixe les expériences vécues, les informations reçues et les restitue.
On distingue la mémoire *immédiate* de la mémoire *différée* et encore plusieurs autres formes de mémoire ; il y en a autant que d'organes sensoriels (mémoire visuelle, auditive, tactile...). Certains psychologues, à la suite de P. Janet*, soucieux de donner une signification précise à ce concept, considèrent que la mémoire doit se traduire par un acte : la conduite du récit (la verbalisation venant authentifier l'existence de la mémoire). Mais cette limitation n'est pas satisfaisante.

D'après J. Delay*, il est nécessaire de distinguer trois niveaux hiérarchiques dans la mémoire : le plus élémentaire, *sensori-moteur*, concerne uniquement les sensations et les mouvements ; il est commun à l'animal et à l'être humain. Le plus élevé, particulier à l'homme vivant en société, se caractérise par le récit logique : c'est la mémoire *sociale*. Enfin, entre ces deux niveaux, se situe la mémoire *autistique*, qui emprunte ses matériaux aux sensations, aux situations vécues, mais n'obéit qu'aux lois de l'inconscient. C'est elle qui fournit les éléments du rêve et, chez les malades mentaux, du délire : le passé n'est plus reconnu comme tel ; il est vécu comme présent. La mémoire autistique apparaît vers l'âge de trois ans. On observe à cette époque de la vie une indifférenciation du passé et du présent, du réel et de l'imaginaire. L'enfant prend ses rêves pour des réalités. Ce n'est qu'avec le développement des catégories logiques que la mémoire sociale s'installe durablement.

La psychologie génétique* montre que la mémoire est liée à la maturation* du système nerveux. Elle ne fonctionne pas comme un mécanisme autonome. Elle est liée à tout le psychisme, aux perceptions aussi bien qu'à l'affectivité. Si l'on demande à des enfants de dessiner de mémoire un bonhomme, on s'aperçoit que les plus jeunes réduisent celui-ci à sa plus simple expression : un rond (pour la tête), d'où partent deux traits parallèles (figurant les jambes). La mémoire restitue ce qui est fixé, c'est-à-dire ce qui fut perçu comme essentiel. Les travaux des psychophysiologistes ont montré que la mémoire dépend, à la fois, de certaines zones localisées de l'encéphale (système limbique, peut-être même des groupes de neurones situés dans le cervelet, selon R. Thompson) et de l'ensemble du cerveau. Il n'y a pas de région spécifique de la mémoire : tout le cortex est concerné par l'évocation des souvenirs, dont on ne sait où ni comment ils se conservent. Les recherches portant sur la fixation et la rétention des souvenirs sont extrêmement nombreuses. Elles ont permis de préciser certains aspects de ce problème : nous retenons bien ce qui nous concerne directement (les circonstances d'un premier amour, un échec cuisant ; ce qui est agréable mieux que le désagréable ; ce qui est en accord avec nos convictions ; ce dont on doit se souvenir parce que c'est important. Au contraire, nous oublions facilement ce qui est neutre, mal structuré, peu significatif. La fixation des souvenirs est liée, à la fois, à la personne et au matériel à retenir. La compréhension des éléments, leur intégration dans le stock des souvenirs acquis, la répétition favorisent la rétention. Mais la mémoire n'est jamais vraiment fidèle. Le souvenir évoqué est toujours falsifié, car il correspond à une reconstruction de l'intelligence. La mémoire n'est pas un automatisme cérébral. C'est un acte du psychisme, l'expression de la personne tout entière.

mémoire (tests de), épreuves destinées à apprécier la qualité de la mémoire et ses déficits éventuels.

Les plus employés sont l'échelle composite de mémoire de D. Wechsler, à usage clinique, et les séries de chiffres ou de mots énoncées ou présentées au tachistoscope*, une seule fois, à la cadence d'un par seconde. On utilise encore des formes géométriques plus ou moins complexes, ou d'autres épreuves semblables au jeu de « Kim » (des objets disposés sur un plateau doivent être décrits de mémoire après une brève exposition).

ménopause, arrêt définitif de l'ovulation et des règles chez la femme.

La ménopause survient, habituellement, entre quarante-cinq et cinquante-cinq ans. Elle entraîne des perturbations endocriniennes qui expliquent, en partie, la nervosité et les modifications du caractère de beaucoup de femmes. Annonce de la vieillesse, la ménopause coïncide souvent avec des déceptions affectives, le départ des enfants du foyer et des deuils. Il est donc vraisemblable que les troubles caractériels sont aussi déterminés par les événements de cette période.

mensonge, altération consciente de la vérité.

Le jeune enfant, qui distingue mal le réel de l'imaginaire, altère la vérité mais ne ment pas. Lorsqu'il fabule ou embellit la réalité, il ne fait que céder à une tendance normale, qui ne mérite pas la sévérité des éducateurs : l'enfant transforme son passé dans le sens de ses besoins. Le vrai mensonge apparaît vers six ou sept ans. Il constitue, presque toujours, une conduite élusive, généralement destinée à éviter une réprimande. Chez certains sujets déséquilibrés, le mensonge peut avoir un caractère malin (dénonciation calomnieuse, abus de confiance, etc.). → **électrodermale (réaction), mythomanie.**

mentisme, succession rapide d'idées ou d'images échappant à l'attention affaiblie du sujet, qui en a conscience mais n'arrive plus à les contrôler.
Ce phénomène, ressenti péniblement, survient le plus souvent chez des individus anxieux ou surmenés intellectuellement. Il est parfois provoqué par l'abus du tabac ou du café.

Merleau-Ponty (Maurice), philosophe français (Rochefort 1908 – Paris 1961).
Ancien élève de l'École normale supérieure, agrégé de philosophie et docteur ès lettres, il publie *la Structure du comportement* (1942) puis *la Phénoménologie de la perception* (1945). En 1949, il enseigne à la Sorbonne, puis, en 1952, au Collège de France. Avec S. de Beauvoir et J. P. Sartre, il animait l'école existentialiste de Paris. Sa pensée, influencée par la Gestaltpsychologie et la phénoménologie de E. Husserl, est constamment tournée vers le concret et vers l'action (philosophie de la conscience engagée dans le monde et dans le corps propre). Il a encore écrit plusieurs autres livres, dont *Humanisme et terreur* (1947), *Signes* (1960).

mescaline, substance alcaloïde tirée du peyotl (cactée mexicaine).
Elle a la propriété de provoquer transitoirement des troubles de la perception : le temps vécu paraît anormalement long (les minutes valent des heures), les formes sont altérées, les couleurs prennent une beauté intense, etc. Les savants étudient son pouvoir hallucinogène* dans leurs recherches en psychiatrie expérimentale.

mésentente conjugale, désaccord durable entre les conjoints. Les causes du conflit qui oppose les adultes échappent à l'enfant, qui s'interroge et se tourmente ; il arrive aussi qu'il s'en sente responsable. Il réagit soit en s'opposant, soit en se repliant sur lui-même, mais jamais d'une façon adaptée. Plongé dans le désarroi et l'insécurité, il voit son travail scolaire se détériorer. Il peut même verser dans la conduite antisociale. Selon M. Rutter (1974), ce risque est quatre fois plus grand que chez les autres enfants.

mésomorphe, individu chez qui prédominent les muscles, les os et le tissu conjonctif – tous dérivés du mésoderme, ou feuillet intermédiaire de l'embryon –, dont l'aspect physique exprime la robustesse et la vigueur.
Généralement, à ce type morphologique correspond un tempérament somatotonique* (actif, énergique, désirant s'imposer).

mésomorphie ou **mésomorphisme,** ensemble des caractéristiques morphologiques du mésomorphe, dans la typologie* de W. H. Sheldon.

mesure, moyen de comparaison et d'appréciation.
Un des buts de la science est de soumettre les faits qu'elle envisage à une étude quantitative. En appliquant la mesure aux sensations, G. T. Fechner a créé la psychophysique*, et A. Binet, en voulant mesurer l'intelligence des écoliers, est à l'origine de la psychométrie*. La méthode expérimentale, les tests, la statistique ont permis à la psychologie d'accomplir des progrès considérables.

méthode, manière d'agir pour parvenir à un but. Parmi les démarches naturelles de l'esprit, on distingue la conduite déductive (passage du général au particulier), l'induction (généralisation à partir d'un cas particulier), l'analyse* et la synthèse. Les trois moments de la recherche scientifique consistent en l'observation des faits, suivie de l'élaboration d'une hypothèse, que l'on soumet, enfin, à la vérification expérimentale. Ce processus est couramment employé en psychologie clinique*, où l'utilisation des tests ne sert qu'à contrôler l'hypothèse de travail que le psychologue pose après avoir pris connaissance des informations contenues dans l'enquête médico-sociale et interrogé le sujet sur son passé.

métier, occupation professionnelle dont on tire ses moyens de subsistance. Le choix d'un métier dépend de plus en plus d'une orientation professionnelle confiée à des spécialistes, qui s'efforcent de déceler et de mesurer les aptitudes des adolescents. La possession d'un métier qualifié constitue une protection contre l'inadaptation sociale. En effet, la moitié des délinquants ne possèdent aucun métier véritable, et les meilleures rééducations sont celles qui aboutissent à une qualification professionnelle. → **intérêt.**

migration, déplacement d'individus sous l'influence de facteurs complexes. Le changement saisonnier d'habitat chez les animaux s'explique habituellement par l'instinct*. Mais ce mot ne sert qu'à masquer l'ignorance dans laquelle nous nous trouvons quant à cette conduite complexe ; il n'explique ni le sens de l'orientation des animaux ni leur « organisation de voyage » (rassemblement prémigratoire, trajet fixe, étapes, etc.). Des expériences effectuées avec les oiseaux ont permis toutefois de montrer que la migration dépend des conditions d'éclairement et de la longueur des journées. De même, le comportement migrateur du saumon pourrait être réduit à un ensemble de réactions (phototaxie, rhéotaxie...) aux divers stimuli du milieu. Les migrations humaines s'effectuent, principalement, sous l'influence de facteurs socio-économiques ou politiques. Certains ont soutenu que les émigrants possédaient des qualités d'intelligence et de caractère supérieures aux non-émigrants, mais les résultats des travaux effectués sur ce sujet ne sont pas probants.

milieu, espace de vie où s'exercent les influences cosmiques, socio-économiques, éducatives, etc., et dans lequel se réalisent les échanges psycho-affectifs entre individus.
Depuis la fécondation jusqu'à la mort, le milieu agit constamment sur les êtres humains. Son action est particulièrement importante dans l'enfance, car il complète les structures organiques de base en fournissant aux fonctions arrivées à maturité les excitants appropriés, sans lesquels elles demeureraient virtuelles ou atrophiées. Hors de la société humaine, l'enfant reste sauvage*. Ce n'est que sous l'influence du milieu dans lequel il vit, et en vertu de ce que le contact avec les personnes de son entourage lui a apporté, qu'un être humain devient un individu d'un type déterminé ; c'est dans la relation avec autrui que s'édifie sa personnalité. Les conditions matérielles, économiques jouent aussi un rôle important dans le développement affectif de l'enfant : la misère est source d'inadaptation (80 % des jeunes délinquants appartiennent à des milieux économiquement faibles) ; même le niveau mental est affecté par les conditions matérielles : il est significativement plus bas dans les catégories sociales défavorisées (ouvriers, paysans, Noirs et Indiens des États-Unis, etc.) que dans les classes aisées. Mais si l'on donne à chacun des conditions matérielles identiques, la différence des niveaux intellectuels disparaît. → **plasticité neuronale.**

militaire (psychologie), psychologie appliquée à l'organisation et aux activités de la force armée. La psychologie moderne fut introduite dans l'armée par les Américains en 1917, au moment de leur entrée en guerre contre l'Allemagne aux côtés des Alliés. Sous la haute autorité de R. M. Yerkes, en s'inspirant des travaux de A. Binet, des psychologues mirent au point leurs célèbres *Army tests*, qu'ils appliquèrent à 1 726 000 recrues.
Dans les années 30, l'Allemagne défaite reconstitua son armée en appliquant à son tour les méthodes rationnelles de la psychologie. La Seconde Guerre mondiale généralisa ces procédés à toutes les nations belligérantes. Depuis lors, chaque armée moderne possède son *War Office Selection Board,* dont elle ne peut plus se passer. Le problème principal est la répartition du contingent. En France, il s'agit de distribuer 450 000 hommes environ entre les différentes armes et les 450 postes militaires, dont certains nécessitent une haute qualification technique. Les psychologues ne se contentent pas de sélectionner et d'orienter

les soldats en fonction de leurs aptitudes. Ils participent encore à leur formation, à l'amélioration du matériel et aux études sur le camouflage ; ils veillent au maintien d'un bon moral chez les soldats et dans la nation (sondages* d'opinion, action* psychologique), contrôlent les rumeurs et diffusent les informations qui sont le fondement de la guerre psychologique. Cette forme moderne de la guerre vise à annihiler la combativité de l'ennemi plus que sa destruction physique. La subversion est son but, la propagande son arme principale. La guerre psychologique est quotidienne. Elle n'a pas lieu seulement quand un conflit armé éclate, mais aussi en temps de paix, notamment en cas de « guerre froide », dont elle constitue l'essentiel.

mimétisme, ressemblance, temporaire ou permanente, avec le milieu que prennent certains animaux ou végétaux pour se protéger ou assurer la survie de l'espèce.
Le caméléon a la couleur de sa peau qui se modifie avec celle de son support. Dans ces cas d'homochromie, le mimétisme dépend de la perception visuelle (il disparaît quand l'animal est aveuglé). Lorsque l'homochromie est permanente (pelages blancs des animaux polaires), on la dit « statique » ; quand elle est due à une adaptation momentanée (habillement de certains crabes avec des algues), on la qualifie de « dynamique ». Le mimétisme correspond à un mécanisme biologique complexe, déterminé génétiquement, que l'on retrouve aussi dans le règne végétal. Par exemple, des orchidées *(Ophrys)* prennent l'apparence d'un insecte et libèrent une phéromone* dont l'odeur est comparable à celle émise par les glandes sexuelles des femelles. Le mâle, ainsi attiré, se pose sur la fleur. Lorsqu'il ira ensuite se placer sur une autre orchidée, il sera chargé du pollen nécessaire à la fécondation de celle-ci.

mimique, ensemble des modifications dynamiques de la physionomie, qui expriment ou accompagnent les états affectifs et les pensées.
Elle constitue une conduite de communication, un langage expressif, dépendant des émotions et du milieu culturel (les Chinois tirent la langue pour exprimer la surprise, par exemple). Elle exprime, mieux que les mots, l'intention de la personne qui parle. Certains troubles mentaux perturbent l'expression mimique en l'exagérant (dans la manie, notamment), en l'appauvrissant (mélancolie stuporeuse) ou en la rendant inadaptée (le schizophrène peut raconter un événement triste en riant).

miroir (écriture en), écriture exécutée de droite à gauche, illisible normalement, mais se lisant aisément par l'interposition d'un miroir.
Elle s'observe chez certains gauchers, chez des enfants mal latéralisés et dyslexiques*.

miroir (stade du), période du développement se situant, d'après J. Lacan, entre six et dix-huit mois et au cours de laquelle le bébé aurait le sentiment de son unité corporelle en percevant sa propre image dans la glace.
Jusqu'à la fin du troisième ou du quatrième mois, le nourrisson ignore le miroir que l'on place devant lui. Après le sixième mois, il s'y intéresse et semble entrevoir le rapport entre le reflet d'une personne et celle-ci. Vers l'âge de un an, il commencerait à comprendre que l'image spéculaire est le reflet de son propre corps et non un double indépendant de lui-même. Cependant, ce n'est que vers l'âge de deux ans que la notion de totalité corporelle est acquise (d'après R. Zazzo, l'enfant se reconnaît dans la glace entre vingt-six et trente mois). Cette dernière acquisition est fondamentale, car non seulement elle constitue la base de la conscience de soi, mais encore elle devient le modèle de tous les objets : le monde n'est plus fragmenté ; il n'apparaît plus comme un chaos inorganisé, mais bien comme un univers ordonné, composé d'objets ayant chacun sa forme propre.

mnémotaxie, réaction d'orientation et de locomotion provoquée par un agent excitant, qui persiste après l'extinction de celui-ci.
L'animal semble capable de conserver le souvenir de l'angle formé par l'axe de son corps avec la direction du foyer d'excitation (des rayons lumineux si le stimulus est la lumière) et d'utiliser ce souvenir pour s'orienter. C'est

ainsi que l'on peut expliquer, par exemple, le retour au nid des fourmis. → **taxie.**

mnémotechnie, ensemble de procédés destinés à fixer des souvenirs difficiles.
D'une façon générale, elle consiste à organiser en un tout intelligible les éléments complexes qui ne sont pas structurés. Par exemple, pour retenir la valeur de pi (π) avec 10 décimales on se souviendra d'une phrase où le nombre de lettres de chaque mot indique un chiffre : « Que j'aime à faire apprendre ce nombre utile aux sages » (3,1415926535). Les moyens mnémotechniques sont souvent utiles, mais il ne faut pas en abuser. La mémoire* se cultivant par l'exercice, il est préférable de s'efforcer de mémoriser directement ce que l'on souhaite apprendre par la répétition et en reliant les nouvelles acquisitions à celles que l'on possède déjà.

mode, ensemble d'attitudes et d'usages passagers qui ont cours, à une époque, dans une société.
La mode régit, momentanément, le goût des membres d'un groupe social qui adoptent un certain style pour leur mobilier, leurs vêtements, leur parure, etc. Comme la coutume, elle repose sur l'imitation, dit G. de Tarde, mais, tandis que celle-ci est l'imitation des formes du passé, la mode se rapporte au présent.
Il est remarquable que ce soient les jeunes femmes qui aient le plus d'influence sur la mode vestimentaire. Pourtant, la plupart des femmes interrogées (75 %) déclarent qu'elles suivent la mode pour se conformer au groupe, confirmant ainsi l'opinion de H. Spencer, qui soulignait la part de conformisme que ce fait social comporte. En réalité, la mode est faite de deux tendances : d'une part, elle satisfait le désir d'originalité de chacun (particulièrement vif chez les jeunes), de l'autre, elle apporte une certaine sécurité puisque, tout en se singularisant, on est approuvé par le groupe social, dont on ne se coupe pas.

moi, personne consciente et affirmée.
La conscience de l'unité personnelle s'édifie avec la croissance. À la fin du premier trimestre de sa vie, le nouveau-né utilise ses mains pour explorer le monde extérieur et aussi son propre corps, qu'il commence à découvrir. Ainsi s'établit une première distinction entre le moi et le non-moi, que le sevrage va rendre plus évidente. Vers deux ans, si on le met devant un miroir, il se sourit sans réaliser qu'il s'agit de lui. Ce n'est qu'un an plus tard qu'il commence à se servir du pronom je ou moi et à s'opposer à autrui pour le seul plaisir d'affirmer sa personnalité. Par la suite, le moi continue de s'élaborer, sous la double influence de la maturation* et des conditions socioculturelles et affectives.
Dans la terminologie psychanalytique, le « moi » (traduction de *das Ich* en allemand) désigne le siège et l'ensemble des motivations et des actes d'un individu, qui conditionnent son adaptation à la réalité, satisfont ses besoins et résolvent les conflits dus aux désirs incompatibles. Dans les actes de la vie courante, cette fonction s'exerce sur les plans conscient (processus intellectuels) et inconscient (en mettant en jeu ses mécanismes de défense*).
Le moi névrotique est faible ; il est incapable de résoudre les conflits intérieurs de la personne (exigences pulsionnelles opposées à la conscience morale ou à la réalité), ce qui l'angoisse et la conduit à adopter toutes sortes de comportements paradoxaux (rites obsessionnels, suicide, etc.).

moi idéal, perfection du moi.
Freud assigne à la psychanalyse un dessein bien défini : « faciliter au moi la conquête progressive du ça ». Le passage du ça* au moi se fait par deux voies différentes. La première est directe, la seconde passe par le moi idéal, qui constitue, en partie, une « formation réactionnelle contre les processus instinctifs du ça ». Selon D. Lagache, le moi idéal peut se définir comme un idéal de toute-puissance personnelle, d'invulnérabilité, directement issu du narcissisme primaire de l'enfant.

molaire (psychologie), conception unitaire de l'homme interdisant de considérer l'individu autrement que dans sa globalité.
Au contraire des béhavioristes et des réflexologistes, qui envisagent des segments de comportement*, de nombreux psychologues, ap-

partenant à l'école de la *Gestaltpsychologie** ou influencés par elle (K. Lewin), considèrent que les phénomènes psychiques sont indissociables d'un ensemble structuré, psychosomatique et psychosocial, où tous les éléments sont solidaires et interdépendants.

monde (test du), épreuve psychologique dérivée du « jeu du monde » *(World apparatus)* de M. Löwenfeld et codifiée (1941) par C. Bühler*.
Il apparaît comme un jeu de construction libre, utilisant cent cinquante petits jouets représentant des bâtiments, des véhicules, des personnages, des animaux, etc. D'après ses auteurs, ce test donne des indications sur les aptitudes intellectuelles et l'affectivité des enfants qui s'y soumettent.

mongolisme, affection congénitale caractérisée par un important retard du développement et un faciès évoquant le type mongol.
Cette maladie est aussi appelée « syndrome de Down » (du nom du médecin anglais qui la décrivit précisément, en 1866) ou encore « trisomie 21 », car depuis 1959, grâce aux recherches de R. Turpin, J. Lejeune et M. Gauthier, on sait qu'elle est due à la présence surnuméraire d'un chromosome (trois chromosomes 21 au lieu de deux normalement). On observe, à partir de l'âge de trente ans, dans le cerveau des mongoliens, les mêmes lésions (plaques séniles, dégénérescence neurofibrillaire et granulo-vacuolaire) que dans la maladie d'Alzheimer*.
On ignore encore les raisons de cette aberration* chromosomique relativement fréquente (1 pour 650 naissances d'enfants vivants environ). L'âge des parents, surtout celui de la mère, y joue certainement un rôle. En effet, un tiers des mongoliens naissent de mère âgée de plus de quarante ans. Ce sont généralement des enfants dociles et affectueux, sensibles à la musique, parfois perfectibles, dont une famille dévouée, aidée par une équipe spécialisée, peut développer certaines possibilités. → **aberration chromosomique.**

monologue, discours d'une personne qui parle seule.
L'enfant jeune, sans camarade, monologue en jouant, s'adressant aux personnes imaginaires de son champ ludique. Lorsque ce comportement se retrouve à l'âge adulte, il a une signification pathologique.

Montessori (Maria), psychiatre et pédagogue italienne (Chiaravalle, près d'Ancône, 1870 – Noordwijk-aan-Zee, Pays-Bas, 1952).
Après son doctorat en médecine (1896), elle donna des cours libres d'anthropologie pédagogique à l'université de Rome et au Centre d'études pédagogiques qu'elle avait créé à Pérouse. S'inspirant des travaux de É. Seguin et de F. Fröbel, elle créa une méthode d'éducation fondée, essentiellement, sur le développement des sensations. Elle utilise un abondant matériel plaisant, qui sert aux activités libres, individuelles, grâce auxquelles l'enfant fortifie son « moi » naissant. On pourrait lui reprocher cependant un excès de méthodisme dans l'emploi de ce matériel. Parmi ses ouvrages, citons *Pédagogie scientifique* (1909), *De l'enfant à l'adolescent* (1948).

moral, état d'esprit susceptible de varier depuis le découragement jusqu'à la confiance exagérée.
Cette notion se rencontre surtout en psychologie militaire* et en psychologie industrielle*. Le moral du travailleur est conditionné par la cohésion du groupe de travail auquel il appartient : la fierté d'appartenir à une certaine collectivité laborieuse suscite des dispositions d'esprit favorables. Au cours de la Seconde Guerre mondiale, les psychologues et les psychiatres se sont particulièrement attachés à l'étude du moral des populations civiles, soumises à la propagande radiophonique ennemie, et surtout à celle du moral des combattants. Une enquête portant sur quatre cents compagnies, dirigée par le colonel Marshall, révéla que plus des trois quarts des soldats n'utilisaient pas leurs armes sur le terrain, leur absence de combativité étant provoquée par la peur et un sentiment d'infériorité ou de culpabilité. Afin de réduire leur anxiété, les spécialistes de l'action psychologique multiplièrent non pas les exercices et les manœuvres (toujours artificiels, sinon ludiques), mais... les conférences ! En anticipant sur la réalité, en décrivant et en

inventoriant minutieusement les dangers du front (auxquels chaque soldat s'efforçait de ne pas penser), ils diminuèrent les inhibitions et fortifièrent le moral des combattants. Par ailleurs, ces mêmes spécialistes créèrent des groupes à forte cohésion en appliquant la sociométrie* aux petites unités combattantes, telles que les équipages de sous-marins et d'avions, les commandos, etc.

Moreno (Jacob Levi), médecin américain d'origine roumaine (Bucarest 1889 – Beacon, New York, 1974).
Épris de théâtre, il fonde à Vienne un « théâtre de la spontanéité » (*das Stegreiftheater*) où chaque acteur doit improviser son rôle. Émigré aux États-Unis (1925), il développe le psychodrame*, recherche les interactions sociales à l'intérieur des groupes (à la prison de Sing Sing, il étudie les sympathies et les antipathies, qu'il représente par un « sociogramme »*) et fonde la sociométrie*. Son ouvrage principal, *Who Shall Survive* (1934), a été traduit en français sous le titre de *Fondements de la sociométrie* (1954).

Morita (Shoma), psychiatre japonais (Kochi, Shikoku, 1874 – Tokyo 1938).
Professeur de médecine à Tokyo, il puise dans la culture japonaise les éléments essentiels d'une méthode originale de traitement des troubles mentaux. Il s'agit d'une rééducation de la personne à partir de la régénération des habitudes. Le malade est tout d'abord maintenu isolé et alité dans un état d'inaction totale. Puis, progressivement, on lui fait reprendre ses activités. Ce traitement, qui combine les méthodes d'entraînement, la direction morale et l'expérience de la réalité, s'est montré efficace dans des névroses comme la phobie et l'obsession.

morphine, principal alcaloïde de l'opium.
La morphine agit sur les structures cérébrales (et la moelle épinière), qui possèdent des récepteurs spécifiques pour les composés morphiniques. Ces récepteurs singuliers sont ceux sur lesquels se fixent normalement des substances élaborées par l'organisme : les enképhalines et les endorphines*, qui ont une action analgésique très puissante. Les toxicomanes utilisent la morphine en injections sous-cutanées, mais elle peut aussi être prisée. Lors des premières injections, le sujet ressent une agréable euphorie, un bien-être qui lui font rechercher la solitude et l'immobilité. Mais les sensations voluptueuses ne tardent pas à disparaître et, pour les retrouver, le toxicomane multiplie le nombre des injections, s'installant ainsi dans un état de dépendance dont il lui sera très difficile de se libérer. La désintoxication se pratique en milieu hospitalier. Elle se solde malheureusement par de nombreuses récidives et un pourcentage d'échecs élevé. Heureusement, en France, son usage se fait de plus en plus rare : 109 personnes interpellées en 1975 contre 5 seulement en 1987 (O.C.R.T.I.S. 1988).

morphologie, étude des formes.
La morphologie s'emploie à expliquer les variations des formes et à comprendre les relations existant entre celles-ci et d'autres variables telles que l'adaptation au milieu. Outre l'observation, elle a recours à l'expérimentation. Par exemple, en soumettant des embryons de rat à la chaleur, on perturbe leur développement et l'on engendre des malformations chez les nouveau-nés. La *morphopsychologie* est la discipline qui a pour objet la connaissance de l'individualité psychologique à partir de l'étude des structures morphologiques. Pour L. Corman, il s'agit essentiellement d'étudier le modelé des visages.

mort, cessation définitive des fonctions vitales d'un organisme.
L'idée de la mort suscite, généralement, de l'anxiété car elle est la conscience d'un néant inconcevable. Si la mort d'une personne est ressentie, habituellement, par ses proches, comme une perte irrémédiable, suscitant le chagrin, parfois la névrose, voire la mort, elle est chez certains peuples (Esquimaux, indigènes des îles Fidji) l'occasion de réjouissances : les membres de ces sociétés sont convaincus qu'il existe une vie au-delà de la mort, plus heureuse que celle-ci. Pour essayer de percer le secret de la mort, des psychiatres et des psychologues, depuis le début des années 70, s'efforcent de recueillir un maximum d'informations auprès des personnes ayant été au

bord du trépas. Plusieurs témoignages font état d'une « lumière céleste », d'une « lumière extraordinaire », de sensation de bien-être. Pour R. Siegel, ces impressions pourraient s'expliquer par la libération massive d'endorphine* au moment où l'organisme sent la mort venir.

motivation, ensemble des facteurs dynamiques qui déterminent la conduite d'un individu.
Les travaux des neurophysiologistes (K. S. Lashley) et des éthologistes (K. Lorenz, N. Tinbergen) ont montré que le comportement dépend de modifications internes (neuro-endocriniennes) et d'excitants externes (milieu) agissant sur le cerveau. Il est possible de déclencher le comportement sexuel de la chatte en implantant de très petites quantités d'hormones œstrogènes dans la zone postérieure de l'hypothalamus. La modification organique provoquée par ces stimulations crée un état de tension qui détermine le comportement de l'animal. On peut donc considérer que la motivation est le premier élément chronologique de la conduite ; c'est elle qui met en mouvement l'organisme, mais elle persiste jusqu'à la réduction de la tension. La psychologie classique distingue les *motifs* des *mobiles*, les premiers étant les causes intellectuelles de nos actes, les seconds les raisons affectives. Mais cette différenciation est artificielle et vaine. En effet, à l'origine de nos conduites, il n'y a pas seulement une cause, mais tout un ensemble indissociable de facteurs, conscients et inconscients, physiologiques, intellectuels, affectifs, sociaux, qui sont en interaction réciproque.

moyenne, indice de tendance centrale d'un ensemble statistique. La moyenne arithmétique est le quotient de la somme des valeurs individuelles par leur nombre. D'un calcul aisé, elle s'emploie couramment. C'est un indice de mesure qui partage l'ensemble en deux parties (au-dessus et au-dessous de la moyenne), l'une équilibrant l'autre, et permet de différencier les sujets « normaux », c'est-à-dire, ceux qui se rapprochent de cette valeur théorique, des sujets « anormaux », qui s'en éloignent.

Münchhausen par procuration (syndrome de), expression utilisée par le pédiatre anglais S. Roy Meadow (Leeds, 1977) pour caractériser une maladie de l'enfant fabriquée par la mère.
En 1951, le médecin britannique Richard Asher a proposé le terme de « *syndrome de Münchhausen* » – du nom du baron Karl von Münchhausen (1720-1797), qui se rendit célèbre par ses hâbleries – pour qualifier la conduite de personnes mythomanes, capables de simuler avec tant de réalisme une maladie aiguë qu'elles sont hospitalisées d'urgence et même opérées.
Le syndrome de Münchhausen par procuration est une forme hypocrite de sévices à enfant, qui conduit souvent les petits à l'hôpital et parfois à la mort (9 % des cas). La mère allègue, simule ou crée un symptôme chez son enfant, et le présente à de multiples consultations médico-chirurgicales, auprès de différents praticiens. Elle se montre inquiète et exemplaire pour tout ce qui concerne les soins, mais la maladie se prolonge de façon inhabituelle, les rechutes sont fréquentes et les explorations médicales toujours vaines. Des enregistrements vidéo, faits à l'insu des parents, ont montré des cas où la mère asphyxiait l'enfant ou lui injectait de l'eau polluée (prise dans le bocal où nageaient des poissons rouges). La maladie secrètement provoquée aurait pour fonction d'attirer l'attention sur soi et d'affirmer sa domination sur l'entourage, plus précisément sur les médecins supposés omniscients et omnipotents, qu'on se complaît ainsi à induire en erreur et dont on se joue en faisant échouer leurs soins. Par l'intermédiaire du corps de leur enfant, ce serait autrui que ces mères mythomanes, probablement hystériques, sûrement retardées affectivement, chercheraient à agresser. → **enfant maltraité, pathomimie, sévices.**

Murray (Henry Alexander), psychologue américain (New York 1893 – Cambridge, Massachusetts, 1988).
Après des études d'histoire à Harvard (1915), il fait des études de physiologie et obtient un doctorat de biochimie (1927). Puis, intéressé par la psychologie médicale, il fait un

séjour à Zurich, où il participe aux travaux de C. G. Jung. De retour aux États-Unis, il est appelé à diriger la clinique psychologique de l'université Harvard. Il oriente ses recherches vers l'exploration de la personnalité, met au point le *Thematic* Apperception Test* et participe à la reconstitution de l'institut de psychanalyse de Boston (1931). Il existe une traduction française de son *Exploration de la personnalité* (1938).

musculaire, dans la classification de C. Sigaud, reprise par L. Mac Auliffe, type de constitution physique caractérisé par une morphologie d'athlète. Ce type correspond au mésomorphe* de W. H. Sheldon et à l'athlétique* de E. Kretschmer.

musicogénique (épilepsie), crises convulsives, consécutives à des auditions musicales, observées chez certains sujets. L'expression est due à Mc D. Critchley, qui observa et décrivit ce phénomène. D'après H. Gastaut (1915-1995), de telles crises se produiraient chez des individus porteurs d'une lésion du lobe temporal, par l'intermédiaire de l'émotion suscitée par la musique.

musique, langage sonore.
On utilise la musique, avec succès, dans de nombreux instituts spécialisés dans la rééducation des enfants inadaptés ; elle y amène la détente et crée une atmosphère de joie. Un peu partout dans le monde, elle est employée comme remède à certains troubles mentaux ; il y a même des cliniques de musicothérapie qui reçoivent des malades envoyés par leurs médecins. Entre la vie affective et la musique, il existe un rapport certain que les psychologues s'efforcent de préciser et d'utiliser. Il semble que les préférences musicales puissent apporter des renseignements importants sur le caractère des individus ; R. B. Cattell a créé un test objectif de personnalité (fondé sur ce principe), qui fournit d'utiles précisions sur les sujets examinés.

mutilation, détérioration ou section d'une partie externe du corps.
On l'observe chez certains peuples à l'occasion de cérémonies religieuses (circoncision ou excision du clitoris) ou à l'issue de certaines batailles (mutilation des organes génitaux, scalps, etc.). La signification profonde de ces coutumes est, probablement, celle d'une castration*.
L'automutilation peut être pratiquée dans un but utilitaire (section du pouce pour échapper au service militaire). On la rencontre aussi chez certains malades mentaux, au cours d'un raptus anxieux (auto-castration d'un transsexuel désirant changer de sexe). L'automutilation a souvent la signification d'un suicide. La conduite de certains malades qui simulent une maladie aiguë et réussissent à se faire opérer, parfois à plusieurs reprises (pathomimie), est à rapprocher de la mutilation volontaire ; elle aurait pour fonction d'attirer l'attention sur soi et de « manipuler » les membres de l'entourage.

mutisme, état d'une personne enfermée dans le silence.
Le mutisme se distingue de l'aphasie* et de la mutité par l'absence de lésion organique. Il peut être délibéré (simulation) ou névrotique (hystérie) ; parfois, il est la conséquence d'une inhibition pathologique (stupeur mélancolique, autisme). Chez l'enfant, le mutisme est le plus souvent temporaire et électif (refus de parler au maître, par exemple) ; sa persistance ou son extension doivent faire craindre une évolution psychotique.

myélinisation, formation d'une gaine de myéline (substance nacrée de nature lipidique) autour de certaines fibres nerveuses.
La myélinisation constitue l'une des conditions du fonctionnement du système nerveux central. Vers l'âge de un an, on trouve la myéline, en petite quantité, partout où elle sera ultérieurement, mais elle continue d'augmenter, au moins jusqu'à la puberté. On observe, par exemple, que la surface transversale du faisceau pyramidal, qui est de 2 mm^2 à la naissance, passe à 6 mm^2 à 2 ans et à 12 mm^2 à 20 ans. Cette évolution cellulaire permet l'accroissement des vitesses de transmission des influx nerveux. C'est, en partie, parce que la maturation des zones cérébrales correspondant aux fonctions perceptives, motrices et du langage est terminée que ces activités

sont possibles à une certaine époque de l'enfance.

myokinétique (test), technique projective due à E. Mira y López (1939), s'apparentant à la graphologie et consistant à faire reproduire manuellement des lignes simples dans différents plans de l'espace.
Les déviations par rapport aux modèles sont ensuite étudiées et permettent d'obtenir des indications sur la personnalité des sujets examinés.

mythomanie, tendance pathologique à mentir.
La forme la plus bénigne par ses conséquences est la mythomanie vaniteuse, mais il existe une forme maligne et perverse de la mythomanie, qui est l'arme perfide des faibles, jaloux, envieux, auteurs de lettres anonymes et d'accusations mensongères, auxquelles trop de personnes prêtent une oreille complaisante. Cette tendance morbide à altérer la vérité serait, d'après E. Dupré, constitutionnelle.

myxœdème, maladie due à une insuffisance thyroïdienne.
Cette affection peut être acquise ou congénitale. Dans ce cas, elle se manifeste après le sevrage, par l'indolence et le retard psychomoteur du bébé, qui grossit sans grandir en conséquence, paraît bouffi et reste arriéré intellectuellement (idiotie*). Le myxœdème acquis dans la seconde enfance ou plus tard (à la ménopause, par exemple) est caractérisé, essentiellement, par la tendance à l'obésité, l'asthénie* et la torpeur intellectuelle. Il se traite par les extraits thyroïdiens et la thyroxine. Le « crétinisme goitreux » est une variété du myxœdème congénital. Il est dû à une carence alimentaire en iode. On peut prévenir cette maladie par des procédés d'enrichissement de la nourriture en iode, par l'intermédiaire du sel ou de l'huile.

n

narcissisme, amour excessif de soi.
En psychanalyse, on parle de narcissisme quand toute l'énergie de la libido, primordialement investie sur le moi, puis normalement répartie entre le moi et les autres est détournée de ceux-ci au profit exclusif de celui-là. Dans le développement de la personnalité, le stade narcissique est primitif ; c'est celui où le jeune enfant ne s'est pas encore nettement différencié du monde extérieur *(narcissisme primaire)*. Pour Freud, le narcissisme est le « complément libidinal » de l'égocentrisme* humain. On retrouve le narcissisme chez certains adolescents, chez les artistes et la plupart des personnes malades *(narcissisme secondaire)*, car la maladie entraîne toujours un repliement sur soi ; on a constaté aussi que, fréquemment, des sujets (de statut inférieur, surtout des enfants) tirent une satisfaction de leur état en se faisant plaindre et dorloter.

narcoanalyse, méthode d'investigation du psychisme par l'injection intraveineuse d'un narcotique.
En introduisant très lentement dans l'organisme soit un barbiturique euphorisant, soit un tranquillisant, on provoque une obnubilation partielle de la conscience. Le sujet, bien que dans un état voisin de l'endormissement, peut répondre aux questions qu'on lui pose. Il lui est possible d'évoquer son passé, ses expériences, etc. Le contrôle étant en grande partie aboli, les sentiments refoulés et les souvenirs que l'on croyait effacés peuvent réapparaître avec leur charge émotive (abréaction*). Dans certains cas de névroses traumatiques, la résurgence des émotions enfouies suffit à entraîner la guérison (catharsis*). On utilise la narcoanalyse pour avoir un diagnostic précis, mais aussi pour soigner les dépressions réactionnelles ou les troubles sexuels. La narcoanalyse ne doit pas être un moyen de recueillir des aveux ou des confidences. Son utilisation doit être subordonnée à l'accord du sujet.

nécrophilie, perversion sexuelle caractérisée par l'attirance morbide exercée sur un sujet par les cadavres.
Celui-ci les contemple, les palpe et va même jusqu'à pratiquer le coït avec eux. Il semble que ce soit la vue du corps d'un parent défunt, très aimé par un jeune enfant, qui se trouve à l'origine de cette perversion, plus connue sous le nom de *vampirisme*.

négation ou **déni de la réalité**, mécanisme de défense contre l'angoisse, consistant à nier l'évidence.
Le sujet transforme les faits réels, pénibles ou anxiogènes, en refusant de les reconnaître et en leur substituant des faits imaginaires opposés. L'enfant, tout en conservant intact le sens de la réalité, garde le privilège de nier l'existence de tout ce qui, dans cette réalité, lui déplaît. Par exemple, un jeune garçon qui tient beaucoup à sa situation d'enfant unique répond, lorsqu'on lui annonce la naissance d'une petite sœur : « Ce n'est pas vrai ! » L'adulte normal aussi fuit parfois, en la niant, une réalité insupportable. Le schizophrène se reconstruit un univers privé dans lequel il trouve la puissance, l'omnipotence, la quiétude que le monde réel lui refusait.

négativisme, résistance à toute sollicitation.
Le sujet négativiste peut être passif, inerte,

refusant d'ouvrir les yeux, de parler, de s'alimenter, ou actif, réagissant par la fuite ou par une attitude opposée à celle que l'on attend. Une malade réclame à grands cris un verre d'eau. On le lui donne. Elle le jette à terre. Chez l'enfant, le négativisme prend la signification d'une protestation révoltée contre certaines frustrations affectives (ressenties, mais pas toujours réelles objectivement). Chez l'adolescent et l'adulte, cette attitude correspond à un refus de contact avec autrui et avec le monde extérieur ; on la rencontre fréquemment dans la démence précoce, dont elle est un « symptôme cardinal ».

Neill (Alexander Sutherland), pédagogue britannique (Forfar, Écosse, 1883 – Aldeburg, Suffolk, 1973).
Après avoir dirigé une école internationale en Allemagne, puis à Vienne, il fonde son propre établissement, *Summerhill* (d'abord à Lyme Regis, puis, à partir de 1927, dans le village de Leiston), qu'il animera pendant un demi-siècle, jusqu'à sa mort. Neill prône le *self-government**. Sa pédagogie vise à libérer l'enfant du poids de la répression qui entraîne la crainte, la soumission, la passivité, la haine et le mépris, afin de lui permettre de manifester son propre désir, sa spontanéité, sa joie et sa créativité. Les idées de A. S. Neill sont exposées dans plusieurs ouvrages, dont *Libres Enfants de Summerhill* (1960), *la Liberté pas l'anarchie* (1967).

néobéhaviorisme, forme de béhaviorisme qui, dépassant le schéma simpliste *stimulus-réponse* du béhaviorisme classique, prend en compte de nouveaux faits d'expérience et des éléments de certaines doctrines philosophiques ou psychologiques.
Vers 1930, sous l'influence du physicien P. W. Bridgman et de logiciens, tels R. Carnap (1891-1970) et L. Wittgenstein, un *béhaviorisme opérationnel* s'est développé. Ce néobéhaviorisme souligne l'importance déterminante du système de référence adopté par le chercheur dans les résultats obtenus. C. L. Hull est l'une des principales figures de ce mouvement. Sa doctrine, qui insiste sur la nécessité d'une méthode hypothético-déductive en psychologie, s'oppose au *béhaviorisme molaire,* dont le principal représentant est E. C. Tolman*. Ce dernier, influencé par la *Gestaltpsychologie**, considère que l'étude du comportement ne peut pas ignorer les facteurs propres à l'organisme. Il transforme donc le schéma initial S-R en S-O-R (*stimulus-organisme-réponse*). Dans la même optique, B. P. Skinner* a développé la notion de conditionnement* opérant. Au début des années 60, des concepts initialement proscrits, tels que « plan » ou « réflexion », furent réintroduits, donnant ainsi naissance à un *béhaviorisme subjectif,* en totale contradiction avec les idées de J. B. Watson*.

néologisme, mot nouveau ou expression nouvelle.
L'introduction de mots néoformés dans le langage courant répond normalement à un besoin d'enrichissement de la langue (docimologie ou iatrogénie, par exemple) ou à un dessein délibéré (« franglais »). En psychopathologie, elle est le symptôme d'une altération de la pensée, de la conduite expressive et, au-delà, de la relation interhumaine. Les néologismes apparaissent fréquemment dans le langage des délirants chroniques et des schizophrènes.

nerveux, dans le système de G. Heymans et E. Wiersma, type de caractère marqué par une émotivité supérieure à la moyenne (E), une agitation contraire à l'action efficace (nA) et le retentissement primaire des excitations (P).
Vivant le moment présent, le nerveux est toujours en quête de nouvelles expériences. Il est volontiers excessif et excentrique, impatient, généreux, voire prodigue. Son besoin de sensations nouvelles le pousse à une vie instable, vagabonde.

neurasthénie, état névrotique dans lequel la fatigue constitue le principal symptôme.
Le sujet dort mal et se sent épuisé le matin, au réveil. Il se plaint de maux de tête, de douleurs diffuses (dans le dos, l'abdomen), de troubles gastro-intestinaux ; il est irritable et impuissant sexuellement. Ses proches ont tendance à le considérer comme un malade imaginaire.

Cet état, le plus souvent guérissable, survient habituellement à la suite d'un épuisement émotionnel. Selon les premiers psychanalystes, qui reflétaient l'opinion d'une époque, il serait associé à des pratiques sexuelles insatisfaisantes (onanisme, coït interrompu). La notion de neurasthénie recouvre actuellement une partie des névroses et des dépressions névrotiques. Elle a disparu des classifications européennes et américaines, mais elle s'est maintenue dans certains pays tels que la Russie. Dans le DSM III (manuel diagnostique et statistique des troubles mentaux, 1988), on la retrouve sous le vocable « trouble dysthymique » ou « névrose dépressive ».

neurochirurgie, chirurgie du système nerveux.
Elle s'est développée à partir de 1918 sous l'impulsion de H. Cushing et du chirurgien T. de Martel. Elle vise à supprimer la cause organique (abcès, malformation vasculaire, tumeur cérébrale) de troubles psychologiques (délires...) ou neurologiques (paralysies...). Les interventions, très délicates, sont nécessairement longues (parfois une journée entière) pour ménager le cerveau. Les progrès techniques (scanner, microchirurgie...) ont augmenté la sûreté et la précision des opérations. Il ne faut pas confondre la neurochirurgie avec la psychochirurgie*, qui ambitionne de guérir non seulement les états lésionnels, mais même les troubles psychiques d'origine fonctionnelle.

neuroleptique, médicament qui a pour effet de réduire les symptômes psychotiques, tels que l'agitation, le délire ou les hallucinations.
Le premier et le plus connu des neuroleptiques est la chlorpromazine (Largactil), dont les propriétés thérapeutiques ont été découvertes, en 1952, par J. Delay et P. Deniker. Bien que parfois utilisés, à faibles doses, dans le traitement des crises d'angoisse ou des obsessions et, chez l'enfant, des troubles du comportement (instabilité, agressivité), les neuroleptiques sont, essentiellement, les médicaments des psychoses.

neuromédiateur → médiateur chimique.

neurone, cellule nerveuse.
Schématiquement, on distingue dans le neurone un corps cellulaire, un axone et des dendrites. Le corps cellulaire, dont la taille varie de 5 à 130 millièmes de millimètres (µm), est composé d'un *noyau* enveloppé d'une masse protoplasmique appelée *péricaryon*. Du péricaryon partent des prolongements : les *dendrites* (partie réceptrice) et l'*axone,* ou *cylindraxe* (qui transmet l'influx nerveux). L'axone (ou *fibre nerveuse*) est un long filament (d'un mètre et plus chez les mammifères de grande taille) d'assez gros diamètre (de 1 à 22 µm et même 1 000 µm chez certains invertébrés), dont le groupement forme les nerfs. Autour de l'axone, enroulées en une spirale très serrée, des cellules de Schwann forment une gaine continue. Au cours du développement, le cytoplasme des cellules de Schwann s'enrichit en lipides phosphorés dont l'ensemble, d'aspect nacré, est dénommé *myéline*. Le manchon de myéline présente par endroits des interruptions appelées « nœuds » ou « étranglements annulaires de Ranvier ». Il existe des fibres nerveuses sans myéline (amyéliniques). Selon la forme du corps cellulaire et le nombre de leurs prolongements, on distingue des cellules pyramidales, des neurones unipolaires, bipolaires ou multipolaires. L'organisme humain compte environ 15 milliards de neurones, chacun d'eux pouvant avoir jusqu'à 30 000 connexions, ou synapses*, avec d'autres cellules. **→ médiateur, myélinisation.**

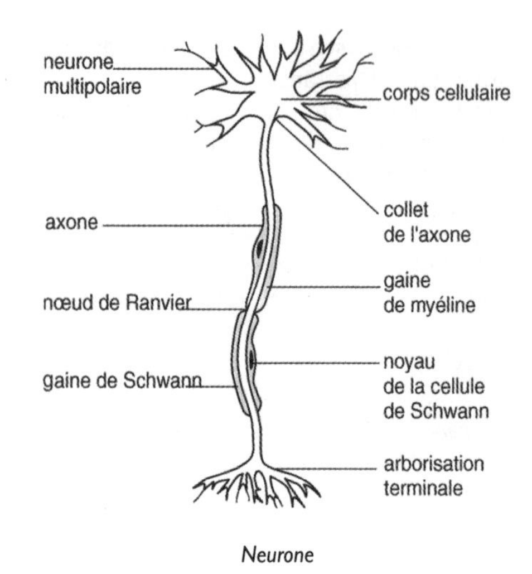

Neurone

neuropsychologie, discipline qui traite des fonctions mentales supérieures dans leurs rapports avec les structures cérébrales.
Parmi les précurseurs de la neuropsychologie figurent P. J. Gall et G. Spurzheim et, surtout, P. Broca, qui s'est illustré par ses travaux sur la localisation des centres cérébraux de la parole (3e circonvolution cérébrale gauche) et sur l'aphasie. La neuropsychologie moderne s'appuie sur la psychologie expérimentale, animale et humaine, l'anatomie du système nerveux central, la neurophysiologie et la neurochimie.

neutralité, état d'une personne qui ne prend pas parti.
Dans la cure psychanalytique, le thérapeute écoute, observe et essaie de comprendre son patient. Il ne révèle rien de lui-même et ne reflète rien d'autre que ce qui lui est montré. Il ne conseille pas et ne juge pas, afin de donner au sujet une liberté et une sécurité totales.

névrose, trouble mental qui n'atteint pas les fonctions essentielles de la personnalité et dont le sujet est douloureusement conscient.
Les *troubles phobiques* (l'agoraphobie, par exemple), les *états anxieux* (panique, obsessions, etc.), l'*hystérie* sont les principales névroses. Très répandus, les états névrotiques présentent un certain nombre de caractères communs : le névrosé se sent mal à l'aise, il manque d'assurance dans son rôle social ; il est agressif à l'égard d'autrui (ironie...) ou contre lui-même (tentative de suicide) ; il présente des troubles du sommeil (insomnie ou hypersomnie), de la sexualité (frigidité ou impuissance, continence systématique ou masturbation) et semble exagérément fatigable. Son réel épuisement est la conséquence des efforts inconscients qu'il fait pour lutter contre ses pulsions sexuelles et agressives. Tous ses symptômes névrotiques sont, en définitive, l'expression symbolique du drame intérieur dont il est le siège et qu'il est incapable de dominer, car les éléments essentiels échappent à sa claire conscience. Cette notion de conflit* est fondamentale ; on la retrouve dans toutes les théories explicatives de la névrose (sauf dans celle de P. Janet).
1. Les réflexologistes, à la suite de I. P. Pavlov*, ont créé, expérimentalement, des névroses chez des animaux en les plaçant dans des situations conflictuelles. Après avoir conditionné un sujet à réagir différemment à la vue d'un cercle (auquel était associée une récompense) et d'une ellipse (décharge électrique), ils diminuaient progressivement le grand diamètre de l'ellipse jusqu'à la rendre peu distincte du cercle. À ce moment, l'animal, ne sachant plus quelle réponse donner, devenait anxieux, s'agitait et présentait tout un ensemble de troubles psychosomatiques*.

2. Dans la théorie psychanalytique, le conflit intérieur, qui oppose les forces pulsionnelles du « ça* » aux instances morales (surmoi*), suscite l'angoisse, contre laquelle le sujet essaie de lutter en mobilisant certains mécanismes de défense inadéquats.

3. Les thèses culturalistes (Horney*) complètent les vues de Freud en faisant jouer un rôle déclenchant aux pressions sociales (familiales, conjugales, économiques). On relève parfois, chez certains névrosés, la présence de tares héréditaires ou de réelles difficultés socio-économiques, mais la caractéristique constante trouvée chez tous ces sujets nerveux est d'ordre psychologique : tous manquent de maturité affective ; ils se comportent à l'âge adulte comme des enfants, réagissant inconsciemment aux situations actuelles (professionnelles, sexuelles, sociales) en fonction de critères puérils et d'attachements ou de haine nés dans leur enfance.

La névrose, qui peut être déclenchée par un choc émotionnel (bombardement, deuil, échec scolaire), des difficultés matérielles ou le surmenage, est rarement considérée, par l'entourage, comme une véritable maladie. Les parents (et même certains médecins) ne comprennent pas cette affection mentale, qui n'a pas de cause organique connue ; même le sujet souffrant ignore les raisons de son malaise et de son angoisse. La thérapeutique, essentiellement psychologique, peut avoir la forme d'un soutien moral, mais les meilleurs résultats sont obtenus par la psychanalyse. La névrose est de nature différente de la psychose, le névrosé conservant la conscience de son état morbide et le psychotique se construisant la réalité imaginaire du délire, qu'il prend pour une véritable réalité.

névrose d'abandon, synonyme d'abandonnisme. → **abandonnique.**

névrosisme, terme employé par H. J. Eysenck pour désigner l'anxiété et l'instabilité émotionnelle d'une personne.
Ce trait de personnalité n'a pas en soi de caractère pathologique. Il est le terrain sur lequel peut s'édifier une névrose, mais celle-ci n'est pas inéluctable. Eysenck a mis en évidence deux traits principaux de personnalité : l'« extraversion*-introversion » et le névrosisme, ou « stabilité-instabilité émotionnelle ». Ces deux traits étant indépendants l'un de l'autre, un même individu peut être, par exemple, extraverti et instable ou introverti et stable. Selon cet auteur, les facteurs génétiques jouent un très grand rôle dans le degré d'extraversion-introversion et dans celui de névrosisme.

niveau mental ou **niveau intellectuel,** degré d'efficience intellectuelle mesuré par la méthode des tests.
Le niveau mental suit un développement à peu près parallèle à la croissance physique et, comme celle-ci, dépend à la fois de facteurs constitutionnels et de facteurs socio-économiques et culturels. Un enfant élevé à la campagne, habitué à raisonner à partir de situations pratiques, n'a pas la même forme d'intelligence qu'un lycéen du même âge, habitant une grande ville, auquel on a appris à se servir d'un langage riche et à raisonner dans l'abstrait. Tous deux peuvent être également intelligents, mais pour apprécier leur niveau mental il est indispensable de les soumettre à des épreuves différentes. Pour les mêmes raisons, il convient de ne pas se fier aux résultats scolaires pour apprécier l'intelligence d'un écolier : « niveau scolaire » n'est pas synonyme de « niveau mental ».

non-directive (psychothérapie) → Rogers (Carl).

noradrénaline → médiateur chimique.

normal, conforme à une règle.
La normalité est une notion relative, variable avec les milieux socioculturels et les temps : c'est ce qui s'observe le plus souvent, dans une société et à une époque données. Dans un ensemble statistique dont la dispersion est normale (courbe en cloche), les notes qui se rapprochent de la moyenne* arithmétique caractérisent la normalité ; au contraire, celles qui se situent aux extrémités de la courbe sont anormales. En médecine, on a tendance à assimiler l'homme normal à l'individu parfaitement sain, qui, en toute rigueur, n'existe pas.

nourrisson, enfant nourri au sein.
Dès le moment de la naissance, le nouveau-né est inséré dans son milieu : il s'intéresse aux stimulations qu'il reçoit. Selon T. Engen et L. P. Lipsitt, des nouveau-nés endormis, âgés de 50 heures en moyenne, répondent à des odeurs distinctes par des modifications de leurs rythmes respiratoire et cardiaque ainsi que par des mouvements de leurs membres. Le nourrisson de 15 jours répond activement aux sollicitations de sa mère qui l'appelle ou lui tend les bras, alors qu'il ne réagit pas à celles d'une autre femme (A. Thomas).
Très tôt, le bébé imite sa mère ou la personne qui le sollicite. Si l'on observe un enfant qui tète, on remarque qu'il ne quitte pas des yeux le visage de sa mère. En effet, téter est plus que s'alimenter, c'est incorporer, avec la nourriture, les autres sensations (tactiles, visuelles, auditives, olfactives) qui lui sont associées.
Les nourrissons qu'on ne câline pas, avec lesquels on ne parle ni ne joue ne se développent pas normalement : ils sont souvent inertes, atones, ne manifestent aucun intérêt pour le monde qui les entoure et présentent toujours un important retard du langage.

nymphomanie, exagération de l'appétit sexuel chez la femme.
Dans le langage populaire, on confond souvent cet état avec l'hystérie*. La nymphomanie semble, parfois, liée à un mauvais fonctionnement du système hormonal, mais on la rencontre surtout dans les crises d'excitation psychique (dans la manie notamment). Elle peut être la cause d'angoisse et d'obsessions quand la femme lutte contre ses désirs.

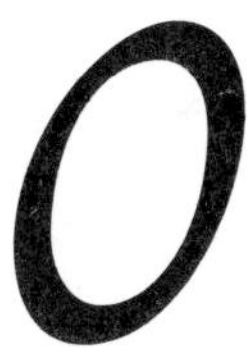

obésité, excès d'embonpoint.
Ce phénomène physique est lié au fonctionnement du système nerveux central, dont dépend l'équilibre endocrinien. On a décelé, en effet, à la base du cerveau, un noyau de la faim et on a pu provoquer artificiellement des obésités, chez l'animal, par l'excitation de cette zone de l'hypothalamus. (À proximité et en synergie avec elle fonctionne un « centre de la satiété ».)
L'obésité connaît plusieurs causes : hérédité, déséquilibre important entre l'apport alimentaire et les efforts fournis, troubles psychologiques. Les conditions psychoaffectives jouent, en effet, un rôle certain : sur une population de 140 sujets obèses, G. Touraine et coll. observent que la moitié est composée d'enfants non désirés ayant un sentiment aigu d'insécurité. Les pères sont généralement mous et les mères ont souffert dans leur enfance de pauvreté. La mésentente conjugale est fréquente. Les parents, confusément conscients du tort qu'ils font à leurs enfants, ont une attitude exagérément protectrice à leur égard, les suralimentant et leur interdisant les exercices physiques, jugés dangereux.
Après ce véritable conditionnement*, l'individu répond par une conduite alimentaire aux frustrations de la vie courante et, de ce fait, devient obèse.

objectale (relation) ou **relation d'objet,** rapport existant entre le sujet et un « objet » extérieur à lui.
Durant les deux premiers mois de la vie, le nouveau-né est dans un état purement narcissique ; il réagit aux excitations internes et externes, éprouve du plaisir ou de l'insatisfaction, mais ne s'est pas encore différencié du monde extérieur. Puis, entre trois et six mois, un « objet » vague se détache de l'ensemble : la mère, ou toute autre personne s'occupant régulièrement du nourrisson, qui devient dispensatrice de plaisir (nourriture, soins...), avec laquelle l'enfant établit sa première relation objectale. Au huitième mois, celle-ci est si personnalisée que la présence d'une personne étrangère à la place de la mère déclenche une véritable angoisse chez le bébé. Dans l'organisation et le développement de la personnalité, les premières relations objectales ont une importance fondamentale.

objective (psychologie), méthode d'approche extérieure des faits psychologiques, semblable à celle des sciences physiques, qui observe, mesure et tire des lois.
L'expérimentateur, repoussant l'intelligibilité intuitive de son prochain, posé comme « objet », constate des faits physiques : il décrit avec précision les influences auxquelles le sujet est soumis, ses réactions, son comportement. La réflexologie* de I. P. Pavlov et V. Bechterev, le béhaviorisme*, la psychologie topologique de K. Lewin se réclament de cette méthode, qui est capable de fournir des lois générales mais non pas de connaître les individus dans leur singularité, car elle n'atteint pas les phénomènes psychiques dans leur qualité intime.

objet (bon, mauvais, partiel) → Klein (Melanie).

objet (relation d') → objectale (relation).

oblativité, conduite généreuse, altruiste, dans laquelle le sujet s'efface et s'efforce de satisfaire les besoins de son prochain, dont il n'attend rien en retour.

L'amour authentique, désintéressé, qui fait accepter spontanément le sacrifice de soi, est rare ; il indique que l'on a atteint le degré le plus élevé du développement affectif.

observation, méthode ayant pour but de relever un certain nombre de faits naturels, à partir desquels il sera possible de former une hypothèse que l'on soumettra à la vérification expérimentale.

L'observation constitue la phase fondamentale de l'expérimentation. Elle peut être simple (au cours de l'entretien et des tests, le psychologue note les attitudes du sujet, sa mimique, sa manière de faire) ou « armée » (enregistrement, glace sans tain permettant à l'observateur de voir sans être vu) ; limitée à un échantillonnage de temps (cinq minutes toutes les trois heures, par exemple) ou continue et de longue durée (en internat), etc. Dans une consultation rapide, il arrive que l'observation soit faussée par les conditions mêmes de l'examen et la présence de l'expérimentateur. Lorsque la gravité de la situation le nécessite, on poursuit l'étude entreprise en introduisant un éducateur spécialisé dans le milieu du sujet (« observation en milieu ouvert »), en recueillant, périodiquement, des éléments d'information sur le comportement de l'enfant ou de l'adolescent, chez lui, à l'école, dans la rue, etc., ce nouvel observateur permet de mieux comprendre ce « cas ».

obsession, préoccupation intellectuelle ou affective qui assiège la conscience.

L'élément parasite est incoercible. Ce peut être un doute, un scrupule, une pensée obscène ou un problème absurde ; parfois, c'est la crainte de se livrer à un acte ridicule, sacrilège, odieux ou criminel. Le sujet souffre de son obsession, dont il n'ignore pas le caractère pathologique, et s'épuise à lutter contre elle. Lorsque l'obsession se présente à lui, il se sent coupable ou ridicule, redoute d'en parler et vit en permanence dans la crainte de mal faire (ce qui, incidemment, explique sa méticulosité, sa ponctualité, ses doutes et ses scrupules excessifs).

Des pensées obsédantes peuvent apparaître, occasionnellement, chez des sujets normaux, à la suite d'une grande fatigue. Quand elles acquièrent une permanence et une intensité particulières, elles constituent le symptôme essentiel de la *névrose obsessionnelle.* Celle-ci se forme, progressivement, à partir du moment où le sujet doit résoudre les problèmes fondamentaux de l'existence (amour, coexistence avec autrui, vie professionnelle). Selon A. Adler, il s'agit d'une fuite de la réalité et d'une transposition de la lutte sur un plan déréel, où le névrosé espère triompher. D'après la théorie freudienne, la névrose obsessionnelle exprime la régression au stade sadique-anal de l'individu incapable de satisfaire ses besoins (les pulsions du ça*) et de respecter ses interdits moraux (surmoi*). L'analyse de la personnalité de l'obsédé montre, en effet, un certain nombre de traits de caractère, en relation avec l'agressivité et la tendance à « retenir », propres à cette période du développement affectif.

En représentant schématiquement les tendances et leurs contraires (formations réactionnelles), nous obtenons quatre traits susceptibles de se combiner entre eux (voir schéma).

Le traitement des troubles obsessionnels repose sur la chimiothérapie et sur la psychothérapie, surtout la psychanalyse.

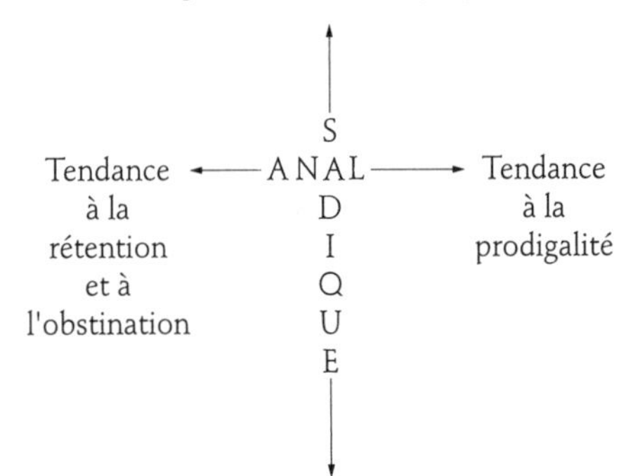

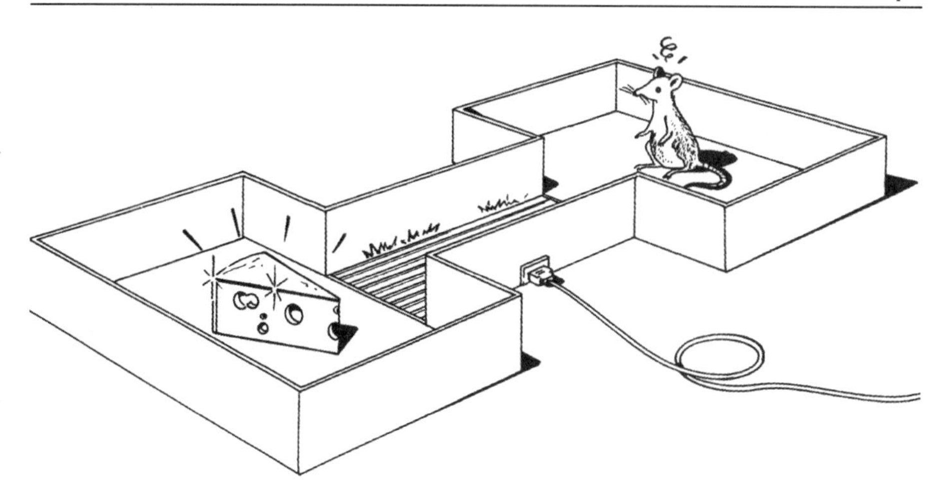

Cage d'obstruction ou boîte à obstacle utilisée à l'université Columbia pour mesurer la force d'une tendance.

obstruction (méthode d'), méthode expérimentale qui permet de mesurer la force des tendances et les attitudes devant la frustration.
Pour apprécier la valeur relative des différentes pulsions chez le rat blanc, C. J. Warden (1926) a imaginé un appareil, appelé « cage d'obstruction » (voir schéma), comprenant trois parties, celle du milieu étant constituée par un plancher électrisé. De part et d'autre de l'obstacle, on place l'animal et l'appât et l'on compte le nombre de passages que le sujet effectue pour satisfaire son besoin. D'après Warden et ses collaborateurs, la mère séparée de ses petits s'expose 22 fois à la douleur pour les retrouver ; la soif entraîne 20 passages, la faim 18 et la sexualité 13.

occultisme, étude et pratique des faits entourés de mystère.
Parmi les sciences occultes, l'alchimie et l'astrologie sont à la base des sciences exactes. Les autres, la magie, la cabale, la métapsychique (télépathie*, télékinésie, lévitation...), échappent aux règles de la science positive. Pourtant, cela ne devrait pas justifier l'attitude de mépris et de rejet catégorique dans laquelle on se tient habituellement à l'égard de l'occultisme. → **parapsychologie.**

occupation (thérapie d') ou **thérapie occupationnelle,** traitement de certains troubles mentaux par l'activité.
Pour éviter que les malades ne s'enlisent dans l'oisiveté et ne perdent le contact avec la réalité, qu'ils ont trop tendance à fuir (dans la rêverie surtout), les psychiatres proposent à leurs patients hospitalisés des occupations récréatives (ludothérapie*), des activités artistiques (art-thérapie), sportives ou manuelles (ergothérapie*) qui favorisent la réadaptation sociale.

Œdipe (complexe d'), sentiments découlant de l'attachement érotique de l'enfant au parent du sexe opposé.
En analysant les névroses, Freud a découvert ces faits qui, schématiquement, peuvent se réduire à deux tendances interdépendantes : amour pour le parent de sexe opposé et hostilité pour le parent de même sexe. Il les a groupés en un ensemble appelé « complexe d'Œdipe », par référence à la mythologie grecque. On se souvient, en effet, que la destinée d'Œdipe, fils de Laïos, roi de Thèbes, et de Jocaste, était de tuer son père et d'épouser sa mère. Exilé depuis son enfance, il se prend un jour de querelle avec un inconnu (son père, Laïos), qu'il tue, devine l'énigme que lui pose le Sphinx et reçoit, comme récompense, la main de Jocaste.
Le complexe d'Œdipe n'a rien de pathologique (ce sont ses développements, en cas de non-résolution, qui peuvent le devenir) ; il constitue une étape normale dans la croissance psychologique de l'enfant. Depuis les

travaux des psychanalystes, on ne conteste plus l'existence d'une sexualité infantile. Vers l'âge de quatre à cinq ans, le garçon se prend d'un vif amour pour sa mère (qui est pour lui la personne de sexe féminin la plus digne d'intérêt et la plus proche) et, dans le même moment, éprouve de l'agressivité à l'égard de son père, en qui il voit un rival heureux, dont il admire et envie la puissance et les qualités. Le conflit intérieur et la tension qui en résulte se résolvent, normalement, par le refoulement* des tendances sexuelles, jusqu'à la puberté, et l'identification* au père : comme celui-ci, le jeune garçon apprendra à devenir viril (sans révolte) et moins dépendant à l'égard de sa mère. Chez la fillette, on observe une situation symétrique.
Le complexe d'Œdipe caractérise les enfants des familles monogamiques. Il est, essentiellement, un effet de la culture. Dans notre civilisation, il occupe une position fondamentale, déterminant certains traits de caractère (l'hostilité au père peut se trouver déplacée sur l'autorité en général, les chefs hiérarchiques, l'Église, l'État...) et la névrose quand l'évolution ne se fait pas normalement.

oligophrénie, arriération mentale.
L'oligophrénie, insuffisance du développement intellectuel, s'oppose à la démence*, qui est une perte pathologique, une détérioration de l'intelligence.
Les causes de l'oligophrénie peuvent être héréditaires, infectieuses, traumatiques ou provenir du milieu. Il existe des familles d'oligophrènes. D'après certains auteurs, si l'un des parents est arriéré, 46,1 % de leur descendance le sont aussi (C. Brugger) ; si les deux sont atteints, la proportion des enfants oligophrènes passe à 90,7 % (Reiter et Osthoff). D'autres facteurs pathogènes peuvent encore jouer : rubéole, survenant chez la femme durant les trois premiers mois de la gestation, incompatibilité sanguine, anoxie* à la naissance, etc.
Le fonctionnement mental des arriérés profonds témoigne d'une organisation particulière où prédominent l'intolérance aux frustrations et, en particulier, l'incapacité à admettre que la satisfaction d'un désir soit différée (comme dans les psychoses infantiles). L'enfant passe alors par des états d'angoisse intense, se traduisant par de violentes colères ou d'autres manifestations émotionnelles. → **déficience intellectuelle.**

onanisme, masturbation.
Ce terme fait allusion au personnage d'Onan, qui, d'après la Bible, fut obligé d'épouser la veuve de son frère, mais se refusa à lui donner une postérité. D'après cette origine, l'onanisme devrait désigner le coït interrompu plutôt que la recherche de satisfactions autoérotiques.

onirisme, activité mentale comparable au rêve, caractérisée par le déroulement d'images et de scènes visuelles, vécues par le sujet comme étant réelles.
Celui-ci paraît attentif, ravi ou effrayé par ce qu'il voit et entend. Dans certains cas, il participe à l'action, interpelle les personnages ou fuit le danger imaginaire. Il ne perçoit plus la réalité extérieure que de façon très floue. Spécialement étudié par E. Régis, l'onirisme, ou *délire de rêve,* qui survient dans certains états infectieux ou toxiques (alcoolisme notamment) mais parfois aussi à la suite d'un violent choc affectif, fournit le matériel de base des états délirants transitoires. Son évolution est généralement favorable. En peu de temps (en quelques heures parfois), il disparaît, tandis que s'améliore l'état général du malade. Cependant, il n'est pas rare de voir le sujet conserver certaines idées fixes (de jalousie, par exemple) qui peuvent constituer le noyau d'un véritable délire* chronique.

onychophagie, habitude de se ronger les ongles.
Ce tic se rencontre non seulement chez les enfants émotifs, mais encore chez des adolescents et des adultes. Il est en relation avec un état de malaise affectif indéfini et peut être interprété comme un signe d'anxiété, la décharge psychomotrice d'une tension intérieure.

opendoor, mot anglais signifiant « porte ouverte ».
Dans les centres hospitaliers spécialisés en psychiatrie de nombreux services sont

« ouverts* », c'est-à-dire que les malades sortent du pavillon et se promènent sans surveillance. En éprouvant ainsi leur liberté, ils retrouvent le sens de leurs responsabilités et amorcent leur réadaptation sociale.

opératoire (théorie), théorie dans laquelle sont décrites les diverses structures logiques qui se succèdent au cours du développement intellectuel.

J. Piaget a montré que la pensée se forme continûment.

1. De 0 à 2 ans, le bébé n'utilise comme instrument que les perceptions et les mouvements. Il n'est pas encore capable de représentation. C'est la période de l'*intelligence sensori-motrice,* préverbale.
2. Vers 2 ans débute une autre période, qui dure jusqu'à 7 ou 8 ans, où s'élabore la *fonction symbolique* (ou « sémiotique »), qui permet à l'enfant de substituer à l'objet sa représentation. La fonction symbolique permet à l'intelligence sensori-motrice de se prolonger en pensée. Toutefois, l'enfant ne dispose pas encore des moyens opératoires nécessaires à la constitution des notions les plus élémentaires de *conservation**. Par exemple, il croit que la distance entre A et B n'est pas nécessairement la même qu'entre B et A (surtout en pente).
3. Ce n'est que vers 7 ou 8 ans que la notion de réversibilité est acquise. À ce moment, on assiste à la formation des opérations mentales : classification et sériation. Auparavant, l'enfant se situait au niveau *préopératoire* ; désormais, il entre dans la période des *opérations concrètes* de la pensée. Mais ces nouvelles possibilités ne lui ouvrent qu'un champ limité, car les opérations intellectuelles dont il est capable ne s'exercent encore que sur des objets.
4. Vers 11 ou 12 ans débute la dernière période, celle des *opérations formelles,* ou *hypothético-déductives,* qui ne portent plus exclusivement sur des objets ou des réalités concrètes, mais aussi sur des « hypothèses » ; cette période s'épanouira pleinement à l'adolescence, dans la pensée rationnelle. → **stade.**

opinion, jugement subjectif, fondé sur une connaissance vague de la réalité, reflétant la manière de voir, l'état d'esprit, l'attitude d'une personne ou d'un groupe à l'égard d'une valeur déterminée.

Les opinions d'un sujet sont révélatrices de son caractère ; elles renseignent sur le système de valeurs auquel il est attaché, sur la rigidité ou la flexibilité de ses attitudes, sur ses aspirations personnelles. Comme les attitudes, les opinions s'élaborent dans l'interaction sociale, sous l'influence primordiale de l'identification aux parents, aux maîtres et aux autres membres de l'entourage. Elles se forment aussi à partir des situations existentielles : expériences familiales (révolte contre l'image du père, par exemple), accidentelles (dramatiques ou traumatiques), professionnelles ; enfin, elles sont influencées par les conditions socio-économiques et le rôle social de chacun (notre statut dans la collectivité implique de notre part l'adoption de certaines attitudes et opinions).

Le besoin de connaître les opinions de fractions plus ou moins larges de la population est ressenti par les hommes politiques, par les militaires, soucieux de connaître le moral des troupes, par les industriels et les administrateurs, qui désirent améliorer la qualité des relations humaines à l'intérieur du système psychosocial dont ils ont la charge ; enfin, par les entreprises commerciales, qui cherchent à connaître les besoins et les goûts du public (études de marché). Il est possible de se faire une idée à peu près exacte des opinions d'une population en procédant à des sondages.*

opium, latex tiré de la capsule du pavot.

Connu depuis l'Antiquité pour ses propriétés analgésiques et hypnotiques, il est surtout répandu en Extrême-Orient, où on le consomme sous forme de décoction, de pilules à ingérer ou de boulettes à fumer. Il procure tout d'abord une sensation de bien-être euphorique et donne un sentiment de puissance. Mais, après une période plus ou moins longue, la déchéance mentale et physique s'instaure, qui conduit souvent au suicide. Le traitement de l'opiomane, souvent décevant, ne peut être réalisé que dans un établissement spécialisé.

En France, l'opium a de moins en moins de partisans : 25 personnes ont été interpellées pour ce fait en 1987 (O.C.R.T.I.S., 1988). → **endorphine, morphine.**

opposition, attitude hostile, se manifestant par la résistance passive ou par une action contraire à celle que l'on souhaite.
Dans sa troisième année, le jeune enfant s'oppose à autrui sans autre motif que d'éprouver le sentiment de son autonomie. Cette attitude purement formelle est une phase normale, transitoire, du développement psychoaffectif de l'enfant, qui, ayant besoin de faire reconnaître l'existence de sa personne, se pose en s'opposant. Plus tard, à l'adolescence, le même comportement réapparaîtra. L'opposition peut être *active,* s'exprimant dans l'indiscipline, la désobéissance, la révolte, les conduites délictueuses ; ou *passive,* se manifestant par le mutisme, l'anorexie*, la paresse. Elle est parfois voulue, calculée, mais souvent aussi inconsciente. Chez des sujets sensibles, émotifs, vulnérables, qui souffrent de n'être pas compris et de vivre dans un milieu frustrant (autoritaire ou indifférent), le comportement d'opposition peut devenir habituel et, à partir d'une personne (père, professeur...), s'étendre à tout un groupe social (les patrons, les bourgeois, etc.). Les réactions d'opposition durables se trouvent chez les caractériels, les délinquants, dans certains états névrotiques et psychotiques.

optimisme, attitude de celui qui regarde de préférence le bon côté des choses, qui croit en l'homme, au progrès et à l'amélioration du genre humain.
L'optimiste n'est pas le sujet candide que l'on croit trop souvent, mais, au contraire, un individu courageux, qui ne se laisse pas rebuter par les obstacles et qui maintient son action alors même que tout semble perdu. L'optimisme est le ferment de la créativité.

oral (stade), première phase du développement de la sexualité infantile (première année de la vie environ), où le plaisir essentiel est procuré par la tétée, associée à l'incorporation sensorielle (visuelle, auditive, cutanée) de l'image maternelle.
La présence de la mère, source de satiété et de quiétude, s'accompagne d'une intense satisfaction. Son absence est frustrante. Le nourrisson, dans cet état de tension, recherche la détente dans la succion des doigts.

organisation du travail, ensemble des activités qui ont pour but d'aménager le travail afin d'augmenter la productivité, sans nuire au bien-être du travailleur, et de fournir au consommateur davantage de biens à des prix moindres.
L'idée d'organiser scientifiquement le travail au sein des entreprises est née au XIXe siècle, mais ce fut l'ingénieur américain F. Taylor qui la développa. En analysant et en étudiant méthodiquement les gestes des ouvriers, il détermina les mouvements et les rythmes les plus efficaces, supprima les gestes inutiles et adapta l'outillage au travailleur. Par cette méthode, il augmenta la production de la *Bethlehem Steel Plant* (1885) de 400 %. Devant de tels résultats, l'organisation scientifique du travail se répandit dans le monde. Réservée à l'origine à l'industrie, elle fut étendue, par H. Fayol, à l'administration.
Pour être efficace, l'organisation du travail ne doit pas perdre de vue la satisfaction du travailleur. Celui-ci est d'autant plus efficient que ses relations avec ses collègues et ses chefs sont bonnes, qu'il ne souffre ni de surmenage ni d'insécurité. Les échecs subis par les « ingénieurs en organisation » ont presque toujours eu pour cause leur souci exclusif de la productivité et leur négligence du facteur humain.

orgueil, attitude dictée par la conscience aiguë de sa valeur propre et de ses mérites, avec une propension à les surestimer.
L'orgueilleux, volontiers autoritaire et intolérant, affiche ses capacités, ce qui le rend souvent irritant, voire insupportable. L'orgueil se différencie de la vanité par le fait que dans celle-ci les mérites sont illusoires, tandis que dans celui-là ils sont réels. L'orgueil, dit A. Comte, exprime le besoin de dominer, tandis que la vanité est liée au désir d'être approuvé. L'hypertrophie du moi de l'orgueilleux peut constituer le noyau de certains troubles mentaux. → **paranoïa.**

orientation, reconnaissance de certains repères pour se guider dans sa marche ou pour mener à bien une entreprise. L'orientation professionnelle, issue des exigences nouvelles du monde industriel, est née, en France, en 1922. Traditionnellement, elle consistait à diriger un adolescent vers le métier qui correspondait le mieux à ses capacités, à ses goûts et à sa personnalité, tout en tenant compte des possibilités d'emploi et de sa situation familiale. Mais, avec le progrès de la technique et le renouvellement des professions, une telle démarche est devenue impossible : désormais, on oriente les adolescents vers une famille de métiers ou un secteur professionnel (mécanique, par exemple) afin qu'il puisse recevoir une formation générale suffisante lui permettant de changer aisément de filière si cela devient nécessaire. Depuis 1996, les élèves doivent se préparer à leur orientation scolaire et professionnelle dès la classe de cinquième des lycées et collèges ; il s'agit d'une « éducation à l'orientation » à laquelle concourent les enseignants et les conseillers d'orientation-psychologues. Cette éducation comporte trois volets : la connaissance de soi, les formations possibles, une information sur le monde du travail (circulaire n° 96.204 du 31. 7. 1996).

Dans chaque département, il existe plusieurs centres d'information et d'orientation (C.I.O.), services publics ouverts à tous, dont la compétence s'étend aux enseignements du second degré et du supérieur. En application du décret du 7-7-1971 sur l'organisation des services chargés de l'information et de l'orientation, et de celui du 12-2-1973, relatif aux procédures d'orientation de l'enseignement public, l'observation des écoliers, commencée à partir de la 6e, se poursuit de façon continue sur plusieurs années (cycle d'observation). L'orientation est assumée par le *conseil de classe* des 5e et des 3e, qui se réunit à la fin du troisième trimestre scolaire. C'est lui qui, en classe de 3e, à la suite du conseil des professeurs, remplit les livrets scolaires et émet des propositions d'orientation soit vers le *cycle court* (B.E.P. ou C.A.P.), soit vers une classe de seconde *(cycle long)*. Les recommandations du conseil de classe n'ont rien de contraignant ; ce ne sont que des propositions, que les familles peuvent contester. Les étudiants peuvent trouver aussi dans leur établissement d'enseignement supérieur, au sein de la cellule universitaire d'information et d'orientation, un conseiller qui, en relation avec l'Office national d'information sur les enseignements et les professions (O.N.I.S.E.P.), est à leur disposition pour les guider dans le choix d'une filière.

orthopédagogie ou **pédagogie curative,** art de corriger les troubles pédagogiques présentés par des écoliers en difficultés. L'orthopédagogue est un rééducateur spécialisé ayant reçu une formation psychologique et pédagogique. Pour réadapter les élèves dont la scolarité et, souvent aussi, le comportement sont perturbés, il utilise des méthodes particulières, adaptées à chaque cas. → **dyslexie.**

orthophonie, ensemble des traitements destinés à corriger les troubles de la voix, de la parole ainsi que du langage oral et écrit.
Les orthophonistes sont habilités à traiter la plupart des troubles du langage, notamment le bégaiement*, et à assurer la démutisation des enfants sourds. Chez l'adulte, ils rééduquent les aphasiques et les personnes atteintes d'affections du larynx ou de dysfonctions de la parole d'origine nerveuse.

oubli, effacement normal des souvenirs.
De nombreuses observations confirment, en grande partie, les vues de H. Bergson et de S. Freud selon lesquelles le passé vécu n'est jamais réellement aboli. Le souvenir persiste indéfiniment ; dans certaines circonstances, sous l'influence de forces inhibitrices, il disparaît, mais il resurgit, plus tard, à l'occasion de circonstances plus favorables. La narcoanalyse*, provoquée par l'injection intraveineuse de barbituriques, qui diminuent l'inhibition, permet d'exhumer des souvenirs depuis longtemps oubliés. L'exploration du passé par la psychanalyse permet de faire les mêmes découvertes.
D'après Freud, l'oubli correspond à l'éloignement de la conscience de souvenirs désagréables ou non conformes aux exigences du sens moral. Il est dû au refoulement. Ce n'est pas

un effacement automatique et progressif, mais la résultante d'un ensemble de forces convergentes qui repoussent, temporairement, hors du champ de conscience, le souvenir. On n'oublie pas un projet ou un rendez-vous qui tient à cœur. Au contraire, ceux qui nous ennuient ont tendance à sortir de notre mémoire.

paidologie ou **pédologie**, science de l'enfance.
Cette discipline étudie les lois auxquelles sont soumis le développement et le comportement de l'enfant, qui sont fondamentalement différentes de celles qui régissent les conduites des adultes.

panel, échantillon fixe de personnes interrogées à plusieurs reprises, généralement pour suivre l'évolution de l'opinion sur un sujet déterminé.
La méthode des panels est utilisée pour vérifier l'efficacité d'une campagne publicitaire ou pour connaître les variations dans les attitudes et les opinions* d'une population à l'égard d'un produit, d'un événement ou d'un personnage politique. Dans de nombreux pays, les responsables de chaînes de radio et de télévision disposent d'un échantillon permanent d'auditeurs et de téléspectateurs qui les renseigne sur l'audience des émissions.

panique, terreur soudaine, généralement sans fondement et souvent collective.
Dans la classification de l'*American Psychiatric Association* (DSM III-R, 1989), le « trouble panique » *(Panic Disorder)* s'intègre dans les états anxieux (ou névroses d'angoisse) survenant en dehors des circonstances impliquant un risque vital. Il se manifeste par des symptômes tels que la peur de mourir ou de devenir fou, l'impression que l'on va s'évanouir, des sensations d'étouffement, des étourdissements ou des vertiges, des palpitations, un tremblement, etc. Cet état névrotique ne doit pas être confondu avec d'autres syndromes, tel le « syndrome de sevrage » consécutif à la suspension de prise de substances toxiques : amphétamines, barbituriques ou caféine par exemple. Il doit être aussi différencié d'autres maladies mentales, comme la dépression majeure.

parade ou **pariade,** comportement ritualisé préludant à l'accouplement chez certains animaux.
La parade, ou « danse nuptiale », a été observée aussi bien chez les insectes, les oiseaux, les poissons que chez les mammifères. Elle consiste en une succession d'actes se déroulant dans un ordre défini. Chaque séquence suscite une réponse de l'autre partenaire. La parade nuptiale a pour effet de stimuler leurs sécrétions hormonales, de réduire l'agressivité qui existe fréquemment entre congénères et de créer les conditions optimales pour un accouplement fécond. Elle peut être induite expérimentalement par l'injection d'hormones dans le corps des animaux ou, au contraire, supprimée par la castration (D. S. Lehrmann). → **phéromone.**

paralysie, diminution importante ou abolition de la motricité.
Généralement, elle est due à une atteinte de l'encéphale (paralysie centrale), de la moelle ou d'un nerf périphérique (paralysie périphérique), mais elle peut être consécutive à une atteinte musculaire (myopathie par exemple) ou à un dysfonctionnement de la jonction neuromusculaire (myasthénie).
Parmi les diverses variétés de paralysie, la paralysie générale progressive occupe une place particulière, car elle se caractérise moins par la déficience motrice (difficulté de la pa-

role, tremblement des mains) que par les troubles mentaux. Causée par le tréponème pâle de la syphilis (méningoencéphalite diffuse), cette affection se manifeste, sur le plan psychique, par une amnésie* progressive, susceptible d'aboutir à une désorientation totale dans l'espace et dans le temps, par la détérioration de l'intelligence et du sens moral, la modification de l'affectivité (dans le sens de la sensiblerie ou, au contraire, de l'insensibilité) ; parfois, un délire apparaît (idées de grandeur, hypocondrie) et le malade s'achemine vers la démence* complète. Le pronostic de la paralysie générale, jadis fatal, a été transformé par l'utilisation de pénicilline à fortes doses. Un autre type de paralysie peut s'observer chez des personnes ne présentant aucune lésion nerveuse (intégrité des réflexes). Il s'agit d'une inhibition fonctionnelle d'origine névrotique, comme dans la paralysie hystérique, guérissable par la psychothérapie.

paramnésie, illusion de mémoire.
Le passé et le présent sont mélangés, le réel et l'imaginaire sont confondus. Le sujet a du mal à localiser dans le temps un souvenir exact ou croit reconnaître une situation, un lieu, un objet ou une personne qui lui sont, en réalité, inconnus. Ce trouble se rencontre le plus souvent dans le syndrome de Korsakov* ou les épilepsies temporales.

paranoïa, psychose chronique caractérisée par un délire systématisé, c'est-à-dire cohérent, clair, logique et élaboré à partir d'une idée précise.
On distingue quatre formes de délire paranoïaque : 1. le délire de *revendication,* où le sujet, convaincu d'être victime de quelque préjudice, en demande la réparation avec acharnement et, parfois, cherche à se venger lui-même (incendie, meurtre...) ; 2. le délire *passionnel,* dont le thème peut être la jalousie ou un idéal mystique, par exemple ; 3. le délire d'*interprétation,* qui s'accompagne presque toujours du sentiment d'être l'objet d'une animosité générale ; 4. le délire de *relation* des sensitifs, ou paranoïa sensitive (E. Kretschmer), où le sujet, hypersensible et vulnérable, vit une relation difficile avec le monde qui l'écrase. La paranoïa sensitive se distingue de la véritable paranoïa par l'absence d'agressivité.
Les paranoïaques se signalent par leur orgueil démesuré, leur rigidité psychique, leur méfiance générale, leur hypersensibilité et leur pensée paralogique (c'est-à-dire que leur raisonnement, parfaitement logique, repose sur des postulats faux, des erreurs, des illusions, dictés par une affectivité anormale). Les anciens auteurs considéraient la paranoïa comme une psychose dépendante de causes internes. Actuellement, on insiste plutôt sur le rôle des événements existentiels dans le déclenchement de ces troubles (K. Jaspers, E. Kretschmer, J. Lacan). Il semble que la personne, incapable de supporter une situation traumatisante, régresse jusqu'à un stade primitif du développement affectif (sadique-anal) et utilise la projection*, créatrice d'une fausse réalité, comme mécanisme privilégié de défense du moi (la proposition « je le hais » devient « il me hait »).

paranoïde, adjectif utilisé pour désigner certains états psychiques qui rappellent par quelque côté la paranoïa.
En France, on l'emploie habituellement pour caractériser un délire mal structuré, incohérent, difficilement pénétrable (formulation abstraite, néologismes), dont le type se rencontre dans la schizophrénie*. Pour les Américains (DSM III), le « type paranoïde » est une forme de schizophrénie dominée par une ou plusieurs des manifestations suivantes : idées délirantes de grandeur, de persécution, de jalousie, hallucinations à thème de persécution ou de grandeur.

paranoïde (position) → **Klein (Melanie).**

paraphilie, perversion* sexuelle.
Selon la définition adoptée par l'*American Psychiatric Association* (DSM III,1989) et par l'Organisation mondiale de la santé, la paraphilie se caractérise par la recherche régulière du plaisir sexuel ou d'une excitation génitale par un « objet » ou par une situation bizarres ou inhabituels. Pour que l'on puisse porter le diagnostic de paraphilie, il faut que le plaisir

sexuel soit toujours subordonné à l'acte anormal et que le sujet soit conscient du caractère déviant de sa sexualité. Les formes principales de la paraphilie sont le fétichisme, le travestisme, l'exhibitionnisme, le voyeurisme, le sadisme, le masochisme, la pédophilie, la zoophilie.

parapsychologie, discipline qui étudie les phénomènes paranormaux (clairvoyance, télépathie, télékinésie...).
Des chercheurs venus d'horizons divers, dans de nombreux pays, s'efforcent de vérifier la réalité de ces phénomènes et de les expliquer. Utilisant l'observation* armée, la méthode statistique et l'expérimentation, ils ont essayé d'introduire la rationalité dans le domaine de l'irrationnel.
Après avoir étudié la voyance pendant plusieurs années, F. Laplantine (1988) en arrive à la conclusion que ce phénomène est un mode de communication sensoriel, intermittent, involontaire et semi-conscient, qui n'est ni explicable ni reproductible à volonté. Pour sa part, R. Chauvin a étendu les expériences de parapsychologie à l'animal pour déterminer si les souris possèdent la capacité de prévoir l'avenir (précognition). Un mécanisme automatique envoie de façon purement aléatoire un courant électrique sur l'une ou l'autre partie d'une boîte ; la souris utilisée comme sujet d'expérience est avertie par une lumière que le courant électrique va passer, mais elle ignore de quel côté se produira le choc ; si elle se trouve du « bon côté », elle ne sentira pas le courant électrique. Or, l'expérience, répétée très souvent, montre que la souris se trouve dans la partie qui ne reçoit pas d'impulsions électriques plus souvent que ne le prévoit le calcul des probabilités (Chauvin, *Certaines choses que je ne m'explique pas,* 1976).
De nombreux chercheurs (H. Bender, L. T. Bendit, J. B. Rhine, E. Servadio...) ont établi la réalité de la perception extrasensorielle* sans pouvoir l'expliquer. S. Freud voyait dans la télépathie le mode d'action archaïque par lequel les individus parvenaient à se comprendre mutuellement, mais qui fut repoussé à l'arrière-plan au cours du développement phylogénétique (c'est-à-dire au cours de l'évolution de l'espèce) par une meilleure méthode de communication : celle qui utilise les signes appréhendés par les organes des sens.

paresse, répugnance à l'effort.
Le psychologue ne considère pas la paresse comme un vice ou une absence de volonté, mais comme le symptôme d'un trouble psychologique ou corporel. La fuite de l'effort peut être, en effet, causée par la sous-alimentation, le surmenage, une vision défectueuse, une primo-infection tuberculeuse, etc., ou par des perturbations psychoaffectives : complexe d'infériorité et rétraction du moi, jalousie à l'égard d'un petit frère, hostilité envers des parents frustrants ; enfin, par de mauvaises conditions éducatives. Bien souvent, l'intérêt pour le travail reparaît quand les conditions physiques ou morales sont améliorées.

pariade → parade.

Parkinson (maladie de), affection nerveuse décrite par le médecin anglais J. Parkinson (1817), caractérisée par un tremblement généralisé, une hypertonie musculaire et l'aspect figé du faciès.
Malgré les apparences, le malade conserve toutes ses facultés mentales. Cette maladie est due à des lésions microscopiques de la base du cerveau (*locus niger,* ou « substance noire »), responsables d'un déficit en dopamine, médiateur* chimique qui assure le bon fonctionnement du circuit nerveux allant du *locus niger* vers le noyau caudé et le putamen. Des essais de greffes dans le cerveau de cellules capables de synthétiser naturellement de la dopamine ont été réalisés dans plusieurs pays.

parole, utilisation du langage articulé dans la communication.
Plus qu'un instrument permettant de transmettre ses idées, la parole est l'acte par lequel la personne s'affirme et s'engage dans la relation interhumaine. Ne pas parler, c'est abolir la relation à l'autre ; c'est, pour un enfant, la plus grave punition qu'on puisse lui infliger. Les aliénés ont perdu le sens de la parole mesurée, et le trouble de leur esprit se reflète dans leur façon de parler : l'excitation du ma-

niaque, dans sa logorrhée* ; la méfiance du paranoïaque, dans son mutisme ; la rupture de contact avec la réalité du schizophrène, dans ses néologismes, etc. Tout trouble de la parole signe l'altération de la personnalité tout entière.

parricide, meurtre du père ou de tout autre ascendant.
Le fantasme du parricide paraît universel, mais il n'est qu'exceptionnellement réalisé. D'après S. Freud, il plongerait ses racines dans la nuit des temps. Partant d'une hypothèse de C. Darwin fondée sur l'observation des gorilles, Freud imagine que les hommes vivaient, à l'origine, groupés dans une tribu dominée par un père violent et jaloux, qui s'appropriait toutes les femmes et chassait ses fils. Ceux-ci, un jour, se révoltèrent et le tuèrent. Par la suite, ils reportèrent leurs sentiments ambivalents à l'égard du père sur un substitut animal ou végétal (totem*), qui devint le patron adoré et redouté du clan ; en même temps, ils renoncèrent aux femmes de la tribu. Ce serait là l'origine de l'exogamie et de l'interdiction de l'inceste*. Cette explication reste cependant très hypothétique.

passion, état affectif intense, stable et durable, orienté vers un objet exclusif et susceptible de transformer le monde tel qu'il nous apparaît.
L'amour, la haine, le goût du pouvoir, l'ambition, l'avarice sont des passions capables d'ordonner toutes nos conduites. Tant que l'on garde une maîtrise suffisante de soi, la passion peut être féconde mais trop souvent elle atteint une intensité pathologique qui conduit à des réactions anormales (crime du jaloux, misère de l'avare, etc.), parfois à la folie. Les sources profondes de la passion sont presque toujours inconscientes et instinctuelles.

passionné, personne qui est sous l'emprise d'une inclination intense, permanente et pouvant devenir exclusive, ou qui se donne tout entière à une activité.
Dans la classification de l'école franco-hollandaise de caractérologie*, le type passionné se caractérise par l'émotivité (E), l'activité (A) et la secondarité (S) des impressions.

passivité, attitude d'une personne qui subit une action sans réagir.
Elle peut être associée à une constitution asthénique ou à un trouble psychologique (inhibition affective). Dans la catatonie* par exemple, le malade est inerte ; ayant perdu toute initiative motrice, il garde les attitudes qu'on lui donne et son corps paraît aussi malléable qu'une statue de cire. La passivité se retrouve, à des degrés divers, chez les sujets suggestibles, déprimés ou déficients intellectuellement qui subissent l'ascendant d'une personne déterminée. Certaines attitudes passives telles que la « non-violence » sont, en réalité, des conduites d'opposition* à l'égard de l'autorité contre laquelle on ne peut pas se révolter.

pathie, réaction d'évitement d'un animal soumis à une excitation externe insupportable.
Comme les taxies*, les pathies sont des conduites locomotrices causées par une stimulation extérieure mais, tandis que les premières sont caractérisées par la tendance à se diriger constamment dans une direction déterminée, les secondes ont pour but d'éviter une certaine région afin de soustraire l'organisme à l'irritation causée par le stimulus pathogène. Celles-ci ont donc un caractère adaptatif fondamental, qui les différence des taxies et des tropismes* purs.
G. Viaud* a montré la complexité des mécanismes dits « élémentaires » : des daphnies par exemple, attirées par la lumière, « choisissent » la zone d'intensité lumineuse qui leur convient (comportement à *preferendum**). Ce que l'on considère comme les phases négatives des taxies polyphasiques et des réactions à *preferendum* ne sont pas des « mouvements forcés », mais bien des pathies, c'est-à-dire des conduites adaptatives.

pathologique, état de ce qui est morbide.
Le pathologique signifie plus que l'anormalité, à laquelle il ne se réduit pas. Un individu, une situation exceptionnelle peuvent être parfaitement sains : le génie, les sextuplés, quoique rarissimes, ne sont pas des phénomènes morbides. Tandis que l'anormal est ce qui dévie considérablement de la moyenne statis-

tique, le pathologique est ce qui provoque la souffrance de l'individu (lésion organique, complexe* psychologique, etc.).

pathologique (psychologie), discipline ayant pour objet l'étude des troubles du comportement, de la conscience et de la communication.
Située à mi-chemin de la psychologie et de la psychiatrie, la psychopathologie vise, d'abord, à comprendre le fait pathologique par un effort de pénétration dans l'univers morbide du sujet, en saisissant la signification du symptôme tel que celui-ci le vit ; puis, à l'expliquer en établissant des relations de causalité entre les phénomènes observés ; enfin, à tirer des lois générales concernant les processus mentaux. La psychopathologie complète l'approche clinique par des méthodes expérimentales (études des névroses provoquées chez l'animal, par exemple), les tests et la statistique.

pathomimie, reproduction délibérée ou inconsciente d'une infirmité ou d'une maladie, pouvant aller jusqu'à l'automutilation.
Ce terme a été forgé par l'écrivain Paul Bourget (1908) à la demande du médecin français Georges Dieulafoy pour caractériser les pathologies factices, secrètement provoquées ou entretenues. → **Münchhausen par procuration (syndrome de).**

patriarcat
Société dans laquelle le père détient des pouvoirs très étendus, qu'il exerce, essentiellement, dans sa famille. → **matriarcat.**

Pavlov (Ivan Petrovitch), psychophysiologiste russe (Riazan 1849 - Leningrad, auj. Saint-Pétersbourg, 1936).
Après son doctorat, il orienta ses travaux vers la circulation sanguine et la digestion, qui lui valurent, en 1904, le prix Nobel de physiologie et médecine. Ses recherches sur les sécrétions gastriques l'amenèrent à découvrir le « réflexe conditionnel » (qui s'oppose au réflexe absolu, inné) et son importance dans le psychisme animal et humain.
Pour Pavlov, et ses continuateurs (V. Bechterev* notamment), les phénomènes psychologiques les plus complexes (habitude, volonté, etc.) seraient réductibles à un ensemble de réflexes conditionnels*, dont certains pourraient même être transformés en réflexes absolus, héréditaires (par la suite, Pavlov renonça à cette dernière idée). L'œuvre de Pavlov a abouti à certaines applications pratiques dont les plus célèbres sont la thérapie comportementale*, l'accouchement sans douleur et une biotypologie* qui rappelle la vieille classification hippocratique. Parmi ses travaux, citons son rapport au Congrès médical international de Madrid, *la Psychologie et la psychopathologie expérimentales sur les animaux* (1903) ; *les Réflexes conditionnels* (1927) ; *Typologie et pathologie de l'activité nerveuse supérieure* (1955).

pédagogie, science et art de l'éducation. Aujourd'hui, le terme *pédagogie* ne désigne plus que les méthodes et les techniques utilisées par les éducateurs.
Les pratiques pédagogiques varient selon les sociétés et leur idéologie, mais elles tiennent aussi compte des progrès de la science. La pédagogie moderne ne considère plus l'enfant comme un adulte en miniature mais comme un être original, ayant une organisation particulière, soumise à des lois qui lui sont propres (voir les travaux de J. Piaget sur l'évolution intellectuelle, notamment), elle dégage de nouvelles méthodes d'éducation et d'instruction, adaptées à chaque âge, se fonde sur les intérêts* de l'enfant pour rendre l'éducation fonctionnelle* et tire de chaque cas particulier (surdoués, débiles) un enseignement et des techniques neuves. Éclairée par les progrès de la psychologie, elle en vient à rejeter certains jugements de valeur tels que paresse ou « mauvaise volonté ».
Désormais, les enfants et adolescents handicapés par une déficience particulière (dyslexie, arriération affective, etc.) peuvent bénéficier d'un enseignement* spécial). → **opératoire (théorie).**

pédologie → paidologie.

pédophilie, attirance érotique d'un adulte pour de jeunes enfants.
Le pédophile, généralement retardé affectivement, inhibé ou névrosé, se sent en état d'in-

fériorité devant la femme adulte et recherche des partenaires sexuels à sa mesure, c'est-à-dire des enfants de l'un ou de l'autre sexe.

pédopsychiatrie, spécialité médicale ayant pour objet le dépistage et le traitement des maladies mentales chez l'enfant et chez l'adolescent.
La pédopsychiatrie, en tant que discipline autonome, est d'origine récente. En France, elle est apparue dans l'enseignement du certificat d'études spéciales de psychiatrie en 1972. Parmi les précurseurs de cette « science-art » figurent des médecins (E. Seguin, T. Simon), des psychologues (A. Binet) et des pédagogues (J. H. Pestalozzi). La pédopsychiatrie s'appuie largement sur les travaux des psychanalystes (S. et A. Freud, R. Spitz).

pensée, ensemble des phénomènes psychiques.
On distingue une pensée *vigile,* réaliste, orientée vers l'adaptation au monde extérieur, et une pensée *autistique* ou *onirique,* régie par les besoins affectifs. La première, obéissant aux principes rationnels formés au cours du développement et au contact de la réalité, est socialisée ; elle s'exprime par la proposition (jugement) ou le mot (idée, concept). La seconde, échappant aux lois de la logique, désocialisée, emploie surtout des représentations symboliques, chargées de valeur affective ; on la trouve chez les schizophrènes, mais elle apparaît, chez l'homme normal, dans les rêves. On peut dire, d'une façon générale, que la pensée *onirique* (ou autistique) contient les phénomènes refoulés par la conscience vigile. C'est une pensée privée, qui se satisfait dans le symbole et ne requiert pas l'usage du langage, car elle n'est pas destinée à être communiquée. La pensée *vigile,* au contraire, est intimement liée au langage parlé ; les béhavioristes (J. B. Watson) considèrent même qu'elle n'est rien de plus que la parole demeurée subvocale par suite de l'insuffisance des incitations motrices parvenant aux organes phonateurs. Si cette explication paraît abusive, il n'en reste pas moins vrai que la pensée vigile est un acte qui oriente tout l'organisme vers la communication. Les expériences le prouvent de manière certaine : si on demande à un sujet de penser à un objet précis, on enregistre sur sa langue et sur ses lèvres (ou sur le bout des doigts dans le cas d'un sourd-muet) des courants d'action comparables à ceux qui sont constatés lorsque des paroles sont réellement prononcées. Le langage et la pensée sont donc intimement liés et s'influencent réciproquement : l'un et l'autre se développent parallèlement et le trouble de l'une se répercute sur l'autre. → **opératoire (théorie).**

pensée pratique, activité de l'esprit orientée vers la résolution des problèmes concrets de la vie quotidienne ou purement techniques.
La pensée pratique repose sur l'activité perceptivo-motrice, mais elle ne s'y réduit pas.

pensée schématique, pensée dans laquelle les connaissances scolaires, les préjugés, l'acquis culturel l'emportent sur les structures intellectuelles construites par le sujet lui-même.
Ce bagage artificiel, fait essentiellement de mots et de schémas rigides, constitue souvent pour la personne un handicap qui limite sa créativité. La pensée schématique s'oppose à l'invention.

penthotal ou **pentothal,** nom courant du penthobarbital, barbiturique qui, administré par voie intraveineuse, a la propriété d'anesthésier, au moins partiellement, la conscience vigile et la volonté du sujet (« narcose liminaire »).
Le penthotal, ou « sérum de vérité », est utilisé en narcoanalyse*. Il libère l'inconscient du frein de la censure, rend le sujet docile et influençable, mais il ne permet pas toujours d'obtenir des renseignements objectifs. Néanmoins, dans plusieurs pays, des services policiers l'ont employé pour obtenir les « aveux spontanés » de certains suspects.

perception, conduite psychologique complexe par laquelle un individu organise ses sensations et prend connaissance du réel.
La perception est faite de ce qui est directement donné par les organes des sens (sensibilité extéroceptive), mais aussi de la projec-

tion* immédiate dans l'objet de qualités connues par inférence : je perçois l'effort de l'haltérophile car je mets dans la masse métallique qu'il soulève ma propre sensibilité proprioceptive. La perception est un rapport du sujet à l'objet : celui-ci a ses caractéristiques propres, mais c'est avec ma subjectivité que je le perçois. Si je marche dans la forêt, je ne perçois pas les mêmes choses selon que je chasse ou que je me promène ; aux prises avec une multitude de stimuli, je fais une sélection en fonction de mon attente.

D'une façon générale, l'être vivant n'est sensible qu'aux objets qui l'intéressent directement, à ceux qui constituent son monde propre *(Umwelt)* et qui ont une signification pour lui. Le lézard fuit au moindre bruissement, mais il ne réagit pas à la détonation du fusil éclatant près de lui.

Des auteurs américains (R. Levine, I. Chein et G. Murphy), étudiant l'influence de la faim sur la perception, remarquent que des personnes à jeun voient surtout des aliments dans les dessins dépourvus de signification qu'on leur présente, tandis que d'autres, prises après avoir mangé, n'ont pas les mêmes réactions. Toute perception est donc une interprétation qui implique la personnalité tout entière. Plus qu'un simple phénomène sensoriel, c'est une conduite psychologique complexe qui se rapporte (importance de la mémoire* et des apprentissages*) à un cadre de référence particulier, élaboré à partir de notre expérience personnelle et sociale. C'est ce qui explique qu'un objet déterminé n'aura jamais tout à fait la même signification pour deux individus, qui ont, chacun, leur système de référence particulier. Le Dayak de Bornéo voit dans le sourire d'autrui le dédain ; le Japonais, l'embarras ; l'Occidental, la bienveillance. Ces critères de référence, que nous utilisons inconsciemment, nous sont indispensables car ils nous permettent de structurer le milieu dans lequel nous vivons et nous donnent un minimum de sécurité sans lequel aucune action n'est possible. La plupart de nos malentendus proviennent du fait que nos perceptions sont différentes, car les systèmes de référence des hommes ne sont pas identiques. → **illusion, témoignage.**

perfectionnement (classe de), classe spéciale recevant des écoliers atteints de déficience intellectuelle légère ou moyenne ou qui présentent des troubles du comportement.
Les classes de perfectionnement sont annexées aux écoles élémentaires, mais elles peuvent aussi être groupées en « écoles nationales de perfectionnement » ou en « écoles autonomes de perfectionnement ». L'organisation et le fonctionnement des classes et des écoles de perfectionnement datent de la loi du 15 avril 1909. Ces écoles portent, depuis le décret du 30 août 1985, le nom d'« établissements régionaux d'enseignement public adapté » (E.R.E.A.). En 1987, il existait en France 81 E.R.E.A. accueillant 11 808 écoliers, 27 écoles autonomes de perfectionnement recevant 1 571 élèves, 4 726 classes spéciales (classes de perfectionnement pour la plupart) pour 63 555 enfants. Si l'on considère que le total des sujets scolarisés s'élève à près de 12 millions et qu'il faudrait une classe de déficients intellectuels pour 250 à 300 élèves, on peut dire qu'un gros effort doit être encore fait pour couvrir les besoins.
Les classes de perfectionnement sont généralement confiées à des instituteurs ayant reçu une formation psychopédagogique appropriée (la plupart possèdent le C.A.E.I.). L'enseignement spécial y est essentiellement concret et pratique. Quand ils ont atteint l'âge de 12 ans, les écoliers peuvent poursuivre leur scolarité soit dans une section d'éducation spécialisée (S.E.S.) des collèges, soit dans l'une des écoles de perfectionnement. Par la circulaire du ministère de l'Éducation nationale n° 91-304, du 18 novembre 1991, les classes de perfectionnement ont été remplacées par les classes d'intégration* scolaire.

perfectionnisme, exigence de la perfection.
Cette tendance névrotique à atteindre l'impossible peut aller jusqu'à l'obsession. Le sujet, jamais satisfait de ses actions, devient stérile, doute de lui, se sous-estime, a tendance à se retirer de toute compétition. D'après K. Horney*, le perfectionnisme, signe d'inadaptation au réel, est en relation avec un amour exagéré de soi. → **narcissisme.**

performance (test de), épreuve non verbale destinée à apprécier les fonctions intellectuelles.
À l'origine des tests de performance, on trouve les formes à encastrer de E. Seguin (des découpes simples : carré, triangle, rond, losange, croix, etc., doivent être remises à leur place sur une planchette). Parmi les tests de performance les plus connus, citons les cubes* de Kohs, les labyrinthes* de Porteus, les échelles de Grace Arthur et d'Alexander, les tests non verbaux des échelles de Wechsler* (images à compléter, à ordonner, code chiffré, assemblage d'objets, etc.). Ils ont comme principal avantage de ne pas faire intervenir le langage et d'être, en conséquence, applicables aux sourds-muets, aux étrangers et aux personnes incultes. Ils renseignent, en particulier, sur le niveau d'intelligence pratique, l'attention, l'observation et la capacité d'organisation visuo-motrice des sujets examinés.

période sensible ou **période critique,** moment de l'existence durant lequel s'effectue l'acquisition ou le développement d'une structure motrice ou d'une aptitude.
Entre la treizième et la seizième heure après la naissance, un objet en mouvement déclenche, chez l'oison, sa réaction à le suivre. Dans les conditions naturelles, c'est un congénère mais, dans une situation expérimentale, ce peut être un chercheur. Un chaton élevé dans l'obscurité totale, puis placé chaque jour, pendant quelques heures, dans un milieu où il n'y a que des rayures blanches et noires verticales, joue avec un bâton tenu verticalement mais pas avec le même bâton présenté horizontalement. L'inverse est aussi vrai. Des enregistrements électriques effectués au niveau des cellules visuelles du cerveau montrent que celles-ci ne réagissent pas quand les lignes exposées forment un angle droit avec celles auxquelles l'animal était accoutumé. La conclusion à laquelle arrivent les chercheurs britanniques C. Blakemore et G. Cooper est que même les mécanismes visuels innés doivent être renforcés à des moments précis *(période critique)* par des stimulations externes.
M. Montessori appelle « période sensible » l'époque de la croissance où un enfant est mûr pour acquérir une fonction déterminée. Normalement, le milieu et l'entourage offrent à l'enfant de multiples occasions d'exercice correspondant à ses besoins au moment où ceux-ci se font sentir. Lorsque cela n'est pas le cas, la possibilité d'une acquisition naturelle est perdue. C'est ce qui expliquerait, en partie, la quasi-incapacité des enfants sauvages* d'apprendre le langage des hommes et de se comporter comme eux. → **imprégnation, maturation.**

perlaboration, terme forgé par J. Laplanche et J. B. Pontalis (1967) pour traduire les mots *Durcharbeiten* et *Durcharbeitung* utilisés par Freud et qui signifient approximativement « élaboration interprétative ».
La perlaboration est le processus psychique grâce auquel un sujet parvient à surmonter ses résistances, à admettre certaines représentations (idées...) refoulées et à passer du refus d'une interprétation* ou de son acceptation seulement intellectuelle à la certitude fondée sur l'expérience vécue. En ce sens, la perlaboration s'apparente à l'abréaction*.

persécution (idées de), conviction d'un sujet qui se croit en butte à la malveillance de son entourage.
Parfois, il se plaint de subir des préjudices physiques (on cherche à le faire mourir de faim), matériels (on veut s'emparer de sa fortune) ou moraux (on répand sur lui de faux bruits). D'autres fois, il se plaint d'être sous la domination d'une influence étrangère : il n'est plus le maître de ses actes, de ses paroles ou de ses pensées. Les idées de persécution peuvent se rencontrer dans diverses affections mentales, telles que la démence sénile, la mélancolie, la paranoïa ou le délire hallucinatoire chronique.

persévérance, qualité d'une personne qui demeure ferme et constante dans une action.
On emploie généralement ce terme pour désigner la plus ou moins grande rapidité avec laquelle un individu s'écarte d'un but lorsqu'il rencontre des obstacles. On a pu montrer expérimentalement, chez des enfants, que les échecs diminuent la persévérance, tandis que les succès et les louanges l'augmentent considérablement (Fajans, 1933). À la notion de

persévérance est attachée une valeur morale (absente de l'obstination et de l'entêtement) à cause de l'importance du raisonnement et du jugement qui sous-tendent cette conduite.

persévération, répétition ou continuation anormale d'une activité alors que la cause qui l'a provoquée a disparu.
Pour les psychologues, la persistance exagérée d'attitudes ou d'actions serait la manifestation d'une inertie mentale (C. E. Spearman) ou d'un manque de fluidité dans l'idéation (R. B. Cattell). La persévération dépend de conditions innées et de facteurs acquis. Chez les sujets normaux, il existe une disposition générale à la persévération, qui se manifeste surtout par une certaine difficulté à modifier les habitudes établies, mais c'est dans les maladies mentales que l'on observe les signes les plus nets de persistance des attitudes et de « viscosité » de la pensée.
Les psychologues ont créé des tests de persévération pour apprécier objectivement ce trait de personnalité. Par exemple, on demande à une personne d'écrire des *a* minuscules pendant un temps *t*, puis des *A* majuscules durant le même temps, enfin d'écrire alternativement des *a* et des *A* pendant un temps 2 *t*. Le rapport du nombre de *a* au nombre de *A* comparé au nombre total des lettres de la troisième séquence est une indication de la persévération du sujet testé.

personnalité, élément stable de la conduite d'une personne ; ce qui la caractérise et la différencie d'autrui.
Chaque individu a ses particularités intellectuelles, affectives et conatives (relatives à la volonté, au tempérament), dont l'ensemble organisé détermine la personnalité. Chaque homme est, à la fois, semblable aux autres membres de son groupe et différent d'eux par le caractère unique de ses expériences vécues. Sa singularité, fraction la plus originale de son moi, constitue l'essentiel de sa personnalité. Selon les auteurs, celle-ci serait déterminée par la constitution physique, héréditaire (E. Kretschmer, W. H. Sheldon), ou par les influences sociales (E. Guthrie). En fait, c'est l'ensemble structuré des dispositions innées (hérédité, constitution) et acquises (milieu, éducation et réactions à ces influences) qui détermine l'adaptation originale de l'individu à son entourage. Cette organisation s'élabore et se transforme continuellement sous l'influence de la maturation biologique (âge, puberté, ménopause...) et des expériences personnelles (conditions socioculturelles et affectives). Plus que le facteur biologique, dont il convient de ne pas minimiser l'importance, les conditions psychologiques jouent un rôle considérable dans l'élaboration de la personnalité.

personnalité (tests de), techniques psychologiques d'exploration des aspects non cognitifs de la personnalité.
Différents des examens de connaissances, d'intelligence et d'aptitudes, ces tests visent essentiellement à atteindre les aspects affectif et conatif (c'est-à-dire pulsionnels et volitionnels) de la personnalité. On distingue, d'une part, les méthodes *analytiques* de la personnalité, qui font apparaître des traits de caractère, et, d'autre part, les « techniques projectives », *syncrétiques,* qui essaient d'appréhender la personnalité dans sa totalité. Les tests analytiques et projectifs les plus employés sont les questionnaires* (d'attitudes, d'intérêts...), le test de frustration* de Rosenzweig, le psychodiagnostic* de Rorschach et le *Thematic* Apperception Test* de Murray. Ils permettent d'obtenir, dans un temps relativement court, des informations qu'il serait difficile d'avoir autrement. Cependant, la plupart des techniques projectives présentent certaines faiblesses (absence de codification rigoureuse des systèmes de dépouillement et d'interprétation, rareté des étalonnages, etc.) qui en diminuent la validité.

persuasion, action exercée sur quelqu'un pour l'amener à croire ou à faire quelque chose. La persuasion est employée quotidiennement par l'éducateur qui suggère habilement une certaine conduite, par le médecin qui rassure son patient ou par le commerçant qui veut vendre un nouveau produit. L'un des moyens de persuasion utilisé dans le commerce est l'offre d'un échantillon. Pour le promoteur, il s'agit de mettre « un pied dans la porte » : en demandant peu (utiliser gratuitement le nouveau produit), il espère obtenir davantage (augmenter sa clientèle). L'information accrue ne suffit pas à persuader les gens. Pour agir avec efficacité, il faut d'abord connaître l'état d'esprit, les désirs et les craintes des personnes auxquelles on s'adresse. Ensuite, il s'agit moins de dire la vérité que d'affirmer ce qui paraît vraisemblable. Déclarer, par exemple, qu'une nouvelle lame de rasoir peut servir quinze fois est vrai, mais le public ne le croit pas ; aussi, pour le persuader d'en acheter, le publicitaire dit qu'on peut l'utiliser plus de dix fois, ce qui est mieux admis par la population. Cependant, celle-ci n'a guère de sens critique. Généralement, elle accepte avec confiance ce qu'on lui dit. Partant de cette constatation, les propagandistes n'hésitent pas à lancer les rumeurs* les plus fantaisistes, sachant qu'il en restera toujours quelque chose. Cependant, leur habileté réside dans le fait qu'ils parviennent à nous inculquer leurs doctrines de façon insidieuse en utilisant les domaines qui nous paraissent neutres tels que les arts, les lettres, les sports.

perversion, entendu dans une acception restreinte, ce terme ne désigne que les paraphilies*, c'est-à-dire toutes les déviations de l'instinct sexuel par rapport à son but, à son objet ou à son mode de satisfaction. Dans un sens plus large, la perversion recouvre une conduite particulière, caractérisée, essentiellement, par la transgression volontaire de la loi, l'esprit de destruction et la recherche du mal pour le mal. Pour G. Tordjman (1981), le fondement de toute perversion est l'hostilité. Le pervers se comporte en effet en ennemi : le voyeur viole l'intimité de sa victime ; l'exhibitionniste agresse le témoin en exposant son sexe, etc. Cette hostilité trouve son origine dans un traumatisme affectif précoce, un événement dramatique de la petite enfance, enfoui dans l'inconscient du sujet. Le pervers nourrit une forte agressivité contre son entourage et contre la société en général. Il est animé par la volonté de puissance (il transgresse avec volupté les lois et les tabous, auxquels il voudrait substituer la loi de son désir) et, plus encore, par le besoin impérieux d'assouvir un sentiment de revanche. Les vrais pervers sont rares. Quatre traits les définissent : l'inaffectivité, l'amoralité, l'impulsivité et l'inadaptabilité. Dès leur enfance, ils se font remarquer par leur cruauté envers les plus faibles, leur indifférence à la douleur d'autrui, leur absence d'émotion. Leurs actes ont parfois un caractère monstrueux. Pour certains auteurs, tels que E. Dupré (1912), G. Heuyer (1950) ou J. de Ajuriaguerra (1970), la perversion peut avoir une origine organique : traumatisme crânien, encéphalite, toxicomanie, etc. Pour les psychanalystes, elle correspond à une régression* affective. En effet, l'affectivité du pervers n'est pas inexistante, mais elle est fixée, massivement, à un moment archaïque, prégénital, du développement psychique, généralement au stade « sadique*-anal ». Le pronostic d'évolution des pervers est toujours défavorable : généralement, ils sombrent dans la délinquance ou la toxicomanie.
→ paraphilie.

Pestalozzi (Johann Heinrich), pédagogue suisse (Zurich 1746 – Brugg 1827).
Il étudie d'abord la théologie et les langues, le droit et l'histoire, puis se consacre à l'économie rurale. Installé à Neuhof (1771), il est sensible à la misère physique et morale des enfants qu'il voit errer sur les routes et décide de les rééduquer. Il avait vingt-huit ans lorsqu'il en recueillit une quinzaine, puis une quarantaine. Ne recevant aucune aide des pouvoirs publics, il recourt à sa plume pour trouver des subsides, lance une « prière aux amis de l'humanité » et écrit des romans populaires, tels que *Léonard et Gertrude.* Après l'échec de Neuhof, il ouvre successivement des instituts à Stans, Berthoud et Yverdon. Son éducation, libérale, repose essentiellement sur l'interéducation*, la discipline par le travail, le respect et, surtout, l'amour* et la confiance.

petit mal → épilepsie.

peur, sentiment d'inquiétude éprouvé en présence ou à la pensée d'un danger.
Les psychanalystes distinguent nettement la peur de l'angoisse*. La première est la réaction normale à un danger réel, la seconde se rapporte à une peur sans objet (elle serait

l'impression vague de courir un danger indéfini devant ses propres pulsions).

phallique (stade), période du développement psychosexuel de l'enfant succédant aux phases orale et sadique-anale. Elle se situe entre 3 et 5 ans et se caractérise, dans les deux sexes, par la prédominance du phallus.
À ce stade*, les parties génitales deviennent la principale zone* érogène et mobilisent l'attention de l'enfant. Celui-ci, voulant retrouver les stimulations agréables provoquées par les soins physiques données par sa mère, touche à son tour, pour le plaisir, ces parties de son corps (masturbation). À cette même époque s'édifient les relations décrites par S. Freud sous le nom de complexe d'Œdipe*, et naît l'angoisse de castration*.

phallus, dans l'Antiquité, représentation figurée de la verge en érection, en tant qu'image religieuse.
Cc terme, souvent pris comme synonyme de pénis, en diffère pourtant fondamentalement. Le pénis désigne un objet réel, tandis que le phallus est un objet imaginaire, symbolique, représentant la force, la puissance virile, la fécondité et, parfois, le dieu lui-même, comme dans le culte de Dionysos, où les phallus étaient portés solennellement au cours de certaines fêtes.
Le phallus, en tant que symbole de la virilité, joue un rôle important dans certaines conduites humaines, liées à son acceptation ou à son refus. Des sujets mâles peuvent se révéler incapables d'en assumer la pleine possession, tandis que bon nombre de femmes acceptent difficilement, sinon jamais, de ne pas en avoir. Ce sont celles qui, dans la vie quotidienne, prennent goût à rivaliser avec les hommes.

pharmacodépendance, dépendance physique et/ou psychique relative à une drogue utilisée initialement pour son pouvoir thérapeutique.
Le sujet est conduit à consommer ce médicament de façon continue ou périodique afin de retrouver ses effets et d'éviter le malaise né de la privation. Une même personne peut être dépendante de plusieurs produits.

pharmacovigilance → iatrogénie.

phéromone ou **phérormone,** substance chimique sécrétée par un individu et qui, libérée dans son milieu (air ou eau), constitue un message pour ses semblables, induisant chez eux un comportement déterminé ou provoquant des modifications de leur physiologie.
Comme les hormones, les phéromones opèrent à des doses très faibles sur des organes récepteurs particuliers et ont une action spécifique (stimulatrice ou inhibitrice) sur le receveur. Ce sont des substances messagères, qui permettent à des individus d'une même espèce de communiquer entre eux. Elles interviennent dans tous les moments de la vie sociale animale.
Chez l'homme, des phéromones ont été mises en évidence par W. Cutler et G. Preti (1986). Diffusées par la transpiration, elles émanent des glandes sudoripares des aisselles, des tétons et des organes génitaux. D'autre part, comme chez les autres mammifères, il existe chez l'être humain un organe voméronasal découvert par D. Moran et B. Jafek (Denver, Colorado), qui détecte ces phéromones. Elles ont pour effet de régulariser et de synchroniser les cycles menstruels des femmes (K. Stern et M. McClintok, 1998).

Philips 6/6, méthode de discussion en petits groupes (six personnes) qui travaillent par séquences de six minutes.
La séance débute par un exposé, d'une durée limitée à 30 minutes maximum, qui doit envisager clairement les divers aspects d'une question. L'assemblée, divisée en sous-groupes de six personnes, poursuit alors pendant six minutes la discussion sur le problème qui lui a été soumis. Les idées de chaque sous-groupe (questions et solutions trouvées) sont ensuite présentées par un porte-parole à la table centrale et discutées avec le conférencier pendant six minutes (ou un multiple de six minutes avec un maximum de dix-huit minutes). Pendant cette discussion, des échanges peuvent aussi avoir lieu avec les personnes présentes dans la salle pour éclaircir certains points restés obscurs.

phobie, peur irraisonnée et obsédante relative à certains objets ou à certaines situations.
Parmi les thèmes phobiques que l'on peut rencontrer, les plus fréquents se rapportent aux espaces libres (agoraphobie*) ou clos (claustrophobie*) et aux animaux (zoophobie*). Tout le comportement du malade consiste à conjurer l'angoisse en évitant l'objet phobique ou à se tourner vers un objet rassurant.
Pour les « comportementalistes », les phobies seraient des conduites acquises à la suite d'expériences malheureuses et amplifiées par les réactions excessives de l'entourage ou par l'insécurité due à l'absence de la mère. Elles relèveraient de la thérapie comportementale*.
Pour les psychanalystes, le mécanisme causal de la névrose phobique est un conflit intrapsychique inconscient. Le sujet a peur de ses pulsions, auxquelles il substitue un objet. C'est parce qu'il ne peut pas les assumer et pour nier leur réalité qu'il déplace son angoisse sur un objet symbolique.

phototaxie, réaction d'orientation et de locomotion d'un organisme mobile sous l'influence de la lumière.
La réaction est dite « positive » quand le déplacement s'effectue vers la source lumineuse et « négative » lorsqu'il a lieu en sens opposé. Mais elle peut être aussi « polyphasique ». En effet, si l'on soumet un animal à un éclairement constant, on observe, après un certain temps, une alternance régulière de phases positives et négatives ; ce comportement est lié à la quantité d'énergie lumineuse absorbée par les photorécepteurs de l'organisme. Celui-ci s'oriente vers la lumière aussi longtemps qu'il peut la supporter et il s'en détourne à partir du moment où il a atteint un certain seuil. → **pathie.**

phrénologie, théorie de F. J. Gall et G. Spurzheim d'après laquelle il existerait une relation étroite entre la forme du crâne, celle du cerveau et le développement des fonctions intellectuelles et morales.
L'idée sur laquelle est fondée cette discipline est que les aptitudes et les fonctions mentales de l'homme sont localisées dans des zones spécifiques du cerveau. Selon leur importance, les parties cérébrales correspondantes se développeraient en proportion et modèleraient la forme du crâne : aux fonctions bien développées correspondraient des bosses (« bosse des mathématiques »...) ; aux dispositions déficientes, des dépressions. Cette doctrine, qui ne repose sur aucune base scientifique, est aujourd'hui abandonnée.

physiognomonie, art de connaître le caractère d'après l'aspect physique et, surtout, d'après la physionomie. Les études destinées à établir les concordances entre la physionomie et les aptitudes ou les traits permanents de la personnalité n'ont jamais abouti qu'à des résultats décevants. Il est pratiquement impossible de différencier un sujet pervers d'un individu normal à partir de l'examen de leurs photographies. Le diagnostic du niveau mental par le même moyen est tout aussi illusoire : il n'existe qu'une très faible corrélation (r = + . 10) entre l'évaluation de l'intelligence fondée sur des photographies et celle obtenue par la méthode des tests. Tous les cliniciens savent qu'un visage ouvert, un sourire malicieux, des yeux vifs ne constituent parfois que le masque agréable d'un sujet privé d'intelligence par suite d'une encéphalopathie survenue dans la première enfance. Il est cependant possible que l'expression faciale, modelée par les réactions affectives habituelles, puisse refléter la personnalité, mais il est douteux que l'interprétation de la dynamique expressionnelle dépasse un jour le stade de l'art réservé à quelques personnes particulièrement douées et intuitives.

Piaget (Jean William Fritz), psychologue suisse (Neuchâtel 1896 – Collonge-Bellerive, Suisse, 1980).
Passionné de sciences naturelles, ce biologiste est aussi un logicien, particulièrement bien informé sur tout ce qui touche à la philosophie et à la psychologie. Observant ses propres enfants, puis des élèves des écoles primaires, dans leurs jeux et dans des activités provoquées, parlant avec eux, les soumettant à des tests, il remarque que le développement de la pensée et du langage ne se fait pas d'une façon continue, mais passe par des stades définis. Il a fondé une nouvelle discipline

scientifique, l'*épistémologie génétique,* qui vise à expliquer la connaissance par sa formation. De son œuvre, citons *le Langage et la pensée chez l'enfant* (1923), *la Représentation du monde chez l'enfant* (1926), *la Naissance de l'intelligence* (1936), *Introduction à l'épistémologie génétique* (1950), *Sagesse et illusions de la philosophie* (1965), *Biologie et connaissance* (1967), *le Possible et le nécessaire* (1981).

Piéron (Henri), psychologue français (Paris 1881 - id. 1964). Il succéda à A. Binet (1912) comme directeur du laboratoire de psychologie expérimentale de la Sorbonne et fut nommé professeur au Collège de France (1923), où l'on créa pour lui la chaire de physiologie des sensations. Ses recherches, qui tendent à faire de la psychologie une science objective, portent essentiellement sur les perceptions et les mécanismes psychophysiologiques. Parmi ses ouvrages, citons *le Problème physiologique du sommeil* (1912), *le Cerveau et la pensée* (1923), *la Sensation, guide de vie* (1945), *les Problèmes fondamentaux de la psychophysique* (1951), *De l'actinie à l'homme* (1958-1959) et, en collaboration avec d'autres auteurs, un important *Traité de psychologie appliquée* (1949-1959).

Pinel (Philippe), médecin français (Saint-André-d'Alayrac, Tarn, 1745 - Paris 1826). Influencé par les idées humanitaires de son époque, il fut le premier à traiter les « fous » comme des malades et substitua aux brutalités un régime de bonté compréhensive. Il a publié plusieurs ouvrages, dont un *Traité médico-philosophique sur l'aliénation mentale ou manie* (1801).

pithiatisme, ensemble de troubles physiques produits par la suggestion et guérissable par la persuasion. Ce terme a été créé par J. Babinski (1901) pour caractériser l'hystérie* dite « de conversion * ». Chez certaines personnes, le pithiatisme peut survenir accidentellement, à l'occasion d'un traumatisme ou d'une émotion (paralysie par exemple).

placebo, substance inoffensive et dénuée de tout pouvoir pharmacologique, prescrite comme une médication authentique.

Le placebo n'opère que par son effet psychologique, mais son efficacité est réelle. D'une façon générale, on peut affirmer qu'un tiers des malades y sont sensibles. L'explication de l'effet placebo ressortit à la suggestion d'une part, au conditionnement* d'autre part (P. Kissel et D. Barrucand, 1964). On utilise le placebo en thérapeutique pour éviter d'employer de trop fortes doses de médicaments, mais c'est dans l'expérimentation psychopharmacologique qu'il rend les plus grands services.

placement familial spécialisé, mode d'intervention sociale qui tend à soulager partiellement les parents d'un enfant handicapé (tout en aidant ce dernier) en le confiant à une assistante maternelle agréée.

Les soins que nécessite un infirme constituent une charge que peu de personnes sont en état d'assumer. La plupart souhaitent le placement de leur enfant handicapé* dans un institut médico-pédagogique, mais ces établissements sont rares et il est utile de recourir à d'autres structures d'accueil. Les placements familiaux spécialisés sont parfois organisés autour d'un établissement qui en assure la gestion administrative sans s'ingérer dans leur fonctionnement. Une assistante sociale visite régulièrement les parents nourriciers. Chaque famille n'accueille qu'un seul enfant handicapé à la fois ; elle est aidée par une équipe composée de médecins (psychiatre, pédiatre, rééducateur), d'un psychologue, d'un éducateur et d'un kinésithérapeute. Les parents du petit handicapé sont reçus au dispensaire. Ils peuvent reprendre leur enfant un week-end sur deux. Enfin, pour que les nourriciers aient aussi un jour de repos par semaine, une deuxième éducatrice s'occupe de tous les enfants du secteur, qu'elle reçoit alternativement par petits groupes, de 5 ou 6 au maximum.

plaisir, émotion liée à une sensation agréable ou à la satisfaction d'une tendance.

Dépendant de l'état du sujet, le plaisir est instable ; il ne résiste pas à la satiété et disparaît avec la résolution de la tension née du besoin. Comme la douleur, il a pour effet d'orienter l'activité de l'individu sur la voie de l'adaptation : l'enfant rejette une substance

amère qu'il porte à sa bouche, mais pas une friandise ; par la suite, le souvenir qu'il en garde guide sa conduite. Le plaisir est inséparable du désir, comme la douleur l'est de l'aversion. La recherche du plaisir et la fuite de la douleur, caractéristiques du comportement des êtres vivants, s'observent jusque chez les animaux inférieurs, tels que les daphnies ou les paramécies ; celles-ci recherchent certaines sources d'excitation (taxies* positives), sont repoussées par d'autres (pathies*) ou « choisissent leur preferendum* ».
Chez les animaux supérieurs (rats et autres mammifères), J. Olds et coll. (1954) ont découvert l'existence de « centres de plaisir », localisés à la base du cerveau (hypothalamus et septum). L'excitation de ces zones, par l'intermédiaire de microélectrodes implantées dans l'encéphale, produit un affect* agréable. Si l'on apprend à un rat à se donner ce plaisir en appuyant sur un levier, on remarque qu'il le fait à une cadence de plus en plus rapide, des milliers de fois par heure, jusqu'à épuisement de ses forces. Les « centres de plaisir », appelés par la suite système récompensant du cerveau, produisent des endorphines*. Le plaisir naît d'une activation de ce système par un agent physique (sensation), chimique (drogue) ou psychique (succès).

plasticité neuronale, propriété du système nerveux d'organiser et de réorganiser ses circuits synaptiques en fonction des stimulations sensorielles reçues.
Nous savons, grâce aux recherches de Torsten N. Wiesel et David E. Hubel, sur le chat et le singe, qu'il y a, dans le cortex visuel, des cellules nerveuses spécifiques ne réagissant, les unes qu'aux lignes ou aux traits verticaux, les autres qu'aux traits horizontaux. Avec Simon Le Vay (de Harvard), ces auteurs ont montré qu'il existe une « période sensible », variant de trois semaines à trois mois chez le chat, au cours de laquelle la stimulation sensorielle est nécessaire pour que ces cellules puissent fonctionner. En effet, si l'on suture les paupières d'un œil d'un animal expérimental, juste après sa naissance, pour que la rétine de cet œil ne soit jamais exposée à la lumière, et qu'on le laisse ainsi durant trois mois, cet animal restera aveugle de cet œil, alors même que la rétine et les voies nerveuses fonctionnent normalement. Le défaut, irréversible semble-t-il, est localisé dans le cortex visuel, dont les cellules n'ont pu se développer normalement, ainsi que le montre l'analyse histologique. Une observation comparable a été faite par Thomas Woolsey, de l'université de Washington, à propos des poils sensoriels du museau de la souris (les vibrisses). Si une rangée de vibrisses est détruite, peu après la naissance, la rangée correspondante de « tonneaux » (groupements cellulaires) dans le cortex cérébral disparaît. Si l'on détruit toutes les vibrisses, tous les tonneaux correspondants disparaissent. Ces observations, ainsi que beaucoup d'autres, montrent clairement *la plasticité extrême du cerveau, qui peut se réorganiser sous l'effet d'influences externes.* À Berkeley (Californie), Mark Rosenzweig, Edward L. Bennett et Marian C. Diamond ont mené une longue série de travaux sur le comportement de rats placés dans des environnements différents. 1. le milieu « standard » est celui dans lequel sont élevés habituellement les rats de laboratoire : deux ou trois animaux dans une cage relativement spacieuse, où l'eau et la nourriture sont renouvelées de façon permanente ; 2. le milieu « enrichi » est constitué par une grande cage où vivent ensemble une douzaine de rats disposant d'objets variés susceptibles d'exciter leur curiosité, renouvelés quotidiennement ; 3. dans le milieu « appauvri », chaque rat vit seul, sans « jouets ». Après une période déterminée, les animaux sont sacrifiés et leurs cerveaux comparés : le cortex des rats venant du milieu appauvri est plus léger que celui des rats standards, lequel est plus léger que celui des rats venant du milieu enrichi. L'augmentation du poids des cerveaux est de 6 à 14 %. Elle s'explique par l'accroissement du nombre des ramifications des neurones (dendrites), qui constituent un réseau d'autant plus dense que le milieu – et donc les expériences vécues –, a été riche et par l'augmentation de la taille des corps cellulaires, notamment, par la densité des noyaux, qui indiquent l'intensification de l'activité métabolique. Il suffit de laisser les rats s'activer dans le milieu enrichi deux heures par jour, pendant un mois, pour que se produisent ces modifications cérébra-

les. La plasticité du cerveau sous l'influence de l'environnement apparaît encore dans les expériences de Sol Schwartz (université du Michigan) sur des ratons nouveau-nés. Schwartz, ayant pratiqué des lésions bilatérales du cortex occipital sur des ratons d'un jour, les a élevés, pendant trois mois, les uns dans un milieu pauvre, les autres dans un milieu riche. Après quoi, il a testé leurs capacités d'apprentissage avec un labyrinthe complexe et changeant. Les performances des rats venant du milieu riche sont nettement supérieures à celles des rats élevés dans un environnement appauvri. Plus important encore, *les sujets lésés, mais élevés dans un milieu riche, font moins d'erreurs que les sujets intacts, issus d'un milieu pauvre.* Bruno Will, directeur du département de neurophysiologie et de biologie des comportements de l'université de Strasbourg, et Christian Kelche ont obtenu des résultats similaires avec des rats adultes ayant subi des lésions hippocampiques bilatérales. Une telle « thérapie par l'environnement » n'est pas toujours efficace. Elle l'est néanmoins, dit Bruno Will, dans de nombreux cas d'atteinte cérébrale, en particulier dans ceux où la lésion concerne le système hippocampique. La généralisation de ces résultats à l'espèce humaine ne peut être tentée qu'avec une extrême prudence et à partir de faits naturels. Quelques chercheurs s'y sont essayés. C'est ainsi que, à Édimbourg, Cecil Drillien (1976) a mesuré le développement intellectuel d'enfants prématurés (poids de naissance inférieur à 1 500 g), âgés de 4 ans. Ceux issus d'un milieu socio-économique supérieur (*upper middle class*) avaient un Q.D. moyen de 97, tandis que ceux venant d'un milieu pauvre (*lower class*) n'obtenaient que le score moyen de 67. Pour leur part, Christiane Capron et Michel Duyme (*Nature,* 17 août 1989) ont étudié 38 enfants abandonnés à la naissance et rapidement adoptés (à 4 mois, en moyenne). Certains de ces bébés étaient issus de milieux défavorisés (absence de qualification professionnelle...), d'autres de milieux plus évolués (étudiants...). À l'âge scolaire, leur niveau intellectuel a été évalué grâce à l'échelle de Wechsler (WISC-R). Les enfants issus d'un milieu défavorisé et élevés dans un milieu semblable avaient un *Q.I. moyen de 92,40.* Ceux venant d'un même milieu mais bénéficiant d'un entourage favorable avaient un *Q.I. moyen de 107,50* (soit une différence de 15 points). De tels faits plaident en faveur de la plasticité cérébrale chez l'être humain. Une confirmation nous est apportée par les techniques d'imagerie cérébrale, qui révèlent que le cerveau est aussi capable de se réorganiser sous l'effet des stimulations sensorielles. Par exemple, Thomas Elbert et ses collaborateurs ont montré, chez des musiciens jouant d'un instrument à cordes, que la stimulation des doigts de la main gauche activait une zone du cortex cérébral plus large que chez les non-musiciens. Plus l'apprentissage est précoce, plus la zone cérébrale concernée est étendue (*Science,* 13 octobre 1995). → **milieu, synapse.**

Politzer (Georges), philosophe et psychologue français d'origine hongroise (Nagyvarad, auj. Oradea, 1903 – Suresnes 1942).
Il critiqua avec une égale vigueur l'introspection, le béhaviorisme et la psychologie expérimentale. Plus favorable à la psychanalyse, il rejette cependant l'hypothèse de l'inconscient. Il propose une psychologie concrète, dont l'objet serait le « drame humain », l'homme dans sa totalité, avec ses motivations biologiques, sociales et économiques. Arrêté pour ses activités de résistant, il est fusillé par les Allemands le 23 mai 1942. Parmi ses écrits, citons *Critique des fondements de la psychologie* (1928).

pragmatisme, théorie qui prend la valeur pratique comme preuve de vérité. W. James* disait « Est vrai ce qui réussit ». Sans vouloir justifier l'opportunisme, il soutenait qu'une idée est vraie si elle permet de réaliser quelque chose de valable et si elle procure de la satisfaction.

préconscient, dans la première théorie freudienne, l'un des systèmes constituant l'appareil* psychique. Le préconscient regroupe l'ensemble des processus psychologiques latents, mais disponibles, c'est-à-dire aptes à devenir conscients (les souvenirs par exemple). Un système de censure règle le passage du préconscient à la conscience.

preferendum, valeur optimale d'excitation, due à un agent extérieur, pour laquelle une population animale manifeste sa préférence.
Dans la nature, le *preferendum* se situe dans l'aire de rassemblement d'une espèce et dans les endroits où elle se développe le mieux. H. S. Jennings a montré que même les organismes les plus primitifs ont leur *preferendum.* Par exemple, de nombreuses bactéries ont un *preferendum* thermique voisin de 40 °C.

prégnance, qualité par laquelle une structure s'impose à nous spontanément et avec force.
Une « bonne forme* » se dégage nettement de l'ensemble dont elle fait partie ; elle est stable parce qu'elle est la meilleure figure possible par rapport à cet ensemble. Les structures simples, régulières, complètes ont une unité plus grande et sont plus prégnantes que les formes asymétriques ou incomplètes. La *Gestaltpsychologie** a aussi révélé que les souvenirs obéissent aux mêmes lois : on retient mieux ce qui est organisé que ce qui ne l'est pas. La mnémotechnie* s'inspire de ce principe.

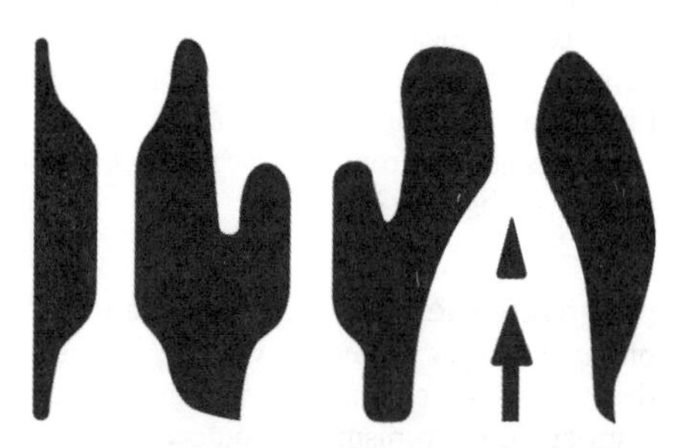

Une nouvelle prégnance visuelle s'impose lorsqu'on sait que cet ensemble asymétrique représente trois lettres majuscules, I, T et A (d'après Hering).

préjugé, attitude spécifique envers une personne ou une chose, négative ou positive, fondée sur une croyance imposée par le milieu et pouvant résister à l'information.
Les préjugés affectent tous les domaines : philosophique, religieux, politique, racial, alimentaire, etc. Leur origine est complexe. Les préjugés alimentaires, par exemple, tiennent à la rareté des aliments (C. W. Townsend) : en Afrique, les autochtones mangent les sauterelles, auxquelles les Européens ne veulent pas goûter. Les préjugés raciaux s'expliquent, partiellement, par des mobiles économiques, par la nécessité de décharger son agressivité sur un bouc émissaire, par des complexes psychologiques (désir de se rehausser dans sa propre estime).
G. Murphy et R. Likert ont montré que les préjugés sont généralement groupés. L'hostilité contre les minorités est le fait d'individus conformistes, apparemment équilibrés mais qui, en réalité, sont anxieux et luttent contre leur angoisse en étant conservateurs. Les préjugés, reçus sous l'influence du milieu (apprentissage, identification aux membres de l'entourage), sont rationalisés par la suite. Ils sont néfastes parce qu'ils constituent un obstacle à la communication et prédisposent les hommes au conflit.

prélogique, qui précède la logique.
Cette notion, utilisée par L. Lévy-Bruhl pour caractériser la mentalité des hommes non civilisés, fut, par la suite, reconnue fausse et rejetée par son auteur. Elle est remplacée aujourd'hui par celle de « pensée sauvage » (C. Levi-Strauss*), expression naturelle du psychisme humain non déformée par les exigences de la civilisation moderne. Dans le développement de la pensée enfantine, on observe un « âge prélogique », caractérisé par des normes de raisonnement qui ne respectent pas les règles logiques de causalité et de non-contradiction.

prestige, ascendant lié au statut et au succès, qui semble avoir quelque caractère merveilleux.
Le prestige peut s'attacher à une personne (chef, savant), un groupe (classe sociale, profession), un lieu ou une époque. Attribué par autrui, à l'intérieur d'un groupe socioculturel défini, le prestige s'impose à l'opinion, suscite la déférence et l'admiration et, à cause de son pouvoir d'influence, constitue une valeur sociale très appréciée. Les hommes et les femmes prestigieux exercent, en effet, un vé-

ritable pouvoir de suggestion sur leurs contemporains, aussi bien sur leur manière d'être (→ mode) que sur leur façon de penser. La recherche du prestige traduit les besoins d'affirmation de soi et de valorisation personnelle des individus, qui sont, généralement, encouragés par le milieu. Dans la plupart des groupes sociaux, il existe un véritable entraînement culturel à la compétition* et à l'ascension sociale. Cela explique, en partie, la recherche du prestige, mais il est probable que, indépendamment de l'encouragement donné par le milieu, d'autres facteurs personnels interviennent dans le désir de briller. Selon certains, la recherche du prestige serait souvent liée aux frustrations infantiles et, particulièrement, au sentiment d'avoir été mal aimé par ses parents.

primarité, trait de caractère qui, d'après G. Heymans et E. Wiersma, désigne le retentissement immédiat mais fugace des événements psychologiques.
Le sujet « primaire » est expansif et gai mais il se fâche facilement ; il aime le changement et peut sembler superficiel. La primarité a une corrélation positive assez forte avec l'extraversion*.

principe de constance
Dans la *Gestaltpsychologie**, cette loi s'applique aux phénomènes perceptifs : une « bonne forme » conserve ses caractéristiques propres, quelles que soient les modifications de la présentation ; par exemple, une mélodie, transposée dans un autre ton, nous paraît identique.
Dans la théorie psychanalytique, le principe de constance désigne la tendance de l'organisme à réduire toute excitation à un niveau aussi bas que possible : je mange pour apaiser ma faim. Mais, si je n'ai rien à manger, je peux aussi rêver que je fais un bon repas.

principe de plaisir-déplaisir, postulat selon lequel l'activité aurait pour fin dernière la recherche du plaisir et l'évitement du déplaisir.
Toute tension qui rompt l'équilibre de l'organisme est pénible. Lorsqu'un besoin se fait sentir, nous sommes amenés à rechercher dans le milieu ambiant l'objet susceptible de le satisfaire. Les pulsions s'engagent dans les passages les plus courts mais, lorsque ceux-ci sont impraticables (objet inexistant ou interdit), elles empruntent des chemins détournés qui les conduisent au plaisir recherché. Les rêves et les fantasmes* sont deux de ces voies.

principe de réalité, principe régulateur du fonctionnement psychique qui tend aux mêmes buts que le principe de plaisir, mais en tenant compte des réalités extérieures.
L'adaptation au monde extérieur est une nécessité. De cette obligation naissent l'attention, la mémoire, le jugement. Sous l'influence de l'expérience et de l'éducation, l'homme apprend à différer sa satisfaction, à renoncer à un plaisir immédiat pour éviter une souffrance ou pour obtenir une satisfaction supérieure. Progressivement, le réel modèle l'individu, qui parvient à substituer le principe de réalité au principe de plaisir.

privation, fait d'être privé d'un bien. La privation de sommeil, de rêves ou de stimulations sensorielles a fait l'objet de nombreuses expériences. Chez l'homme, l'isolement sensoriel, dans un lieu spécialement aménagé, pendant une durée de trois à trente-six heures, produit des désordres variés : somnolence, perte du sens de la réalité, irritabilité ou anxiété pouvant aller jusqu'à la panique, phénomènes hallucinatoires visuels, auditifs, cénesthésiques. La privation de sommeil ou de rêves entraîne des manifestations du même type. En étudiant les effets de la privation précoce d'une modalité sensorielle (la vue, par exemple), des chercheurs tels que D. Hebb ont montré que l'absence de stimulation provoque, dans le cerveau, des modifications anatomiques et biochimiques dont la correction nécessite parfois plusieurs semaines.

processif → quérulence.

processus primaire et processus secondaire, modes de fonctionnement de l'appareil* psychique.
Le processus primaire caractérise l'inconscient, le processus secondaire le système

préconscient*-conscient. Dans le processus primaire, l'énergie psychique est mobile et s'écoule librement ; dans le processus secondaire, elle est « liée » (contrôlée) et donc retardée.
Le *processus primaire,* dit E. Jones, est comme un courant impossible à endiguer, il entraîne le sujet vers la réalisation fantasmatique du désir qui l'a fait naître. Le *processus secondaire,* au contraire, est attaché à la raison. L'énergie ne peut pas s'écouler avant que l'intelligence n'ait trouvé une voie aboutissant à la satisfaction réelle du désir. Les mécanismes de condensation* et de déplacement*, mis en évidence dans les diverses formations de l'inconscient, particulièrement dans le rêve, font partie des processus primaires, tandis que le raisonnement et le jugement relèvent des processus secondaires. Les processus primaires sont régis par le principe de plaisir, les processus secondaires par le principe de réalité.

profil psychologique, représentation graphique des résultats obtenus par un sujet à une série d'épreuves psychométriques.
Les notes, exprimées en unités de mesures comparables, sont reliées par une ligne qui dessine la physionomie mentale d'un sujet. Ce procédé, imaginé par G. I. Rossolimo (1912), permet de tracer aussi des profils de personnalité. On visualise ainsi les renseignements fournis par les tests et, le cas échéant, les modifications produites par le traitement.

projection, mécanisme de défense* du moi consistant à attribuer inconsciemment à autrui et, plus généralement, à percevoir dans le monde extérieur ses propres pulsions, ses pensées, ses intentions, ses conflits intérieurs. La projection permet de se libérer de ses affects* intolérables : telle épouse fidèle, inconsciente de ses désirs d'adultère, accusera son mari de la trahir ou se sentira aimée par un innocent ami. Ce mécanisme est très répandu chez les individus normaux ; il est la cause de certaines erreurs de jugement, qu'une saine autocritique permet de corriger. En pathologie mentale, la projection prend une importance particulière, notamment dans les délires hallucinatoires et la paranoïa*.

projective (méthode), technique d'étude de la personnalité fondée sur la notion de projection.
Toute perception met en œuvre deux éléments : l'objet perçu et le sujet percevant. Plus l'objet est clair et précis (niveau d'information maximal), moins la personne est impliquée dans la perception, et inversement. Il est donc possible d'amener un sujet à s'engager au maximum dans un test en lui présentant des stimuli flous ou ambigus (niveau d'information minimal). En donnant un sens à une tache d'encre, à une image incertaine, à un bruit équivoque, l'individu exprime la structure même de sa personnalité. Les méthodes projectives les plus connues sont le psychodiagnostic* de Rorschach et le *Thematic* Apperception Test* (TAT) de Murray.

projet, but que l'on se propose d'atteindre.
J. Dewey* et son disciple W. Kilpatrick ont créé une technique d'éducation connue sous le nom de *méthode des projets.* Elle consiste à donner un contenu concret au travail scolaire en organisant les activités des écoliers autour d'un projet librement choisi par eux : imprimer un journal, construire une cabane, etc. Au cours de l'exécution du projet, les enfants apprennent à rechercher la documentation, à travailler en équipe et découvrent la nécessité d'une discipline. Cette méthode, séduisante par son caractère prospectif, qui stimule l'esprit d'initiative et d'invention, s'accommode mal des programmes scolaires préétablis et nécessaires.

propagande, diffusion d'une idée ou d'une doctrine, destinée à modifier les opinions, les sentiments, les attitudes de la personne ou du groupe auxquels on s'adresse.
Elle s'apparente à l'éducation mais, tandis que celle-ci s'attache à la vérité, celle-là ne la respecte pas toujours. La propagande n'est pas obligatoirement mauvaise (la propagande antialcoolique sert une bonne cause), mais elle est souvent utilisée à des fins contestables. Lorsqu'elle est avouée et qu'elle s'adresse à des adultes avertis, il est possible de lui résister en soumettant les arguments présentés à la critique objective ; aussi se fait-elle souvent insidieuse et s'adresse-t-elle aux enfants : les

nazis utilisaient les livres de calcul pour transmettre les idées essentielles de leur doctrine. La propagande, qui vise à former certaines attitudes et à imposer des stéréotypes* sociaux, est de nature totalitaire. Elle tend à conditionner l'individu en créant chez lui des mécanismes automatiques afin de contrôler et de manipuler son comportement social (voter pour tel parti, s'engager dans l'armée...). Elle a pour but de modifier nos jugements et nos perceptions en transformant notre système de référence, auquel toutes choses sont rapportées. Elle n'est pas toute-puissante et elle a besoin d'être diffusée sur un terrain propice pour atteindre pleinement son but mais, dans un régime totalitaire, contrôlant les médias, son pouvoir est absolu.

propriocepteurs, récepteurs sensoriels qui nous renseignent de façon permanente sur nos postures et nos mouvements.
Ces organes sensitifs sont situés dans les muscles, les tendons et les articulations. L'ensemble des informations visuelles, tactiles, kinesthésiques et labyrinthiques (en provenance des canaux semi-circulaires de l'oreille interne) constitue la base sensorielle de l'élaboration du schéma* corporel.

prospective, réflexion sur l'avenir.
Ce n'est pas la prévision du futur fondée sur des statistiques présentes, immédiatement périmées, mais une réflexion scientifique et dynamique de l'avenir humain envisagé à partir des événements futurs que l'on imagine. Elle exige de la créativité* chez ceux qui fixent les objectifs à réaliser à longue échéance. Cette discipline, créée en 1955 par un groupe de psychologues (G. Berger*), d'économistes (A. Sauvy) et d'administrateurs (L. Armand), devrait être avant tout celle des gouvernants.

prostituée, personne qui loue son corps.
D'après C. Lombroso et P. Tarnowski, la plupart des prostituées seraient des dégénérées perverses, cruelles, menteuses et paresseuses. Cette thèse n'est plus admise : on ne considère plus la prostitution comme une disposition congénitale, mais comme le résultat des influences psychosociales subies depuis la petite enfance. Au XIXe siècle déjà, A. J. Parent-Duchâtelet (1837) notait qu'un quart des filles avaient été orphelines très jeunes ou abandonnées. Par la suite, H. Ellis (1929) insista sur la proportion élevée (40 à 50 %) des anciennes employées de maison parmi les prostituées, et des cas de foyers dissociés ou de carence paternelle (deux tiers) dans leurs antécédents. S'il est vrai qu'on trouve, parfois, des débiles dans leur nombre, presque toutes sont d'intelligence normale et ne présentent aucun trouble mental réellement caractérisé. Cependant, la structure affective de la prostituée semble très particulière et dominée par une lointaine déception. Ce serait, inconsciemment, pour se venger du père, qui lui a préféré la mère, qu'elle se donne à d'autres hommes ; et quand, à ceux-ci, elle réclame de l'argent, c'est pour affirmer sa puissance et sa domination (sorte de castration symbolique). Aucune de ces thèses, seule, n'est suffisante pour expliquer la prostitution, car ce fait dépend de plusieurs causes à la fois : psychologiques, sociales et économiques.

psittacisme, répétition mécanique d'expressions ou de phrases entendues.
Initialement, forme d'enseignement où l'élève n'avait qu'à ressasser les phrases qu'il devait retenir. En psychopathologie, on emploie ce terme pour caractériser le comportement d'un sujet qui répète un propos sans souci de sa signification. Ce trouble se rencontre assez fréquemment chez les déficients intellectuels. → **écholalie.**

psychagogie, terme proposé par C. Baudoin pour désigner l'ensemble des méthodes éducatives, plus psychologiques que pédagogiques, qui visent essentiellement à favoriser l'évolution de la personnalité sans vouloir lui imposer un statut déterminé.
Cette forme de rééducation psychopédagogique ne permet pas de traiter les névroses, mais elle suffit souvent à réadapter des enfants caractériels.

psychanalyse, méthode de traitement des troubles mentaux reposant sur l'investigation psychologique profonde, devenue « science de l'inconscient ».

Son fondateur, S. Freud, ayant observé les effets nocifs de certains événements traumatiques apparemment oubliés, établit un lien entre ceux-ci et les symptômes observés et conclut à l'existence d'un *inconscient* dynamique*. Certains de nos actes, des plus banals (oubli de poster une lettre) jusqu'aux plus étranges (rite du lavage des mains chez certains névrosés), sont, affirme-t-il, dus à des causes obscures, mais réelles.

Les symptômes névrotiques ont un sens ; on peut les comprendre à condition de dépasser certaines résistances* derrière lesquelles se trouve l'inconscient. Pour y parvenir, S. Freud essaie successivement l'hypnose, la suggestion (« vous pouvez vous rappeler votre passé ») et enfin la méthode de libre association (« dites tout ce qui vous passe par l'esprit »), qui se révèle la meilleure parce qu'elle respecte la personne humaine. Le sujet collabore ainsi à son traitement. La découverte de son inconscient ne se fait pas par effraction, mais après un long cheminement volontaire, au cours duquel il apprend à contrôler ses émotions. Ce n'est qu'après avoir abandonné ses résistances qu'il arrive à comprendre les motivations de son comportement et qu'il peut devenir le maître de sa conduite. Pendant les séances, le psychanalyste laisse le patient s'exprimer sans restriction ; il interprète ses résistances et ses attitudes à son égard (transfert*).

La cure analytique, sorte de rééducation psychologique qui s'étend sur des mois et même des années (à raison de trois ou quatre fois par semaine), ne peut être entreprise que si certaines conditions sont remplies. Les plus importantes sont la volonté du patient de guérir (sans quoi il ne peut pas respecter les conventions de base : régularité des séances, règle de non-omission, etc.) ; un niveau intellectuel et culturel suffisant ; un âge encore peu avancé (il est difficile à l'âge mûr de modifier profondément ses attitudes). Elle doit être conduite par un psychothérapeute hautement qualifié, ayant lui-même subi une analyse* didactique et de contrôle.

La psychanalyse a permis de mettre en évidence un certain nombre de faits psychiques dont S. Freud a tiré des lois. Sa principale découverte est celle de la sexualité infantile, qui naît avec la vie et passe par différents stades* avant de parvenir à la période génitale proprement dite, où le but sexuel est le coït normal avec un partenaire de sexe opposé. Mais, de la naissance à la puberté, les pulsions (forces biologiques) sont soumises à un certain nombre de facteurs qui influencent leur destin.

Pour décrire ces événements psychiques, il est nécessaire de les envisager sous trois angles différents : d'un point de vue *dynamique* (conflit entre les forces en présence), *économique* (quantité d'énergie dépensée) et *topique* (structure de la personnalité). Freud fut ainsi amené à élaborer sa théorie, sans cesse remaniée et en continuelle évolution, dont on peut rappeler les grands principes.

1. Toute conduite tend à supprimer une excitation pénible *(principe* de plaisir)* ; le monde extérieur impose certaines conditions dont il faut tenir compte *(principe de réalité)* ; les expériences marquantes ont tendance à se reproduire *(compulsion de répétition)*.
2. L'appareil psychique est fait de trois instances : le *ça** (ensemble des pulsions primaires, soumises au principe de plaisir), le *surmoi** (ensemble des interdits moraux intériorisés) et le *moi**, dont la fonction est de résoudre les conflits entre les pulsions et la réalité extérieure, ou entre le ça et la conscience morale.
3. Quand le moi ne parvient pas à ajuster d'une manière satisfaisante le sujet à son milieu ou à satisfaire ses besoins, il se produit des désordres de la conduite : régression, névrose, troubles psychosomatiques, délinquance, etc.

Primitivement réservé aux adultes névrosés, le traitement psychanalytique a été progressivement étendu aux enfants, aux criminels et aux schizophrènes. Mais la psychanalyse ne se contente pas d'être une thérapeutique. Elle est devenue une science explicative du comportement humain et fournit des hypothèses fécondes aux diverses sciences de l'homme : pédagogie, sociologie, anthropologie.

psychasthénie, névrose caractérisée par un sentiment d'incomplétude, des préoccupations obsédantes, des scrupules, de la timidité et un affaiblissement général de la résolution volontaire.

Inadapté au réel, le psychasthénique a tendance à se réfugier dans l'imaginaire et à se contenter d'une activité vide (tic, bavardage). D'après P. Janet, cet état serait constitutionnel. Mais cette explication, qui méconnaît l'importance des influences infantiles, socio-affectives, dans la genèse des troubles névrotiques, est actuellement contestée. Ce que Janet appelle « baisse de tension psychologique » paraît être plutôt un manque de stabilité et une difficulté particulière de l'individu à s'adapter. Hypersensible, craignant les meurtrissures infligées par le monde extérieur, il se replie sur lui-même. Sa tension psychologique est plutôt mal orientée que déficiente. Mis en confiance, stimulé, encouragé, le sujet psychasthénique améliore, en effet, sensiblement ses performances. On ne trouve pas la psychasthénie dans la nouvelle classification psychiatrique américaine (DSM III-R, 1989). La description qui s'en rapproche le plus est celle de la « personnalité dépendante ».

psychiatrie, étude et traitement des maladies mentales. Vers la fin du Moyen Âge, en Occident, la maladie mentale était considérée comme d'origine surnaturelle. Sous l'Ancien Régime, quelques places étaient réservées dans les hôpitaux pour les « fous », mais le caractère pathologique de leur état n'était pas encore reconnu. Il fallut attendre la Révolution française pour que, sous l'influence de P. Pinel, ces malades fussent confiés aux médecins. Mais leurs conditions de vie, dans les établissements psychiatriques, restaient misérables. Au XIXe siècle, le nombre des « aliénés » internés augmenta considérablement, la loi du 30 juin 1838 réglementant les conditions de l'internement. Après 1920, la pratique des « placements libres » se répandit. En 1936, les « asiles » se sont transformés en « hôpitaux psychiatriques ».
Au lendemain de la Seconde Guerre mondiale, les psychiatres s'efforcèrent de développer la vie sociale des malades (thérapie d'occupation, ergothérapie), mais les moyens thérapeutiques restaient limités : isolement, hydrothérapie, sédatifs, chocs (cures d'insuline, électrochocs), traitement moral. Ce n'est que dans les années 50 que des médicaments actifs dans les psychoses font leur apparition : neuroleptiques (1952), antidépresseurs (1957), lithium, qui contribuent à transformer l'atmosphère des établissements et facilitent l'abord psychothérapeutique des patients. Les sorties se font aussi plus nombreuses et l'on voit se créer, en marge de l'hôpital, des dispensaires, des « hôpitaux de jour », des foyers de postcure, des ateliers protégés, des centres d'aide par le travail, etc. Les *hôpitaux de jour* concernent les malades qui ont un domicile et peuvent le regagner le soir. Ils offrent aux patients des activités de groupe (expression verbale, corporelle, artistique, culturelle...), la possibilité de surveiller la chimiothérapie et le recours à un dispositif psychothérapique. La fréquentation régulière de l'hôpital de jour constitue un réapprentissage de la vie sociale. Elle limite aussi les risques de désagrégation du milieu familial en évitant le placement des enfants, par exemple. Grâce à la chimiothérapie et aux structures d'accueil légères, de nombreux malades n'ont plus besoin de passer par l'hospitalisation traditionnelle.
La clientèle des psychiatres s'est aussi diversifiée et étendue, ce qui prouve que la maladie mentale inquiète moins qu'auparavant. Désormais, on traite les patients, comme des personnes souffrantes, dans leur milieu social naturel. Tous ne guérissent pas, il est vrai, mais un patient sur deux finit par trouver un équilibre suffisant pour être dispensé de soins psychiatriques.

psychochirurgie → neurochirurgie.

psychodiagnostic, méthode d'exploration de la personnalité, fondée sur l'interprétation libre de formes fortuites.
Le sujet, à qui est présentée une série de dix taches* d'encre, noires ou multicolores, est invité à dire ce que cela pourrait représenter. Ses réponses sont codifiées et interprétées selon des critères établis.
Il a été prouvé, en effet, que la perception est étroitement liée à la personnalité. Certains sujets, par exemple, ont tendance à appréhender l'ensemble de la planche, d'autres s'attachent aux petits détails ; les uns sont surtout sensibles à la couleur, les autres aux formes, etc. Ces variations individuelles renseignent

sur le caractère et la structure de la personnalité des sujets examinés. Malgré les critiques formulées par plusieurs auteurs, le psychodiagnostic de Rorschach* a une validité certaine. Malheureusement, il est peu économique, car sa correction nécessite beaucoup de temps.

psychodrame, technique psychothérapique, créée par J. L. Moreno (1921), qui utilise le jeu dramatique libre et vise à développer activement la spontanéité des sujets. L'extériorisation des pensées personnelles au cours des improvisations scéniques et leur analyse par le psychothérapeute-meneur de jeu constituent l'essentiel de cette thérapeutique, applicable aux enfants et aux adultes. Depuis Aristote, on connaît les effets cathartiques de l'action dramatique sur le spectateur, mais c'est Moreno* qui, le premier, étendit ses bienfaits à l'acteur lui-même en lui demandant d'être tout à fait spontané, de jouer son propre personnage pour son propre compte, en abandonnant toute idée de produire un effet sur les spectateurs.

Les séances de psychodrame sont divisées en trois parties : la *mise en train,* durant laquelle le meneur de jeu s'efforce de faire disparaître toute gêne chez les acteurs en les mettant à l'aise et en discutant avec eux de la séance ; le *jeu dramatique* (improvisation sur un thème préalablement choisi en commun) ; la *discussion finale,* où l'on commente le jeu de chacun et les interactions humaines au cours de la séance et où chacun dégage ce qu'il a appris sur lui-même.

Le psychodrame constitue un moyen privilégié d'expression des conflits personnels, non anxiogène puisque l'extériorisation se fait sur un mode ludique, grâce auquel le sujet se comprend et se transforme en même temps qu'il se reconnaît. On l'utilise aussi sous forme de jeu de rôles* comme instrument de perfectionnement personnel et comme moyen de sélection des candidats à certains postes de travail.

psychogalvanique (réflexe) → électrodermale (réaction).

psychologie, science des faits psychiques. Ce terme date du XVIe siècle, mais il est devenu usuel à partir du XVIIIe siècle grâce à C. Wolff, qui l'utilise dans sa *Psychologia empirica* (1732) et sa *Psychologia rationalis* (1734). Longtemps conçue comme la « science de la vie mentale, de ses phénomènes et de ses conditions » (W. James*, 1890), la psychologie se définit aujourd'hui, d'un point de vue plus global, comme la « science de la conduite ». Le mot « conduite » désigne, outre le comportement objectivement observable, l'action sur l'entourage (par la communication par exemple), l'interaction de l'organisme et de son milieu et l'action sur le corps propre (processus physiologiques conscients ou inconscients). La psychologie rassemble donc plusieurs disciplines distinctes, qui font l'objet de définitions séparées.

La psychologie ne s'est affirmée en tant que science qu'en se séparant, à la fin du XIXe siècle, de la philosophie. Progressivement, malgré de graves crises intérieures (ou grâce à elles), elle s'est constituée en discipline humaine autonome. Sa méthode, comparable à celle des autres sciences, consiste à soumettre des hypothèses aux faits objectifs ; ses moyens essentiels sont l'observation et l'expérimentation. Primitivement centrée sur l'homme normal, adulte et civilisé, elle a étendu ses investigations au malade, à l'enfant, au primitif, aux groupes sociaux et même à l'animal. Par son action pratique, elle a prouvé son existence et démontré son importance. Son champ d'application, qui semble illimité, augmente sans cesse. Ses techniques particulières forment un ensemble irremplaçable d'action et de connaissance de l'être humain.

Cependant, comme toutes les autres sciences, la psychologie a ses limites. Les tests* d'intelligence et les méthodes projectives*, par exemple, ne valent que ce que valent les psychologues qui les emploient, car ils ne se prêtent pas à une utilisation machinale. Une autre objection que certains opposent à la psychologie concerne son pouvoir d'action. Loin de voir un progrès dans les moyens nouveaux qu'elle fournit pour connaître l'homme, ils les considèrent comme un outil redoutable, susceptible de l'asservir. Cette crainte s'apparente à celle que l'on peut avoir devant les progrès de la technique et de la science en général (machinisme industriel, domestication de l'énergie atomique...) ; elle relève plus d'une angoisse existentielle que d'un véritable humanisme. En tout cas, elle est sans objet car, pas moins que le médecin, le psychologue est au service de l'homme. Non seulement il évite les actes préjudiciables à autrui, mais il interdit que les moyens psychologiques qui dépendent de lui soient utilisés par d'autres à des fins contestables. → **clinique, différentielle, expérimentale, génétique.**

psychologue, personne dont l'activité professionnelle s'exerce dans l'un des domaines de la psychologie.

En France, depuis la loi du 25 juillet 1985 et les décrets d'application du 23 mars 1990, l'usage professionnel du titre de psychologue est réservé aux titulaires d'un diplôme sanctionnant une formation universitaire, fondamentale et appliquée, de haut niveau, en psychologie, tel que le diplôme d'études supérieures spécialisées (D.E.S.S.) ou le diplôme d'études approfondies (D.E.A.), assortis d'une maîtrise en psychologie ; le diplôme de psychologie du travail, délivré par le Conservatoire national des Arts et métiers ; ou le diplôme de l'École des psychologues praticiens. L'usurpation du titre de psychologue est punie des peines prévues à l'article 259 du Code pénal.

La psychologie est une discipline difficile, qui nécessite de la part de celui qui l'exerce de vastes connaissances, théoriques et pratiques, ainsi qu'une capacité d'empathie* permettant d'établir un rapport authentique avec autrui, d'appréhender ses rôles, de comprendre ses attitudes et ses conduites.

Les fonctions du psychologue sont multiples : traditionnellement, il participe au diagnostic (tests, entretiens) et au développement de la personne (conseil, soutien, psychothérapie). Il a souvent aussi des activités de prévention, d'information, de formation et de recherche. En France, il existe une organisation professionnelle, la Société française de psychologie, dont les membres s'engagent à respecter le code de déontologie élaboré par elle en 1961, et entièrement révisé en 1997.

psychométrie, ensemble des méthodes et des techniques permettant de mesurer les phénomènes psychiques.

Dans son sens le plus large, ce mot englobe toutes les recherches sensorimétriques (seuils sensoriels, temps de réaction...), mais on l'emploie habituellement dans un sens plus restreint, pour désigner l'ensemble des tests cognitifs et, en général, tous ceux qui servent à apprécier les aptitudes et les niveaux de développement (par exemple la maturité sociale).

L'introduction de la mesure en psychologie a fait faire de grands progrès à cette discipline. Mais l'utilisation de résultats chiffrés n'est pas sans danger. Un nombre n'a d'autre valeur qu'indicative ; il n'est qu'un élément du diagnostic que le psychologue doit formuler. Il infirme ou confirme une hypothèse et doit toujours être rapporté à d'autres observations et à l'histoire de l'individu examiné. Si un Q.I. de 130 exprime, sans aucun doute, une intelligence supérieure, un Q.I. de 70 n'indique pas toujours l'existence d'une déficience intellectuelle. Ce résultat peut être dû à l'anxiété, à une inhibition névrotique, à l'opposition du sujet ou à son absence d'intérêt pour les tâches proposées.

Il importe donc que le psychologue ne se cantonne pas dans un rôle de technicien de laboratoire, destiné à fournir des mesures précises, mais soit capable d'interpréter celles-ci, correctement, en fonction d'observations qualitatives, non mesurables, dont on ne doit pas sous-estimer l'importance. → **quotient intellectuel.**

psychopathie, état mental pathologique.

Dans un sens plus restreint, ce terme s'applique à des déviations surtout caractérielles (affectivité, volonté) entraînant des conduites antisociales, sans culpabilité apparente. Les psychopathes ne se classent ni parmi les psychotiques (réellement aliénés) ni parmi les névrosés (qui souffrent seuls de leurs troubles). Ce sont des individus instables, impulsifs et difficiles, dont le comportement fait souffrir, essentiellement, leur entourage. Inadaptés sociaux, ils ont souvent des démêlés avec la justice. D'après les travaux de S. Glueck et de W. H. Sheldon*, ils se recruteraient surtout parmi les sujets de type athlétique. La notion de psychopathie, due à K. Schneider (1923), s'apparente à la « personnalité antisociale » des Américains (DSM III-R, 1989).

psychopathologie → pathologique (psychologie).

psychopharmacologie, étude des effets produits par les médicaments et les drogues sur le psychisme et sur l'humeur.
Certains produits sont toniques, d'autres hypnotiques ou hallucinogènes*. L'injection intraveineuse de barbituriques, lors de la narcoanalyse*, plonge le sujet dans un demi-sommeil et, par la levée des inhibitions affectives qu'elle entraîne, permet la réapparition de souvenirs oubliés. Il est possible, de cette manière, de guérir des névroses en rappelant à la conscience l'événement traumatisant et en rendant possible la décharge émotionnelle correspondante (catharsis). En injectant à des animaux une substance toxique (bulbocapnine), H. de Jong et H. Baruk ont réussi à reproduire des désordres psychomoteurs connus sous le nom de catatonie*. D'autres auteurs (J. Delay), expérimentant des alcaloïdes de l'ergot de seigle (LSD 25) et du peyotl (mescaline), ont engendré des états psychopathologiques (hallucinations) qui ont permis d'étudier les relations du réel et de l'imaginaire.
L'apparition de la psychopharmacologie en clinique psychiatrique autorise de grands progrès : les nouveaux médicaments qui agissent sur les fonctions psychologiques de base (vigilance, humeur, émotivité) libèrent, en partie, les malades de certains désordres psychiques majeurs. Ils ne résolvent pas leurs problèmes, mais, en supprimant momentanément les manifestations qui s'opposaient à la communication normale avec autrui, ils les prédisposent à l'action de la psychothérapie.
→ neuroleptique, tranquillisant.

psychophysiologie, partie de la psychologie expérimentale qui étudie les mécanismes physiologiques du comportement et de l'activité mentale.
La psychologie physiologique, qui représentait initialement toute la psychologie expérimentale du XIXe siècle, s'en différencia progressivement pour finir par se constituer en discipline autonome. Actuellement, elle couvre un vaste champ, qui va de la physiologie des sensations aux mécanismes biochimiques du sommeil ou de la mémoire, de l'apprentissage au comportement sexuel. Son ambition est non seulement de préciser les structures organiques et leurs liaisons fonctionnelles mises en jeu dans ces activités, mais encore de construire « une physiologie du fonctionnement de l'organisme total en relation avec le milieu » (J. Paillard).

psychophysique, discipline qui étudie et cherche à quantifier les sensations provoquées par des excitations déterminées.
Fondée par G. T. Fechner*, la psychophysique s'est surtout attachée à mesurer les *seuils* absolus* de sensation (on fait croître l'excitation jusqu'au moment où le sujet déclare la percevoir) et les *seuils différentiels* (on fait varier l'intensité du stimulus et l'on demande au sujet de signaler les modifications de la sensation). Les principaux représentants de ce mouvement furent, en Allemagne, Fechner et W. Wundt ; en France, A. Binet, H. Piéron et G. Dumas ; aux États-Unis, S. S. Stevens.

psychose, maladie mentale grave, caractérisée par la perte du contact avec le réel et l'altération foncière du lien interhumain, cause de l'inadaptation sociale du sujet.
Contrairement au névrosé, conscient de ses difficultés personnelles, le psychotique ignore ses troubles : s'isolant du monde extérieur, il se crée un univers privé qu'il façonne à sa guise et dans lequel il est tout-puissant.
Il y a plusieurs sortes de psychoses : la schizophrénie*, la psychose maniaque*-dépressive, les délires* (paranoïa, psychose hallucinatoire chronique, paraphrénie). L'activité délirante – qui se manifeste, dans les attitudes et les conduites, par la perte de l'autocritique, les déviations du jugement, le mode de pensée déréelle – exprime la profonde aliénation de la personne et constitue la caractéristique la plus typique des psychoses. Celles-ci sont relativement fréquentes (1 % de la population urbaine).

psychosomatique (médecine), médecine totale, s'occupant à la fois de l'âme et du corps.

Ce nom a été donné par J. L. Halliday (1943) au mouvement moderne qui tend à renouveler les conceptions de la maladie élaborées par R. Virchow et L. Pasteur. Sans méconnaître les mécanismes physiques, chimiques et physiologiques, qu'elle veut dépasser, la médecine psychosomatique, s'appuyant sur l'étroite solidarité qui régit toutes les fonctions de l'organisme, s'efforce de comprendre la réalité humaine vécue, l'affectivité et son rôle dans le déterminisme de nombreux troubles fonctionnels ou organiques.

Après les observations de I. P. Pavlov et de S. Freud, les tenants de la médecine psychosomatique ne veulent plus considérer la maladie comme un accident fortuit, mais comme un événement qui s'inscrit dans un ensemble psycho-organique et un *continuum* espace-temps bien définis. Voici un exemple : un enfant présente d'inquiétantes poussées fébriles. Il n'existe pas de facteur infectieux et les antibiotiques sont inopérants. Les accès de fièvre sont cycliques : ils apparaissent le samedi matin et durent quarante-huit heures, pendant l'absence du père. L'examen psychologique révèle que cet enfant, hypersensible et intuitif, redoute la dissociation de son foyer. Cette réaction n'est pas extraordinaire. Nous savons que l'organisme répond en totalité aux émotions : la colère, par exemple, s'accompagne de rougeur du visage, de tremblement, de précipitation cardiaque. Si de pareils désordres fonctionnels se reproduisent fréquemment, des lésions organiques se créent, qui fixent les premiers symptômes.

Les travaux de H. Selye* montrent que le corps réagit en mobilisant toutes ses défenses lorsqu'il est menacé par un agent physique, chimique ou psychique. Un violent choc affectif ou une tension émotionnelle persistante ont les mêmes effets somatiques qu'une longue exposition au froid intense : ulcération gastroduodénale, hypertrophie des glandes surrénales, etc. On comprend dans ces conditions que les déceptions sentimentales, la solitude affective, les soucis ou les échecs professionnels, qui sont autant de traumatismes psychologiques, puissent être responsables de maladies organiques. Mais, si tous les individus répondent somatiquement aux émotions, leurs réactions n'ont pas la même intensité. Ce sont ceux qui extériorisent le moins leurs sentiments qui ont les réponses neurovégétatives et endocriniennes les plus perturbatrices. Il existe, semble-t-il, une prédisposition constitutionnelle à ce mode de réaction, accentuée, dans certains cas, par des expériences antérieures : carence affective précoce, traumatisme psychique, etc. On a observé, par exemple, que la plupart des sujets asthmatiques ou allergiques avaient été objectivement frustrés d'amour maternel dans leur enfance, ce qui, d'après F. Alexander* et T. M. French, déterminait les réactions suivantes : désespoir et colère → rejet par l'entourage → insécurité profonde et tendance à inhiber les manifestations extérieures des émotions → accentuation des réactions neurovégétatives, désordres fonctionnels et lésions. Selon ces auteurs, la crise d'asthme correspondrait à un accès de pleurs inhibé, l'hypertension artérielle à une colère rentrée, l'ulcère digestif à un conflit permanent entre les désirs de lutte et de fuite.

Tous les appareils de l'organisme peuvent être intéressés par les maladies psychosomatiques : système digestif (ulcère, colite), endocrinien (hyperthyroïdie, diabète), génito-urinaire (impuissance, énurésie), cardio-vasculaire (infarctus du myocarde), respiratoire (asthme, tuberculose pulmonaire), peau (eczéma), etc. Mais le « choix » de l'organe n'est pas le simple fait du hasard. Les principaux facteurs qui paraissent déterminer la localisation des affections psychosomatiques sont l'existence d'une fragilité organique (discrète lésion, parfois totalement guérie), le bénéfice plus ou moins inconscient que procure la maladie au sujet et la nature du traumatisme affectif déclenchant : le viol détermine plus volontiers une atteinte gynécologique (vaginisme, frigidité...) qu'une affection digestive ou cardiaque.

Chaque état de tension émotionnelle détermine un processus neurovégétatif qui lui est propre. Généralement, on confond la réponse psychosomatique et la conversion* hystérique, qui se manifeste aussi par des désordres corporels. Ce sont pourtant deux processus différents. La conversion hystérique est pleine de signification ; c'est un langage symbolique : la paralysie des jambes, par exemple, qui ne s'accompagne d'aucune lésion organique, exprime le désir inconscient de ne plus marcher. Au contraire, la maladie psychosomatique, conséquence d'un trouble fonctionnel du système neurovégétatif, n'est pas significative ; elle n'est pas porteuse de sens comme la conversion hystérique. Les voies nerveuses utilisées sont aussi différentes : la réaction végétative appartient au système autonome (système nerveux végétatif), la conversion hystérique met en jeu le système cérébro-spinal (voie pyramidale, voie sensitive).

Le traitement des maladies psychosomatiques associe, à la thérapeutique usuelle des lésions locales, les neuroleptiques, qui diminuent les réactions émotionnelles, et la psychothérapie. Celle-ci doit être conduite avec une extrême prudence, car on risque des complications graves (rechute, psychose). Elle est généralement brève et gratifiante (conseils, soutien, aide). La psychanalyse est le plus souvent contre-indiquée.

psychotechnique, ensemble des techniques de psychologie expérimentale appliquées aux problèmes humains.

La psychotechnique est utilisée surtout dans l'industrie, le commerce et l'armée. Elle se propose, essentiellement, de définir les conditions de travail les plus favorables, d'adapter l'homme à son travail et de l'aider à s'intégrer dans son groupe professionnel. Ses instruments privilégiés sont les tests. Dans l'armée comme dans l'industrie, elle a permis de réduire considérablement (d'un tiers environ) la durée de l'apprentissage et le nombre des accidents. Le terme de psychotechnique tend à être remplacé par celui de psychologie appliquée.

psychothérapie, application méthodique de techniques psychologiques déterminées pour rétablir l'équilibre affectif d'une personne.

Le champ de la psychothérapie est très vaste, allant des troubles caractériels et des névroses jusqu'aux affections psychosomatiques et même aux psychoses. Toutes les méthodes psychothérapiques (soutien moral, suggestion, rééducation, psychanalyse, etc.), qui sont fondées sur la communication établie entre le thérapeute et le malade, poursuivent des buts identiques, c'est-à-dire l'épanouissement de la personnalité et une meilleure intégration sociale du sujet.

On distingue, selon leurs modes d'action, trois grandes catégories de psychothérapies : celles qui sont fondées sur la *suggestion* (persuasion, direction morale) ; celles qui reposent sur la *catharsis** (rappel, sous l'effet de l'hypnose ou de la subnarcose, de sentiments refoulés) ; celles qui permettent au patient de modifier sa personnalité en analysant ses conflits profonds, en intégrant dans sa conscience des affects inconscients et en modifiant ses mécanismes de défense*. Le type de ces psychothérapies en profondeur est la *psychanalyse,* réservée à certains cas particuliers.

La psychothérapie repose sur la confiance du malade dans le traitement et dans la personne du thérapeute, sur le lien de compréhension réciproque qui s'établit entre eux et grâce auquel le patient peut exprimer ses problèmes librement, sans crainte d'être mal jugé, libérer (sur le plan verbal) ses pulsions et remettre en question l'image qu'il se faisait de lui-même. Dans la relation interhumaine ainsi créée, le sujet apprend à modifier ses attitudes à l'égard de lui-même et du monde extérieur, à mieux s'ajuster à la réalité.

Les méthodes employées en psychothérapie doivent être adaptées aux cas individuels : les uns nécessitent des encouragements, les autres une rééducation ou une psychanalyse. Avant d'entreprendre un traitement de ce genre, il est donc nécessaire d'avoir une connaissance exacte de chaque malade. Les meilleurs résultats sont obtenus avec des sujets ayant le désir de guérir, coopérant librement au traitement, suffisamment intelligents pour comprendre les mécanismes psychologiques analysés et qui ne tirent pas de leur maladie des bénéfices* trop importants. Chez les enfants, la psychothérapie repose essentiellement sur les techniques expressives telles que le dessin, le modelage, les marionnettes. **→ aversion, comportementale (thérapie), cri primal, fami-**

liale (thérapie), jocothérapie, psychodrame*, transactionnelle (analyse).

psychotique, sujet atteint de psychose*.

psychotrope, substance naturelle ou synthétique dont l'action sur le système nerveux central est capable de modifier l'activité mentale et la conduite d'un individu.
On distingue trois groupes de psychotropes : les *sédatifs* (neuroleptiques*, tranquillisants*, hypnotiques), les *stimulants* (antidépresseurs...) et les *perturbateurs psychiques* (hallucinogènes, stupéfiants, substances enivrantes telles que l'éther et l'alcool).

puberté, ensemble des transformations psycho-organiques liées à la maturation sexuelle et traduisant le passage de l'enfance à l'adolescence.
Elle se manifeste, notamment, par un épanouissement du corps, le développement des caractères sexuels secondaires (pilosité pubienne et axillaire, modification de la voix), l'apparition des premières règles chez les filles et des spermatozoïdes dans le liquide séminal du garçon.
La puberté, qui, sous nos climats, débute entre douze et quatorze ans, peut être précoce (rare) ou retardée (12 % environ des sujets). Le ralentissement du rythme évolutif chez un enfant normal – qui deviendra d'ailleurs un adulte normal – est généralement négligé par les parents. Pourtant, il peut avoir des répercussions psychologiques relativement importantes : les écoliers présentent souvent un déficit spécifique des aptitudes intellectuelles (inaptitude au raisonnement abstrait) qui entraîne des échecs et, par suite, une détérioration de l'application scolaire et des sentiments d'infériorité ; ils conservent des attitudes puériles et une personnalité immature.
La puberté est une crise psycho-biologique, qui s'accompagne fréquemment de difficultés et de troubles du caractère (« crise d'originalité juvénile » décrite par M. Debesse). Les psychosociologues (M. Mead) ont montré que ces troubles proviennent de la situation ambiguë de l'adolescent dans notre société : ni enfant ni adulte, il n'a pas de statut précis et reste incertain quant à son rôle ; s'il affirme son indépendance, il se heurte aux adultes et, s'il refuse de prendre des responsabilités sociales ou professionnelles, il ne leur donne pas davantage satisfaction.

publicité, ensemble des techniques employées par une entreprise commerciale pour constituer une clientèle et favoriser la diffusion de marchandises diverses.
Avec le développement de la psychologie des masses et des moyens de diffusion (presse, affiches, radio, télévision), la publicité a pris un essor considérable. Les entreprises industrielles et commerciales lui consacrent environ 5 % de leur chiffre d'affaires (en 1987, en France, près de 39 milliards de francs ont été dépensés en publicité [source : S.E.C.O.D.I.P.]). La publicité s'appuie sur l'enquête psychosociale, car les études de marché sont indispensables pour renseigner le producteur sur les besoins de la population à laquelle il s'adresse. L'expérience a montré, en effet, que l'on ne parvient pas à vendre un produit s'il ne correspond pas à une attente du public. On a prétendu que la publicité modelait les conduites des individus. C'est oublier l'esprit critique des consommateurs. Selon une étude canadienne, effectuée dans les années 80, le consommateur moyen reçoit chaque jour 560 annonces, parmi lesquelles il choisit d'en remarquer soixante-seize (13,5 %). Dans sa mémoire, il n'en garde que douze (2 %), dont seulement neuf (1,6 %) ont une tonalité positive (G. Lagneau, 1988).
La publicité est utile et bienfaisante. Elle joue un rôle d'information nécessaire auprès des consommateurs et, en favorisant la grande diffusion d'un produit, elle permet d'en diminuer le prix ; enfin, en stimulant la concurrence, elle contraint les fabricants à rechercher la meilleure qualité possible.

puérilisme, trouble de la personnalité consistant en une régression de la mentalité adulte vers celle de l'enfance.
Inconsciemment, le sujet retrouve les attitudes, le langage et l'humeur de l'enfant. Le puérilisme s'observe dans certains états névrotiques comme l'hystérie, dans quelques états organiques (sénilité, tumeurs cérébrales)

et, temporairement, comme réaction à certaines situations existentielles critiques, où il prend la signification d'une défense névrotique du moi contre l'angoisse. Dans ces cas, il n'y a pas de dissolution définitive de la personnalité adulte, mais seulement éclipse accidentelle de celle-ci, qui, ne pouvant surmonter la situation présente intolérable, cherche un refuge dans le passé.

pulsion, force biologique inconsciente qui, agissant de façon permanente, suscite une certaine conduite.
La source des pulsions est corporelle ; c'est un état d'excitation (faim, soif, besoin sexuel) qui oriente l'organisme vers un objet grâce auquel la tension sera réduite. Freud a étudié les pulsions dites instinctuelles et le refoulement* qu'elles subissent par la censure* morale.

punition, châtiment.
Les éducateurs doivent éviter les sanctions traumatisantes : celles qui dévalorisent (humiliation publique) ou angoissent (cabinet noir) ; d'autre part, la punition doit être adaptée à chaque cas, juste, immédiate et appliquée sans passion, présentée comme étant la conséquence obligée d'un acte dont l'enfant est responsable. Enfin, il importe de savoir que certains sujets recherchent inconsciemment les punitions, soit par suite d'un sentiment de culpabilité, soit par désir d'attirer l'attention sur eux. Un garçonnet de huit ans, d'intelligence normale, orphelin de père et de mère, souillait régulièrement son pantalon en classe : il exprimait ainsi son hostilité à l'égard du maître et de ses nourriciers, devenait momentanément le personnage central de l'école et se satisfaisait des coups reçus, qui valaient mieux, pour lui, que l'indifférence. Dans ce cas, la thérapeutique a consisté en la suppression des punitions, remplacées par une attitude affectueuse, permanente, des membres de son entourage.

pycnique, type morphologique caractérisé par la prédominance des formes rondes.
Le pycnique est bien en chair, de stature moyenne, et a tendance à la cyclothymie*.

pycnomorphie, dans la typologie de E. Kretschmer, ensemble des caractéristiques morphologiques du pycnique.
Dans la biotypologie de W. H. Sheldon, il correspond à l'endomorphie*.

pyromanie, tendance morbide à allumer des incendies.
Le pyromane est mû par une impulsion irrésistible. Il sent naître et croître en lui une tension qui ne peut se résoudre qu'en allumant un feu. Le passage à l'acte lui procure un grand soulagement et le jaillissement de la flamme un plaisir intense. Le pyromane est un obsédé qui succombe au désir d'assister à un incendie (spectacle émouvant, inconsciemment lié au symbolisme sexuel de la flamme) à la faveur d'une faiblesse de son contrôle volontaire.

quartilage, étalonnage partageant une distribution en quatre parties égales.
Le premier quartile est la valeur de la variable telle que 25 % des observations lui soient inférieures. Le deuxième quartile est la médiane. La distance entre le premier et le troisième quartile se nomme « écart interquartile ». → **Galton (ogive de).**

quérulence, réaction revendicatrice et agressive de personnes qui se croient frustrées.
Habituellement, ce sont des paranoïaques, véritables « persécutés-persécuteurs », qui se ruinent en procès et parfois vont jusqu'au crime pour se venger d'une prétendue injustice. On dit d'un sujet quérulent qu'il est « processif », car ces deux mots évoquent, le premier, la plainte en justice et, le second, la propension à intenter des procès.

questionnaire, série de questions standardisées, orales ou écrites, posées en vue d'une enquête.
Habituellement, le sujet a pour seule tâche de répondre par oui ou par non : « Avez-vous souvent mal à la tête ? », question « fermée ». Mais il existe aussi des questions « ouvertes », où l'enquêté répond d'une manière libre (« Quels métiers aimeriez-vous exercer ? »), et des questions préformées, ou questions à choix multiples (le sujet doit cocher une case parmi un nombre de réponses proposées). Cette méthode, très critiquée, présente en réalité d'excellentes caractéristiques métrologiques, et les questionnaires ont une validité* à peu près comparable à celle des tests intellectuels ; ils permettent de faire des sondages d'opinion (questionnaires d'attitudes), servent en orientation professionnelle (questionnaires d'intérêts professionnels) et en psychologie clinique (questionnaires de personnalité). Parmi les meilleurs questionnaires utilisés en psychopathologie, citons l'inventaire de personnalité multiphasique du Minnesota (*Minnesota Multiphasic Personality Inventory,* ou MMPI), qui permet de mesurer de nombreux traits de personnalité : tendances hypocondriaque, dépressive, hystérique, paranoïaque, etc.

quotient de développement (Q.D.), rapport entre la note obtenue à une échelle de développement psychomoteur et celle présumée obtenue par un enfant moyen, de même âge chronologique, aux mêmes épreuves psychométriques. Ce quotient est multiplié par cent pour éviter les décimales :

$$\text{Q.D.} = \frac{\text{âge de développement}}{\text{âge réel}} \times 100.$$

quotient d'efficience (Q.E.), comparaison de la note obtenue par un adulte à un test d'intelligence avec celle d'un individu moyen appartenant à une classe d'âge déterminée (vingt à vingt-quatre ans dans l'échelle de Wechsler-Bellevue, car c'est le groupe où se situe, d'après l'auteur, le maximum d'épanouissement intellectuel).
Par exemple, un sujet de cinquante-cinq ans qui obtient la note 74 à ce test sera réputé d'intelligence normale (Q.I.= 100), mais, comparé à de jeunes adultes de vingt à vingt-qua-

tre ans, il n'aura plus qu'une efficience intellectuelle médiocre (Q.E. = 87).

quotient intellectuel (Q.I.), rapport de l'âge mental d'un enfant (apprécié par la méthode des tests) à son âge réel :

$$\text{Q.I.} = \frac{\text{AM} \times 100}{\text{AR}}$$

ou, plus justement, rapport entre la note obtenue à un test et la note présumée obtenue par un individu moyen du même âge au même test d'intelligence.
Normalement, l'âge mental correspond à l'âge chronologique (un sujet moyen obtient un Q.I. = 100). On considère que la déficience intellectuelle commence au-dessous de 70, et l'intelligence supérieure, au-dessus de 130. Ces normes valent seulement pour les personnes appartenant au groupe social qui a fourni l'échantillon utilisé pour l'étalonnage* des tests : ce serait une erreur de conclure que les Indiens d'Amérique, dont le Q.I. est en moyenne de 80 aux tests conçus pour les Blancs de ce pays, sont d'intelligence médiocre, car leur niveau socio-économique est inférieur à celui de la population générale des États-Unis, et leur culture, très différente de celle des Blancs américains.
Quelles que soient ses imperfections, le Q.I. reste un bon indicateur du niveau mental d'une personne ou d'un groupe social. En psychologie collective, il a permis à J. Flynn et à R. Lynn de montrer que, depuis 1950, le niveau mental des écoliers et des conscrits a augmenté d'environ 20 points dans tous les pays industrialisés (*Nature,* 1987).

race, variété de l'espèce humaine dont les membres se distinguent par la possession de caractères physiques d'origine génétique.
Les spécialistes réunis par l'Unesco (1950-1951) afin d'élaborer une « Déclaration sur la race » n'ont reconnu que trois grands groupes chez les êtres humains : le groupe caucasoïde (blanc), le groupe négroïde et le groupe mongoloïde. Selon ces savants, tous les sous-groupes sont arbitraires et n'existent que dans l'esprit du classificateur. Il n'y a pas de race pure, et le mythe nazi de la supériorité de l'Aryen germanique sur les autres hommes était une imposture. On a longtemps cru que des différences psychologiques étaient liées aux différences de races, que le Noir a surtout des qualités sensorielles, le Blanc, des aptitudes intellectuelles, etc. Mais il est aujourd'hui démontré (O. Klineberg, F. Brown, etc.) que la supériorité relative des uns sur les autres dépend, essentiellement, des conditions socioculturelles et économiques. Plus que la race, c'est le milieu et le climat social qui expliquent les différences d'aptitudes constatées entre les individus. Klineberg a montré, par exemple, que le niveau intellectuel des Noirs américains est plus élevé dans le nord que dans le sud des États-Unis et que, chez les gens de couleur venus se fixer au nord, il croît avec la durée de leur séjour dans cette région. Régulièrement, l'amélioration intellectuelle se produit lorsque le niveau économique et éducatif s'élève.

raisonnement, opération de la pensée consistant en un enchaînement logique de rapports (c'est-à-dire de jugements) aboutissant à une conclusion.
La qualité du raisonnement dépend de ses prémisses. L'écolier de sept-huit ans dit que l'huile flotte sur l'eau parce qu'elle est « grasse », puis, abandonnant ce caractère inapplicable à d'autres objets (bois, liège...), qu'elle est « légère ». Son raisonnement est fondé sur l'observation de la réalité. Plus tard, vers onze-douze ans, il est capable de raisonner dans l'abstrait et de faire appel à la notion de densité (rapport du poids au volume), qui est déjà un jugement. Les progrès du raisonnement tiennent à la socialisation et à la diminution de l'égocentrisme* enfantin. On peut les apprécier objectivement en utilisant la méthode des tests (analogie : « Un couteau et un morceau de verre sont tous les deux... ? » ; similitude : « En quoi la bière et le vin sont-ils pareils ? »). On distingue généralement deux formes de raisonnement : la *déduction,* qui est le passage du général au particulier (« Tout les hommes sont mortels, donc je suis mortel »), et l'*induction,* qui est l'extrapolation d'un cas particulier à la généralité.

raptus, manifestation soudaine et irrésistible qui précipite le sujet dans une action aux conséquences parfois tragiques : fuite, suicide, meurtre.
Il s'observe, le plus souvent, dans l'épilepsie (fugue, fureur), l'alcoolisme chronique et la mélancolie (suicide). Le raptus s'accompagne d'une obnubilation plus ou moins totale de la conscience.

R.A.S.E.D., réseau d'aides spécialisées aux enfants en difficulté → aides spécialisées.

rationalisation, justification d'une conduite dont on ignore les véritables raisons.
Un sujet en état d'hypnose qui reçoit l'ordre d'accomplir une certaine action après le réveil exécute cet acte sans en connaître le motif réel. Quand on lui demande l'explication de son comportement, il fournit de bonnes raisons. Inconscient des forces qui l'animent, il est obligé de justifier sa conduite par une raison logique. Voici un exemple : un jeune garçon, amoureux de son institutrice, lui dérobe un mouchoir. Interrogé, il répond qu'il en avait besoin et n'avait plus osé le rapporter. En réalité, il cherchait à posséder un objet symbolisant la personne aimée. Son intelligence avait réorganisé d'une façon acceptable les rapports entre des éléments inconscients.

réaction, réponse à un stimulus.
Elle peut être réflexe (mon œil larmoie quand une poussière vient l'irriter) ou volontaire (je presse sur un bouton quand je perçois un signal convenu). Dans le premier cas, elle correspond à une adaptation spontanée de l'organisme, qui rétablit l'équilibre compromis en éliminant l'agent nuisible ; dans le second, elle est une réponse conventionnelle. Toutes les conduites humaines ont été réduites par les béhavioristes et les réflexologistes (I. P. Pavlov) à des réactions (émotionnelles, apprises...) plus ou moins complexes et étudiées par eux en tant que telles.

réaction (temps de), intervalle de temps qui sépare une excitation subie par le sujet et la réponse volontaire qu'il lui donne.
Très variable suivant les sujets, le temps de réaction est lié à la rapidité de l'influx nerveux, au sexe, à l'âge, à l'état physiologique, à l'entraînement, à l'intérêt, etc. Il fut étudié expérimentalement surtout par H. von Helmholtz et W. Wundt. Actuellement, la connaissance des temps de réaction joue un rôle important dans la sélection professionnelle (en particulier pour les tâches exigeant une grande vigilance, telles que standardiste, pilote d'avion, etc.).

réactionnels (troubles), troubles de la conduite consécutifs à une situation existentielle dramatique.
L'angoisse due à un événement traumatisant submerge l'individu, qui, incapable d'y faire face, réagit, selon son tempérament, par des cris, des sanglots, la sidération ou le suicide. La réaction anxieuse peut être déclenchée par un accident marquant mais aussi, chez certains sujets prédisposés, par un événement moins tragique (chômage, déception sentimentale). Chaque situation vitale pénible peut être ressentie comme étant particulièrement frustrante (deuil, emprisonnement, abandon...) et entraîner des anomalies du comportement susceptibles d'être l'amorce de troubles psychotiques (confusion mentale...), névrotiques (hystérie, phobie) ou psychosomatiques (asthme) si l'événement traumatique actuel vient réaliser des virtualités psychologiques inscrites dans l'histoire personnelle de l'individu. Habituellement, les troubles réactionnels s'améliorent rapidement, mais, au début de la crise, il est nécessaire d'utiliser la chimiothérapie (tranquillisant*) et d'adopter une attitude bienveillante à l'égard du malade.

réadaptation, retour progressif à un mode de vie normal.
Les méthodes de réadaptation sont psychologiques et pédagogiques. Il est possible de rendre à l'individu le sentiment de sa valeur personnelle en lui donnant les moyens de satisfaire les exigences sociales. Pour cela, l'écolier dyslexique, intelligent mais handicapé par une latéralité* défectueuse, sera placé dans une classe d'adaptation où l'éducateur peut s'occuper de chaque cas individuellement ; de même, le jeune délinquant, après une période d'observation, fera l'objet d'une rééducation en internat, où il apprendra un métier. En ce qui concerne les malades mentaux, on favorise leur réinsertion sociale en les plaçant dans des foyers et des ateliers* protégés.
Une rééducation, œuvre de longue haleine, ne se termine pas à la sortie du sujet de l'établissement. Pour être efficace, elle doit être poursuivie longtemps après, jusqu'au moment où les structures nouvellement acquises paraissent suffisamment solides pour justifier le retrait des rééducateurs. La plupart des échecs enregistrés dans ce domaine

sont imputables à une action éducative ou psychothérapique prématurément interrompue.

récepteur, élément sensoriel, susceptible d'être activé par un stimulus interne ou externe, qui régit la conduite globale de l'être vivant.
Les principaux récepteurs sont la *rétine* (cônes et bâtonnets) ; la *membrane cochléaire* (audition), contenant environ 25 000 cellules ciliées de Corti ; la *peau,* où l'on trouve 1 200 000 points sensibles à la douleur, 700 000 points de pression, 250 000 points de froid et seulement 30 000 points de chaud, répartis irrégulièrement suivant les régions du corps ; les *bourgeons gustatifs* de la langue (il y a quatre sortes de cellules, sensibles aux goûts acide, amer, salé, sucré) ; les cellules nerveuses ciliées de la *muqueuse nasale.* Tous ces récepteurs sont réunis dans le groupe des extérocepteurs* parce qu'ils informent l'organisme sur le milieu extérieur.
Dans le groupe des intérocepteurs* sont rassemblés les viscérocepteurs* et les propriocepteurs*. Les premiers nous renseignent sur l'état des viscères, les seconds sur la position de la tête (canaux semi-circulaires de l'oreille interne) ainsi que sur nos postures et les mouvements de notre corps (les récepteurs de la sensibilité kinesthésique sont situés dans les articulations, les tendons et les fuseaux musculaires).
On utilise le terme *récepteur neuronal* pour désigner de grosses molécules, localisées au niveau de la face externe de la membrane postsynaptique, qui possèdent une affinité particulière pour un médiateur* chimique.
→ **synapse.**

récompense, gratification qui sanctionne un acte.
Dans les expériences d'apprentissage avec les animaux et les êtres humains, elle est em-

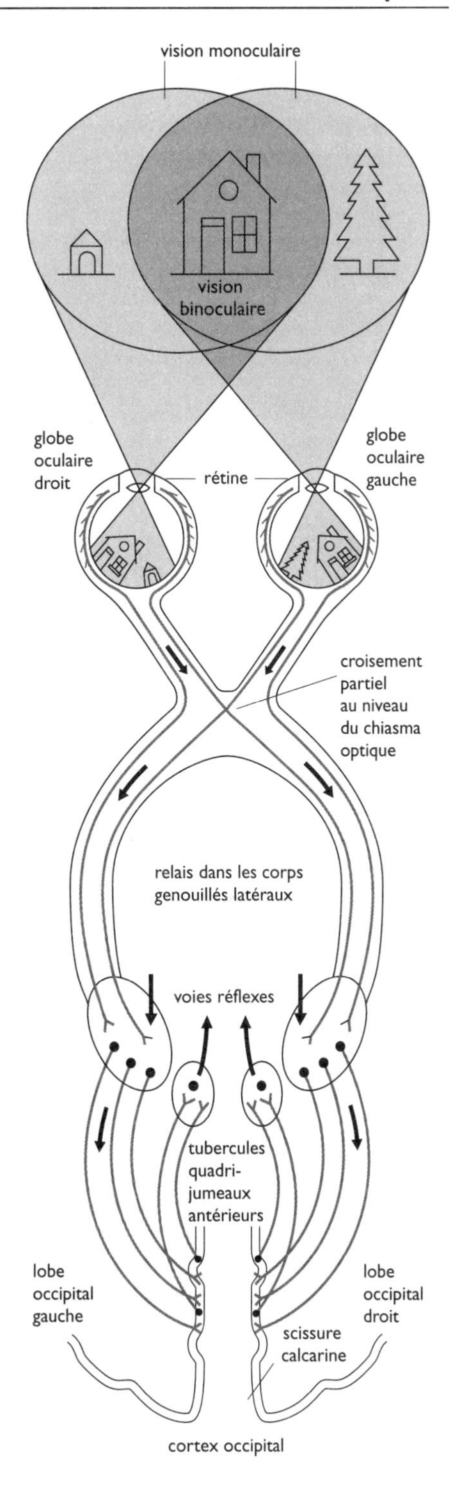

Récepteur : schéma des voies visuelles, de la rétine au cortex occipital. La lumière produit une image sur la rétine. L'image est traduite en signaux électrochimiques qui circulent le long des fibres nerveuses jusqu'au cerveau, où ils sont analysés et décodés, ce qui constitue la perception visuelle.

ployée comme encouragement et renforcement* de la motivation. Plus efficace et moins dangereuse que la punition (anxiogène et parfois désorganisatrice de tout le comportement), la récompense crée un sentiment de satisfaction, stimule et augmente l'efficience de l'individu (ou du groupe). Pourtant, beaucoup d'éducateurs sont méfiants à son égard ; ils craignent de fausser la personnalité des enfants en les récompensant. Leurs scrupules sont vains, car il est illusoire de croire qu'un apprentissage quelconque puisse s'effectuer sans ces gratifications, qui raffermissent et consolident la motivation initiale.

redondance, surabondance de mots dans un discours, qui répètent la même information.
Toutes les langues ont une forte redondance. Un langage privé de redondance, constitué uniquement de symboles, paraît hermétique ; c'est celui que l'on trouve dans les rêves, les mathématiques ou la psychophysique. La redondance correspond à une nécessité psychologique. Si un surplus de mots ou d'images n'est pas indispensable pour l'exacte formulation d'un message, il est nécessaire pour sa bonne compréhension.

rééducation, action de refaire l'éducation d'une personne, d'un organe ou d'une fonction lésés par accident.
Elle vise, essentiellement, à donner à un individu handicapé les moyens de s'adapter socialement. Dans cet esprit, on parle de rééducation des délinquants, des caractériels, des dyslexiques, etc.
La rééducation *fonctionnelle* est une méthode de soins qui tend à éviter ou à réduire les infirmités causées par des maladies ou des accidents. Cette thérapeutique, qui est un entraînement progressif à l'effort, peut, dans certains cas, utiliser des appareils mécaniques ou des agents physiques. La rééducation *professionnelle* a pour but de donner une nouvelle qualification professionnelle à un handicapé physique ou mental, ou de le réadapter progressivement à son ancien métier.

réflexe, phénomène nerveux consistant en une réponse déterminée, immédiate et involontaire de l'organisme à une excitation particulière.
Un choc sur la rotule provoque l'extension de la jambe (réflexe rotulien), un souffle sur l'œil entraîne le clignement de la paupière (réflexe palpébral), etc. Ces réflexes sont naturels, chaque homme les possède à la naissance ; on les appelle « innés » ou « absolus » pour les distinguer des réflexes conditionnels, qui sont acquis. Un chien salive lorsqu'on introduit dans sa gueule un morceau de viande (réflexe inné), mais si l'on associe à la nourriture, régulièrement et pendant un assez long temps, un léger choc électrique, on remarque que celui-ci suffit pour produire la même réaction salivaire : cette réponse est dite « conditionnelle ». Elle correspond à un apprentissage par liaison entre un réflexe absolu et un nouveau stimulus. Les applications du conditionnement* varient du dressage des animaux à l'accouchement sans douleur.

réflexologie, étude des réflexes.
Le nom de « réflexologie » fut donné par V. Bechterev (1921) à une psychologie objective qui ramène tous les phénomènes psychiques à des réflexes conditionnels. La réflexologie a profondément influencé le béhaviorisme*, mais elle a été finalement abandonnée à la suite des difficultés rencontrées et des nouvelles acquisitions de la biologie des comportements. Actuellement, les psychologues russes subordonnent la psychologie à la connaissance des mécanismes psychophysiologiques, principalement de la physiologie du système nerveux supérieur.

refoulement, mécanisme psychologique inconscient de défense* du moi par lequel les sentiments, les souvenirs et les pulsions pénibles ou en désaccord avec la personne sociale sont maintenus hors du champ de la conscience.
Ce que le moi refuse, c'est la reconnaissance de ces virtualités, leur réalisation verbale ; en effet, tant que l'émotion désagréable n'est pas exprimée en mots, elle reste confuse et confinée dans l'inconscient. Mais elle ne perd pas pour autant son potentiel dynamique. Le désir refoulé, cherchant à s'exprimer et à se manifester d'une façon ou d'une autre (rêves*,

lapsus*, symptômes...), oblige le moi à de continuels efforts.
L'homme normal est capable de résister aux poussées du refoulé, sans s'épuiser et sans ressentir de dommage particulier, au contraire du névrosé, qui, gaspillant toute son énergie dans cette lutte, devient stérile dans la vie active. La notion de refoulement occupe une place centrale dans la compréhension des névroses, et l'un des buts de la psychanalyse est de réduire ce processus psychologique pour faire apparaître dans le champ de la conscience les tendances refoulées.

régression, adoption plus ou moins durable d'attitudes et de comportements caractéristiques d'un niveau d'âge antérieur.
Ce terme n'implique pas le retour à une conduite passée mais à un état de moindre maturation. Il ne signifie pas qu'un comportement précédemment observé dans l'histoire psychologique du sujet réapparaît, mais que celui-ci se conduit typiquement comme un individu plus jeune. Ce mouvement rétrograde vers un stade antérieur du développement s'observe régulièrement quand une frustration est imposée par la réalité. Par exemple, un jeune enfant, momentanément séparé de sa mère, ne mange plus seul et n'accepte plus que des aliments semi-liquides. L'énurésie* ou la réapparition du « langage bébé », qui coïncident souvent avec la naissance d'un petit frère ou d'une petite sœur, sont des conduites régressives. Chez l'adulte incapable de résoudre ses conflits, le même mécanisme joue parfois, constituant une fuite de la réalité et une aliénation de la personne, tel cet homme de 25 ans, emprisonné pour escroquerie, qui se transforme en nourrisson larmoyant, toujours alité, énurétique et encoprétique se nourrissant exclusivement de lait.

régulation des naissances ou **contraception**, action destinée à éviter temporairement la procréation.
Dans les pays du tiers-monde, où l'expansion démographique est plus rapide que ce que peuvent supporter les États, la régulation des naissances est une nécessité impérieuse et urgente. Au Brésil, en Inde ou en Chine, elle est devenue un problème national. En Chine, où la population atteignait 1 milliard 200 millions en 1994, les paysans-médecins organisent régulièrement des séances éducatives et de propagande dans lesquelles ils exposent les avantages d'un accroissement démographique planifié et les divers procédés anticonceptionnels. Ils dispensent aussi gratuitement « la pilule », mettent en place les stérilets (plus de 40 millions de Chinoises ont recours à cette méthode contraceptive) ou les pessaires de caoutchouc.

En France, depuis la loi du 4 décembre 1974, les produits anticonceptionnels sont largement diffusés dans le public, et chaque femme peut, si elle le désire, choisir librement ceux qui lui conviennent le mieux. La plupart d'entre elles préfèrent les contraceptifs oraux (« pilules »), dont l'efficacité est presque absolue. Un grand nombre utilisent les dispositifs intra-utérins (« stérilets »), dont le taux d'échec n'est que de 1 à 3 % ; beaucoup enfin se servent d'obturateurs féminins tels que le diaphragme ou la cape cervicale (qui s'adapte directement sur le col de l'utérus).

En 1985, l'Organisation mondiale de la santé (O.M.S.) a donné son accord pour la diffusion mondiale d'un contraceptif-retard, dont l'efficacité dure de 4 à 5 ans. Il s'agit de petites capsules de progestérone qui, implantées sous la peau du bras, libèrent 30 microgrammes d'hormone par jour, ce qui a pour effet de bloquer l'ovulation. Depuis la même date, on expérimente aussi un vaccin « antigrossesse », dont les résultats, publiés en 1988, étaient très prometteurs.

Malgré tous ces progrès techniques et une législation favorable, la contraception médicale n'est pas totalement admise et beaucoup de femmes se comportent comme si elles l'ignoraient. Une meilleure information du public permettra sans nul doute d'étendre à un plus grand nombre d'entre elles la contraception, dont les bienfaits dépassent la seule régulation des naissances. En effet, elle est aussi la meilleure prophylaxie de l'avortement et, par la surveillance médicale qu'elle contribue à instaurer, elle permet le dépistage précoce des cancers génitaux et des maladies vénériennes. Enfin, elle favorise l'harmonie sexuelle des couples et permet à la communauté conjugale de s'épanouir dans l'amour.

rejet, action de repousser, d'exclure, d'abandonner.

Le rejet manifeste d'un enfant par ses parents, qui se traduit par une franche hostilité ou de mauvais traitements, est rare. Habituellement, il s'exprime d'une façon détournée dans des attitudes éducatives rigides, une sévérité excessive ou l'envoi en pension. Parfois, le rejet se camoufle derrière un comportement anxieux, une abondance de cadeaux, qui n'arrivent pas à satisfaire l'enfant, affamé d'amour authentique plus que de biens matériels. Celui qui se sait aimé s'épanouit en sécurité ; l'enfant rejeté, au contraire, se sent dévalorisé, coupable d'une faute inconcevable, sous le coup d'une malédiction. Il réagit, suivant son tempérament, par la passivité morose ou par la révolte agressive ; parfois, il devient névrosé.

Les enfants ne sont pas les seules personnes à être rejetées. Certains malades et des vieillards le sont aussi. Le rejet peut prendre la forme de l'indifférence (on isole la personne âgée, on la « laisse tranquille », on ne répond pas à son appel), du placement à l'hospice, de la raillerie, de l'agressivité. Les effets du rejet sont, généralement, la dépression et la régression* de la personne concernée.

relations humaines, rapports interpersonnels à l'intérieur d'un groupe.

La prise en considération de la qualité des relations humaines au sein d'une collectivité laborieuse date des grandes crises économiques (1929) et, surtout, de la Seconde Guerre mondiale. Aujourd'hui, les chefs d'industrie portent une attention particulière à la gestion des ressources humaines et s'accordent à penser que l'investissement dans le capital humain est fondamental. L'extension, parfois gigantesque, de certaines entreprises a pour effet de mettre une plus grande distance sociale entre les employés et les employeurs ; l'ouvrier accomplissant une tâche parcellaire, qu'il ne parvient pas à relier à un ensemble, se sent frustré, « aliéné » et a tendance à se désintéresser de l'entreprise à laquelle il collabore. Il est donc nécessaire, pour maintenir un climat social favorable à l'intérieur du groupement de travail, de répondre aux besoins psychologiques des employés, de fortifier leur intérêt pour l'entreprise et d'améliorer les rapports humains à l'intérieur de la collectivité. Cette mission incombe habituellement à un psychologue, spécialiste en relations publiques, qui a pour but essentiel d'établir la communication entre individus. Il fait connaître les intentions de la direction (modifications de l'outillage...) et les comptes de la firme, montre l'utilité de chaque employé et sa place dans l'œuvre commune, tient chacun au courant des moindres détails de l'organisation. De la sorte, la direction des ressources humaines peut arriver à créer un système mobilisateur grâce auquel chaque membre du personnel voudra contribuer au succès de l'entreprise.

relaxation, relâchement, détente volontaire du tonus musculaire s'accompagnant d'une sensation de repos.

Utilisées en psychothérapie, les méthodes de relaxation, fondées sur un entraînement régulier, tendent à obtenir un relâchement général du corps afin de modifier, indirectement, le psychisme des sujets qui s'y soumettent. Par la détente qu'elles provoquent et ses bienfaits, les méthodes de relaxation sont utilisées dans le traitement des individus hypertendus ou présentant des troubles psychosomatiques*.

E. Jacobson (Chicago) a mis au point une méthode de relaxation progressive qui vise à obtenir une détente provoquée par la prise de conscience du relâchement des muscles. D'après cet auteur, le contrôle musculaire entraînerait une véritable « maîtrise de la mise au repos du cortex ». J. H. Schultz (Berlin) a créé une méthode de relaxation par autoconcentration, ou autohypnose, connue sous le nom de *training* autogène*. La technique de J. de Ajuriaguerra, dite « de rééducation psychotonique », a une visée régressive. Il existe bien d'autres méthodes de relaxation, dont certaines font une place importante à la parole (M. Sapir).

religion, culte rendu à une divinité.
La religion sert de lien interhumain et spirituel ; elle a pour fonction d'unir les individus, par des choses sacrées et des rites, dans une même croyance. Ce besoin profond, éternel et universel, correspond probablement au sentiment d'impuissance de l'être humain dans le cosmos et à son désir de sécurité. Selon S. Freud, il se rattacherait à la nostalgie de la protection paternelle. La foi religieuse, répondant aux incertitudes de la vie et à la crainte de la mort, apaise notre angoisse existentielle. Aussi tous les hérétiques apparaissent-ils comme dangereux aux croyants, car, en discutant les dogmes établis, ils risquent de compromettre leur sécurité affective.
Pour certaines personnes, la religion constitue le moyen de conserver un bon équilibre psychique. On a constaté en Inde, où chaque individu a la possibilité de réaliser aisément des expériences religieuses de caractère mystique, que la proportion des malades mentaux atteints de schizophrénie* (sorte d'évasion morbide du réel) est moindre que dans les pays occidentaux (J. E. Dhunjibhoy).

remords, douleur morale ressentie après une action coupable.
Le remords est à la fois punition et besoin de châtiment. Il a le caractère d'une autoagression sans avoir la signification morale du repentir. Le remords, remarque J. Lacroix, est tourné vers le passé, tandis que le repentir est orienté vers le futur. Le remords est une réaction du moi au sentiment de culpabilité. L'angoisse liée à la conscience d'avoir mal agi est parfois si intense qu'elle fait sombrer le sujet dans la folie ou la mort (suicide). Un sentiment de culpabilité, aux conséquences graves pour l'équilibre de la personne, peut être motivé par des pensées lascives.

renforcement, action produite par un agent renforçateur, tel que de la nourriture ou une approbation, et entraînant la consolidation d'un certain comportement.
L'animal de cirque est toujours récompensé après avoir effectué un exercice difficile. Sans ce renforcement systématique, le tour appris s'éteindrait. Tout apprentissage a besoin d'être renforcé pour durer. En pédagogie, les notes et les sanctions (« bons points », félicitations, punitions...), utilisées par les éducateurs, sont autant d'agents renforçateurs. → **récompense.**

renversement dans le contraire, mécanisme de défense* du moi par lequel le but d'une pulsion s'inverse, passant de l'activité à la passivité, ou le contraire.
C'est ainsi que le désir de faire du mal (sadisme) peut se transformer en désir de souffrir (masochisme), celui de voir, en besoin d'être vu (exhibitionnisme), etc. A. Freud cite le cas d'un garçonnet qui a peur de la castration. Lors de ses crises d'angoisse, il manifeste une ardeur guerrière ; il revêt alors un uniforme de soldat et prend ses armes d'enfant : son anxiété s'est muée en agressivité.

répétition (tendance à la), principe, énoncé par S. Freud, selon lequel les pulsions* tendent toujours à rétablir un état de choses ancien.
Nous cherchons à nous délivrer d'une tension en recommençant le même acte soit dans nos conduites, soit dans nos songes. Le cauchemar n'amène pas le réveil du sujet. La répétition en rêve de l'événement traumatisant constitue une tentative pour le maîtriser. Partant de cette constatation, certains thérapeutes utilisent la répétition (dans le jeu scénique, les marionnettes et d'autres techniques expressives) pour son effet cathartique*.

repos, cessation des activités physiques ou mentales.
Les rythmes vitaux sont caractérisés par l'alternance des phases d'activité et de repos (le sommeil succède à la veille, la diastole à la systole, etc.). La répétition d'un exercice exige l'introduction d'une période de repos nécessaire à la récupération physiologique des forces de l'organisme. Un travail incessant aboutit au surmenage* et à l'épuisement ; il est aussi la cause de troubles psychosomatiques* ou nerveux. Mais cette conduite peut être, elle-même, motivée par des raisons névrotiques inconscientes, telles que la culpabilité et la tendance à se détruire. On utilise le repos prolongé pour permettre à l'organisme sur-

mené de se désintoxiquer et de récupérer son énergie vitale.

répression, processus psychique, conscient et volontaire, consistant à renoncer à la satisfaction d'un désir qui ne se trouve pas en accord avec la personne morale.
La répression ne doit pas être confondue avec le refoulement*, mécanisme inconscient de défense du moi et tentative d'évitement de l'angoisse que le sujet utilise spontanément lorsque surgit la représentation d'une pulsion inacceptable. La répression est volontaire : le sujet rejette hors de son champ de conscience certains sentiments pénibles pour réduire la tension qu'ils entraînent ; il s'éduque à ne plus y penser et arrive, par la force de l'habitude, à réprimer ses pensées indésirables.

réseau d'aides* spécialisées aux enfants en difficulté (R.A.S.E.D.) → aides spécialisées.

résilience, en mécanique, chiffre caractérisant la résistance au choc d'un matériau (plus la résilience est grande, moins le métal est fragile).
Par analogie, résistance d'une personne ou d'un groupe à des conditions d'existence difficiles ; capacité de vivre et de se développer en dépit de circonstances défavorables, voire désastreuses. – Des groupes humains font preuve d'une grande résilience (les Algonquins, les Juifs, les Tziganes...) car ils survivent aux persécutions, tandis que d'autres, des tribus de Mélanésie et de Polynésie, par exemple, ont disparu, en l'espace d'une génération, en raison de l'usurpation de leur territoire par les Blancs. En ce qui concerne l'individu, nous connaissons de nombreux cas de résilience chez les rescapés des camps d'extermination (Viktor Frankl*, Martin Gray, Primo Levi...) ou chez les personnes condamnées à de longues peines de prison, tel Nelson Mandela qui, après vingt-huit années passées sous les verrous, devint président de la République d'Afrique du Sud, en 1994. Les enfants aussi nous étonnent par leurs capacités d'adaptation aux conditions les plus délétères. En voici un exemple : Pierre est âgé de huit ans quand il est repéré par les services sociaux. Depuis sa naissance, il vit avec sa mère dans une cabane isolée au fond d'une ancienne carrière. Le plus souvent, il est seul, car sa mère le quitte pour fréquenter les bars et chercher de quoi manger dans les poubelles. Il ne va pas à l'école et ne parle presque pas. Il passe son temps dans la nature à observer les plantes, les fleurs et les animaux. Il est donc placé dans un I.M.P.* Peu après, sa mère meurt. Pourtant, malgré ces commencements tragiques, il se développe de façon satisfaisante ; il trouve un emploi dans la restauration, se marie et fonde une famille (M. J. Resplandin, 1997). La résilience est plus répandue qu'on ne le croit. Selon une recherche des professeurs Jean-Louis San Marco et Marcel Rufo portant sur le devenir de 400 adultes ayant été victimes de maltraitance dans leur enfance (sévices, inceste, négligences graves...), 96 % ont bien évolué et sont devenus d'excellents parents (M. Rufo, 1997). Le roseau, qui ploie sous la tempête et se redresse sans mal quand elle est passée, peut être pris comme symbole de la résilience. Mais d'où vient cette aptitude ? Quels en sont les ressorts ? Tout d'abord, il y a la *constitution**. Pour reprendre une analogie de E. James Anthony, nous dirons que, sous un choc, une poupée en porcelaine se brise, en plastique elle se déforme, en acier elle reste intacte. Ensuite, il y a l'*instinct de conservation**, la volonté de survivre, dont les racines profondes se trouvent dans les relations primordiales du bébé avec sa mère. En effet, c'est à partir de celles-ci que se constitue la « fonction d'autopréservation » (Anna Freud), laquelle se développe ensuite, progressivement, durant la croissance de l'enfant, au fur et à mesure qu'il fait l'expérience de la vie quotidienne et qu'il apprend à devenir autonome. Enfin, il y a le *milieu**, où s'exercent les influences socio-économiques, éducatives, etc., et dans lequel se réalisent les échanges affectifs. Ainsi que le rappelle Erik H. Erikson*, le développement personnel se poursuit d'un bout à l'autre de l'existence ; l'individu établit de nouvelles relations avec d'autres personnes de son entourage et change d'orientation sous l'influence de l'interaction sociale. C'est dans ce cadre que les travailleurs sociaux, les médecins et les psychologues peuvent avoir un rôle important à jouer, en permettant aux indivi-

dus de déployer leurs ressources et de renforcer leurs capacités. Par exemple, un jeune Africain dont la famille avait été massacrée sous ses yeux, réfugié dans un pays étranger, rencontre une assistante sociale qui remarque ses dons pour le dessin et lui fait réaliser des batiks (soie peinte). Depuis, il a créé une petite entreprise où l'on confectionne ces œuvres artistiques (S. Vanistendael, 1997). Une personne aura d'autant plus de ressort qu'elle se sentira aimée et acceptée telle qu'elle est (par un parent ou quelqu'un de son entourage). Il faut encore qu'elle puisse donner un sens à sa vie, qu'elle ait un projet à réaliser (ne serait-ce que d'élever un animal) et qu'elle ait d'elle-même une bonne opinion (« nul ne peut être heureux s'il ne jouit de sa propre estime », dit Jean-Jacques Rousseau). En outre, une bonne dose d'humour et des compétences sont aussi précieuses. La résilience aide les malades à guérir, ainsi que l'ont montré les recherches entreprises aux États-Unis, à partir des années 70, sous l'incitation du cancérologue Carl Simonton. Ces travaux sont à l'origine d'une nouvelle discipline, la neuro-psycho-immunologie, qui révèle comment la pensée agit sur le corps. → **coping, handicapé, logothérapie, psychosomatique, stress, traumatique (névrose).**

résistance, ensemble des forces psychologiques qui, chez un sujet en analyse, s'opposent aux progrès de la connaissance de soi.
Cette opposition inconsciente se manifeste sous les formes les plus diverses : doute et méfiance à l'égard du thérapeute, critique des théories psychanalytiques, non-respect des consignes, silences, absences, etc. Elle a pour but d'interdire l'analyse des symptômes morbides et des mécanismes psychologiques afin de préserver l'équilibre précaire difficilement construit par le sujet et de conserver les bénéfices* procurés par la maladie. La cure psychanalytique consiste moins à fournir des interprétations au malade qu'à analyser ses résistances pour les combattre et les supprimer.

résonance, mode de retentissement d'un événement sur le psychisme d'une personne.
Chaque individu réagit différemment aux situations dans lesquelles il se trouve. Il est possible d'apprécier cette caractéristique particulière de la personnalité grâce aux méthodes projectives. Le test de H. Rorschach*, par exemple, permet de déterminer le « type de résonance intime » d'un sujet en faisant le rapport des réponses déterminées par le mouvement (K) à celles qui sont dues à la couleur (C). La résonance intime (K/C) permet de classer les individus selon quatre types : extratensif (prédominance des C), introversif (prédominance des K), ambiéqual (de nombreux K équilibrent de nombreux C) et coarté (ni K ni C ou très peu, en égales quantités).
On parle encore de résonance, en psychologie, pour désigner la communication non verbale qui peut exister entre les personnes, grâce à quoi nous connaissons et éprouvons les sentiments (chagrin, joie...) d'autrui. Cette intuition (ou empathie*) est particulièrement nette chez la mère à l'égard de son enfant.

respiratoire
Dans la biotypologie* de C. Sigaud et L. Mac Auliffe, type morphologique caractérisé par une prédominance du thorax et de grands besoins vitaux et sentimentaux.

responsabilité, situation de celui qui peut être appelé à répondre d'un fait.
La notion de responsabilité suppose l'engagement personnel, tacite ou explicite, de rendre des comptes, le cas échéant, à une autorité supérieure. Elle exige deux conditions essentielles : que l'on possède toute sa raison (les arriérés, les déments et les enfants sont déclarés irresponsables) et que l'on soit libre de ses actions (on n'est pas responsable d'un acte accompli sous la menace physique ou la contrainte morale). Cependant, les lois sociales ou morales considèrent que l'on est responsable non seulement des actes que l'on a désirés et réalisés soi-même et de ceux que l'on a accomplis sans le vouloir (accident de voiture, par exemple), mais même de ceux que l'on n'a ni voulus ni accomplis, mais qu'il dépendait de nous d'éviter : un préfet fut révoqué, en 1964, à la suite de l'évasion d'un prisonnier de l'infirmerie spéciale dépendant de son autorité. En Chine, en 1987, le ministre des Forêts fut tenu pour responsable de

l'incendie qui ravagea des milliers d'hectares et dévasta cinq villages. En 1998, un haut fonctionnaire français, Maurice Papon, fut reconnu coupable de complicité de crimes contre l'humanité et condamné à dix ans de réclusion criminelle, pour n'avoir pas su désobéir à des ordres immoraux, de 1942 à 1944. Être responsable, c'est tenir un engagement moral ; d'une façon plus générale, c'est respecter le contrat social que chaque homme a conclu, implicitement, en venant au monde.

retardé (enfant), enfant qui ne suit pas le rythme normal des acquisitions scolaires.
Les retardés ne sont pas des déficients intellectuels mais des sujets handicapés par des causes extérieures à leur personne : la maladie les a tenus à l'écart de l'école ; les changements fréquents de domicile ont rendu difficile leur adaptation scolaire ; leurs parents se désintéressent de leurs études ou les rejettent affectivement, etc. Habituellement, ils sont dirigés vers une classe d'adaptation* ou vers un orthopédagogue, qui les aide à rattraper leur retard.

retentissement, répercussion d'un événement sur le psychisme d'un individu.
Certaines personnes sont promptes à réagir à un fait ou à une situation émouvante, puis n'y pensent plus. D'autres au contraire, impassibles et apparemment indifférentes sur le moment, n'oublient rien et mûrissent leur réponse. L'effet produit par l'événement est dit « primaire » dans le premier cas et « secondaire » dans le deuxième. Le mode de réaction aux événements (retentissement) est, dans la caractérologie de G. Heymans et E. Wiersma, l'une des trois dispositions caractérielles fondamentales (les deux autres étant l'émotivité et l'activité).

réticence, attitude d'une personne qui hésite à exprimer clairement sa pensée.
Effet de la réserve, de la gêne ou de la méfiance, la réticence s'observe chez les sujets aussi bien normaux (timides) que pathologiques. On la rencontre au cours des entretiens cliniques, les patients (et même leurs familles) taisant systématiquement des faits significatifs, et dans les cures psychanalytiques, où les sujets résistent plus ou moins consciemment à l'action du thérapeute. Elle constitue une réaction d'opposition de la part de certaines malades mentaux indifférents (schizophrènes) ou méfiants (délirants, paranoïaques), qui refusent de parler de leurs expériences pathologiques.

retournement contre soi, mécanisme de défense du moi consistant à reporter sur la personne propre des sentiments éprouvés pour autrui.
Une fillette agressive à l'égard de sa mère s'infligera de cruelles punitions. Son désir d'expiation répond aux exigences d'un surmoi* sévère.

rétraction du moi, mécanisme de défense consistant à renoncer à toute activité susceptible de procurer un désagrément.
Certains sujets hypersensibles ont tendance à se replier sur eux-mêmes (introversion*), à vivre en marge de leur milieu, à limiter leurs relations avec autrui, à réduire leurs activités aux seules occupations dans lesquelles ils excellent ou à se cantonner dans un rôle de spectateur. Cette conduite les met à l'abri de la souffrance, mais elle leur interdit de s'épanouir.

retraite, passage de la vie professionnelle à l'inactivité, déterminé par l'âge.
Très opportune en son temps, cette institution sociale apparaît aujourd'hui à certains comme une erreur psychologique et physiologique. Les variations individuelles sont, en effet, considérables dans le processus du vieillissement et le déclin des forces physiques et mentales. De nombreux travailleurs atteints par la limite d'âge, quoique encore capables de fournir une activité satisfaisante, éprouvent douloureusement leur nouvelle condition. Désœuvrés, ils se sentent désadaptés, dévalorisés, insatisfaits et certains présentent des réactions psychologiques défavorables (troubles de l'humeur : morosité, tristesse, abattement...), qui peuvent évoluer jusqu'à la psychose ou au suicide. Toutes les études entreprises sur ce sujet, depuis celles de E. A. Friedmann et R. J. Havighurst (1954), P. Townsend (1957), J. R. Tréanton (1958),

jusqu'aux plus actuelles (A. M. Guillemard, 1980 ; D. Rondinet, 1986), montrent que, pour la plupart des individus, la retraite est une tragédie. Le meilleur moyen de lutter contre les effets délétères de cette « mort sociale » (Guillemard) est, selon différents auteurs, tels Havighurst et G. L. Maddox (1970, 1976), d'avoir une activité. Qu'elle soit professionnelle, artistique ou humanitaire, rémunérée ou non, elle remplira son office si elle donne à la personne mise à la retraite le sentiment qu'elle est encore utile socialement, qu'elle fait toujours partie du tissu vivant de la nation.

rétrogression, réapparition du comportement caractéristique d'une époque révolue de l'histoire d'un individu.
Sous l'influence de certains traumatismes, les conduites nouvellement apprises disparaissent tandis que resurgissent d'anciennes habitudes. Pour K. Lewin, la rétrogression se distingue de la régression*.

Rett (syndrome de), groupement de symptômes formant une unité pathologique, décrit en 1966 par le médecin viennois Rett, évocateur d'un syndrome autistique mais s'en différenciant par un certain nombre de signes neurologiques.
Le syndrome de Rett affecte essentiellement les petites filles. Ses causes nous sont inconnues. Il débute dans la petite enfance entre 6 et 18 mois. Après un développement psychomoteur normal, l'enfant semble de désintéresser de ses jouets (diminution des manipulations volontaires) et de son entourage (absence de contact social) ; il a des mouvements stéréotypés des mains et ses gestes volontaires sont incoordonnés (ataxie) ; il éprouve des difficultés pour marcher (apraxie) et présente une déficience intellectuelle sévère ; parfois, il a des crises convulsives. C'est la composante organique qui permet de différencier le syndrome de Rett de l'autisme* et des psychoses infantiles.

réussite, succès.
La réussite, comme l'échec*, est une notion essentiellement subjective, qui ne dépend pas du niveau absolu de réalisation d'un acte, mais se situe plutôt par rapport à certaines normes et, plus particulièrement, au niveau d'aspiration* de chaque individu. La réussite est ressentie comme telle lorsque la réalisation dépasse ou atteint la ligne de but, c'est-à-dire l'espérance du sujet. Le sentiment de satisfaction éprouvé par une personne est le seul critère vraiment valable pour caractériser sa réussite.

rêve, suite d'images et de phénomènes psychiques qui surviennent pendant que l'on dort.
Les rêves, qui durent de dix à quinze minutes, apparaissent, le plus fréquemment, au début et à la fin de la nuit, essentiellement au cours des phases de sommeil* « paradoxal » ; au total, ils occupent, environ, un quart du temps de notre sommeil.
Tout le monde rêve, même ceux qui prétendent le contraire. La preuve expérimentale en a été fournie par les neurophysiologistes, qui, partant du principe que la pensée onirique a un caractère essentiellement visuel, ont enregistré les mouvements oculaires d'individus endormis. Ils constatèrent que les rêves coïncident avec l'apparition de mouvements rapides des yeux ; en effet, si à ce moment précis on réveille les sujets, ceux-ci disent qu'ils étaient en train de rêver (W. C. Dement). Cependant, l'oubli survient très rapidement : au-delà de huit minutes après la fin des mouvements oculaires, il n'y a plus que 5 % des dormeurs qui se souviennent d'avoir rêvé. Cela explique que les rêves dont on se souvient bien sont ceux qui sont proches du réveil.
Les pensées du rêve sont en relation avec des excitations sensorielles perçues à travers le sommeil (appel du téléphone pris pour une sonnerie de cloches, par exemple), avec nos souvenirs et nos états affectifs. S. Freud a montré que le langage imagé des rêves *(contenu manifeste)* a toujours un sens profond *(contenu latent)* que l'on peut comprendre si on l'analyse et si l'on a recours aux associations d'idées. Les sentiments les plus complexes, les concepts, y sont traduits en images visuelles, sous une forme habituellement condensée et symbolique. L'exemple suivant, emprunté à Frinck, montre la richesse d'une

image de rêve : une jeune femme rêve qu'elle achète un chapeau noir, très élégant et très cher. L'analyse fait apparaître qu'elle a effectivement désiré un chapeau, mais qu'elle a dû y renoncer à cause de l'impécuniosité de son mari, assez gravement malade. D'autre part, elle parle d'un homme très riche qu'elle connaissait avant son mariage et dont elle fut très amoureuse. La signification du rêve lui apparaît alors comme la réalisation de trois désirs refoulés : voir mourir son mari (chapeau de deuil), épouser l'homme aimé et avoir beaucoup d'argent (coût élevé du chapeau).

L'idée que le rêve est la réalisation d'un désir est antérieure à Freud. On la trouve dans des textes tibétains et bouddhistes ainsi que dans les écrits de Pères de l'Église comme saint Basile le Grand et saint Jean Cassien. Le rêve est un langage privé et primitif (antérieur à l'acquisition de la parole), que l'on emploie spontanément parce qu'il est commode : il est le seul qui puisse exprimer des états complexes que le sujet ne conceptualise pas clairement. D'autre part, selon Freud, il est aussi le seul qui nous permette d'exprimer sous une forme déguisée des idées et des sentiments autrement inacceptables. Le rêve, dit cet auteur, traduit toujours un désir refoulé. Cela est net chez l'enfant : « He(r)mann (a) mangé toutes les cerises » raconte à son réveil un garçonnet de vingt-deux mois qui, la veille, en avait été frustré. Chez l'adulte, mieux contrôlé, soumis aux contraintes socioculturelles, le désir n'apparaît pas clairement, car il est obligé de ruser pour s'exprimer. La pensée onirique apparaît donc déformée, schématisée et symbolisée ; les sentiments sont déplacés d'un élément important sur un autre, anodin ; le contenu primitif du rêve (contenu latent) est soumis à un véritable travail d'élaboration* qui le transforme en rêve manifeste, dont le caractère étrange nous masque la signification profonde.

D'après les psychanalystes, ce déguisement est d'autant plus nécessaire que la pensée du rêve obéit au refoulé ; quand le refoulement* n'est pas réussi, une situation conflictuelle est créée entre les tendances proscrites et les instances morales du dormeur, qui se réveille dans un état de malaise et d'angoisse. Le rêve, dit Freud, est le gardien du sommeil ; il nous protège des excitations trop vives et des tensions insupportables.

Cette fonction du rêve n'est pas admise par tous : A. Adler et K. Horney voient plutôt dans la pensée onirique le moyen d'organiser une conduite future (sorte d'anticipation ou de répétition générale d'une réponse à une situation). D'autres continuent de considérer le rêve comme une activité inutile, incohérente, faite de la persistance d'images et de perceptions sensorielles qui, échappant au contrôle de la pensée vigile, s'entremêlent d'une façon chaotique ; l'ordonnance du rêve serait une reconstruction logique, *a posteriori,* du sujet éveillé.

Cette dernière thèse doit être abandonnée car, si l'on ignore encore avec certitude la nature exacte de la fonction du rêve, on sait que celui-ci est nécessaire à notre équilibre psychologique. On a observé, en effet, qu'un sujet privé de sommeil rêve ensuite beaucoup plus que normalement. D'autre part, si l'on empêche un dormeur de rêver (en le réveillant dès qu'on enregistre des mouvements oculaires rapides), la durée de sommeil autorisée étant par ailleurs normale, on constate, après deux nuits sans rêve, l'apparition de signes d'anxiété et d'irritabilité. Il semble donc que le rêve ne soit pas seulement le gardien du sommeil, mais qu'il constitue, plutôt, le processus psychique grâce auquel l'être humain peut garder son équilibre psycho-affectif. On pourrait l'envisager comme un mécanisme supplémentaire de défense* du moi qui satisferait, sur le plan imaginaire, des désirs refoulés afin de réduire les tensions accumulées dans la vie quotidienne. Dans le rêve, l'individu normal se conduit à peu près comme le psychotique, fuyant le réel et se créant un monde privé. Mais, tandis que chez ce dernier l'univers morbide reste permanent, masquant la réalité, chez le sujet sain il disparaît avec l'éveil.

rêve éveillé dirigé, technique psychothérapique imaginée par R. Desoille (1938), consistant à faire surgir les fantasmes du sujet par l'imagination forcée, à les interpréter et à les intégrer dans sa vie consciente.

Le patient est installé dans un fauteuil de relaxation ou allongé sur un divan, les yeux clos, dans une pièce à demi obscure. Quand il atteint un état de détente proche de l'endormissement, on lui demande d'imaginer une situation et on l'invite à se mouvoir dans l'espace qu'il a créé. D'une façon générale, on observe qu'au mouvement ascensionnel sont liés des sentiments de bien-être et des images radieuses, tandis que la descente suscite le malaise et l'anxiété. Après chaque séance, le patient rédige un compte rendu dans lequel il précise la nature des sentiments exprimés. Au cours d'entretiens face à face avec le thérapeute, il analyse les multiples aspects de ses représentations imaginaires, ce qui l'amène à découvrir l'origine de ses conflits intérieurs et ses richesses cachées. Les indications de ce procédé psychothérapique sont, essentiellement, les états névrotiques.

revendication, comportement de celui qui demande réparation pour une injustice (réellement ou prétendument) subie.
Chez l'enfant, il s'agit, généralement, d'une revendication affective (consécutive à une nouvelle naissance au foyer maternel ou à son placement en établissement), qui se manifeste par une hostilité plus ou moins franche à l'égard de l'entourage ou par une conduite régressive : le sujet devient grognon, se cramponne aux adultes, se remet à mouiller son lit.
Chez l'adulte, la revendication exprime souvent le désir inconscient de masquer une déficience ; elle correspond à un mécanisme de surcompensation d'un sentiment d'infériorité et traduit l'insatisfaction profonde de l'individu dans le milieu social. Née d'un échec ou d'une frustration souvent minimes, la conduite revendicatrice se poursuit d'une manière quasi obsessionnelle, allant même à l'encontre des intérêts de la personne. La revendication, qui se développe habituellement chez des sujets ombrageux ayant un surmoi* rigide, constitue souvent un symptôme important de la paranoïa.

rêverie, état de détachement de la réalité, intermédiaire entre la pensée vigile et le rêve.
Le sujet, distrait du monde extérieur, dont il ne garde qu'une conscience floue, se laisse entraîner par un enchaînement d'images et de pensées obéissant plus aux motivations affectives qu'à la logique. La rêverie apparaît comme un phénomène normal à la puberté, où elle a la signification d'une anticipation de la réalité future. Chez les enfants et les adultes, elle constitue souvent un symptôme névrotique, une fuite de la réalité. Elle dépend de la constitution, les sujets schizoïdes ayant une propension particulière à la rêverie, et des conditions extérieures : la monotonie d'une tâche ou d'une excitation (le bruit régulier d'une machine, par exemple), l'absence de stimulation provenant du monde ambiant favorisent le développement de la rêverie. Elle constitue souvent un mode de défense du moi contre l'ennui et les frustrations de la vie quotidienne.

révolte, rébellion contre l'autorité.
D'une façon générale, la révolte exprime le mécontentement d'un individu ou d'un groupe, son hostilité à l'égard d'un sort injuste, d'un milieu agressif, voire simplement incompréhensif ou indifférent. Elle est la réaction normale à la frustration. La révolte sociale est provoquée moins par des conditions économiques défavorables que par un sentiment d'insatisfaction psychologique dû, selon H. H. Hyman (1942), à une position déterminée de l'individu (ou du groupe) envers son statut personnel. Les psychanalystes expliquent cette attitude par le déplacement, dans le domaine social, d'un conflit intrafamilial : la révolte contre l'ordre établi serait l'expression actuelle de la rébellion (d'origine œdipienne) de l'enfant contre l'autorité de ses parents.

rhéotaxie, rhéotropisme, orientation ou progression dans la direction d'un courant d'eau, considéré comme agent d'excitation.
Ce type de tropisme* et de taxie* s'observe chez les végétaux aquatiques (les feuilles de sagittaire s'orientent à contre-courant), chez les animaux inférieurs, qui, face au courant, s'efforcent de lui résister (rhéotaxie négative), et même chez les poissons. Pourtant, dans ce dernier cas, il est probable qu'il ne s'agit plus d'une véritable rhéotaxie, mais d'un compor-

tement conditionné par d'autres stimulations sensorielles.

Ribot (Théodule), philosophe et psychologue français (Guingamp 1839 – Paris 1916). Premier théoricien français de la psychologie expérimentale, il oriente ses travaux vers l'étude psychophysiologique de la personnalité et découvre les lois de dissolution de la mémoire, que l'on peut schématiser ainsi : les souvenirs les plus récents, les plus complexes, sans signification affective s'effacent plus facilement que les souvenirs anciens, simples, chargés d'émotion. Il est l'auteur de plusieurs ouvrages, dont *les Maladies de la mémoire* (1881), *les Maladies de la volonté* (1883), *les Maladies de la personnalité* (1885), *Essai sur les passions* (1907), *Problèmes de psychologie affective* (1910).

rigidité mentale, incapacité de changer de point de vue.
La rigidité mentale se rencontre dans certains états pathologiques, telle la névrose obsessionnelle ; elle est l'un des traits essentiels du caractère paranoïaque. Le sujet manque de souplesse d'esprit : il a un avis et des principes immuables ; il est imperméable aux arguments d'autrui ; son égocentrisme* le rend incapable de se mettre à la place de l'autre.

rire, phénomène essentiellement humain, exprimant, généralement, le bien-être et la gaieté.
Il peut être aussi causé par certaines stimulations physiques (chatouillements), par la joie de se sentir supérieur aux autres (T. Hobbes) ou par la perception d'une situation comique, incongrue (A. Schopenhauer). Le rire, qui possède un élément agressif – il est fait pour humilier, dit H. Bergson – a une fonction cathartique, libératrice : les Indiens Crows d'Amérique punissent les infractions graves au code moral par le rire. Ils ne disent rien au coupable, mais tournent en dérision son délit, à la réunion du soir, où chacun s'amuse à ses dépens. Grâce au rire, l'agressivité peut s'exprimer librement sans conséquence dramatique. Dans certaines situations, le rire est une formation réactionnelle contre l'angoisse.

rite, ensemble des activités qui s'accomplissent dans un ordre prescrit.
Dans les cultures primitives, il existe des cérémonies, appelées « rites de passage », qui marquent l'accession d'un individu à un nouvel état. Le rite de passage par excellence est celui qui se pratique au moment de la puberté ; il comporte trois phases : la *séparation* du groupe auquel était intégré le sujet, l'*attente*, accompagnée généralement d'épreuves physiques et morales, l'*admission* au nouveau régime social. Ces cérémonies ont pour but d'aider l'individu à surmonter la crise représentée par ses transformations physiologiques et à prendre clairement conscience de son statut et de son rôle dans la collectivité. Chez les Dogons du Mali, l'excision du clitoris et la circoncision* vont de pair. Sans elles, l'adolescent ne peut accéder au monde des adultes. Cette coutume reste vivace dans de nombreux pays d'Afrique et du Proche-Orient. On retrouve ce rituel, sous une forme dégradée, dans les brimades infligées aux nouveaux venus dans un groupe quelconque (armée, école, etc.).
En psychopathologie, on appelle rites les conduites obsessionnelles de certains malades, qui se contraignent à accomplir des gestes dérisoires (cérémonial compliqué au moment du coucher, par exemple).

Rogers (Carl Ransom), psychologue américain (Oak Park 1902 – La Jolla, Californie, 1987).
Il est successivement psychologue praticien (1928), directeur d'un centre de guidance* infantile (1930) puis professeur de psychologie (1940-1963). De son enseignement, on a surtout retenu, en France, la « non-directivité ». Beaucoup ont cru qu'il s'agissait d'une technique psychothérapique, alors que c'est « une conception philosophique de la vie, une manière d'être » (Rogers, 1985). L'idée fondamentale de cet humaniste est que chaque personne devrait arriver à être soi-même dans n'importe quelle situation au lieu de jouer un rôle. Le meilleur parent, dit-il, n'est pas celui qui joue le rôle de parent, mais celui qui est une personne authentique au sein de sa famille. Parmi les ouvrages de Rogers traduits en français, citons *le Dévelop-*

pement de la personne (1966), *la Relation d'aide et la psychothérapie* (1970), *Liberté pour apprendre* (1971), *les Groupes de rencontre* (1973), *Un manifeste personnaliste* (1979).

rôle, ce que doit dire ou faire un acteur. Par extension, conduite attendue d'une personne dont on connaît le statut*.
Chaque individu doit assumer plusieurs rôles, variables en fonction de son âge (enfant, adolescent, adulte, vieillard), de son sexe, des personnes avec lesquelles il se trouve (un enfant se conduit différemment selon qu'il est en compagnie de ses camarades, de sa mère ou de son professeur) et des situations (à la maison, au travail, à l'église...). Ces rôles sont susceptibles d'engendrer des conflits psychiques quand ils sont contradictoires. Ils nous marquent toujours de quelque manière, qu'on y adhère au point de ne pouvoir s'en détacher (caractères hystérique ou paranoïaque) ou qu'on essaie de les rejeter (sujets révoltés ou révolutionnaires). Généralement, la personne saine « interprète » son rôle en conservant une certaine distance entre celui-ci et sa personnalité. Le respect des rôles maintient la sécurité et la cohésion sociales. La vie sociale est un tissu de rôles. Les inadaptés sont ceux qui ne les respectent pas.

rôles (jeu de), technique de groupe, destinée à l'enseignement et à la formation des participants.
Dérivée du psychodrame* de J. L. Moreno, cette méthode prend généralement la forme d'une improvisation théâtrale sur un thème donné. Par exemple, des étudiants en médecine se demandent comment annoncer à des parents que leur enfant nouveau-né est anormal. Un des participants prendra le rôle de l'accoucheur, deux autres celui du père et de la mère. Le moniteur sert de guide et peut, éventuellement, intervenir dans le jeu. Des renversements de rôles (le médecin devient le père et réciproquement) permettent d'affiner la connaissance de ces situations. Tout peut être mis en jeu, depuis les tensions psychologiques surgissant dans le couple ou dans l'entreprise jusqu'aux problèmes socio-économiques du tiers-monde. Mieux que des discours, le jeu de rôles fait découvrir des aspects insoupçonnés de la réalité.

Rorschach (Hermann), psychiatre suisse (Zurich 1884 – Herisau 1922).
Après ses études médicales, il se spécialise en psychiatrie à la clinique de Zurich dirigée par E. Bleuler, fréquente le groupe psychanalytique de cette ville et subit, notamment, l'influence de C. G. Jung.*
Excellent dessinateur, passionné de peinture, il s'intéresse à la manière dont ses malades réagissent à des taches* d'encre de couleur et compare leurs réponses à celles de sujets normaux. Il découvre ainsi que la perception visuelle est influencée par la personnalité : les réponses « couleur » sont liées à l'extratensivité et les réponses « mouvement » à l'introversivité (typologie* dérivée de celle de Jung). Ses taches d'encre sont plus qu'une épreuve d'imagination : elles peuvent décrire la structure de la personnalité. En 1918, il construit les planches de son test et, en 1921, publie son *Psychodiagnostik*. Ce n'est que dix ans après sa mort que ce test commença à se répandre. Depuis, il est utilisé dans le monde entier et a fait l'objet d'un nombre considérable de recherches et d'adaptations.

Rosenzweig (Saül), psychologue américain (Boston, États-Unis, 1907).
Professeur de psychologie à la *Washington University* (Saint Louis, Missouri) et psychologue-chef de la division de psychiatrie infantile, il élabore une théorie de la frustration* et met au point un test, qu'il présente pour la première fois en 1935 sous le nom de *Picture Frustration Study*. Ce test est utilisé par les cliniciens, qui apprécient sa simplicité et ses qualités métrologiques.

Rousseau (Jean-Jacques), écrivain et philosophe suisse de langue française (Genève 1712 – Ermenonville 1778).
Orphelin de mère dès sa naissance, mal élevé par un père capricieux et instable, après une jeunesse aventureuse et vagabonde, au cours de laquelle il touche à tout, il connaît la gloire avec son *Discours sur les sciences et les arts* (1750), couronné par l'Académie de Dijon, son *Discours sur l'origine et les fondements de*

l'inégalité parmi les hommes (1755) et son roman pédagogique *Émile ou De l'éducation* (1762). Il y enseigne que si « tout est bien sortant des mains de l'auteur des choses, tout dégénère entre les mains de l'homme » ; que l'éducation doit se fonder sur les qualités naturelles de l'enfant, mais que l'on ne doit rien précipiter : la pédagogie doit être fonctionnelle* et s'adapter à chaque âge de l'enfance ; qu'il est un temps pour chaque acquisition. Son œuvre philosophique *Du contrat social ou Principe du droit politique* (1762) exerça une influence déterminante sur la Révolution française. Précurseur de la pédagogie moderne, il fut aussi le premier à livrer des *Confessions* (1782-1789) qui constituent une courageuse œuvre de psychologie en première personne et un document classique exposant sa mentalité de névrosé hypersensible.

rumeur, nouvelle plausible mais non contrôlée, liée à l'actualité, qui se propage oralement.
La rumeur, dit le sociologue américain T. Shibutani (1966), naît de discussions entre personnes non informées, qui tentent d'expliquer un événement ambigu, susceptible d'avoir de l'importance. Mais il existe aussi des rumeurs totalement infondées. La rumeur s'alimente de préjugés, de peur et d'angoisse latentes (J. Delumeau, 1978). Elle n'est vivace que parce que le public qui la reçoit et la propage en est le principal artisan (J. N. Kapferer, 1987).
La rumeur a fait l'objet de nombreuses recherches expérimentales de la part de psychologues tels que G. W. Allport et Leo Postman (1945, 1947). Ces derniers ont montré que la rumeur se caractérise par trois tendances : 1. la *réduction* (plus la rumeur se propage, plus elle devient courte, concise, facile à transmettre) ; 2. l'*accentuation* (les détails retenus sont amplifiés) ; 3. l'*assimilation* (les éléments conservés sont réorganisés pour former un tout cohérent, simple, logique).
Les altérations des rumeurs dépendent de facteurs affectifs (désirs, craintes) et psychosociaux (appartenance à un certain groupe), tandis que la diffusion des rumeurs est soumise à la loi de G. T. Fechner*. Les travaux de S. C. Dodd (1952) ont montré, en effet, que la quantité (Q) de personnes atteintes par un message varie proportionnellement au logarithme du nombre (P) de la population dans laquelle la rumeur a été diffusée (la stimulation par individu étant constante) :

$$Q = a \log P.$$

rythme, alternance régulière de certains événements.
Nos fonctions organiques (battements du cœur, sommeil, cycle menstruel), comme le monde dans lequel nous vivons (succession du jour et de la nuit, des saisons), sont rythmées. Chaque individu a son rythme propre *(tempo)*, qui dépend, à la fois, de son tempérament et de son éducation. Dans notre société, où l'apprentissage du rythme commence à la naissance avec l'allaitement et les soins corporels à intervalles réguliers, toutes nos activités sont réglées : l'école, le travail, les loisirs, ce qui donne à notre existence son style particulier, un peu obsessionnel.

S

sadique-anal (stade), dans la théorie psychanalytique, deuxième stade du développement sexuel de l'enfant, s'étendant aux deuxième et troisième années.
La satisfaction de la poussée libidinale est conditionnée par l'évacuation intestinale : la muqueuse anale est devenue zone érogène ; l'enfant s'intéresse à ses matières sous l'incitation de ses parents, impatients de le voir devenir propre. La maîtrise de ses sphincters lui donne un nouveau pouvoir, celui de satisfaire les adultes ou, au contraire, de manifester son agressivité à leur égard. L'acquisition de la propreté est le premier cadeau que l'enfant fait à sa mère, mais il est toujours prêt à le reprendre s'il se trouve frustré (à la naissance d'un petit frère ou d'une petite sœur, par exemple, il recommence à se salir).

sadisme, perversion sexuelle caractérisée par l'érotisation de la douleur infligée à autrui. Le sadique ne ressent d'excitation sexuelle qu'en faisant du mal à un partenaire. Dans les cas les plus graves, heureusement rares, les actes de cruauté peuvent aller jusqu'au meurtre. Le plus célèbre est celui du maréchal Gilles de Rais (1400-1440), qui fit périr de 140 à 300 enfants, selon les évaluations. Certains meurtriers, tels Jack l'Éventreur ou Peter Sutcliffe, ne s'en prennent qu'aux prostituées. Selon D. Cameron et E. Frazer (1988), leur motivation serait à chercher dans une relation aux femmes immature et complexe, s'enracinant dans la relation à la mère, à la fois objet d'amour et source de frustration.
Le « petit sadisme » se limite à des flagellations, des morsures ou même des humiliations morales.
Certains auteurs pensent que cette perversion est constitutionnelle. Pour les psychanalystes, elle est un élément de la paire contrastée « sadisme-masochisme » et liée, en particulier, au stade sadique-anal, aux premières expériences sphinctériennes (apprentissage de la propreté), à la rébellion contre l'autorité et à l'agressivité déplacée sur autrui.

sadomasochisme, intrication des pulsions agressives dirigées contre autrui (sadisme) ou contre soi-même (masochisme) qui, selon les psychanalystes, coexistent toujours chez une même personne.
Chez certains individus, le plaisir érotique dépend des actions agressives subies ou infligées à autrui. Il existe aussi un sadomasochisme moral, différent de la déviation sexuelle, qui se manifeste dans les tortures que certaines personnes, ayant un sentiment de culpabilité, n'hésitent pas à s'infliger (elles sont, en même temps, victimes et bourreaux) pour satisfaire leur besoin de punition.

salade de mots, altération du langage, pratiquement spécifique de la schizophrénie*, consistant en une juxtaposition de mots n'ayant aucun rapport de sens ou de consonance et sans lien grammatical.

sanction, récompense* ou punition* attachée à une action.
On distingue des sanctions naturelles (brûlure d'un enfant imprudent, qui joue avec le feu), sociales (décorations, prison...), subjectives (remords). La justice moderne tend moins à punir qu'à réadapter les délinquants (cela étant vrai, essentiellement, pour les mineurs) ;

elle sait qu'il n'y a pas de criminel-né et que l'on devient délinquant en vertu de conditions socio-économiques et affectives, dont la société entière est responsable. La sanction a une valeur pédagogique certaine que les éducateurs doivent cependant utiliser avec circonspection. La punition et la récompense ne peuvent être automatiques. Étant la confirmation d'un jugement relatif à la conduite d'une personne, elles doivent nécessairement s'adapter à celle-ci, à son âge, à sa compréhension. Par exemple, un bébé ne sera pas grondé pour avoir cassé un bibelot laissé à sa portée, tandis qu'on demandera à un enfant de dix ans de le remplacer en puisant dans ses économies.

sanguin
1. Dans la classification des tempéraments d'Hippocrate, sujet chez qui prédomine l'humeur sanguine. Morphologiquement, il se présente comme un individu musclé, d'allure athlétique et au teint rosé. De nature optimiste et expansive, il est généralement sociable mais aussi impulsif et irritable. 2. Pour l'école franco-hollandaise de caractérologie*, personne qui contrôle ses émotions (nE), a une activité supérieure à la moyenne (A) et réagit immédiatement aux impressions (P).
Le sanguin est réaliste, froid, parfois cynique, sachant exploiter les situations et tirer parti de tout ce qui s'offre à lui.

santé, état de celui qui, se portant bien, se sent fort et assuré.
Ce concept est étroitement lié à la notion d'adaptation, au point que l'Organisation mondiale de la santé (O.M.S.) juge utile de préciser que « la santé est la pleine jouissance du bien-être social, mental et physique, et pas seulement l'absence de maladies et d'affections. » Lorsqu'on parle de santé, on se réfère, implicitement, à l'équilibre dynamique existant entre l'organisme et son milieu. L'individu capable de résoudre ses conflits (d'origine interne et externe) et de résister aux frustrations inévitables de la vie sociale est en bonne santé. Celui qui n'y parvient pas tombe malade. Les symptômes névrotiques sont l'expression d'une résolution inadéquate des tensions, tandis que les psychoses signent la faillite de l'adaptation au monde normal.

satiété, assouvissement d'un désir qui détruit l'appétit.
Le besoin satisfait se manifeste par une modification de la conduite, due au bien-être résultant de l'équilibre établi et à la perte d'intérêt pour le but atteint. Dans certains cas, il peut même y avoir un renversement de la tendance, qui s'exprime par l'aversion pour l'objet précédemment recherché.

sauvages (enfants), enfants abandonnés, élevés par des animaux.
On en connaît une trentaine de cas. D'après R. M. Zingg, ils ne parlent pas et n'émettent aucun son vocal humain ; ils se déplacent à quatre pattes, se nourrissent comme des animaux (flairant les aliments avant de les manger et abaissant la bouche vers eux) et n'expriment pas leurs émotions comme les autres êtres humains. Les cas les plus célèbres sont ceux du « sauvage de l'Aveyron » et des « enfants-loups » de Midnapore. Le premier, Victor, découvert en 1799, était un garçon de dix à douze ans environ, qui vivait nu, à l'état sauvage, dans la forêt de Lacaune, à la limite du Tarn et de l'Aveyron. Il fut confié à une institution de sourds-muets, où J. M. Itard* s'efforça en vain, pendant cinq ans, de l'éduquer. Les secondes, des fillettes qu'on appela Amala et Kamala, furent capturées en 1920 aux Indes. Elles avaient, approximativement, quatre et huit ans et vivaient dans une caverne avec des loups. Ignorant le langage humain, courant à quatre pattes, elles exprimaient leur détresse en hurlant comme les loups. Confiées à des missionnaires, elles réussirent, difficilement, à marcher et apprirent quelques mots. Elles moururent rapidement (la plus jeune, dans l'année qui suivit sa découverte, l'aînée vécut huit ans) sans avoir réussi à s'adapter à la vie des hommes.
Le cas des enfants sauvages prouve l'influence du milieu* sur le développement de l'être humain ; c'est lui qui fournit à la fonction arrivée à maturité les excitants appropriés, sans lesquels elle reste virtuelle ou atrophiée ; il complète les structures organiques de base et

détermine les caractères spécifiques des individus.

scène primitive ou **scène originaire**
Dans le vocabulaire psychanalytique, cette expression désigne les souvenirs de l'enfant relatifs à l'observation du coït parental (interprété, le plus souvent, comme une relation sadomasochiste) ou, plus justement, ses fantasmes, élaborés à partir d'observations plus ou moins complètes de rapports sexuels entre adultes. Cette expérience traumatisante précoce, qui survient généralement lorsque le petit enfant partage encore la chambre de ses parents, joue un rôle appréciable dans la genèse des névroses.

schéma corporel, expérience que chacun a de son propre corps, animé ou à l'état statique, dans un certain équilibre spatiotemporel et dans ses relations avec le monde environnant.
La constitution du schéma corporel, intégration dans le champ de conscience de l'individu des parties de son corps, est l'expérience fondamentale grâce à laquelle chaque personne se différencie d'autrui et a le sentiment, à tout moment, d'être soi.
Cette somatognosie*, ou connaissance du corps propre, nécessaire à la vie normale, ne s'élabore que progressivement, à partir d'impressions sensorielles multiples, intéroceptives (venant des viscères), proprioceptives (musculaires, articulaires...) et extéroceptives (cutanées, olfactives, gustatives, visuelles, auditives), accumulées depuis la naissance. Par la suite, lorsque cette représentation corporelle est constituée, elle reste, semble-t-il, constante et indélébile tout au long de la vie de l'individu, quelles que soient les mutilations pouvant affecter son corps. → **sensation.**
Pendant longtemps, on a pensé que les mécanismes physiologiques permettant l'élaboration du schéma corporel se situaient dans la région pariétale supérieure (aires 5 et 7), car des lésions organiques (tumeurs) de cette zone entraînaient la désintégration de la somatognosie (illusion de transformation, de déplacement d'un membre...). Mais d'autres travaux ont montré qu'une ablation, même importante, de la région pariétale n'entraîne que rarement un trouble du schéma corporel. Actuellement, on pense que cette zone n'est qu'une partie du circuit neuronique et que l'intégration du schéma corporel se fait au niveau d'autres structures, localisées, d'après certains auteurs, dans la région temporale. → **fantôme (membre).**

schizoïdie, constitution mentale caractérisée par le repli sur soi.
On retrouve dans la schizoïdie, sous une forme atténuée, les principales caractéristiques de la schizophrénie, telles la pauvreté des relations avec autrui, l'indifférence pour l'environnement, la propension à la solitude et à la rêverie, l'ambivalence, le goût pour l'abstraction. Pour cette raison, certains auteurs la considèrent comme une structure tempéramentale anormale, devant évoluer lentement vers la schizophrénie. Mais cette impression générale n'est pas véritablement confirmée par les faits : dans les antécédents de plus de 50 % de schizophrènes, on ne trouve pas de personnalité schizoïde prémorbide.

schizoparanoïde (position) → Klein (Melanie).

schizophasie, langage incohérent observé dans certains cas de démence précoce (schizophrénie).
Dans un discours qui se déroule selon un rythme souvent rapide, des néologismes sont combinés aux mots usuels détournés de leur sens ; la mimique et le verbe ne correspondent plus et l'ensemble donne l'impression d'incohérence et d'hermétisme. La schizophasie n'affecte souvent que l'expression verbale.

schizophrénie, état pathologique caractérisé par une rupture de contact avec le monde ambiant, le retrait de la réalité, une pensée autistique.
Sous le terme de schizophrénie, on regroupe un ensemble de troubles tels que des idées délirantes (vol de la pensée, par exemple), des hallucinations auditives (une voix commente les idées du sujet), un raisonnement illogique,

l'indifférence affective, l'isolement social, une conduite étrange (accumuler des ordures chez soi, se parler en public...).
La schizophrénie est une maladie universelle. On la rencontre sous tous les climats et toujours dans les mêmes proportions : un à deux cas pour 10 000 habitants (A. Jablensky, O.M.S., 1986).
Le schizophrène vit dans un monde archaïque ; ses acquisitions et ses facultés intellectuelles ne sont pas détériorées de façon irréversible, mais sa pensée suit une logique qui lui est personnelle, égocentrique, magique. Retranché dans son univers morbide, il semble inerte et indifférent au monde qui l'entoure ; il vit dans la solitude de ses rêveries. Les principales formes cliniques de la schizophrénie sont le *type désorganisé,* caractérisé par l'incohérence de la pensée, l'absence d'idées délirantes systématisées et une affectivité émoussée, inappropriée ou niaise ; le *type catatonique* (mutisme, négativisme, maintien volontaire d'une posture...) et *le type paranoïde* (idées délirantes de persécution, de grandeur, de jalousie...).
On a essayé de comprendre les causes de cette affection, qui apparaît généralement entre quinze et quarante-cinq ans, mais aucune explication proposée n'est satisfaisante : H. Gurling (1988) incrimine le mauvais fonctionnement d'un ou de plusieurs gènes situés sur le chromosome n° 5. Certains croient qu'il pourrait s'agir de séquelles d'encéphalite, mais on ne trouve pas de lésions spécifiques de la schizophrénie. S. Freud note la fréquence de tendances homosexuelles inconscientes ; d'autres invoquent la mauvaise qualité du lien interhumain par suite d'une carence affective précoce ou de l'attitude castratrice d'une mère abusive, etc. La schizophrénie évolue tantôt par poussées, tantôt d'une façon continue. Elle est sensible aux neuroleptiques* et à la clozapine (J. Kane, 1988).

schizothymie, organisation psychologique normale dominée par l'introversion.
Le schizothyme paraît froid, distant et inaffectif. Son attitude est une défense : il se replie sur lui-même pour se protéger des agressions du monde extérieur. Sa solitude, son retrait de la réalité, sa propension à la rêverie répondent à ce besoin. Ses réactions, imprévisibles, sont des décharges brutales de tension accumulée. Intellectuellement, c'est souvent un original, idéaliste, porté à l'analyse abstraite et à la systématisation. Son type morphologique est habituellement longiligne (leptosome*), mais parfois, aussi, athlétique* ou dysplastique*.

scopophilie ou **scoptophilie**
Synonyme de voyeurisme*.

scoutisme, mouvement de jeunesse ayant pour but de développer les qualités physiques et morales des enfants et des adolescents des deux sexes.
Fondé en 1907 par sir R. Baden-Powell (1857-1941), il s'est implanté un peu partout dans le monde et regroupe, actuellement, 25 millions d'adhérents (un tiers de filles), dont 9 millions aux États-Unis et, environ, 205 000 en France.
Le scoutisme constitue une authentique école de formation du caractère. Son fondateur, ayant compris les besoins des jeunes, leur offrit des activités correspondant à leurs aspirations : goût de l'aventure et de la liberté, esprit d'entraide et de camaraderie sont satisfaits par la vie scoute, où, tout en jouant, l'on forge sa personnalité. Très tôt, l'enfant est amené à acquérir de nouvelles connaissances et à prendre des initiatives et des responsabilités ; respectueux du code de l'honneur qu'il s'est engagé, publiquement et solennellement, à suivre, il fait l'apprentissage de la discipline morale, se préparant ainsi à la vie sociale adulte. Cette méthode s'est étendue aux enfants « handicapés » et aux jeunes délinquants. → **éducation.**

scrupule, ce qui constitue un obstacle, embarrasse la conscience et empêche d'agir.
Le scrupuleux se conduit comme un malade de la volonté. Son désir excessif de bien faire, son aspiration à la perfection, jamais atteinte, le conduisent à revenir en arrière pour améliorer ce qui était déjà fait et, en définitive, le condamnent à la stérilité et à l'insatisfaction perpétuelles. Le scrupule, qui témoigne de l'existence d'un surmoi (sens moral incons-

cient) rigide et sévère, est une formation* réactionnelle envers le désir refoulé de se révolter contre les règles établies afin de satisfaire ses pulsions agressives et son goût inavoué pour la saleté et le désordre.

secondarité, pour l'école franco-hollandaise de caractérologie*, influence durable des événements psychologiques passés, qui continuent de retentir sur le psychisme de certains sujets, allant même jusqu'à masquer les expériences présentes.
Le sujet « secondaire » est méthodique, attaché aux traditions, fidèle à ses amitiés.

secteur, division territoriale sur laquelle opère une même équipe médico-sociale.
Un secteur de psychiatrie adulte recouvre une aire où vivent de 60 000 à 70 000 habitants. Un intersecteur de psychiatrie infanto-juvénile comprend généralement trois des secteurs précédents. La politique de secteur en France date de 1960 ; elle permet d'assurer la continuité des soins dispensés aux malades mentaux. Les patients ne sont plus obligatoirement retirés de leur milieu pour être soignés ; ils peuvent être suivis à domicile, à partir d'un dispensaire, et fréquenter des « structures » légères telles que des hôpitaux de jour, des ateliers* protégés ou des centres* d'aide par le travail.

section d'éducation spécialisée (S.E.S.), classe d'enseignement spécial destinée aux adolescents présentant une déficience intellectuelle.
Les S.E.S. et les groupes de classes-ateliers (G.C.A.) ont été créés à la suite des circulaires ministérielles du 21 septembre 1965, du 2 mars 1966 et du 27 décembre 1967. Ils sont intégrés généralement dans des collèges d'enseignement secondaire (C.E.S.) et scolarisent des élèves déficients légers âgés de 12 à 16 ou 17 ans. Ils constituent souvent la suite des classes de perfectionnement*. En 1987, il existait dans l'enseignement public et privé 1 440 S.E.S. (113 225 adolescents) et 133 classes-ateliers (3 403 élèves). La formation en S.E.S. dure de 4 à 5 ans. Elle comprend un enseignement général confié à des maîtres spécialisés, en principe titulaires du C.A.E.I., ainsi qu'une formation préprofessionnelle et professionnelle (mécanique, menuiserie, peinture...), assurée par des professeurs techniques d'enseignement professionnel. Il est aussi prévu des stages pratiques dans l'industrie. **→ intégration scolaire (classe d'), S.E.G.P.A.**

section d'enseignement général et professionnel adapté (S.E.G.P.A.), classe spécialisée des collèges destinée à des écoliers en difficulté, par suite d'une déficience intellectuelle légère.
Sous cette nouvelle dénomination, on retrouve les anciennes sections* d'éducation spécialisée et les groupes de classes-ateliers. Les S.E.G.P.A. sont confiées à des enseignants titulaires du certificat d'aptitude aux actions pédagogiques spécialisées d'adaptation et d'intégration scolaires (C.A.P.S.A.I.S.). **→ aides spécialisées, intégration scolaire (classe d').**

sécurité, paix de l'esprit due à la conviction que l'on n'a rien à craindre.
Elle constitue l'un des besoins fondamentaux de l'homme, la condition essentielle de sa santé mentale. L'enfant trouve sa sécurité grâce à la présence sereine et affectueuse de ses parents, à la stabilité de ses conditions d'existence, à la discipline régulière de son éducation. Dans son milieu ainsi défini, il a tôt fait de repérer sa position, de s'accommoder de son rôle et, se sentant protégé, s'avance en confiance dans la vie. L'adolescent a plus de mal à se sentir en sécurité car, ni enfant ni adulte, il n'a pas de statut précis. Chez l'homme, le conformisme social est le moyen de conserver la sécurité : beaucoup de personnes suivent la mode*, par exemple, pour ne pas se faire remarquer. Celui qui a atteint la maturité psychologique ne craint pas d'affirmer son individualité.

S.E.G.P.A. → section d'enseignement général et professionnel adapté.

ségrégation, action de séparer des éléments.
Dans le *champ perceptif,* nous distinguons des formes* que nous percevons comme des figu-

res détachées du fond. Ce processus s'opère naturellement quand le champ est fortement structuré ; il nécessite, au contraire, un effort d'attention de la part de l'observateur quand l'objet n'a aucune tendance spontanée à se séparer de l'ensemble. Une perle noire au milieu de petits cailloux blancs est immédiatement repérée, tandis qu'un galet gris parmi d'autres pierres doit être recherché. La ségrégation de l'objet dépend de la structuration du champ perceptif ou, quand celui-ci n'est pas suffisamment organisé, de la personnalité de l'observateur, de ses motivations, de ses attitudes, de ses expériences.

La *ségrégation humaine* consiste en la séparation des personnes selon certains critères préalablement définis (race, religion, infirmité, etc.). Elle est parfois utile pour des raisons techniques, dans le cas de la rééducation des enfants aveugles ou sourds-muets, par exemple, mais trop souvent elle répond à des principes irrationnels et aboutit à des mesures inhumaines (liquidation physique des malades mentaux sous le régime nazi).

Seguin (Édouard), pédagogue et médecin français (Clamecy, Nièvre, 1812 – New York 1880).

Disciple de J. M. Itard*, qui avait mis au point une méthode sensorielle pour éduquer le petit « sauvage de l'Aveyron » (1797), il s'intéressa aux enfants arriérés, différencia l'idiotie (arrêt du développement mental) de la démence (détérioration) et perfectionna un matériel sensori-moteur dont M. Montessori* allait s'inspirer plus tard. Après avoir ouvert à Paris une école pour anormaux, il se fixa aux États-Unis, où il répandit sa méthode, dont les principes sont exposés dans le livre intitulé *Traitement moral, hygiène et éducation des idiots et autres enfants arriérés* (1846).

sélection psychologique, choix volontaire opéré à partir de critères préétablis.

L'introduction de la méthode des tests en psychologie a permis de classer les individus et de sélectionner ceux qui paraissent aptes à remplir certaines fonctions. L'application de ces techniques à l'industrie a eu pour effet de réduire considérablement le nombre des accidents, d'abaisser les frais d'apprentissage et d'augmenter la productivité. Cependant, pour tempérer ce qu'elle a de déshumanisant, la sélection professionnelle ne devrait pas se contenter de retenir les sujets capables d'occuper un emploi donné, mais s'efforcer de diriger les autres candidats vers les travaux qui leur conviennent le mieux.

Toutes les armées modernes sont dotées d'un service de sélection et d'orientation du personnel. Après un examen préliminaire simple et rapide (présélection), des batteries de tests* spécifiques, ajustées à chaque poste de combat, sont employées pour choisir les futurs spécialistes. Les bénéfices réalisés par cette sélection représentent un gain d'environ un tiers (34 %) sur la méthode traditionnelle de recrutement.

Dans le domaine scolaire, la sélection des écoliers « surdoués », capables de progresser dans leurs études beaucoup plus rapidement que l'ensemble des autres enfants, est entrée en application dans certains pays tels que la Russie et les États-Unis.

self-government, système anglais d'administration dans lequel des groupes déterminés sont laissés libres de se gouverner à leur gré.

Appliqué à l'éducation des enfants et des adolescents, ce système constitue une excellente méthode pédagogique, mais son emploi est délicat. Le *self-government* fait participer activement les mineurs à l'organisation de leur groupe. En prenant des initiatives et de véritables responsabilités, ceux-ci font l'apprentissage de la liberté et de l'autonomie. Souvent, il ne s'agit que d'une participation à la discipline de la classe, mais parfois le système est poussé jusqu'à la constitution de petites républiques d'enfants, qui ont leurs assemblées législatives et leurs pouvoirs exécutifs. Ce mode d'administration existe surtout dans les pays anglo-saxons, mais on le trouve aussi en Suisse et en Russie (A. S. Makarenko* l'a utilisé dans ses centres de rééducation) ; en France, depuis sa fondation, en 1899, l'école des Roches (Eure) applique ce système. **→ Neill, scoutisme.**

Selye (Hans), médecin canadien d'origine autrichienne (Vienne 1907 – Montréal 1982). Il s'est rendu célèbre par sa description du syndrome général d'adaptation (S.G.A.). L'adaptation est la condition même de la vie. Qu'il s'agisse d'intoxication, d'infection microbienne ou d'émotion forte, chaque fois, l'organisme mobilise ses défenses pour faire face à ces agents stressants. Le premier moment du S.G.A. est la *réaction d'alarme,* qui se manifeste notamment par de l'hypotension, de la tachycardie et par une production continue de catécholamines, d'A.C.T.H. et de corticostéroïdes. Puis vient la *période de résistance,* au cours de laquelle les réactions de défense s'accroissent et l'adaptation acquise se maintient. Si le stress* est interrompu, l'équilibre redevient normal ; s'il persiste, l'organisme s'épuise. Le *stade d'épuisement* est caractérisé par l'incapacité du sujet de maintenir ses défenses. Il se produit alors des modifications fonctionnelles, métaboliques et anatomiques qui peuvent entraîner la mort. Certaines affections somatiques sont directement liées au stress. Au nombre des « maladies de l'adaptation » figurent l'hypertension, le rhumatisme, l'ulcère gastro-duodénal, la maladie d'Addison, la maladie de Simmonds. Parmi les ouvrages de Selye, citons *l'Histoire du syndrome général d'adaptation* (1954), *Du rêve à la découverte* (1973), *Stress sans détresse* (1974).

sénilité, affaiblissement simultané des capacités physiques et mentales dû à la vieillesse*.
La sénilité est l'exagération des processus normaux du vieillissement. Elle n'a pas d'âge précis, variant d'un individu à un autre sous l'influence de facteurs héréditaires et personnels (antécédents pathologiques, intoxication due à l'alcool, surmenage, etc.). Les conditions socio-économiques et affectives jouent aussi un rôle important dans la date d'apparition de l'état sénile. En effet, la mise à la retraite* non compensée par une activité nouvelle, la solitude affective, l'insécurité financière, le sentiment de dévalorisation sociale accélèrent le processus d'involution.
La sénilité se manifeste, sur le plan psychique, par une inertie intellectuelle, des difficultés typiques à fixer durablement des souvenirs et des acquisitions nouvelles, la perte de la souplesse d'adaptation, le « rabâchage » et l'incontinence émotionnelle.

sensation, impression sensorielle.
Au XVIIIe siècle, les sensualistes (Condillac) soutenaient que toute connaissance provient des sens : d'abord, il y a la sensation pure, phénomène psychique élémentaire dû à la stimulation d'un organe récepteur*, puis la perception, prise de conscience accompagnant l'excitation cérébrale, à partir de laquelle s'élabore la connaissance. Actuellement, cette thèse n'est plus admise par les psychologues, qui nient la possibilité d'une sensation détachée de toute représentation, de toute interprétation ; ils considèrent que la sensation pure correspond à une abstraction et qu'il n'y a que des perceptions et un champ perceptif.

Cependant, les psychophysiologistes ont montré, après J. Müller, que la sensation est essentiellement un processus biologique, une réaction spécifique de l'appareil récepteur aux stimulations du milieu (« loi de l'énergie spécifique des nerfs »). Cette réponse physiologique dépend directement de l'organe sensoriel et, seulement de façon indirecte, de l'excitant : la rétine, normalement excitée par la lumière, donne justement cette sensation ; mais un courant électrique produit le même effet. La sensation, qui dépend plus de l'appareil nerveux que de la nature du stimulus, est plus une réaction biologique qu'une connaissance. Elle obéit aux lois générales du système nerveux (loi du tout ou rien : la sensation se manifeste brusquement lorsque l'excitation atteint un certain seuil d'intensité) et joue le rôle de fonction protectrice, adaptative, de l'être vivant à son milieu physicochimique.

Les psychophysiologistes ont vérifié que la loi de G.T. Fechner* ($S = C \log E$; « la sensation croît comme le logarithme de l'excitation », c'est-à-dire beaucoup plus lentement que celle-ci) se retrouve au niveau du tissu nerveux. En fixant des électrodes extrêmement fines sur un nerf pouvant être stimulé électriquement, ils ont constaté que, lorsque l'intensité du courant augmente selon une progression géométrique, les influx nerveux (trains d'ondes de potentiel électrique des fibres nerveuses) se suivent à un rythme dont la fréquence croît en progression arithmétique : l'organisme réagit donc aux variations du milieu en les atténuant.

D'autre part, l'appareil sensoriel comporte, outre les récepteurs et leurs fibres nerveuses afférentes, qui conduisent les messages des sens jusqu'au cortex cérébral, un système de régulation efférent, grâce auquel l'intensité des sensations est contrôlée. Ainsi, en présence d'un bruit intolérable (réacteur d'avion, sirène de bateau...), il se produit une contraction des muscles de l'oreille moyenne, ce qui a pour effet de diminuer les possibilités de vibration du tympan et donc de réduire les risques de lésion auditive.

Réaction biologique indissolublement liée au psychisme, la sensation a pour fonction essentielle de nous faire connaître le monde extérieur et de nous maintenir vigilants. En effet, l'absence ou la réduction des sensations entraînent le sommeil.

sensibilité, faculté de percevoir des impressions en provenance du corps ou du monde extérieur.

Elle est liée à l'intégrité et à la maturation des voies nerveuses. On distingue la sensibilité *extéroceptive* (qui recueille les sensations venues du dehors), la sensibilité *intéroceptive* (faim, soif, etc.) et la sensibilité *proprioceptive,* qui renseigne sur la position des membres, les attitudes, les mouvements du corps.

Pendant le premier trimestre de la vie postnatale, ces trois systèmes fonctionnent séparément, la sensibilité intéroceptive étant alors celle qui prévaut chez le nourrisson, dominé par les sensations en provenance de son système digestif. Au quatrième mois, ils commencent à s'organiser en un ensemble structuré, grâce auquel l'enfant, capable de distinguer ce qui provient de son corps et ce qui appartient au milieu, arrive progressivement à prendre conscience de son individualité, distincte du monde extérieur, avec lequel il fusionnait jusque-là. À partir de ce moment, c'est la sensibilité extéroceptive qui l'emporte sur les autres. La sensibilité des organes sensoriels peut être extrême. Ainsi, l'anguille réagit à 1 mg de phényléthanol (alcool rencontré dans l'essence de rose) dilué dans 17 milliards de mètres cubes d'eau.

sensorialité, synonyme de sensibilité*.

sensori-motrice (intelligence) → opératoire (théorie).

sentiment, état affectif complexe, combinaison d'éléments émotifs et imaginatifs, plus ou moins clair, stable, qui persiste en l'absence de tout stimulus.

Les causes de ce phénomène, plus durable que l'émotion et moins violent que la passion, peuvent être d'ordre intellectuel, moral ou affectif : les sentiments esthétiques et religieux, la sympathie, l'admiration, le ressentiment, l'orgueil, la honte, etc., répondent à cette définition. Ce sont des phénomènes psychiques conscients qui colorent affectivement nos perceptions et influencent nos conduites.

Les sentiments sont liés aux tendances profondes de l'individu, à ses pulsions, à ses désirs satisfaits ou frustrés. Les psychanalystes parlent (d'une façon impropre, car les sentiments sont des états conscients) de sentiments inconscients de culpabilité, d'agressivité, d'infériorité, etc. Il s'agit de réactions émotionnelles subconscientes, auxquelles l'individu ne permet pas de s'exprimer librement et qui se manifestent par des mécanismes substitutifs comme la dépression (à la place de la colère) ou d'autres symptômes névrotiques et psychosomatiques*.

sentimental, dans la caractérologie franco-hollandaise, type de personnalité se définissant par l'émotivité (E), le manque d'activité (nA) et la secondarité (S).

Le sentimental vit replié sur lui-même avec une secrète conscience de sa valeur ; fuyant le monde et la lutte, il préfère abandonner la partie quand surgit une difficulté. Idéaliste, scrupuleux, ayant le sens du devoir et de la dignité, il évite les drames mais peut devenir violent à la suite d'une excitation minime. Son hypersensibilité l'expose plus qu'un autre à la névrose.

séparation, action d'éloigner les uns des autres des êtres ou des choses.

Généralement, la séparation des siens est ressentie comme une frustration ; elle entraîne l'insécurité, l'anxiété et, parfois, suscite l'agressivité. Pour le jeune enfant, l'éloignement de son foyer ou la mésentente parentale est souvent une tragédie. En général, il régresse, à moins qu'il ne trouve dans son nouvel entourage un substitut maternel affectueux et sécurisant. Cependant, la séparation d'avec des êtres chers est inéluctable. Pour que l'épreuve ne soit pas trop cruelle, il conviendrait d'habituer l'enfant à de brèves absences heureuses.

sériation, opération qui consiste à classer par séries.
L'enfant parvient à la sériation progressivement, par tâtonnements. La première ébauche de sériation s'observe chez lui vers la fin de la deuxième année, par exemple lorsqu'il construit une tour au moyen de blocs de grandeur décroissante. Intuitivement, il appréhende les différences de taille. Mais ce processus de pensée ne lui permet pas d'ordonner dix réglettes dont les différences de longueur ne sont perceptibles que par une comparaison deux à deux. Il lui faudra franchir encore plusieurs étapes avant d'accéder à la sériation opératoire. On le verra ainsi mettre les réglettes les plus longues d'un côté et les plus courtes de l'autre, ou encore les grouper par couples ou par triades. Si on lui donne une nouvelle réglette intercalaire, lorsque l'ordination est réalisée, il préférera recommencer toute la manipulation plutôt que d'essayer d'inclure ce nouvel élément dans la série. Ce n'est que vers sept ou huit ans qu'il utilisera une méthode systématique en recherchant d'abord la plus petite réglette, puis la plus petite de celles qui restent et ainsi de suite. À ce moment-là, la sériation devient opératoire.
→ opératoire (théorie).

sérotonine → médiateur chimique.

S.E.S. → section d'éducation spécialisée.

seuil, intensité que doit atteindre un stimulus pour être perçu ou pour provoquer une réaction de l'organisme.
On appelle *seuil absolu* l'excitation minimale capable de produire une sensation (à partir de quelle distance une personne entend-elle le tic-tac d'une montre que l'on approche de son oreille ?), et *seuil différentiel* la quantité minimale dont il faut faire varier le stimulus initial pour que le sujet éprouve une modification de la sensation : entre 15 et 16 g, 15 et 17 g, 15 et 18 g, je ne perçois pas de différence, qui ne commence à devenir sensible qu'à partir de 20 g. Les valeurs des seuils absolus et différentiels sont des résultats statistiques ; elles correspondent à la moyenne d'un certain nombre de mesures. Elles varient avec les individus (degré d'acuité sensorielle, âge, santé, intérêt pour l'épreuve...) et avec la nature et la grandeur des sensations étudiées.
Notre sensibilité fonctionne tantôt comme un appareil de précision, tantôt comme un appareil grossier : si je suis capable de distinguer un poids de 100 g d'un autre de 110 g (d = 10 g), il m'est absolument impossible de percevoir une différence entre 1 kg et 1 010 g. En revanche, je pourrais différencier 1 000 g et 1 100 g (d = 100 g). Dans les deux cas où une différence était perceptible, le rapport est constant $\left\{\frac{10}{100} = \frac{100}{1\,000} = \frac{1}{10}\right\}$, ce qui s'énonce dans la loi de Weber : le seuil différentiel est proportionnel à l'intensité initiale du stimulus. La précision de notre sensibilité dépend des grandeurs qu'elle doit estimer.

sévices, mauvais traitements infligés à une personne sur laquelle on a autorité.
On distingue, selon les cas, les sévices corporels (coups, torture), les abus* sexuels, les tourments moraux (vexations, menaces, humiliations, tracasseries), les négligences graves. Les personnes les plus exposées sont les enfants et les vieillards. Parmi les 74 000 *enfants en danger* signalés, en 1996, aux services de l'Aide sociale à l'enfance (A.S.E.), 21 000 ont été victimes soit de sévices physiques (7 500), soit d'abus sexuels (6 500), soit de négligences graves (7 000). Les 53 000 restants sont des enfants « en risque », c'est-à-dire des mineurs dont les conditions d'existence sont susceptibles de compromettre leur santé, leur sécurité, leur moralité ou/et leur éducation (source : O.D.A.S., novembre 1997).

Nous ne possédons pas de statistiques relatives aux sévices imposés aux *personnes âgées*. En effet, les mauvais traitements se produisent le plus souvent dans le milieu familial et les vieillards n'osent pas se plaindre, à cause de la honte qu'ils éprouvent, ou encore par peur des représailles. Devenus dépendants, ils endurent en silence les brutalités, les vexations et les injures quand ils se souillent, et leur mise à l'écart. De vieilles rancœurs, d'anciens conflits familiaux trouvent ainsi leur épilogue. Les personnes âgées sont culpabilisées d'être devenues des charges inutiles. Conscientes de l'effondrement narcissique de leur propre image, elles ont tendance à se replier sur elles-mêmes, se désintéressent du monde extérieur et s'isolent. Tristes, souffrant généralement d'insomnie, elles paraissent souvent à l'affût de la moindre sensation pénible venant de leur corps (hypocondrie*) et aspirent à la mort. → **bizutage, enfant maltraité.**

sevrage, suppression de l'allaitement chez un enfant. Par extension, suppression d'une drogue chez un toxicomane.

Le bébé à qui l'on ôte le sein de sa nourrice, pour lui donner une nourriture appropriée à son âge, éprouve des sentiments complexes. La frustration ressentie ne consiste pas tant dans le changement d'alimentation que dans la modification des relations avec la mère. Certains enfants, choqués par un sevrage brusqué ou trop tardif, n'acceptent pas cette séparation, se mettent à sucer leur pouce, présentent un retard de la parole ou un bégaiement. D'autres se précipitent sur la nourriture, deviennent « paresseux », gardant la nostalgie de « l'âge d'or » où tout est donné sans contrepartie. Ce choc modifie, en effet, le caractère. Et tout choc ultérieur de signification analogue est susceptible de réactiver inconsciemment le premier. L'entrée à l'école ou la mise en pension peuvent être vécues comme un nouvel éloignement de la mère et entraîner des réactions inadaptées : vol, refus de travailler, rêveries interminables, énurésie*... Pour éviter ces désordres, la mère doit veiller à sevrer le nourrisson progressivement, ni prématurément (pas avant le sixième mois) ni trop tardivement.

Chez les toxicomanes, la suppression brutale de leur drogue crée des tensions psychiques et des modifications physiologiques dont quelques signes sont apparents : transpiration, larmoiement, nausées, vomissements, courbatures, crampes, amaigrissement. On parle alors d'une « crise de sevrage ». Quelquefois, un état de choc et la mort s'ensuivent. Le sevrage du drogué (ou de l'alcoolique), opéré sous contrôle médical, est progressif.

sexologie, étude des problèmes relatifs à la sexualité.

À la fin du XIXe siècle, la sexologie prit un essor considérable sous l'influence de R. von Krafft-Ebing et de H. Ellis. Ceux-ci étudièrent les conduites sexuelles et les problèmes qui s'y rapportent sans pouvoir les résoudre d'une façon satisfaisante. Ce furent les découvertes de Freud (inconscient* dynamique, sexualité infantile) qui fournirent le moyen de comprendre la vie sexuelle et ses troubles. La psychanalyse* permit de détruire la pseudo-explication des sexologues, qui voyaient dans les perversions (homosexualité, fétichisme, etc.) ou la frigidité des anomalies constitutionnelles, et de les considérer comme des conduites infantiles fixées anormalement chez l'adulte. D'après Freud, l'être humain est, avant d'être éduqué, infiniment plastique ; l'enfant serait, en puissance, un « pervers polymorphe ». Sa sexualité, subissant les influences du milieu, se détermine en fonction de celui-ci. Les perversions ne sont pas des aberrations fixées constitutionnellement mais des accidents du développement affectif. Tous les êtres humains portent en eux le germe de ces perversions, dont on retrouve des traces chez le sujet sain, dans les préliminaires du coït. La sexologie, science d'observation dégagée de toute considération morale, s'est affirmée après la Seconde Guerre mondiale grâce aux travaux de A. Kinsey* et, surtout, de W. Masters* et V. E. Johnson. Désormais, les hommes se préoccupent de leur équilibre sexuel tout autant que de leur santé.

sexualité, ensemble des phénomènes de la vie sexuelle.

Les psychanalystes distinguent la *génitalité,* ensemble des caractères liés aux organes de la copulation, de la *sexualité,* étendue à l'amour en général.
La vie sexuelle ne commence pas à la puberté mais dès la première enfance. La puberté n'est qu'une étape psychophysiologique, la période où la tendance sexuelle, devenue altruiste, s'oriente vers un nouveau but. Freud a établi la chronologie des étapes par lesquelles passe normalement la sexualité d'un sujet soumis à notre culture. L'idée fondamentale est qu'il existe des zones érogènes (c'est-à-dire des régions du corps susceptibles de provoquer du plaisir) prépondérantes selon les âges. Dans la première année de la vie, la zone orale* est la source de toutes les satisfactions (succion du sein maternel) ; au cours des deuxième et troisième années, l'intérêt se déplace, principalement, sur la zone anale (apprentissage de la propreté) ; entre trois et cinq ans, les organes génitaux deviennent prévalents. De six ans jusqu'à l'adolescence, il se produit une mise en sommeil de la poussée sexuelle (latence*), que la puberté vient réactiver brutalement. À ce moment, l'individu, qui est mûr pour avoir une sexualité adulte, s'oriente vers le sexe opposé.
La sexualité dépend, à la fois, de la maturation* organique et des conditions socioculturelles. Dans notre société, elle est soumise à certaines contraintes en raison d'influences religieuses ou simplement morales. Mais, dans certaines communautés, elle s'épanouit librement et l'on peut voir, dès l'âge de quatre ans, des enfants imiter tout naturellement les ébats sexuels de leurs parents (H. Powdermaker).

sham rage (expression anglaise), pseudo-colère*.
La « colère factice » s'observe, dans des conditions expérimentales, chez des animaux dont l'hypothalamus (base du cerveau) est privé de ses connexions nerveuses avec les structures supérieures du cerveau (télencéphale, ou hémisphères cérébraux). Ces expériences mettent en évidence, d'une part, l'importance essentielle de l'hypothalamus dans l'expression des émotions et, d'autre part, le rôle intégrateur et inhibiteur du cortex dans ces conduites. À l'état normal, l'émotion n'apparaît que si l'excitation est suffisamment violente ; au contraire, lorsque le cortex est mis hors d'usage, la plus petite stimulation suffit pour déclencher une réaction de colère*, intense mais de brève durée.

Sheldon (William Herbert), médecin et psychologue américain (Warwick, Rhode Island, 1899 – Cambridge, Massachusetts, 1977).
Il est surtout connu pour avoir proposé, en collaboration avec S. S. Stevens, une classification des types de personnalité fondée sur le degré de développement des tissus dérivés des trois feuillets blastodermiques (endoderme, mésoderme et ectoderme). Sheldon travailla sur les photographies de 4 000 étudiants (âge moyen, 18 ans 3 mois) obtenues en employant une méthode standardisée. Parallèlement, durant cinq années, il étudia le comportement et le caractère de trente-trois étudiants et dégagea, par l'analyse* factorielle, soixante traits de personnalité qui se répartissent en trois séries : la viscérotonie*, la somatotonie* et la cérébrotonie*. Il montra que l'endomorphie* était liée à la viscérotonie, la mésomorphie* à la somatotonie et l'ectomorphie* à la cérébrotonie.
Certains auteurs (J. Delay, P. Pichot, H. J. Eysenck, S. Glueck) considèrent la typologie de Sheldon comme satisfaisante, d'autres la critiquent. J. Maisonneuve et M. Bruchon-Schweitzer (1981) n'ont pas confirmé les relations entre biotypes et tempéraments que Sheldon avait cru trouver. Selon M. Bruchon-Schweitzer (1988), il semblerait que des stéréotypes culturels aient influencé ce chercheur à son insu. Parmi les principaux ouvrages de Sheldon, citons *les Variétés de la constitution physique de l'homme* (1940), *les Variétés du tempérament* (1942).

signal, élément sensoriel associé à un objet ou à une situation.
Un son, une lumière, une image peuvent devenir, pour des animaux conditionnés à ces stimuli, des signaux annonciateurs de nourriture ou de choc électrique. L'animal ne connaît que des signaux. Par exemple, la projection d'une ombre sur un mollusque déclen-

che une réaction de retrait chez celui-ci ; la vue du thorax coloré du rouge-gorge entraîne une réaction agressive chez le mâle de cette espèce. Dans tous les cas, il s'agit de stimuli spécifiques, porteurs d'un certain message grâce auquel l'animal adapte son comportement à sa réalité. Dans les relations interhumaines, et singulièrement dans le couple mère-enfant, il existe des échanges constants de signaux du climat affectif, dont certains échappent même à la conscience des individus.

signalement, rapport adressé aux services sociaux du département ou à une autorité judiciaire (procureur de la République, juge des enfants), faisant état de la situation d'un enfant en danger (maltraité ou en risque de l'être). Un tel document synthétise les éléments recueillis auprès des membres d'une équipe pluridisciplinaire (éducateurs, assistants sociaux, médecins, psychologues...) et, éventuellement, de professionnels d'autres institutions (école, C.A.M.S.P.*, C.M.P.P.*, etc.). Il diffère de la simple *information* que toute personne ayant connaissance de mauvais traitements à enfant peut communiquer aux organismes compétents, en vertu de l'article 68 du Code de la famille et de l'aide sociale, et qui fera l'objet de vérifications. → **enfant maltraité, sévices.**

signe, élément sensible permettant de connaître ou de reconnaître quelque chose.
À la différence du signal, qui s'adresse au réflexe et à l'inconscient, le signe fait appel à l'intelligence. Le hochement de tête, qui d'ordinaire accompagne l'approbation, est un signe, au même titre que la mimique émotionnelle ou le symbole mathématique. Le signe exprime une idée ou un sentiment, mais il suppose, pour être intelligible, une entente (tacite ou explicite) entre individus. C'est un élément de transmission d'une communication susceptible de prendre plusieurs significations et de n'avoir aucun lien logique avec ce qu'il représente. Les frontières entre les signes, les signaux et les indices ne sont pas fermement établies. Le même élément peut être, successivement, indice, signal et signe. Par exemple, la fumée est l'indice naturel du feu, mais ce feu est lui-même le signal d'un événement (fête de la Saint-Jean...), tandis que les jets rythmés de fumée que les Indiens d'Amérique du Nord utilisaient pour communiquer entre eux étaient des signes codifiés.

Silverman (syndrome de), ensemble de lésions osseuses décrites par le radiologue américain Frederic N. Silverman (1953).
Ce médecin observa, chez des bébés et des jeunes enfants, des décollements périostiques, des fractures des os longs multiples, d'origine traumatique, d'autant plus suspectes qu'elles étaient généralement associées à des meurtrissures et à un mauvais état général. En 1962, H. Kempe décrivit sous la dénomination « syndrome des enfants battus » un tableau clinique plus complet, incluant des lésions extrasquelettiques. Par la suite, de nombreux médecins français apportèrent leur contribution à l'étude de ce problème, parmi lesquels P. Straus et N. Neimann. → **bébé secoué, enfant maltraité, Münchhausen par procuration (syndrome de), sévices.**

Simon (Théodore), psychiatre français (Dijon 1873 – Paris 1961).
Sa collaboration aux travaux d'A. Binet*, avec qui il publia plusieurs articles (notamment la première « échelle métrique d'intelligence », 1905), le rendit célèbre. Les tests Binet-Simon (1911) pour le dépistage des enfants arriérés eurent un succès considérable et donnèrent son plein essor à la psychométrie*.

simulation, imitation, dans un dessein utilitaire, d'un trouble somatique ou psychique. Faux malades, faux infirmes, les simulateurs espèrent une exonération de leurs responsabilités (pour échapper au travail, à l'armée, à des poursuites judiciaires) ou obtenir un bénéfice quelconque. Chez les hystériques, la simulation peut être involontaire et inconsciente, suscitée par les conflits intérieurs, exprimant des désirs refoulés.

sinistrose, conduite pathologique d'un sujet accidenté (du travail, de la circulation...) qui refuse de reconnaître sa guérison.

Il s'agit d'un névrosé, souvent sincère, qui estime insuffisante la réparation du dommage subi et revendique une indemnisation maximale. Son inaptitude au travail, les maladies dont il se plaint sont l'expression de son insatisfaction. La sinistrose n'est pas une simulation, car les troubles sont réels (même si le sujet a tendance à les majorer) ; cependant, le malade n'a pas envie de guérir et cela a des conséquences psychosomatiques* indéniables. On a constaté, par exemple, qu'une fracture simple de la jambe met 6,5 fois plus de temps à guérir chez un travailleur assuré (300 jours) que chez celui qui ne l'est pas (45 jours). La guérison est d'autant plus rapide qu'elle est ardemment désirée par le blessé ou que l'indemnisation lui apparaît satisfaisante.

sismothérapie → électrochoc.

Skinner (Burrhus Frederick), psychologue américain (Susquehanna, Pennsylvanie, 1904 – Cambridge, Massachusetts, 1990).
Au contraire de I. P. Pavlov, qui explique le comportement par ses conditions antécédentes (un chien salive à la vue d'un morceau de viande), Skinner pense que le comportement doit être expliqué par un « conditionnement de deuxième type » : le sujet, en s'adaptant aux conditions du milieu, obtient une satisfaction, et c'est la satisfaction obtenue par le comportement qui suscitera sa répétition. Comme E. L. Thorndike, Skinner a été conduit à étendre à l'homme les observations faites sur l'apprentissage animal. Il est l'auteur de l'enseignement programmé, dans lequel le renforcement résulte de la satisfaction que procure au sujet la vérification de la bonne réponse qu'il a su donner à une question. Parmi les ouvrages de cet auteur, citons *Science and Human Behavior* (« Science et comportement humain », 1953), *Par-delà la liberté et la dignité* (1971). → **récompense.**

sociale (psychologie), discipline qui étudie le comportement des individus dans leur environnement social.
L'être humain ne peut être compris que dans sa relation à l'autre. Dans tous les actes de sa vie, l'influence de la société peut être retrouvée. Les expériences de J. S. Bruner et C. C. Goodman sur la perception ont établi que des enfants de dix ans chargés de comparer des disques de carton gris et des pièces de monnaie de même diamètre surestimaient la taille de celles-ci. Les psychosociologues ont aussi constaté que l'affectivité, la mémoire, le raisonnement dépendent de caractéristiques sociologiques propres aux individus, de la culture dans laquelle ils baignent, de leur niveau économique et du groupe auquel ils appartiennent. Le domaine de la psychologie sociale est vaste : ses méthodes les plus connues sont les sondages* d'opinion, les enquêtes, les interviews, les questionnaires, les échelles d'attitudes, l'analyse de contenu, la sociométrie.

sociodrame, scène dramatique improvisée sur un thème social donné par des personnes en contact mutuel.
Cette technique, due à J. L. Moreno*, à la fois exploratoire et thérapeutique, s'adresse à des groupes en tant que tels ; elle se propose, par « le jeu en commun d'un problème commun », d'obtenir une catharsis* collective, c'est-à-dire d'extérioriser des traumatismes psychologiques refoulés. En faisant jouer des rôles par les représentants d'un groupe devant celui-ci ou par une fraction de communauté devant une autre communauté, on arrive à comprendre, sinon à réduire, les tensions intragroupe et les conflits entre communautés.

sociogramme, représentation graphique des relations individuelles entre les membres d'un groupe restreint dont on étudie la structure.
En demandant à chaque membre du groupe d'indiquer, en secret, à qui vont ses sympathies et ses antipathies, on fait apparaître un réseau d'attractions et de répulsions, de choix et de rejets que l'on peut représenter graphiquement et traiter statistiquement. Par exemple, dans ce sociogramme, limité à quatre individus faisant un choix (trait plein) et un rejet (trait pointillé), le sujet n° 1 fait figure de leader tandis que le n° 3 est rejeté. La connaissance de la structure psychologique d'une collectivité permet de supprimer les tensions, d'augmenter l'efficience des groupes de tra-

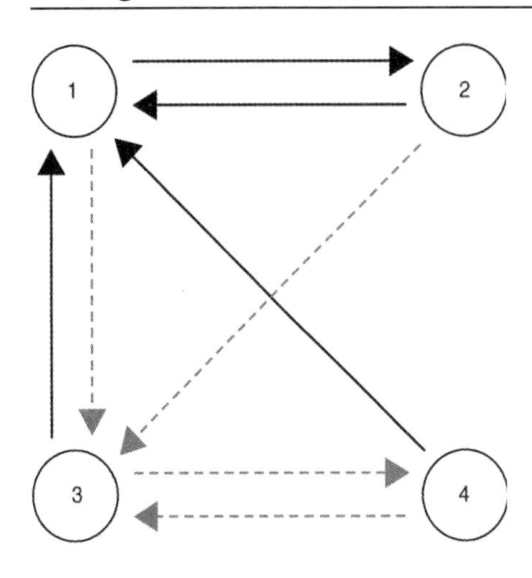

vail et, parfois, d'éviter certaines catastrophes (dissension à l'intérieur d'un groupe de combat).

sociologie, science des phénomènes sociaux.
Fondée au XIXe siècle par C. H. de Saint-Simon, P. J. Proudhon, K. Marx et A. Comte (qui a créé le terme de « sociologie »), cette science humaine ne s'intéresse à l'homme qu'en tant que membre d'un groupe, déterminé par les institutions sociales. Elle s'occupe, essentiellement, des comportements d'individus pris en masse, étudiant les classes sociales, les groupes économiques, les religions, etc. N'ayant pas de méthode propre, elle fait appel aux données juridiques, historiques, statistiques, ethnologiques ou emprunte à la psychologie sociale* ses techniques (enquêtes, sondages*). Cependant, de plus en plus, elle utilise, en propre, l'enquête sur le terrain. Les travaux des sociologues recoupent ceux des psychosociologues qui collaborent à la même recherche. Le fossé existant entre la sociologie et la psychologie est désormais comblé par la psychologie sociale, qui, faisant la jonction entre ces sciences, permet de retrouver l'unité de l'homme derrière la diversité des conduites.

sociométrie, branche de la psychologie sociale qui a pour objet l'étude des relations individuelles spontanées des membres d'un même groupe.
La sociométrie, créée et développée par J. L. Moreno* (1932), n'est pas seulement une méthode de mesure des phénomènes sociaux, mais, plus exactement, « l'étude des modèles d'interrelations spontanées entre les hommes ». C'est un ensemble de méthodes objectives qui se situe à mi-chemin de la psychologie et de la sociologie. La sociométrie utilise divers tests sociométriques destinés à explorer la structure affective d'un groupe, qu'elle représente, graphiquement, par un sociogramme*.

sociothérapie, ensemble des méthodes visant à supprimer les troubles affectifs et du comportement d'un individu par l'utilisation judicieuse des relations humaines établies avec les membres du groupe social (naturel ou artificiel) dans lequel il est intégré.

soi, pour W. James, tout ce qui est personnel : le « moi » et le « mien ». Pour Freud, le soi est le prolongement inconscient du moi*. Quant à C. G. Jung, il fait du soi une entité « sur-ordonnée » au moi, embrassant non seulement le conscient et l'inconscient* mais « aussi le but de la vie ».

soif, sensation produite par le besoin* de boire.
Nous savons encore peu de chose des mécanismes physiologiques de ce besoin primaire, impérieux. Pendant longtemps, on a cru que la sensation de soif dépendait seulement de la sécheresse de la bouche et de la gorge, qui refléterait le besoin de l'organisme en eau. Cette théorie périphérique due à W. B. Cannon (1918) a été remise en question et complétée par la démonstration de l'existence de structures encéphaliques osmosensibles (C. von Euler, 1953). Le dessèchement des muqueuses buccales incite, sans doute, à boire mais de nombreuses études (E. F. Adolphi, R. T. Bellows...) ont montré que cette condition n'était pas suffisante pour entraîner la soif. Ce besoin, lié au métabolisme normal du corps, dépend des structures cérébrales et de sécrétions endocriniennes produites par le lobe postérieur de l'hypophyse (C. P. Richter). Lorsque la pression osmotique du milieu intérieur augmente, des neurones particuliers,

les « osmorécepteurs », localisés dans les noyaux supra-optiques de l'hypothalamus, transmettent l'information au « centre de la soif », qui provoque une réponse de l'organisme (recherche et prise d'eau) quantitativement ajustée.

solitude, état d'une personne qui vit seule.
Certains individus la choisissent de leur plein gré et la supportent, apparemment, sans trop de mal ; la plupart la redoutent et ne peuvent s'en accommoder, surtout quand elle survient soudainement, après une vie riche en relations humaines. Dans ce cas, elle provoque une baisse du tonus vital, qui se transforme, fréquemment, en névrose dépressive. La solitude et l'anxiété affectent beaucoup de personnes du « troisième âge », essentiellement des femmes, ce qui explique que 72 % d'entre elles se font prescrire des somnifères et des tranquillisants* (C.R.E.D.O.C., 1988). Lorsque le goût de la vie solitaire est exagéré (« solitarisme »), il signifie toujours un défaut d'adaptation au monde (timidité, introversion) et, chez l'adolescent, il peut même traduire un commencement de schizophrénie*.

solvant, liquide ayant la propriété de dissoudre certaines substances.
L'inhalation des solvants pharmaceutiques ou industriels, dans le dessein d'obtenir un état d'ébriété analogue à celui que procure l'alcool, est une pratique toxicomaniaque qui s'est beaucoup développée depuis les années 70. Les solvants les plus employés sont les colles plastiques destinées à la construction des modèles réduits, des dissolvants, l'acétone, le trichloréthylène. Les effets à long terme, après un usage prolongé, sont la fatigue, l'amnésie, l'irritabilité, des atteintes rénales, hépatiques et sanguines.

somatognosie, connaissance que l'on a de son corps.
Chacun porte en soi l'image de son propre corps, élaborée depuis la petite enfance. Cette représentation somatique, qui nous permet de nous différencier d'autrui, est nécessaire à la vie normale. Des troubles de ce « schéma* corporel » sont toujours le signe d'une affection neuropsychiatrique.

somatotonie, dans la biotypologie de W. H. Sheldon, type psychologique caractérisé par la prédominance des fonctions musculaires, l'activité, l'énergie, le désir de s'imposer.
Le somatotone (ou somatotonique) est plutôt extraverti, il a tendance à rechercher l'aventure, le risque, la lutte, la compétition, le pouvoir. La somatotonie, caractéristique tempéramentale, est liée, du point de vue de la constitution physique, à la mésomorphie*.

somatotype, expression quantitative traduisant l'importance relative des trois composantes primaires de la constitution physique d'une personne.
W. H. Sheldon et S. S. Stevens considèrent que le type constitutionnel, dérivé du développement des trois feuillets blastodermiques (endoderme, mésoderme et ectoderme), peut s'exprimer par une série de trois chiffres allant de 1 à 7, le premier dosant le degré d'*endomorphie* (viscères, système digestif), le deuxième, le degré de *mésomorphie* (squelette, muscles, tissus conjonctifs), le troisième, le degré d'*ectomorphie* (système nerveux, organes des sens, peau). Les chiffres 1 et 7 représentent les minimum et maximum de développement. Par exemple, si ces types existaient, la formule 7-1-1 correspondrait à l'endomorphe pur, la formule 1-7-1 au mésomorphe extrême et la notation 1-1-7 à l'ectomorphe absolu. Quant au somatotype 4-4-4, il exprimerait le type parfaitement équilibré. Mais chaque personne participe de façon inégale aux trois tendances et il y a beaucoup de somatotypes moyens (4-3-5, par exemple).

sommeil, état physiologique, survenant périodiquement, caractérisé par la réduction de l'activité, le relâchement du tonus musculaire et la suspension de la conscience.
W. Dement et N. Kleitman ont décrit deux types de sommeil, objectivés par les tracés électroencéphalographiques (E.E.G.) : le sommeil à ondes lentes (ou « sommeil lent ») et le sommeil à ondes rapides, encore appelé « sommeil paradoxal » (M. Jouvet) ou phase de « mouvements oculaires rapides » (M.O.R.).

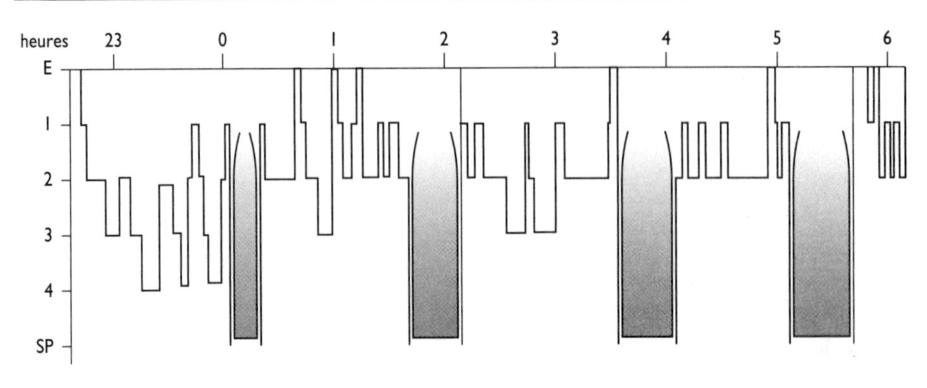

Les zones en gris figurent l'irruption périodique du sommeil paradoxal (SP).

Hypnogramme (représentation graphique d'une nuit de sommeil) d'un sujet normal.

Le sommeil *lent* se divise en 4 stades : l'endormissement ; le sommeil léger ; le sommeil moyen ; le sommeil profond (tracé continu d'ondes delta). Le sommeil *rapide* est dit « paradoxal » parce que le tracé EEG est proche de celui de l'éveil, bien que le sommeil soit profond (des stimulations très fortes sont nécessaires pour réveiller le dormeur à ce moment). Les périodes de rêve* sont concentrées essentiellement en M.O.R. La première phase de sommeil paradoxal dure environ 15 minutes et marque l'achèvement du premier cycle du sommeil. Au cours d'une nuit, chez l'homme normal, on observe de 4 à 6 cycles successifs de sommeil lent et de sommeil rapide. Chaque cycle dure en moyenne de 90 à 120 minutes.

Le besoin de dormir est vital : un animal qui en est empêché meurt. La privation de sommeil rapide entraîne des troubles psychiques pouvant aller jusqu'à la psychose*. Chez l'enfant, un manque de sommeil répété est la cause de l'instabilité* du comportement et de troubles caractériels tels que des accès d'agressivité alternant avec des périodes d'isolement (H. Montagner, 1988). D'autre part, il existe une corrélation, sinon un lien causal, entre la durée du sommeil et les résultats scolaires : 61 % des enfants qui dorment moins de huit heures ont un retard d'au moins un an (H. Poulignac, 1979).

sondage, enquête portant sur un échantillon représentatif d'une population et ayant pour but de donner une image de l'opinion* des personnes interrogées.

Il est parfois opportun de connaître rapidement les pensées ou les aspirations du public. Le sondage d'opinion permet d'approcher au plus près la réalité sans dépense excessive. Il suffit d'un échantillon de 1 000 personnes bien choisies en fonction de leur sexe, de leur âge, de leur profession, de leur installation géographique, etc., pour que les sondages soient valides à 3 % près. Depuis la création, en 1938, de l'Institut français d'opinion publique (I.F.O.P.) par J. Stoetzel*, les organismes spécialisés de ce type ont proliféré dans notre pays. Les sondages de toute nature se sont multipliés et les enquêtes d'opinion font désormais partie de la vie quotidienne de nos concitoyens. Pour éviter toute dérive, la loi du 19 juillet 1977 a même prévu l'installation d'une commission chargée de veiller à l'objectivité et à la qualité des sondages.

sophrologie, étude des moyens d'atteindre un équilibre personnel satisfaisant.

La sophrologie, fondée en 1960 par le neuropsychiatre A. Caycedo, se présente comme une nouvelle méthode de relaxation* physique et mentale, inspirée des techniques orientales (yoga, zen) et des thérapies hypnosuggestives. Le sujet, totalement détendu, est invité à descendre lentement au fond de lui-même, dans la zone de conscience intermédiaire entre la veille et le sommeil. Puis le sophrologue suggère au patient un certain nombre de modifications : disparition des couleurs et des bruits, installation d'un état de calme intérieur. Dans les exercices finals (3e degré), de longues périodes de silence sont consacrées à la méditation. La sophrologie agit avec succès sur les états anxieux.

souffrance, réaction affective qui accompagne la douleur*.

sourire, expression rieuse du visage indiquant le plaisir, la sympathie, l'affection.
D'abord réflexe sensori-moteur, le sourire s'associe rapidement à la satisfaction des tensions et à l'image maternelle et devient bientôt (au deuxième mois de la vie) une réponse à cette présence humaine, génératrice de bien-être corporel. Il est l'indice de la reconnaissance d'une situation et de l'anticipation d'un plaisir avant d'être un signe de sociabilité. Au début, l'enfant ne sourit pas à sa mère mais à la forme humaine qui se penche sur lui (R. Spitz), à cette image globale porteuse d'un contenu affectif et social. Ce n'est que vers 5 à 6 mois que le sourire devient électif, réservé principalement aux membres de l'entourage.

souvenir, fait qui revient à l'esprit.
Le souvenir n'existe pas par lui-même ; c'est une manifestation de l'esprit qui reconstruit le passé en le revivant à partir du présent. Cette reconstruction spontanée est possible grâce aux cadres sociaux de la mémoire* (M. Halbwachs). Cependant, malgré tous les repères dont nous disposons, le souvenir évoqué n'est jamais fidèle ; il est toujours une interprétation, une schématisation de la réalité. Certains souvenirs, apparemment insignifiants, peuvent masquer des expériences infantiles importantes. S. Freud leur a donné le nom de « souvenirs-écrans ». → **oubli.**

Spearman (Charles, Edward), psychologue britannique (Londres 1863 – id. 1945).
Docteur en philosophie de l'université de Leipzig, il abandonne ses recherches sur la perception pour se consacrer à l'analyse* factorielle de l'intelligence. Il montre ainsi que la réussite dans certaines tâches dépend, à la fois, d'un facteur général (G) et de facteurs spécifiques (S). Par la suite, il reconnaît, en outre, l'existence de « facteurs de groupe » communs à un sous-ensemble de variables. Parmi ses ouvrages, citons *les Aptitudes de l'homme* (1927).

Spitz (René, Arpad), psychologue américain d'origine autrichienne (Vienne 1887 – Denver, Colorado, 1974).
Après ses études médicales, il se spécialise en psychanalyse et commence son travail de recherche dans le service de psychologie expérimentale infantile de C. Bühler. Établi aux États-Unis, il enseigne la psychologie psychanalytique à la *Graduate Faculty of the College of the City of New York* (1947) puis la psychiatrie à l'université du Colorado (1956). Il a démontré, expérimentalement, l'importance des échanges émotionnels qui s'effectuent entre le bébé et sa mère et le rôle vital du lien interhumain, à partir duquel s'effectue le « dialogue mère-enfant ». Lorsque ce « dialogue » ne peut s'établir normalement, des troubles apparaissent chez le nourrisson, qui peut s'enfoncer dans la dépression* anaclitique ou sombrer dans l'hospitalisme*. Spitz a publié de nombreux ouvrages et une cinquantaine de films documentaires sur le même sujet. On pourra lire en français *le Non et le oui : la genèse de la communication humaine* (1957), *De la naissance à la parole. La première année de la vie de l'enfant* (1965).

stade, période du développement.
La croissance intellectuelle et affective de l'être humain ne se fait pas régulièrement, selon un modèle linéaire, mais passe par certains stades qui, chaque fois, impliquent un progrès et une réorganisation de l'ensemble.
Le développement intellectuel de l'enfant passe selon J. Piaget par cinq étapes bien définies : 1. une *période sensori-motrice* (qui va de la naissance à deux ans), au cours de laquelle l'enfant forme le concept d'objet à partir de perceptions fragmentaires et son moi, distinct de l'image des autres ; 2. un stade *préopératoire* (de deux à quatre ans), dominé par une pensée essentiellement égocentrique et anthropomorphique ; 3. une *époque intuitive* (de quatre à sept ans), de réalisation intellectuelle sans raisonnement : l'enfant exécute des actions qu'il est incapable de se représenter clai-

rement en pensée ; par exemple, lorsqu'il transvase un liquide dans un récipient de forme différente, il croit que le volume change avec la forme ; 4. un stade des *opérations concrètes* (huit à onze ans), où, malgré l'acquisition de certaines notions (classe, série, nombre, causalité), la pensée reste liée au concret ; 5. une période des *opérations formelles* (qui apparaît aux environs de la puberté) ; la pensée opère dans l'abstrait, forme des hypothèses et les vérifie. → opératoire (théorie).

Les psychanalystes décrivent aussi cinq stades fondamentaux dans le développement affectif de l'enfant, qui se rapportent aux zones* érogènes sur lesquelles se fixe successivement l'énergie sexuelle avant d'arriver à maturité : 1. le *stade oral** (première année de la vie, où la grande volupté naît de la bouche) ; 2. le *stade sadique*-anal* (deuxième et troisième année), où l'intérêt se déplace sur les fonctions d'excrétion ; 3. le *stade phallique** (quatrième et cinquième année) : les parties génitales deviennent prévalentes ; 4. la *période de latence** (de la sixième année à la puberté), où l'on assiste à un assoupissement de la pulsion sexuelle sous l'effet des instances socioculturelles ; 5. le *stade génital** (qui correspond à la puberté), où la sexualité apparaît sous sa forme adulte. Ces différents stades ne sont pas rigides ; ils se chevauchent et n'apparaissent pas chez tous les sujets à des dates précises. D'un individu à un autre, on observe des différences, parfois importantes, qui sont dues aux conditions héréditaires et à celles du milieu (climat, culture...)

statistique, méthode d'étude des ensembles numériques et de leurs relations.

Depuis la plus haute antiquité, on recueille et coordonne des renseignements numériques sur différents sujets (recensement des personnes, des récoltes...), mais, jusqu'au XVIIe siècle, cette étude resta purement descriptive (dénombrement). Ce furent les mathématiciens suisse J. Bernoulli (1654-1705) et français P. S. de Laplace (1749-1827) qui introduisirent le calcul des probabilités dans les statistiques et tirèrent des lois et des prévisions en se fondant sur la régularité approximative de certains phénomènes. Depuis, le champ d'application de cette nouvelle science ne cesse de s'étendre : les économistes, les sociologues, les physiciens, les militaires (balistique), les industriels (contrôle de fabrication), les agriculteurs (relations entre les récoltes et les conditions météorologiques), les psychologues y font appel. Elle constitue l'un des fondements les plus solides de la psychologie appliquée (tests*, sondages*).

La démarche statistique comprend trois moments principaux : la collecte et la présentation des observations ; leur réduction et leur analyse ; l'interprétation. Dans une première phase, le statisticien dépouille méthodiquement les renseignements recueillis afin d'en extraire des résultats numériques, qu'il groupe dans un tableau. Ensuite, il procède à la réduction des informations en substituant à la totalité des données un petit nombre de résultats chiffrés, tirés de l'ensemble ordonné, à partir desquels s'exercera sa réflexion (analyse des résultats, élaboration d'une hypothèse, vérification). Enfin, il fournit sa conclusion (qui tient compte de la marge d'incertitude calculée mathématiquement) tout en restant très prudent dans ses généralisations, car il sait que, souvent, dans la phase initiale de collecte de renseignements, des erreurs s'introduisent, susceptibles de fausser absolument tous les calculs.

statut, situation d'une personne dans un groupe social.

Le statut conditionne les rapports qui s'établissent entre les hommes : l'enfant a droit à la protection de l'adulte, le vieillard à la déférence des jeunes, la femme à la courtoisie de l'homme, etc. Chacun s'attend à une certaine conduite des autres à son égard selon la position qu'il occupe dans son groupe et se conforme au rôle que l'on attend de lui.

Le statut définit aussi les droits et les devoirs de la personne et constitue un élément de la conscience de soi. La plupart des individus acceptent leur statut et jouent avec aisance le rôle* qui en découle. D'autres, refusant de se laisser enfermer dans un cadre déterminé, rejettent les normes sociales, se révoltent, deviennent des inadaptés ou des réformateurs. Contrairement à ce que l'on peut imaginer, dit J. Stoetzel, les attitudes révolutionnaires ne sont pas associées spécialement à un statut économique particulier, « mais à une position déterminée de l'individu à l'égard de son statut personnel ».

stéréotaxie → thigmotaxie.

stéréotype, idée toute faite, non fondée sur des données précises, mais seulement sur des anecdotes, qui s'impose aux membres d'un groupe.

Notre connaissance des choses ne repose souvent que sur des « on-dit » : nous parlons du flegme britannique, du courage de l'Allemand, de la force du Turc, sans avoir jamais vérifié la valeur de ces clichés. Tous les stéréotypes, propagés par les *mass media,* sont faux, dit le sociologue R. T. La Piere. Variables avec l'état des relations entre groupes, ils deviennent inamicaux quand la tension monte (R. Aron) et constituent un obstacle à la communication*, car ils influencent même les perceptions. → **pensée schématique, préjugé, rumeur.**

stérilisation, intervention chirurgicale pratiquée sur l'homme ou sur la femme pour les rendre stériles.

Depuis l'Antiquité, on trouve des défenseurs de la stérilisation appliquée aux sujets porteurs d'une tare susceptible d'être transmise à leur descendance. Actuellement, elle est en usage dans plusieurs États d'Amérique, dans les pays scandinaves et en Suisse ; en Allemagne, le régime nazi l'avait rendue obligatoire dans certains cas (arriérés mentaux, etc.). En France, ce procédé a surtout des adversaires : ils le trouvent vain et ils y voient, surtout, une grave atteinte au respect de la personne. Il arrive que la stérilisation soit demandée par des pères et des mères de famille nombreuse qui ne veulent plus d'enfants, mais les regrets sont fréquents. On note assez souvent un dérèglement de l'humeur (dépression, irritabilité, instabilité émotionnelle), l'apparition de sentiments d'infériorité, voire de culpabilité et parfois même de troubles du comportement plus sévères. → **eugénique.**

stérilité, infécondité.

D'une façon générale, l'absence de progéniture inquiète les époux après un certain temps de vie conjugale. Chez la femme, le désir d'un enfant peut être si vif qu'il entraîne parfois des manifestations psychosomatiques* significatives telles que l'aménorrhée (suppression des règles) ou même la grossesse nerveuse, qui se traduit par tous les signes apparents de cet état. Lorsque tout espoir de donner le jour à un enfant est perdu, l'épouse paraît déprimée ; elle peut présenter des troubles névrotiques et, dans certains cas extrêmes, rechercher la mort. Heureusement, avec les progrès de la gynécologie et de la génétique (insémination artificielle, don d'ovule, transfert d'embryon...), les cas de stérilité irrémédiable se font plus rares.

stimulus, phénomène susceptible de provoquer une réaction, une conduite spécifique d'un organisme.

Par extension, on appelle stimulus toute situation (application des tests par exemple) entraînant un comportement observable.

stochastique

Adjectif désignant un événement dépendant du hasard.

Stoetzel (Jean-Antoine), psychologue français (Saint-Dié, Vosges, 1910 – Paris 1987).

Ancien élève de l'École normale supérieure, agrégé de philosophie, il obtient le grade de docteur ès lettres (1943) pour sa *Théorie des opinions* et son *Étude expérimentale des opinions.* Après avoir occupé la chaire de sciences sociales à la faculté des lettres de Bordeaux (1945), il est nommé professeur de psychologie sociale à la Sorbonne (1955-1978). Il est le fondateur de l'Institut français d'opinion publique (I.F.O.P.) et de la *Revue française de sociologie,* qu'il dirigea jusqu'en 1984. On lui doit plusieurs ouvrages, dont *Jeunesse sans chrysanthème ni sabre* (1954), *la Psychologie sociale* (1963) et *les Valeurs du temps présent : une enquête européenne* (1983).

stress, mot anglais utilisé depuis 1936, à la suite de H. Selye, pour désigner l'état dans lequel se trouve un organisme menacé de déséquilibre sous l'action d'agents ou de

conditions qui mettent en danger ses mécanismes homéostatiques.
Tout facteur susceptible de détruire cet équilibre, qu'il soit d'origine physique (traumatisme, froid...), chimique (poison), infectieuse ou psychologique (émotion), est appelé « agent stressant » Le mot *stress* désigne, à la fois, l'action de l'agent d'agression et la réaction du corps. Selon Selye*, cette réponse, non spécifique, est liée à des mécanismes neuro-endocriniens (diencéphalo-hypophysaires).
Plusieurs observations scientifiques ont montré que des chocs affectifs, tels que la perte d'un conjoint, provoquent l'altération, voire l'effondrement des défenses de l'organisme contre les maladies et, par voie de conséquence, l'augmentation des affections graves, dont le cancer.

structure, manière dont les parties d'un tout sont arrangées entre elles.
Dans ce sens, on parle aussi bien de la structure d'un édifice ou de l'organisme (K. Goldstein)* que de celle d'un groupe social ou du comportement (M. Merleau-Ponty)*. La structure est ce qui donne à l'ensemble son unité et aux parties leur valeur ; ce que nous appréhendons immédiatement comme un tout indécomposable sans passer par l'analyse et la synthèse ; ce qui nous permet de reconnaître une mélodie lorsqu'elle est transposée dans un autre ton.
Élément stable d'un ensemble organisé, la structure est reconnaissable malgré les transformations que l'on fait subir à cet ensemble. La structure est la « forme* » née de l'organisation des éléments qui la composent (éléments qui ne signifient rien par eux-mêmes et n'ont de sens que par leur participation à l'ensemble). Si deux corps sont associés, quelque chose de nouveau prend naissance dont les qualités sont différentes de celles des parties (la liaison de deux gaz différents, l'hydrogène et l'oxygène, donne de l'eau, par exemple). Cela est vrai dans tous les domaines de l'organisation. Inversement, la modification d'un élément du tout transforme la structure globale. L'altération d'une seule note dans un morceau de musique suffit à transformer la mélodie. De même, l'être vivant est un tout unifié ; corps et esprit sont indissolublement liés et interdépendants ; ce qui survient à l'un affecte l'ensemble : la peur nous fait trembler, les émotions répétées entraînent, parfois, des lésions organiques, etc. Il revient à la *Gestalt-psychologie** d'avoir montré la relativité essentielle des parties au tout.

stupéfiant, initialement, substance dont l'administration engendre un état d'engourdissement, d'inhibition des centres nerveux. Par la suite, drogue naturelle ou synthétique ayant des effets psychotropes*.
Les stupéfiants les plus connus sont l'héroïne, le cannabis, la morphine, le L.S.D. En France, ce sont les produits inscrits au tableau B des substances vénéneuses. Les stupéfiants ont fait l'objet de conventions internationales.

subception, réaction de l'organisme à une excitation « perçue » inconsciemment.
Des études expérimentales portant sur la communication et les moyens de communication ont montré que les stimuli se situant au-dessous du seuil perceptif étaient cependant susceptibles d'entraîner une réponse de l'organisme récepteur (réaction électrodermale par exemple) : dans un tel cas, on parle de *subception* ou de « perception subliminaire ».
Il est probable que, dans les communications humaines, ce processus perceptif infraconscient joue un rôle très important. Ainsi, la relation intersubjective que fonde l'identification à autrui aurait une base intercorporelle et esthésiologique (M. Merleau-Ponty). Certains psychologues, qui se sont occupés des relations mère-enfant (R. Spitz notamment), pensent que la femme qui allaite son bébé établit une communication privilégiée avec celui-ci, fondée sur des signaux qui nous échappent mais auxquels elle réagit immédiatement de façon inconsciente. La subception, étant susceptible d'avoir des applications pratiques considérables, intéresse particulièrement les psychosociologues (publicité*), les hommes politiques et les militaires (propagande*).

subconscient, conscience obscure.
Pour les uns, ce mot désigne ce qui est latent mais disponible (les connaissances et les

souvenirs par exemple), pour les autres, ce qui est définitivement inconscient, indisponible. Les psychanalystes pensent que le subconscient, partie de l'oublié qui tend à revenir à la conscience, continue d'agir sur la conduite ; c'est une activité mentale dont on n'a pas une claire conscience. Subconscient n'est pas pour autant synonyme d'inconscient*, qui est refoulé et indisponible. → **refoulement.**

subjectif, qui appartient au sujet pensant et ne peut être éprouvé que par lui.
Les hallucinations sont purement subjectives, mais le temps est une notion à la fois objective (mesurable) et subjective (variable avec les individus et les situations vécues). La psychologie est la discipline qui essaie de relier les points de vue objectif et subjectif. → **perception.**

sublimation, dérivation d'une énergie instinctuelle vers un but social élevé.
Ce terme a été introduit par S. Freud en psychanalyse pour désigner le mécanisme de défense* du moi par lequel certaines pulsions inconscientes, détachées de leurs objets primitifs, sont intégrées à la personnalité en s'investissant dans des équivalents ayant une valeur sociale positive. L'esprit de compétition et certaines vocations militaires s'expliquent par l'agressivité sublimée, l'altruisme par l'énergie de l'instinct sexuel. Le révérend Charles L. Dodgson, plus connu sous son nom de plume Lewis Carroll (1832-1898), qui était fasciné par les petites filles, sublima ses pulsions sexuelles refoulées en les exprimant dans ses œuvres littéraires et photographiques. Pour reprendre une image connue, on peut dire que la sublimation est comparable à l'action de l'homme qui transforme une chute d'eau dévastatrice en une source de houille blanche, dont il tire l'électricité. La sublimation joue un rôle très important dans l'adaptation de l'individu à son milieu en permettant son ajustement social sans nuire à son développement personnel.

subliminaire (perception) → subception.

substitution, remplacement d'un objet par un autre ou d'une activité par une autre analogue.
En période de pénurie, il est courant de consommer un produit de substitution (Ersatz) à la place de celui qui fait défaut : du malt grillé comme succédané du café, de l'herbe séchée au lieu du tabac, etc. La substitution donne l'illusion de la satisfaction sans apaiser le besoin*. La masturbation, par exemple, n'est jamais qu'un pauvre palliatif pour l'adulte empêché d'avoir des rapports sexuels normaux. → **déplacement.**

succès, issue heureuse d'une entreprise.
Chaque succès est un encouragement et l'on constate, avec des enfants inadaptés en cours de rééducation, que le fait de réussir quelque chose d'utile entraîne l'abandon des attitudes négatives. Il appartient à l'éducateur de doser les difficultés des tâches à accomplir, de sorte que celles-ci puissent être abordées par les élèves sans appréhension et avec des chances de réussite. Le succès est un besoin moral : il est le signe de la valeur personnelle d'un individu.

succion des doigts
Cette activité automatique de l'enfant est banale. Elle prolonge chez le nourrisson le plaisir de la tétée, lui sert à tromper sa faim ou à se consoler de l'absence de sa mère. Elle a donc la valeur substitutive d'une fonction auto-érotique. Les mesures coercitives employées par les parents pour faire cesser cette pratique jugée abusive, sinon anormale, à partir d'un certain âge, variable avec le degré d'indulgence de chacun, sont vaines et néfastes. Ce n'est ni en grondant ni en menaçant qu'on peut empêcher un enfant de sucer son pouce. Bien souvent, au contraire, ces interdictions ne parviennent qu'à transformer le malaise intérieur du sujet en culpabilité anxieuse. Cependant, quand elle se prolonge dans la troisième enfance (sept à douze ans), la succion des doigts peut devenir symptomatique d'un trouble affectif, nécessitant le recours à un spécialiste. → **autoérotisme.**

suggestibilité, aptitude à recevoir des suggestions, c'est-à-dire à réagir à un signal (objet

ou ordre), machinalement, sans la participation active de la volonté.
Le sujet subit passivement l'influence d'une idée étrangère, acceptée sans contrôle, comme si, momentanément, sa personnalité s'effaçait devant celle d'autrui. Il suffit qu'une vedette de cinéma recommande un nouveau produit pour que les ventes de cette marchandise augmentent sensiblement : les consommateurs subissent la suggestion du prestige de l'actrice. L'acceptation passive des idées conduit même à l'hallucination : un expérimentateur dit à un groupe d'enfants qu'il va lancer une balle en l'air, et cela suffit pour que la moitié d'entre eux le voient jeter cette balle. Des phénomènes tels que l'apparition des stigmates ou la guérison due à la prise de placebos* relèvent du même processus psychologique. Tous les individus sont suggestibles, mais les enfants, les sujets naïfs ou débiles le sont plus que d'autres. L'immaturité affective, l'émotivité, la déficience intellectuelle favorisent la suggestibilité. Cette disposition particulière, trouvée chez certains malades atteints de troubles névrotiques ou psychosomatiques, est exploitée en psychothérapie, mais les résultats obtenus par la suggestion, dans l'hystérie* notamment, ne sont jamais durables.

suggestopédie, méthode pédagogique élaborée dans les années 60 par le médecin bulgare G. Lozanov, qui utilise la détente physiologique et la suggestion pour favoriser l'acquisition des connaissances.
Des centres de recherche sur la suggestopédie se sont ouverts dans plusieurs pays de l'Est (Bulgarie, Hongrie, Russie), en Amérique (États-Unis, Canada, Chili) et en Europe.

suicide, action de se donner soi-même la mort, volontairement, le plus souvent pour se libérer d'une situation devenue intolérable.
Le suicide se rencontre dans presque toutes les sociétés. Son importance est difficile à établir avec précision, car beaucoup de morts volontaires sont camouflées en accidents. En 1988, le taux de suicides pour 100 000 habitants était de 9 en Angleterre, 12 aux États-Unis, 19 en Union soviétique, 21 en R.F.A. et au Japon et 22 en France. Dans notre pays, le nombre de suicides est en constante augmentation depuis 1950, notamment chez les sujets âgés de 15 à 44 ans. Chaque mois, environ 1 000 personnes se suicident (2 fois plus d'hommes que de femmes).
Certains suicides, motivés par des considérations morales (échapper au déshonneur) ou sociales (ne pas être une charge pour autrui), s'apparentent à des sacrifices. Les autres, plus fréquents, dictés par une affectivité perturbée, correspondent à un comportement pathologique. Ils sont le fait de névrosés déprimés, incapables de s'insérer harmonieusement dans la vie et de trouver un sens à leur existence, ou de mélancoliques qui méditent leur mort depuis longtemps. On trouve souvent une sorte de prédisposition familiale au suicide, mais, plutôt que d'y voir le déterminisme d'un hypothétique facteur héréditaire, il convient de penser qu'il existe un conditionnement* social, plus ou moins conscient, préparant le sujet à accepter l'idée de se donner la mort dans certaines circonstances. En Afrique noire, par exemple, le suicide est souvent l'ultime moyen de se venger d'un adversaire : le désespéré se tue avec l'intention de ne plus laisser aucun répit à celui qui l'a offensé.
Le suicide paraît contagieux : l'on enregistre parfois de véritables épidémies de mort volontaire dans certains lieux déterminés (par exemple volcan, voie de chemin de fer), que les autorités locales sont obligées de faire garder.

surdi-mutité, état de celui qui est sourd et muet.
Dans cette situation, l'absence de langage est la conséquence directe de la privation congénitale ou précoce de l'ouïe. Elle n'a pas d'autre origine. Le bébé sourd ne se distingue pas de l'enfant normal, car tous deux vocalisent et jasent à partir du troisième ou du quatrième mois. Ce n'est que vers le neuvième mois qu'une différence se manifeste : tandis que l'un se prépare activement à parler en répétant les sons de voix entendus, l'autre devient de plus en plus silencieux. Pourtant, ce n'est que plus tard, lorsque le retard de langage est patent, que les parents s'interrogent ouvertement sur le bon fonctionnement de l'ouïe de

leur enfant. Malheureusement, cette prise de conscience est trop tardive. Le dépistage de la surdité devrait être aussi précoce que possible, car la langue maternelle s'apprend dès la naissance.

surdité, affaiblissement ou perte plus ou moins totale de l'audition.
Selon l'importance du handicap, on distingue les déficiences auditives légères (moins de 40 dB de perte), qui affectent 2 100 000 personnes en France (D.A.S.S., 1985) ; les surdités moyennes (entre 40 et 70 dB de perte), qui concernent 1 250 000 personnes ; les déficiences sévères (perte de 70 à 90 dB), dont souffrent 340 000 personnes ; les surdités profondes, qui frappent durement environ 115 000 personnes, privées totalement ou à peu près totalement du sens de l'ouïe. Un enfant sur 2 500 environ est atteint de surdité profonde à la naissance ou peu après. Cependant, malgré la présence de nombreux sourds, demi-sourds ou malentendants* dans la population, les parents imaginent difficilement que leur bébé puisse être déficient auditif. Ce préjugé est à l'origine de graves méprises et d'erreurs de diagnostic. Il n'est pas rare, en effet, qu'un enfant sourd soit jugé retardé intellectuellement ou aphasique (puisqu'il ne parle pas) ou pris pour un caractériel* (puisqu'il ne répond pas quand on lui parle ou fait autre chose que ce qu'on lui commande). Les enfants sourds ont besoin d'un enseignement* spécial. À leur intention, il a été créé des institutions et des classes particulières où les maîtres disposent d'équipements pédagogiques spéciaux. En 1987, selon les données statistiques du ministère de l'Éducation nationale, il y avait 6 759 petits sourds scolarisés dans ces établissements. L'intégration professionnelle des malentendants est difficile. Selon l'Organisation mondiale de la santé (O.M.S.), 60 % des déficients auditifs sont au chômage.

surmenage, fatigue* excessive.
Le travail musculaire ou intellectuel, intensif et prolongé, entraîne une fatigue que le sommeil ne parvient pas toujours à réparer totalement. La fatigue résiduelle s'accumulant, il en résulte un état d'épuisement caractérisé par la perte du dynamisme, l'asthénie*, l'anxiété et, parfois, la confusion* mentale. Le surmenage scolaire ou professionnel peut être responsable de bouffées délirantes et, même, de conduites antisociales. Aussi faut-il tempérer l'ardeur des écoliers trop studieux, surtout à l'approche des examens, et veiller à la répartition harmonieuse des périodes de repos dans leur travail.

surmoi, ensemble des interdits moraux introjectés.
Cette formation inconsciente serait, d'après S. Freud, consécutive à l'identification de l'enfant aux parents idéalisés ou à leurs substituts. Elle exercerait une fonction d'autorité et de censure morale, obligeant le moi* à lutter contre certaines pulsions instinctuelles, sous peine de voir naître des sentiments pénibles, principalement de culpabilité.
À ce processus viennent se surajouter toutes les consignes éducatives et la religion. Le surmoi, comme « instance » morale, exerce sur l'individu une contrainte souvent plus forte que les personnes investies d'autorité elles-mêmes. En voici un exemple : on avait interdit à un petit enfant de moins de deux ans de sortir d'une pièce bien chauffée, en hiver, de crainte qu'il ne prenne froid. L'enfant, tenté de s'en évader, s'approchait de la porte mais ne la franchissait pas. Soudain, il s'aperçut que ses parents, qu'il croyait partis, étaient toujours là et le regardaient. C'est alors, seulement, qu'il fut capable de désobéir (A. Berge, 1961).
L'autocritique est une fonction du surmoi. Dans certains troubles mentaux (mélancolie* par exemple), les sentiments pénibles nés du fonctionnement du surmoi sont si intenses qu'ils rendent la vie insupportable et peuvent conduire le malade à rechercher une souffrance expiatoire (masochisme* moral) ou même la mort. → **appareil psychique.**

sursollicitation (syndrome de), ensemble des symptômes de la névrose dépressive (neurasthénie*).
Les incitations multiples de la vie moderne sollicitent parfois exagérément l'activité nerveuse supérieure des individus. Les soucis quotidiens, se surajoutant au surmenage et aux chocs affectifs répétés, entraînent un état

d'épuisement nerveux qui se manifeste, habituellement, par la difficulté de concentrer l'attention et de fixer les souvenirs, l'irritabilité, l'insomnie, la fatigue générale, des maux de tête et des douleurs dorsales. Une cure de repos, dans un centre spécialisé, suffit souvent pour rendre à une personne sursollicitée son efficience passée.

symbole, élément substitutif riche en signification et exprimant, d'une certaine manière, l'essence même de l'idée ou de la chose qu'il représente.
Le symbole peut avoir n'importe quel aspect, celui d'un mythe ou d'un objet, mais on y retrouve toujours quelque chose du symbolisé (par exemple, le couple royal pour le couple parental). Les psychanalystes considèrent qu'il a pour fonction de faire admettre jusqu'à la conscience, sous une autre forme, certains contenus qui, sans cela, n'y seraient pas parvenus à cause de la censure*.
D'autres auteurs (C. G. Jung, J. Lacan), au contraire, loin de voir seulement dans le symbole un déguisement de la pensée, le considèrent comme le seul moyen d'expression dont le sujet dispose pour formuler une réalité affective particulièrement complexe, qu'il ne parvient pas à conceptualiser clairement. Le symbolisme intervient surtout dans les rêves, mais on le retrouve dans les actes* manqués, la poésie, les mythes, etc. Malgré une certaine concordance entre les symboles les plus généraux (le serpent, par exemple, représente le phallus, la fécondité), il est impossible d'établir un dictionnaire universel des symboles, car chaque individu a sa symbolique personnelle. Aussi est-il nécessaire de recourir aux associations* d'idées pour trouver la signification cachée, personnelle, des rêves et des lapsus*.

symbolique (fonction) → opératoire (théorie).

symptôme, phénomène perceptible qui révèle un processus caché.
Envisagé en termes de conflit, le symptôme peut être conçu comme la réaction de l'organisme à un agent pathogène. Certains symptômes (l'angoisse par exemple) sont la conséquence directe, immédiate et caractéristique du conflit* ; ils dépendent moins de la personnalité que de la cause morbide. D'autres (comme les obsessions) sont indirects ; ils sont, essentiellement, l'expression de la personnalité réagissante. L'apparition et la nature des symptômes sont subordonnées, à la fois, à la qualité et à la puissance de l'agent pathogène et aux caractères psychologiques du sujet. La psychanalyse a montré que le symptôme névrotique a toujours un sens et une finalité (c'est le substitut de la satisfaction adéquate d'une pulsion*). Parfois, il représente la réalisation de deux désirs contradictoires ; il constitue un langage destiné à autrui autant qu'à soi. **→ conversion.**

synapse, point de jonction de deux neurones* ou d'une cellule nerveuse et d'une autre cellule, qu'elle soit musculaire ou glandulaire.
Le terme de synapse fut introduit en physiologie par M. Foster et C. S. Sherrington (1897) pour désigner le rapport anatomique normal entre neurones contigus. Il existe deux sortes de synapses : les synapses *électriques* et les synapses *chimiques*. Les premières sont les plus fréquentes chez les vertébrés inférieurs, mais elles se rencontrent également chez les mammifères ; le passage de l'influx nerveux s'y réalise par des « ponts » intercellulaires. Dans les secondes, la jonction s'effectue grâce à un médiateur* chimique. L'arrivée du potentiel d'action au niveau de la terminaison du neurone, dite « présynaptique », provoque la libération dans l'espace synaptique d'une substance chimique jusque-là contenue dans les vésicules des boutons terminaux. Cette substance doit parcourir environ 200 angströms pour atteindre le neurone postsynaptique. Une partie du neuromédiateur se fixe sur des récepteurs spécialisés de la membrane postsynaptique, tandis que la partie inutilisée pour la liaison chimique est détruite par des enzymes spécifiques ou recaptée par la membrane présynaptique et incluse de nouveau dans les vésicules de stockage.
Selon leur effet, on distingue des synapses excitatrices et des synapses inhibitrices. Cependant, un même neurone peut exercer une double action par le jeu de synapses proches.

En effet, on sait qu'une cellule nerveuse peut synthétiser, stocker et libérer deux neuromédiateurs (peut-être davantage). C'est le cas, par exemple, de certains neurones de la moelle épinière et du bulbe rachidien, qui contiennent à la fois une substance excitatrice, la substance P, et une substance inhibitrice, la sérotonine. Deux synapses proches, fonctionnant en sens opposé, sont appelées « synapses réciproques ». Enfin, selon N.N. Osborn (1981), la transmission des messages nerveux peut se faire d'axone à axone, d'axone à corps cellulaire, d'axone à dendrite, de dendrite à corps cellulaire, de corps cellulaire à corps cellulaire et même de dendrite à dendrite (Chéramy et coll., 1981), car le médiateur chimique peut être libéré non seulement par les terminaisons axonales mais également par les dendrites.

syncrétisme, perception globale et confuse d'où émergent ensuite des objets distinctement perçus.
Le jeune enfant perçoit le monde indistinctement : moi* et non-moi fusionnent jusqu'au sevrage* ; mais cette expérience l'oblige à reconnaître qu'un monde extérieur existe indépendamment de lui ; par la suite, avec les progrès de la marche et du langage, il s'en différencie tout à fait et, affirmant son individualité, utilise le pronom *je* (vers 3 ans). Le syncrétisme est le premier moment de la perception où les objets et les situations nous apparaissent sous leur aspect général, complexe, imprécis ; l'analyse* et la synthèse sont les stades suivants de la connaissance.

Szondi (Leopold), psychiatre suisse d'origine hongroise (Jnyitra, Hongrie, auj. Nitra, Slovaquie, 1893 – Küsnacht, Suisse, 1986)
Il est surtout connu pour son test projectif et sa théorie du destin. Le *test de diagnostic des pulsions,* ou *Géno-test,* comprend six séries de huit portraits de malades mentaux ou d'individus « déviants » (homosexuels, meurtriers, etc.). Le sujet doit choisir, dans chaque série, deux personnages sympathiques et deux antipathiques. Ses vingt-quatre choix sont représentés sous la forme d'un « profil pulsionnel ». L'idée de base est que les choix affectifs ne se font pas au hasard, mais qu'ils résultent d'une certaine résonance produite par l'objet (les photos) sur le sujet. La théorie du destin, ou théorie « anancologique », qui jette un pont entre la génétique et la psychanalyse, a fait l'objet de beaucoup de critiques, mais elle a aussi d'ardents défenseurs à l'université de Louvain, à Zurich et à Paris. Parmi les ouvrages de Szondi, citons *Diagnostic expérimental des pulsions* (1952), *Introduction à l'analyse du destin* (1971), *Liberté et contrainte dans le destin des individus* (1975).

t

tabac, plante de la famille des *Solanacées* dont la principale espèce, *Nicotiana tabacum,* donne le tabac à priser, à mâcher ou à fumer. Importé d'Amérique par un missionnaire espagnol en 1518, il fut employé par J. Nicot, ambassadeur de France au Portugal, et par Catherine de Médicis pour soigner leurs migraines. Depuis, sa consommation ne cesse de croître. En 1985, on l'évaluait, en France, à 2,4 kg environ, par adulte, dans une année, ce qui procure d'importants revenus à l'État (23 milliards de francs).
La toxicité du tabac ne fait aucun doute. Sa feuille contient un poison violent, la nicotine, dont 30 à 60 milligrammes suffisent pour provoquer la mort d'un homme (une cigarette ordinaire en contient environ 2 mg). Son usage immodéré est responsable de troubles organiques (digestifs, circulatoires, respiratoires) et psychiques (irritabilité, insomnie, amnésie, ralentissement intellectuel, etc.). Selon C. Got (1996), il serait responsable de 65 000 morts chaque année dans notre pays. À titre comparatif, disons que 32 000 morts sont dues aux cancers et 11 000 aux maladies cardio-vasculaires. À côté du tabagisme proprement dit, il existe un tabagisme « passif », que l'on subit de la part des fumeurs de son entourage et qui est aussi nocif. Par exemple, dans un foyer où il n'y a qu'un fumeur moyen, un nourrisson risque 3,5 fois plus de mourir subitement qu'un bébé dont les parents ne fument pas. Ce risque est multiplié par 23 si la quantité de cigarettes consommées dépasse vingt et une par jour. Cette pratique dangereuse serait en relation étroite avec le plaisir éprouvé jadis par le nourrisson dans l'activité de succion*. → **étayage.**

tabou, caractère interdit et sacré d'un objet. Dans toutes les religions, le profane n'a pas le droit de toucher certains « objets » (personnes ou choses). Dans les sociétés totémiques, on respecte l'animal ou le végétal (arbre...) qui sert d'emblème au groupe parce qu'il est tabou, c'est-à-dire à la fois sacré et maudit. La prohibition de l'inceste* correspond à un tabou, dont l'origine demeure obscure. Les tabous constituent, avec les préceptes, un code moral qui renforce la cohésion du groupe et assure la pérennité d'un ordre social lentement élaboré au cours des âges. Toute atteinte portée à l'un de ces traits culturels risque de détruire un système subtil de relations sociales et de laisser un peuple désemparé, privé de son identité.

taches d'encre
L'idée d'utiliser des taches fortuites pour stimuler l'imagination aurait été exprimée par Botticelli et reprise par Léonard de Vinci, qui en fait état dans son *Trattato della pittura* (posthume, 1651). Par la suite, A. Binet proposa d'employer les taches d'encre comme épreuve d'imagination (1895), mais ce fut H. Rorschach qui créa son test de personnalité, mondialement connu sous le nom de *psychodiagnostic**.

tachistoscope, appareil de laboratoire, fréquemment utilisé en psychologie expérimentale, grâce auquel on expose, pendant un très court laps de temps, un matériel visuel donné, généralement placé au centre d'un fond blanc. Le tachistoscope permet de mettre en évidence certaines variétés d'agnosie* visuelle (impossibilité de dénommer les figures géo-

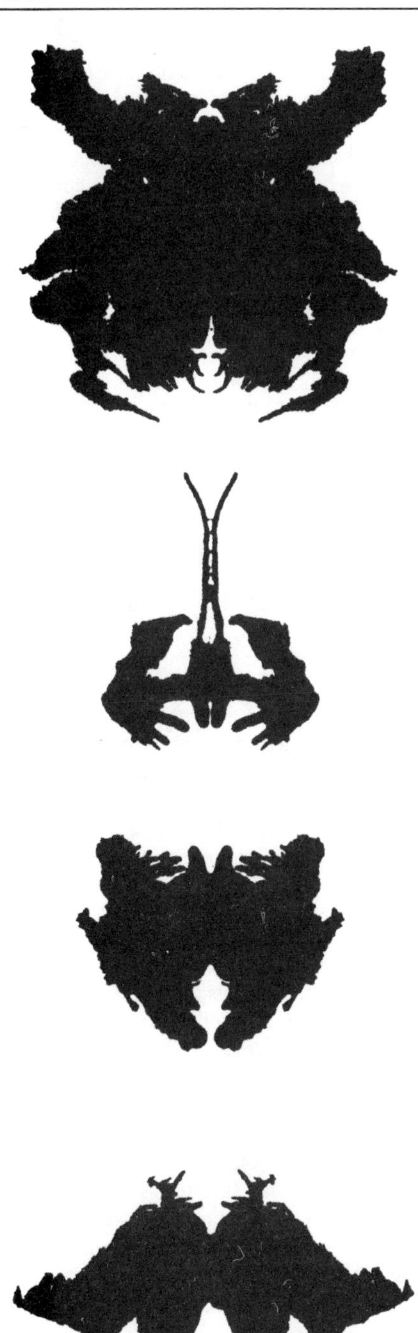

Taches d'encre : elles peuvent être utilisées comme épreuve d'imagination.

métriques perçues), d'apprécier la prégnance* de certaines formes : une circonférence brisée (mauvaise forme) est vue comme un cercle complet (bonne forme), etc.

tactisme
Synonyme de taxie*.

talent, aptitude naturelle ou acquise à faire une chose.
Le talent dépend des capacités individuelles, des motivations du sujet et du milieu social ; il est l'expression de l'interaction de ces conditions. Le talent demande à être détecté, stimulé et formé.

T.A.T. → thematic apperception test.

tatouage, dessin indélébile tracé sur la peau.
En dehors de certaines peuplades fétichistes (africaines, polynésiennes), on l'observe couramment dans certains corps (marine) ou milieux (prison). Le tatouage, qui a presque toujours un caractère magique, satisfait souvent une tendance narcissique naïve (affirmation virile), mais peut aussi correspondre à un besoin d'affiliation (appartenance à une caste, à une société secrète) ou avoir la signification d'une révolte ou d'une bravade désespérée. Il est l'indice de l'immaturité affective de celui qui s'y soumet. Souvent, avec l'âge, les regrets se manifestent et nombre de sujets demandent qu'on fasse disparaître leurs tatouages par abrasion de la peau.

taxie, réaction d'orientation et de locomotion propre aux animaux, programmée génétiquement, provoquée par un stimulus extérieur et contrôlée par le système nerveux.
La réaction taxique est positive quand elle rapproche l'animal de la source du stimulus ; elle est négative quand elle l'en éloigne. Selon la nature du stimulus, on parlera de *phototaxie* (dans le cas de la lumière), de *géotaxie* (pesanteur), d'*anémotaxie* (courant d'air), de rhéotaxie (courant d'eau), de *galvanotaxie* (courant galvanique), de *chimiotaxie,* etc.

Taylor (Frederick Winslow), ingénieur et économiste américain (Germantown, Pennsylvanie, 1856 – Philadelphie 1915).

Après avoir débuté comme manœuvre à la société Midvale Steel, il devient ingénieur et met au point une méthode d'organisation* rationnelle du travail, qui portera son nom. Celle-ci consiste à chronométrer toutes les phases d'un travail effectué par un ouvrier préalablement choisi, à éliminer les gestes inutiles, à déterminer les temps les meilleurs puis à imposer à tous les normes ainsi définies. Taylor aurait voulu accroître le bien-être des travailleurs tout en augmentant leur rendement et en diminuant la fatigue. Mais son système ne servit qu'à intensifier la productivité au détriment de la santé physique et mentale des ouvriers. Le taylorisme, ne tenant pas suffisamment compte des différences individuelles ni du facteur psychologique, a fait l'objet de vives critiques ; il est progressivement abandonné au profit d'un nouveau système, le *Personnel Management,* influencé par la psychologie dynamique de K. Lewin, plus efficace parce qu'il rend à l'ouvrier ses dimensions humaines. De Taylor, on pourra lire *Principes d'organisation scientifique des usines* (1911) et *la Direction des ateliers* (1930).

télépathie, communication extrasensorielle, directe et à distance, des pensées d'un individu à un autre.
La réalité de ce phénomène étrange reste discutée. En 1882, d'éminents savants de Cambridge, groupés en une *Society of Psychical Research,* lui consacrèrent de nombreuses études, mais tout leur travail fut détruit par T. H. Huxley et H. von Helmholtz. Cependant, de multiples témoignages continuent d'affluer. S. Freud, dans ses *Nouvelles conférences sur la psychanalyse* (1932), relate le cas d'un homme qui rêve que sa femme accouche de jumeaux. Au même moment, la même nuit, sa fille met au monde un enfant. S'agit-il de simples coïncidences ou de transmission de pensée ?
C. Richet amorça l'étude de la télépathie, mais c'est J. B. Rhine (1895-1980) qui montra expérimentalement qu'il ne pouvait pas s'agir de hasard. La même démonstration a été faite par M. Ullman et S. Krippner (1973) à propos des rêves télépathiques. Si l'on admet la réalité de ce phénomène, il reste à l'expliquer. W. Stekel (1868-1940) remarqua que les phénomènes de télépathie s'appliquent, essentiellement, à des sentiments possédant une forte charge affective (amour, jalousie, haine...). Quant à Freud, il déduisit de quelques observations que la « transmission de pensée » doit se faire sur un plan inconscient et obéir aux mêmes lois (condensation*, symbolisation...) que tout autre matériel appartenant à ce domaine. Il avance aussi l'hypothèse qu'il s'agirait d'un vestige d'un lointain passé.

témoignage, relation verbale d'une personne attestant un fait dont elle a eu directement connaissance.
Le témoignage n'est jamais objectif ; il porte toujours la marque de la subjectivité de son auteur, de l'infidélité de sa mémoire, surajoutée aux lacunes perceptives et aux déformations inéluctables du souvenir (on évalue à 0,33 % l'augmentation quotidienne des erreurs). Le psychologue suisse E. Claparède*, le criminologiste belge L. Vervaeck, expérimentant sur leurs élèves, ont montré que les témoignages exacts étaient rares (5 % seulement) et que le sentiment de certitude augmentait avec le temps, parallèlement à l'accroissement du nombre des erreurs ! Les témoignages d'enfants sont caractérisés par un maximum d'assurance et un minimum de fidélité.

tempérament, ensemble des éléments biologiques qui constituent, avec les facteurs psychologiques, la personnalité*.
La morphologie d'un individu et son état physiologique sont respectivement les aspects statique et dynamique du tempérament. Il faut encore distinguer, parmi les facteurs biologiques, ceux qui sont héréditaires et ceux qui sont acquis. Lorsqu'on parle de tempérament, on envisage surtout les premiers. Les notions de tempérament et de caractère sont parfois confondues. Le tempérament n'est pas l'expression d'un type constitutionnel, mais le fonds biotypologique à partir duquel s'élabore le caractère*.

temps, durée marquée par la succession des événements.
La notion de temps est une construction psychologique de l'homme, qui lui permet de

s'adapter aux modifications de son milieu. Elle est fondée sur des facteurs sociaux aussi bien que sensori-moteurs. Il existe un temps objectif, socialisé, mesurable (montre, calendrier), un temps biologique, qui se modifie sous l'influence de différents facteurs tels que la température, une intoxication par le hachisch ou par d'autres drogues, et un temps subjectif, variable selon les individus et les intérêts personnels du moment (quand notre activité est intense, difficile, passionnante, la densité des impressions nous fait paraître le temps court ; quand, au contraire, nous restons oisifs, il nous paraît interminable).
La perception et la valeur du temps varient aussi avec les cultures. Dans notre société, il paraît très précieux car il est organisé linéairement (orientés, captivés par un but, nous supportons mal d'être interrompus dans notre action). Mais il existe d'autres groupes culturels où cette structure temporelle est absente : le Balinais adulte vit le moment présent ; il n'attend rien et peut supporter indéfiniment d'être dérangé dans ses activités ; pour lui, la vie n'est qu'un présent indéfini qui ne mène à rien. En philosophie, le temps vécu, dit « temporalité », est l'espace essentiel de la conscience (M. Heidegger). → **chronobiologie, rythme.**

tendance, force endogène qui oriente un organisme vers un certain but*.
Il est possible d'évaluer la force des tendances en mesurant l'activité d'un sujet dans certaines situations déterminées. Par exemple, pour apprécier l'intensité de la faim chez un rat, on placera l'animal dans une boîte spéciale où se trouve une mangeoire dont l'ouverture est commandée par un levier. À chaque pression, une boulette de nourriture apparaît. Le nombre de boulettes résultant de l'activité dépensée donne une idée, sinon une mesure objective, de la faim de ce rat.
Certains auteurs distinguent, à côté des tendances *organiques*, des tendances *interindividuelles* (communion, altruisme...), *sociales* (familiales, patriotiques), *idéales* (morale, religion), *personnelles* (égoïsme) ; d'autres, des tendances inférieures (actes réflexes), moyennes (expression verbale), supérieures (création artistique), mais aucune classification n'est satisfaisante. Les psychologues se réfèrent souvent au système de H. Murray*, qui comprend vingt articles fondamentaux (tendance à l'application, à plaire, à dominer, à être indépendant, etc.), auquel se rattache une méthode projective* connue sous le nom de T.A.T*.

tendresse, sentiment profond d'affection.
La tendresse est, primordialement, une pulsion sexuelle inhibée quant au but. Empêchée de se réaliser pleinement, celle-ci trouve à se satisfaire dans des relations affectueuses ou d'amitié. Pour S. Freud, la tendresse ne fait rien d'autre que reproduire le premier mode de la relation amoureuse de l'enfant à l'égard de la personne qui le soigne et le nourrit. En caractérologie*, la tendresse (T) est l'un des facteurs de tendances dégagés par G. Berger* ; elle se définit par la capacité d'empathie*, celle de se mettre à la place de l'autre, de partager ses joies et ses peines.

tension, état de ce qui est tendu.
Dans la théorie du champ* de K. Lewin, on appelle tension émotionnelle l'état affectif d'un sujet soumis à l'influence de deux forces opposées d'égale importance. L'intensité de la tension émotionnelle serait fonction de leur puissance. Une forte tension nerveuse, lorsqu'elle se prolonge, est génératrice de manifestations psychosomatiques* telles que l'hypertension artérielle et l'ulcère gastrique. Pour S. Freud, la personnalité s'élaborerait sous l'influence de quatre tensions principales : les phénomènes physiologiques de croissance, les menaces extérieures, les frustrations et les conflits, qui obligent le sujet à faire appel à des mécanismes de défense tels que l'identification* ou le déplacement*.

Teplov (Boris), psychologue russe (Toula 1896 – Moscou 1965).
Ses premières recherches portèrent sur les sensations. À partir de ses observations sur les musiciens, les dégustateurs professionnels et les parfumeurs, il montra que les fonctions sensorielles pouvaient être modifiées et développées par l'exercice. Il a aussi poursuivi les travaux de I. P. Pavlov sur les types psychologiques et mis en évidence une nouvelle pro-

priété, la concentration, qui est liée aux variations individuelles dans la perception des seuils* différentiels. Teplov était directeur du laboratoire de psychophysiologie de l'Institut de psychologie de Moscou.

Terman (Lewis Madison), psychologue américain (Johnson County, Indiana, 1877 – Stanford, Californie, 1956).

Il est surtout connu pour avoir adapté le test de Binet-Simon à la population américaine. Cette *Stanford-Revision* (ou « échelle de Terman ») a fait l'objet de plusieurs remaniements et améliorations. C'est ainsi que l'*échelle de Terman-Merrill,* publiée en collaboration avec M. A. Merrill (1937), est applicable aux enfants à partir de deux ans, aux adolescents et aux adultes. Elle comporte cent vingt-deux épreuves (items), verbales ou non verbales, et existe sous deux formes parallèles, L et M, ce qui permet de retester un même sujet sans que joue l'apprentissage. Parmi les ouvrages de Terman, citons *The Measurement of Intelligence* (1916).

terreurs nocturnes, équivalent du cauchemar pouvant survenir chez l'enfant au début de la nuit.

Les terreurs nocturnes apparaissent pendant le sommeil* lent (stade IV), jamais au cours du sommeil paradoxal. Brusquement, le sujet s'agite, crie, pleure, gesticule, semble pris de panique. Il ne reconnaît pas les personnes qui l'entourent et ne réagit pas à leurs sollicitations, aussi est-il difficile de le rassurer. Cet état peut durer de quelques minutes à une heure. Le plus souvent, l'enfant se rendort ; le matin au réveil, il n'a aucun souvenir des événements de la nuit.

Les terreurs nocturnes, fréquentes entre 2 et 6 ans, affectent de 1 à 3 % des enfants. Elles sont, habituellement, la conséquence d'une expérience traumatisante ou de conflits intrapsychiques liés au développement psychosexuel (sentiments agressifs et œdipiens). Elles disparaissent presque toujours spontanément. La psychothérapie est utile, mais il faut demander aux parents de ne pas inquiéter l'enfant par des menaces stupides et de ne pas le prendre avec eux, dans leur lit, pour dormir.

territoire, espace terrestre, maritime ou aérien faisant partie du domaine vital d'un animal ou d'un groupe d'animaux, que ceux-ci défendent contre les incursions des congénères, mais non des autres espèces.

Le comportement territorial existe pratiquement chez tous les animaux. Il vise à protéger une zone délimitée où s'accomplissent les activités reproductrices (accouplement, nidification) ou d'alimentation. Les frontières du territoire sont matérialisées par un marquage qui peut être sonore (chant d'oiseaux), visuel (marques colorées sur le corps) ou olfactif (excrétions des mammifères). Le territoire procure à son propriétaire divers avantages : une garantie de ressources alimentaires, pendant la saison de reproduction, et la diminution des combats puisque, le plus souvent, l'intrus s'enfuit devant l'attitude menaçante du défenseur des lieux.

test, épreuve, standardisée dans son administration et sa cotation, qui renseigne sur certaines caractéristiques affectives, intellectuelles (niveau mental*, aptitudes*, connaissances*) ou sensori-motrices d'un sujet et permet de le situer par rapport aux autres membres du groupe social dont il fait partie (étalonnage*).

Il existe un grand nombre de tests : verbaux ou de performance* (puzzle à reconstituer, mosaïque à reproduire...), d'efficience intellectuelle ou de personnalité, d'application individuelle ou collective, etc. Le but de pareilles épreuves est d'obtenir, dans un temps bref, des informations quantifiables et indépendantes de la subjectivité de l'expérimentateur sur les sujets examinés.

Un bon test est *homogène* (il ne mesure qu'une seule disposition), *fidèle* (il donne les mêmes résultats à quelques mois d'intervalle), *sensible* (il permet un classement nuancé des individus) et, surtout, *valide* (il mesure réellement ce qu'il est censé prédire).

Malgré toutes ses qualités, un test n'est qu'un instrument. Il fournit certains renseignements, mais pas de diagnostic. Celui-ci est un jugement, fondé sur un raisonnement complexe qui intègre les résultats psychométriques aux observations non quantifiables, aux données de l'intuition et aux éléments tirés de l'histoire du sujet. Les tests n'ont jamais un caractère absolu ; ils sont des points de repère qui permettent à l'expérimentateur de vérifier ses hypothèses.

T-Group, abréviation de *Training Group.* → **diagnostic.**

Thanatos, dans la mythologie grecque, dieu de la Mort ; en psychanalyse, ensemble des pulsions de mort.
S. Freud oppose les pulsions de vie (Éros*), dont le but est de créer des liens toujours plus nombreux entre les êtres vivants, aux pulsions de mort (Thanatos), qui viseraient au contraire à détruire les assemblages et à réduire totalement les tensions, c'est-à-dire à ramener l'être vivant à l'état inorganique antérieur, qui est aussi celui du repos absolu *(Nirvāna).* La libido* rendrait Thanatos inoffensif en l'orientant vers le monde extérieur.

thé, arbrisseau à feuilles persistantes, originaire d'Extrême-Orient.
La feuille de thé contient un alcaloïde, la théine, qui produit les mêmes effets que la caféine sur l'organisme. Les feuilles sont séchées et fermentées. Selon le degré de fermentation, on obtient le thé vert (5 % de théine) ou le thé noir (2 % de théine). La consommation de thé est importante en Chine, dans les pays anglophones (thé noir) et en Afrique du Nord (thé vert). L'usage modéré du thé en infusions n'est pas nocif. Cependant, on a noté de véritables intoxications, aboutissant à l'épuisement et à la stupeur, chez certaines personnes qui faisaient une consommation exagérée de thé noir, sous forme de décoctions prolongées.

théâtrothérapie, jeu dramatique spontané, utilisé dans un dessein thérapeutique, avec des enfants ou des adultes présentant des troubles du caractère.
L'expression libre des conflits favorise l'abréaction* des sentiments refoulés, permet de réaliser partiellement (sur le plan de la fantaisie) la personne qu'on souhaiterait être et conduit à modifier son comportement dans le sens d'une meilleure adaptation à la réalité. → **psychodrame.**

thematic apperception test (en français, « test d'aperception de thèmes » ; abréviation usuelle : T.A.T.), technique projective, due à C. D. Morgan et H. A. Murray* (1935), consistant en une série d'images floues, de signification ambiguë, à partir desquelles un sujet doit inventer une histoire.
L'hypothèse de base est que le sujet, s'identifiant au héros du récit, lui attribue ses propres pensées, ses sentiments, ses tendances et ses problèmes. L'interprétation* du matériel ainsi obtenu, analogue à celui des rêves, est délicate. Elle nécessite de solides connaissances psychanalytiques et doit être confrontée avec l'histoire personnelle du sujet.
Une version de ce test destinée aux adolescents a été mise au point par P. M. Symonds. Le *Children Arperception Test,* réservé aux enfants – où les personnages sont remplacés par des animaux – a été élaboré par L. et S. Bellak.

thermotaxie, réaction d'orientation et de locomotion provoquée et entretenue par des variations de température, observée chez certains animaux.
Fait essentiellement de réactions négatives (évitement des températures éloignées d'un *preferendum** spécifique), ce comportement doit être classé parmi les pathies*.

thigmotaxie ou **stéréotaxie,** réaction d'un animal recherchant le contact avec un objet.
Ce phénomène s'observe aussi bien chez les protozoaires (animaux unicellulaires) que chez les jeunes rats, mais il est surtout manifeste chez les animaux fouisseurs. Lorsque le maximum de la surface de leur corps est en contact avec le solide, le déplacement s'arrête. La connaissance de ce phénomène a des prolongements pratiques dans l'industrie de la pêche. Par exemple, les pêcheurs savent que les zones poissonneuses se trouvent près des récifs. Au Japon, depuis le début des années 50, on crée des récifs artificiels, le long des côtes, afin d'attirer les poissons. Ceux-ci ont, en effet, une thigmotaxie positive qui les conduit à s'approcher des blocs immergés et à s'y regrouper. → **taxie.**

Thorndike (Edward Lee), psychologue américain (Williamsburg, Massachusetts, 1874 – Montrose, New York, 1949).
Ses premières recherches ayant porté sur l'intelligence animale, il a été conduit à inventer les « boîtes à problèmes », où le sujet est obligé d'utiliser un mécanisme pour obtenir sa nourriture ou retrouver la liberté. Ses travaux sur l'apprentissage* humain et son enseignement à l'université Columbia de New York ont durablement influencé la pédagogie américaine. Parmi les ouvrages de Thorndike, citons *Animal Intelligence, Experimental Studies* (1911), *Educational Psychology* (1913-1914), *Human Learning* (1931), *Psychology of Wants, Interests and Attitudes* (1935).

Thurstone (Louis Leon), psychologue américain (Chicago 1887 – Chapel Hill, Caroline du Nord, 1955).
Il est surtout connu pour ses travaux sur les aptitudes et sa théorie multifactorielle de l'intelligence, qu'il oppose à la théorie des deux facteurs de C. E. Spearman*. Selon Thurstone, le facteur général (G), commun à toutes les variables, peut s'expliquer par plusieurs facteurs de groupe, communs à des sous-ensembles de variables. Il dénombre, par ailleurs, d'autres aptitudes primaires : la mémoire (M), le raisonnement (R), la fluidité verbale (W), etc. Parmi ses ouvrages, citons *The Measurement of Attitude* (1929), *A Factorial Study of Perception* (1944), *Multiple Factor Analysis* (1947).

tic, contraction musculaire soudaine et fugace, involontaire mais consciente, ne survenant qu'à l'état de veille. Ce mouvement peut s'accompagner d'une émission verbale, également involontaire, parfois ordurière.
La variété des tics est infinie (du visage, des épaules, du cou, aboiement, etc.). Pourtant, dans la plupart des cas, un seul geste domine, qui s'exagère dans les situations difficiles et peut se déplacer, mais se multiplie rarement. Le tic a toujours une signification latente (variable avec chaque individu), que l'analyse psychologique peut retrouver. Chez l'adulte, il accompagne régulièrement un état névrotique (le plus souvent obsessionnel). Chez l'enfant, il traduit l'insatisfaction affective (éducation « étouffante » ou trop rigide, rivalité fraternelle), la révolte contenue, l'anxiété et la culpabilité. Beaucoup de ces mouvements parasites disparaissent spontanément avec la croissance. Lorsqu'ils persistent chez les adolescents et les adultes, on peut essayer de les réduire par la thérapie comportementale*, la relaxation ou la psychothérapie.
La « maladie des tics » décrite par G. de La Tourette (1885), caractérisée par des mouvements involontaires et l'incoordination motrice accompagnée d'écholalie* et de coprolalie*, qui survient généralement entre 2 et 15 ans, pourrait avoir une origine organique.

timidité, manque d'assurance.
Le timide est un sujet émotif, qui craint de mal faire. Très impressionnable et réagissant parfois exagérément aux émotions (bégaiement, tremblement, etc.), il se trouble quand il est en présence d'autres personnes et préfère fuir les contacts sociaux. Sa timidité est, la plupart du temps, acquise dans l'enfance sous l'influence d'une éducation maladroite : parents qui refusent de laisser prendre à l'enfant des responsabilités et de le laisser fréquenter des camarades de son âge ou, au contraire, qui ont des exigences abusives, impossibles à satisfaire. Il en résulte des sentiments d'incapacité, d'infériorité, d'agressivité et de culpabilité, qui se manifestent par l'inhibition et la rétraction du moi, symptômes essentiels de la timidité. Pour les enfants, l'intégration dans un mouvement de jeunes, tel que le scoutisme*, est souvent bénéfique ; chez les adultes, il est parfois nécessaire de recourir à la psychothérapie.

Tinbergen (Nikolaas), zoopsychologue anglais d'origine néerlandaise (La Haye 1907 – Oxford 1988).
Professeur de zoologie expérimentale à l'université de Leyde (1947), il y crée un centre de recherche éthologique puis s'établit à Oxford, où il occupe jusqu'à la fin de sa carrière la chaire de « comportement animal ». Lié avec K. Lorenz depuis 1937, il fonde avec lui l'école d'éthologie* positive, qui pose le principe d'une activité spontanée de l'organisme, distincte de toute réponse à un stimulus. Parmi ses écrits, citons *l'Étude de l'instinct* (1951), *la*

Vie sociale des animaux (1953), *Carnets d'un naturaliste* (1959). En 1973, il partagea le prix Nobel de physiologie et médecine avec K. von Frisch* et K. Lorenz*.

tolérance, respect des idées ou des sentiments contraires aux siens. Du point de vue physiologique, capacité de l'organisme de supporter, sans manifester de symptômes morbides, des quantités habituellement nocives de certaines substances, médicaments ou drogues.
L'adaptation du corps aux effets d'une drogue peut conduire à en augmenter les doses initiales afin de retrouver les sensations éprouvées. De ce fait, elle est à l'origine de l'état de dépendance*.

Tolman (Edward Chace), psychologue américain (West-Newton, Massachusetts, 1886 – Berkeley, Californie, 1959).
Professeur de psychologie à l'université Berkeley, il s'intéressa essentiellement à la psychologie comparée* et aux problèmes de l'apprentissage*. Les principaux travaux de son école on été réunis en un ouvrage : *Purposive Behavior in Animals and Men* (1932), dans lequel est développée l'idée que, pas plus chez l'homme que chez l'animal, on ne peut se passer de la notion de *dessein*, de *but* poursuivi (en anglais, *purpose* signifie « visée », « but », « intention »). Le comportement, soutient Tolman, ne peut pas être réduit au schéma « stimulus-réponse » (S-R). L'organisme n'est pas seulement « réactionnel » ; il agit en fonction d'une visée qui lui est propre. Dans sa théorie, Tolman tient compte à la fois des apports du béhaviorisme*, du fonctionnalisme (Dewey*) et de la *Gestaltpsychologie*. **→ néobéhaviorisme.**

tonus, état permanent de légère contraction dans lequel se trouvent les muscles, particulièrement les muscles striés.
Le tonus contribue à l'équilibre statique des organes et des membres ; il intervient dans le contrôle et la coordination des mouvements ainsi que dans le maintien des attitudes. Il est entretenu par des mécanismes physiologiques complexes, auxquels participent notamment les propriocepteurs* et les différents étages du système cérébrospinal, plus particulièrement le cervelet, la formation réticulée et le cortex. Le tonus est très sensible aux influences psychiques. Il est possible d'obtenir une décontraction musculaire par la relaxation*.

topique, en psychanalyse, théorie selon laquelle l'appareil psychique se différencierait en un certain nombre de systèmes en interaction réciproque, dont il est possible de donner une représentation figurée.
La première topique freudienne, exposée dans *la Science des rêves* (1900), distingue trois systèmes : l'*inconscient*, le *préconscient* et le *conscient*. La deuxième topique, élaborée à partir de 1920, fait intervenir trois instances : le *ça*, le *moi* et le *surmoi*. À diverses reprises, S. Freud a donné une représentation figurée de l'appareil* psychique.

totem, objet qui sert de patron au clan.
Généralement, il s'agit d'un animal, parfois d'un végétal, considéré comme l'ancêtre de la tribu et honoré à ce titre. D'après S. Freud, il symboliserait le patriarche, fondateur du clan, dont on attend la protection, mais que l'on continue de redouter.

tourneur (test du), situation expérimentale dans laquelle le psychologue place un sujet dont il veut apprécier l'habileté motrice et la coordination bimanuelle.
L'épreuve consiste à diriger un pointeau, commandé par deux manivelles indépendantes, sur un trajet déterminé. La manivelle de gauche sert pour les déplacements horizontaux, celle de droite pour les déplacements verticaux ; leur manœuvre simultanée permet d'aller dans toutes les directions. Le temps total et le nombre d'erreurs sont relevés. Ce test est surtout utilisé pour l'orientation* et la sélection* professionnelles.

toxicomanie, appétence morbide manifestée par certains sujets pour des substances toxiques, entraînant des effets nuisibles pour eux-mêmes et pour la société.
La toxicomanie se manifeste par la tolérance* de l'organisme, l'augmentation des doses, un besoin incoercible de la drogue, la dépen-

dance de l'individu à l'égard de celle-ci et sa déchéance physique et mentale à plus ou moins long terme.
Elle s'est répandue mondialement depuis la fin des années 60. D'après B. Shahandeh (B.I.T., Genève, 1985), il y aurait 50 millions de consommateurs de drogues dans le monde. En France, le nombre des personnes interpellées pour usage de drogues ne cesse de croître : de 62 en 1965, il est passé à 26 987 en 1987 (O.C.R.T.I.S., 1988) ; corrélativement, le nombre de décès dus à l'abus de drogues s'est élevé de 1 en 1969 à 228 en 1987. Les dépenses entraînées par l'accueil des toxicomanes et les soins qui leur sont dispensés se sont élevées, en 1986, à 310 millions de francs (F. Facy et coll., 1987).
Les raisons de la toxicomanie sont multiples : crise de la société contemporaine, conflit des générations, recherche d'une communauté fraternelle et de plaisir, etc. Généralement, les toxicomanes ont un moi* faible. Incapables de résoudre leurs conflits, ils fuient le réel, régressent au stade oral* et recherchent dans la drogue l'oubli de leurs problèmes. Le traitement de la toxicomanie consiste en un sevrage* progressif, en milieu hospitalier, associé à la psychothérapie. → **assuétude.**

trac, perturbation émotionnelle ressentie au moment de se manifester devant une assemblée.
Le comportement appris (qu'il s'agisse de celui de l'acteur sur scène ou de celui de l'étudiant devant ses examinateurs) est brusquement éteint ; l'apprentissage paraît effacé, mais il ne s'agit que d'une inhibition* temporaire car, après un certain temps, l'acquis antérieur redevient spontanément disponible. Le trac est la manifestation d'une émotivité* exagérée et de l'anxiété.

training autogène, méthode de relaxation*, proposée par J. H. Schultz (Berlin), qui consiste à entraîner le sujet à se décontracter, à obtenir une détente psychophysiologique parfaite par une concentration sur soi en procédant membre après membre.
Ces exercices musculaires, qui peuvent être pratiqués par le malade seul, constituent une véritable psychothérapie, bien que les échanges verbaux et le transfert* (lien interhumain) ne soient pas au premier plan. On les utilise couramment dans le traitement des névroses* et des troubles psychosomatiques*.

training group → diagnostic.

tranquillisant, substance pharmaceutique ayant pour effet principal d'apaiser l'anxiété. On distingue les tranquillisants *majeurs,* ou neuroleptiques*, et les tranquillisants *mineurs.* Ces derniers sont aussi myorelaxants (diminuant le tonus musculaire) et légèrement hypnotiques. Parmi les plus connus figurent les benzodiazépines (tel le *Librium*) et le méprobamate *(Équanil).* On emploie les tranquillisants pour calmer les appréhensions d'un sujet avant une opération chirurgicale, apaiser l'anxiété due à une situation délicate, aider à corriger de légers troubles (tics, bégaiement), mais beaucoup les utilisent abusivement dès qu'ils se sentent un peu tendus.
Les Français consomment chaque année 600 millions de ces « pilules du bonheur », qui, bien que peu toxiques aux doses usuelles, peuvent avoir des effets secondaires gênants (somnolence, « trous de mémoire », diminution de la puissance sexuelle) ; l'un d'entre eux, la thalidomide, administré à des femmes au début de leur grossesse, provoqua des malformations embryologiques très graves chez une dizaine de milliers d'enfants nés viables.

transactionnelle (analyse), psychothérapie de groupe due au psychiatre américain E. Berne (1962) et fondée sur l'analyse des relations interindividuelles.
La « transaction » est l'unité de rapport social : « je fais quelque chose pour ou contre vous (stimulus) et vous réagissez en conséquence (réponse) ». Dans cet échange, nos deux personnalités sont engagées et, l'un comme l'autre, nous pouvons nous comporter en enfant, en parent ou en adulte objectif.
Le moi « enfant » (E) correspond aux émotions, à la spontanéité et à la créativité ; le moi « parent » (P) est l'ensemble des valeurs et des préceptes introjectés durant l'enfance (analogue au surmoi* freudien) ; le moi « adulte » (A) est la personne logique, objective, qui recueille l'information et la traite sans passion,

sans se laisser influencer par ses opinions personnelles. Chacun de ces trois états du moi constitue un système complet de sentiments, d'attitudes, de pensées, de langage, qui est mis en œuvre, spontanément, dans les diverses situations auxquelles nous sommes confrontés. Mais il arrive qu'une personne n'utilise qu'un seul registre de réponses, ou que l'un des trois états du moi empiète sur un autre. La « transaction » ne peut alors réussir. C'est le cas, par exemple, quand à une stimulation de type A, l'interlocuteur réagit sur le mode P ou E. L'analyse de tels comportements permet au patient de prendre conscience des mécanismes psychologiques qui le régissent et d'accéder à l'autonomie. Dans ce cheminement, le psychothérapeute joue un rôle très directif mais les autres membres du groupe y ont aussi leur part, car ils aident le sujet à mieux se percevoir en relevant et en soulignant les attitudes inadéquates qu'il adopte le plus souvent.

transfert

1. Report d'une habilité acquise dans un domaine sur une activité voisine (la connaissance de la dactylographie facilite l'usage de l'ordinateur, par exemple).
2. Processus psychologique, lié aux automatismes de répétition, qui tend à reporter sur des personnes ou des objets apparemment neutres des émotions et des attitudes qui existaient dans l'enfance.
3. En pratique psychanalytique, relation affective que le patient établit avec l'analyste, inadaptée à la situation thérapeutique réelle et déterminée par d'anciennes structures anachroniques.

Le report des sentiments favorables sur le thérapeute constitue le transfert *positif*, l'ensemble des sentiments hostiles est appelé transfert *négatif*. La prise de conscience des attitudes amicales ou hostiles, établies dans son enfance et projetées dans la situation psychanalytique, permet au patient de comprendre sa conduite et de la réajuster en fonction des éléments actuels. Dans le débat entre l'analyste et l'analysé, il s'établit, inévitablement, un échange psycho-affectif par où passe la communication. Malgré son désir, le thérapeute n'est jamais le miroir fidèle qu'il voudrait être. Ses attitudes en réponse à celles du patient sont appelées *contre-transfert*. Divers signes peuvent le mettre sur la voie : s'il rêve de son client, s'il sent naître en lui de l'irritation ou de l'agressivité à l'encontre de ce dernier, il doit s'interroger sur lui-même. Si l'analyste ne prend pas conscience de ses sentiments, le traitement ne progresse plus ou échoue.

transitionnel (objet), objet matériel qui, pour le nourrisson et le jeune enfant, a une valeur particulière. Cet objet (chiffon, animal en peluche...) a l'effet apaisant d'un substitut maternel ; il facilite la transition entre l'attachement à la mère et la relation avec d'autres éléments de son environnement.

L'objet transitionnel apparaît généralement entre quatre et douze mois, au moment où la mère, prise par ses occupations, commence à s'éloigner un peu de son bébé. Il aide l'enfant à rétablir la continuité menacée par la séparation et à se différencier du monde environnant. Investi à la fois de *libido* du moi*, qui oriente l'individu vers lui-même, et de *libido d'objet*, qui le porte vers les êtres et les choses, l'objet transitionnel ouvre au sujet l'accès aux jouets et à la socialité.

transsexualisme, sentiment ou désir intense d'appartenir au sexe opposé.

Cela entraîne, parfois, un comportement homosexuel, l'adoption de l'habillement et des conduites sociales de l'autre sexe et le désir d'une transformation physique par une opération chirurgicale. Lorsque le chirurgien consulté refuse d'effectuer la modification souhaitée, le transsexuel peut s'émasculer lui-même, voire se suicider. Le transsexualisme reste un phénomène inexpliqué. → **homosexualité.**

traumatisme, choc violent susceptible de déclencher des troubles somatiques et psychiques.

Souvent, à la suite d'une émotion intense ou d'un traumatisme crânien dû à un accident de la circulation ou à une catastrophe soudaine (tremblement de terre, incendie, etc.), les sujets présentent un ensemble de troubles psychologiques plus ou moins durables

(« syndrome postcommotionnel »), dont les principaux sont l'irritabilité, la fatigabilité, l'asthénie, l'amnésie, la régression vers un stade infantile et, parfois, le refuge dans la maladie (hypocondrie) ou l'alcoolisme. Pour diminuer la tension émotionnelle des traumatisés, une cure de sommeil et un soutien psychothérapique sont souvent nécessaires.

Freud appelle *traumatisme* tout événement qui perturbe l'équilibre affectif d'une personne et provoque la mise en œuvre de ses mécanismes de défense*. Pour empêcher l'envahissement de l'appareil* psychique par de grandes quantités d'excitations, l'organisme peut se fermer à tout stimulus supplémentaire par l'évanouissement, la pseudocécité, la pseudosurdité, etc. Il s'efforcera aussi de contenir ces excitations puis d'obtenir leur décharge progressive en utilisant, notamment, les automatismes de répétition*.

travail, activité physique ou intellectuelle que la société exige ou que l'on s'impose en vue d'un but déterminé.

Pratiqué librement et avec goût, le travail peut être enrichissant. Mais, par son caractère contraignant et, surtout, quand la machine n'exige plus de l'ouvrier que des automatismes bien réglés, le travail peut être source d'inadaptation. Le plus souvent, il contribue à la bonne insertion sociale de l'homme en lui procurant une occupation régulière, qui le valorise par rapport à ses semblables et lui donne la possibilité d'accéder à l'autonomie financière. Dans la thérapeutique des maladies mentales, le travail, dépouillé de son caractère frustrant et trop astreignant, a même conquis une place importante (ergothérapie*). Pour le rendre accessible à des sujets handicapés physiquement ou mentalement, dont l'intégration dans un milieu normal est impossible, on modifie le travail dans sa technique et dans son rythme. Ce que l'on appelle « travail protégé » constitue une transition entre la convalescence et la vie normale ; il est une étape utile, sinon nécessaire, vers la réadaptation professionnelle d'anciens malades, guéris mais encore imparfaitement adaptés à la vie sociale ordinaire. → **atelier protégé, centre d'aide par le travail.**

travestisme ou **transvestisme**, adoption habituelle des vêtements de l'autre sexe. Le travestisme révèle les tendances homosexuelles plus ou moins affirmées d'un sujet. → **éonisme.**

trichotillomanie, tic consistant à s'arracher les cheveux.
Ce comportement n'est pas rare chez les enfants, surtout en milieu hospitalier (hôpitaux ou établissements à caractère social). Certains sujets en arrivent à avoir le cuir chevelu dénudé sur d'importantes étendues. Les interprétations de cette conduite diffèrent avec les auteurs : pour les uns, il s'agirait d'une sorte d'automutilation ; pour d'autres, d'une façon de se sentir exister. Selon une disciple de D. M. Winnicott*, R. Gaddini (1977), il s'agirait d'un mécanisme de défense* contre l'angoisse, le déni de la séparation d'avec la mère. En effet, les nourrissons ont maintes occasions de toucher les cheveux, les sourcils ou les poils des aisselles de leur mère, tandis qu'ils sont allaités. Cette expérience s'associe, dans leur esprit, à l'état fusionnel, dont beaucoup garderont plus tard la nostalgie. Pour cette raison, lorsqu'il connaîtra des moments de tension existentielle, l'enfant ou l'adolescent pourra avoir recours, inconsciemment, à sa propre chevelure afin de retrouver l'époque heureuse et rassurante où il était bébé. Il jouera avec ses cheveux, ses sourcils, ses poils, jusqu'à les arracher, comme s'ils étaient ceux de sa mère. Ce tic* peut donc bien être interprété comme la négation de l'absence de la mère. → **autoérotisme, balancement.**

trisomie, aberration chromosomique consistant en la présence surnuméraire d'un autosome : l'un des chromosomes figure en trois exemplaires au lieu de deux.
Chez l'être humain, on connaît plusieurs formes de trisomie, notamment celle qui affecte les chromosomes 13, 18 et 21. La plus fréquente est la trisomie 21, découverte en 1959 par J. Lejeune et ses collaborateurs ; c'est elle qui est responsable du mongolisme*.

tropisme, réaction d'orientation d'un organisme soumis à une influence physico-chimique extérieure.

Employé primitivement par les botanistes pour désigner les réactions d'orientation des végétaux aux excitations physiques externes, ce terme fut repris par J. Loeb (1859-1924) pour caractériser les comportements attractifs ou répulsifs d'animaux soumis à l'influence de certains agents physiques ou chimiques. D'après cet auteur, il n'y aurait aucune finalité, aucune adaptation dans ces réactions sensori-motrices primitives, qui résulteraient de mouvements automatiques tendant à orienter l'organisme dans le champ énergétique de façon telle que ses récepteurs symétriques bilatéraux soient également excités par l'agent.

Cette thèse, strictement mécaniste, réduit l'animal à une machine cybernétique qui agit par le jeu de stimuli extérieurs. Les tropismes animaux seraient donc des réflexes auxquels se réduiraient les comportements instinctifs : une chenille, placée dans un tube à essai éclairé d'un côté, se dirige vers la lumière ; de même, dans la nature, elle monte vers l'extrémité de la plante, où elle trouve les feuilles dont elle se nourrit, parce que la lumière vient du ciel. Cette thèse fut surtout combattue par H. S. Jennings (1906), qui voyait, au contraire, dans les tropismes animaux des réactions adaptatives. S'il est vrai que la chenille grimpe vers le sommet de la tige, elle en redescend après avoir mangé. Le tropisme animal s'inverse, dit-on, sous l'influence de nouvelles conditions internes (satiété) ; cela prouve que le mouvement n'est pas « forcé », irrésistible, mais est soumis à un ensemble de régulations.

Pour G. Viaud*, le principal problème est celui du sens de la réaction tropistique et de sa signification. Entre la réaction positive (ou attractive) et la réaction négative, il y a une différence essentielle : celle-là correspond à une tendance primaire de l'organisme à s'orienter vers le maximum d'excitation supportable, celle-ci, au contraire, à l'en soustraire le plus possible. On peut appeler la première un tropisme vrai, et la seconde, une pathie* car, bien que déclenchée par l'agent extérieur, elle est commandée par l'état physiologique momentané de l'animal et a un caractère adaptatif évident. Les véritables « tropismes animaux » ont nécessairement une phase positive (phénomènes locomoteurs dirigés vers l'excitant) et souvent une phase négative consécutive ou, encore, une alternance de phases positives et négatives (cas des tropismes polyphasiques). Les tropismes animaux sont désignés actuellement par le terme de taxie*.

turbulence → instabilité.

typologie, étude des caractères physiques et mentaux des êtres humains, classés en un certain nombre de types.

Il n'y a pas une seule typologie, mais plusieurs, qui diffèrent entre elles selon les critères utilisés. On peut réduire toutes les typologies à deux grands groupes. Dans le premier se situent les classifications qui reposent sur l'étude de l'organisation spécifique du corps. Elles utilisent les mensurations morphologiques et les données physiologiques (comme les biotypologies* de E. Kretschmer et de W. H. Sheldon). Dans le second se retrouvent les typologies fondées sur les conduites et les attitudes envers le monde, telles que la caractérologie* de G. Heymans et E. Wiersma, celles de K. Schneider ou de C. G. Jung.

Dans le domaine social, il existe encore d'autres formes de typologies, fondées sur l'étude des opinions. Sur le plan politique, on observe, essentiellement, deux types de citoyens : le type radical, qui désire le changement des systèmes établis (J. F. Kennedy, M. Gorbatchev), et le type conservateur (W. Churchill, K. Adenauer). Sur le plan des valeurs socioculturelles, on distingue surtout quatre sortes d'hommes : ceux qui recherchent la puissance, politique et économique (A. Hitler, Staline), ceux qui se passionnent pour les idées (Descartes), ceux qui se dévouent à autrui (A. Schweitzer), enfin ceux qui veulent unifier le monde et les hommes (le pape Jean XXIII).

Les médecins distinguent pour leur part deux types d'hommes : les *hyperactifs*, toujours pressés, impatients, ambitieux (type A), et les *placides*, détendus, posés (type B).

L'extrême variété des typologies tient au fait que chacune d'elles n'envisage qu'un aspect de la personnalité pour établir les classifications. Mais il est malaisé, pour ne pas dire impossible, de procéder autrement. Pour qu'une typologie véritable naisse, un immense travail de synthèse des composantes physiques, intellectuelles, affectives et culturelles reste à réaliser. En Russie, des savants appartenant aux diverses sciences humaines (biologie, psychologie, anthropologie, etc.) se sont attachés à cette œuvre, qui est loin d'être achevée.

En attendant, les typologies existantes permettent de décrire schématiquement les individus et de prévoir, dans certaines limites, leur comportement.

u - v

unique (enfant), seul enfant d'une famille. Cette situation peut constituer un handicap pour l'enfant, qui, élevé par des parents souvent anxieux et hyperprotecteurs, ne trouve pas dans son milieu les conditions socio-affectives nécessaires à son épanouissement. Isolé des autres enfants, dont ses parents, plus ou moins consciemment, redoutent l'influence, il arrive à avoir une conception fausse de la vie, devient exigeant, égoïste et, fréquemment, reste retardé affectivement. On peut éviter ces inconvénients en intégrant précocement l'enfant unique dans un mouvement de jeunesse (scoutisme* par exemple), où il fera l'apprentissage de la vie sociale avec ses pairs, s'habituera aux échanges et aux partages et, privé du soutien parental, éprouvera ses forces personnelles.

vagabondage, état de celui qui erre sans but.

Le vagabond ne se fixe nulle part. Il n'a ni domicile fixe ni travail régulier. Le vagabondage d'adultes peut exister indépendamment de toute tendance morbide (bohémiens, chômeurs). Chez les enfants, il se rencontre, essentiellement, chez les sujets émotifs, instables et carencés affectivement (abandon* ou dissociation familiale). Ses conséquences sont souvent graves : vol, prostitution, homosexualité utilitaire. → **inadaptation.**

vaginisme, contraction involontaire, spasmodique et douloureuse des muscles du vagin empêchant toute pénétration.

Le vaginisme peut être secondaire à une lésion organique (défloration ou vulvite, par exemple) mais, le plus souvent, il est la manifestation d'un refus inconscient du coït soit par crainte de la grossesse, soit par non-acceptation du partenaire, ou par suite d'une éducation trop rigoriste. La simple suggestion peut suffire à vaincre les tabous familiaux et éducatifs, mais, lorsque le conflit est plus profond, il faut recourir à une psychothérapie d'inspiration psychanalytique. Quand le vaginisme découle du comportement du mari, c'est le couple qu'il faut traiter. → **Masters.**

valence, terme introduit en psychologie par K. Lewin* pour désigner la puissance d'attraction (valence positive) ou de répulsion (valence négative) d'une « région » du champ psychologique d'un individu.

La valence de cette « région » (qui peut représenter une activité, une position sociale, un objet ou tout autre but possible) est en rapport avec les besoins* de la personne. Valence et valeur de satisfaction sont étroitement liées. Un aliment aura une valence positive pour une personne qui a faim. → **conflit.**

valeur, intérêt que l'on porte à un objet ; estime que l'on a pour une personne.

La notion de valeur est essentiellement subjective ; elle varie avec les individus et les situations ; elle est liée à la satisfaction des besoins. Un objet n'a de valeur qu'autant qu'il est désirable.

On distingue diverses valeurs : biologiques (santé), économiques (droit), morales (honneur), religieuses (sacré), esthétiques (beauté), etc., mais c'est par l'affectivité et dans l'intersubjectivité que l'être humain prend réellement conscience du monde des valeurs concrètes. Être aimé, c'est avoir de la valeur.

Lorsqu'un enfant a la certitude d'être aimé par ses parents, il possède une force morale indestructible. L'enfant abandonné ressent le désintérêt de ses parents à son égard comme une dévalorisation personnelle.
La valeur d'une personne est fluide, labile, toujours remise en question ; l'individu qui cherche à se définir ne peut le faire que par référence à son monde social ; il ne prend de valeur à ses propres yeux que dans la mesure où il est porteur des valeurs que son groupe lui reconnaît ; leur lieu est son statut*. Plus celui-ci est élevé dans la hiérarchie sociale, plus il prend de valeur ; c'est là un des mobiles de l'ambition*.

validité, qualité de ce qui est valable.
Le but d'un test étant de faire un pronostic relativement à un critère déterminé, sa validité se mesure au degré de liaison entre ce qui a été prédit et la conduite effective d'une personne dans la situation envisagée (scolaire ou professionnelle par exemple). La comparaison des résultats obtenus dans les deux activités permet d'apprécier la valeur de l'épreuve. Un test ne peut être utilisé que s'il possède une bonne validité mesurée par un coefficient de corrélation* calculé à partir de deux séries de notes.

vanité, caractère de ce qui est sans valeur, vide, sans réalité.
Le vaniteux est celui qui tend à paraître au-delà de ses mérites, qui, pour se faire valoir, n'hésite ni à fabuler ni à simuler. La vanité est fréquemment associée à la déficience intellectuelle et à l'immaturité affective ; on la rencontre dans l'hystérie, l'érotomanie, la mégalomanie, etc. → **orgueil.**

velléité, volonté incomplète.
La velléité correspond au désir ; elle est une volonté imparfaite en ce sens qu'elle n'est pas suivie d'un acte achevé. Le velléitaire voudrait réaliser de belles choses ; il s'enthousiasme facilement, entreprend même certaines actions, mais il ne les termine pas car il manque de constance dans ses idées.

verbigération, bavardage incohérent et incessant de certains malades mentaux, composé de phrases discontinues, de mots sans suite, parfois déformés ou néoformés.
On observe ce trouble chaque fois que la conscience est affaiblie (absence épileptique par exemple), chez des délirants, des maniaques, des schizophrènes et des déments séniles.

Viaud (Gaston), psychologue français (Nantes 1899 – Strasbourg 1961).
Élève de M. Halbwachs, C. Blondel et M. Pradines, il enseigne la philosophie à Strasbourg puis se tourne vers la recherche psychophysiologique, mettant au point une méthode expérimentale à caractère statistique pour étudier le tactisme* des animaux. Ses travaux portent, essentiellement, sur le phototropisme et le galvanotropisme animal, mais aussi sur le sommeil et l'audition. Docteur ès lettres (1938) et docteur ès sciences (1950), G. Viaud était maître de recherche au C.N.R.S. (1947) et titulaire de la chaire de psychophysiologie créée pour lui à l'université de Strasbourg. Jusqu'à la fin de sa vie, il anima le laboratoire de psychologie animale organisé par ses soins après la Libération et dont la devise, « Des tropismes à l'intelligence », enferme tout son programme. Parmi ses ouvrages : *l'Intelligence, son évolution et ses formes* (1946), *le Phototropisme animal. Aspects nouveaux de la question* (1948), *les Tropismes* (1951), *les Instincts* (1958) et, en collaboration avec C. Kayser, M. Klein et J. Médioni, un *Traité de psychophysiologie* (1963).

vieillesse, troisième âge de la vie, après la croissance et l'âge adulte.
Généralement, on s'accorde à dire que la sénescence débute aux environs de la soixante-cinquième année, mais, avec les progrès de l'hygiène et de la médecine, beaucoup de personnes du troisième âge conservent leur jeunesse et leur vigueur beaucoup plus longtemps qu'autrefois. Actuellement, « les handicaps liés à l'âge ne sont fréquents et sévères qu'au-delà de 75, voire de 80, ans » (A. Alpérovitch, 1989). De plus en plus, on en vient donc à distinguer plusieurs catégories dans le « troisième âge » : les personnes « entre deux âges » (de 60 à 74 ans), les personnes « âgées »

(à partir de 75 ans) et les personnes « très âgées » (après 90 ans).

La sénescence se manifeste par une baisse sensible des aptitudes sensorimotrices (vision, audition, agilité, force musculaire) et intellectuelles, dont le déclin s'amorce dès l'âge de vingt-cinq ans (D. Wechsler). Les capacités mentales ne sont pas atteintes uniformément : tandis que les fonctions verbales sont peu touchées (le vocabulaire reste intact), l'attention et la mémoire immédiate déclinent, rendant pratiquement impossible toute nouvelle acquisition. Cependant, d'après certains auteurs (S. Pacaud, 1953), la possession d'un niveau d'instruction élevé retarderait l'apparition de ces troubles. Dans notre société, le vieillard se sent souvent dévalorisé et déprimé (le nombre des suicides* augmente considérablement chez l'homme après cinquante-cinq ans). L'État se prive d'une richesse certaine en laissant inemployées les connaissances et la bonne volonté des vieillards, que l'on néglige et à qui l'on n'accorde aucun statut* satisfaisant.

vigilance, conscience du sujet éveillé.
Il existe différents degrés de vigilance, depuis l'attention flottante de l'homme détendu jusqu'à l'attention concentrée du chercheur en plein effort intellectuel. À chaque niveau correspondent des caractéristiques neurophysiologiques particulières, mises en évidence par l'électroencéphalographie. Les psychophysiologistes (G. Moruzzi et H. W. Magoun, 1949) ont montré que le niveau de vigilance dépend principalement d'une formation nerveuse (système réticulaire activateur ascendant) qui parcourt tous les palliers encéphaliques, de la région bulbaire au diencéphale (thalamus et hypothalamus) ; toute stimulation de la formation réticulée accroît le degré de vigilance. Celle-ci s'abaisse au moment de l'endormissement et pendant le sommeil (ainsi que sous l'action de drogues) et s'élève pendant la veille. Plus le niveau de vigilance est élevé, plus le sujet est capable de réagir de façon adéquate aux situations complexes ; au contraire, lorsqu'il est bas, seules les réponses les plus élémentaires peuvent être fournies. **→ activation.**

village (test du), technique projective* consistant à faire construire un village imaginaire avec un certain nombre d'éléments figuratifs (bergerie, moulin, église, mairie...) et non figuratifs (baguettes, parallélépipèdes...). Ce test, dérivé du « test du monde* » de M. Löwenfeld, a été introduit en France par H. Arthus (1939), codifié par son élève P. Mabille et mis au point par R. Mucchielli (1960). L'interprétation* prend en considération l'utilisation de l'espace, la disposition des objets, la structure du village, les réponses du sujet à une série de questions.

viol, crime sexuel commis par un homme abusant par la force d'une femme ou d'une fillette.
Il est souvent le fait d'un déséquilibré, égoïste, fruste et immature affectivement, parfois pervers, et qui, presque toujours, se sent frustré. Le choix de la victime ne relève pas seulement du hasard ; il porte, habituellement, sur des sujets déficients intellectuellement, faibles et naïfs. On estime que plus de 50 % des viols ne sont pas déclarés. Néanmoins, avec l'évolution des mentalités, les victimes ont moins de réticences à porter plainte et le nombre de condamnations pour viol s'accroît : il a presque doublé en 10 ans, puisqu'il est passé de 580, en 1984, à plus de mille en 1993 (C. Burricand, M. L. Monteil, 1996).

violence → enfant maltraité.

virilisme, masculinisation de la femme.
Cette affection se manifeste par l'apparition de caractères sexuels secondaires du sexe masculin (moustache, voix grave, etc.). Elle est due à des troubles endocriniens.

virilité, ce qui caractérise l'homme, la masculinité.
La virilité appartient moins à la constitution physique qu'au rôle social ; c'est une manière d'être, d'assumer sa sexuation (appartenance au sexe) dans ses relations avec autrui ; c'est une attitude qui s'élabore en référence aux valeurs sociales et se structure à travers le jeu des identifications progressives : le jeune garçon veut devenir un homme comme son père ou comme le maître qu'il admire et pour se

conformer aux désirs de sa mère (inconsciemment soumise au prestige du phallus*), qui exalte ses qualités d'homme (force, courage...). Le plus souvent, lorsque les conditions éducatives sont défavorables (le père étant absent ou faible, la mère dominatrice, refusant sa propre féminité), l'enfant n'arrive pas à s'affirmer en tant qu'homme viril : il reste timoré, soumis à l'autorité maternelle et, parfois, devient homosexuel. La notion de virilité est liée au milieu socioculturel ; il existe, en effet, des sociétés (aux îles Marquises par exemple) où elle est inconnue (J. Stoetzel).

viscérocepteur, organe sensitif terminal situé dans la muqueuse des viscères (intestins, vessie...) et renseignant l'individu sur l'état des organes internes.
Les viscérocepteurs représentent la plus grande partie des intérocepteurs*.

viscérotonie, composante tempéramentale de W. H. Sheldon, caractérisée par la prédominance des fonctions digestives, une relaxation générale du corps, le goût du confort et des contacts sociaux, la jovialité, l'expression facile des sentiments et l'amour de la bonne chère.
Ce type psychologique présente une corrélation très élevée avec l'endomorphie*.

vocabulaire (test de), épreuve de connaissances verbales, d'application facile, individuelle ou collective, fréquemment utilisée en psychologie pour évaluer rapidement le niveau intellectuel.
Employé en association avec des tests non verbaux d'intelligence, il permet aussi d'apprécier la détérioration* mentale. Bien qu'ayant une corrélation très élevée avec les échelles d'intelligence et une remarquable stabilité avec l'âge, il a l'inconvénient majeur de ne mesurer que l'aspect verbal de l'intelligence et de dépendre des conditions de vie socio-économiques et culturelles des sujets examinés.

vocation, goût impérieux pour une activité professionnelle ou artistique chez une personne qui possède les aptitudes voulues.
La vocation résulte de causes profondes, affectives, souvent inconscientes, qui poussent littéralement le sujet à choisir telle activité plutôt que telle autre. Généralement, une personne s'épanouit quand elle peut satisfaire sa vocation. Ce sera tout l'art du psychologue de distinguer les véritables vocations, reposant sur des aptitudes réelles, des projets chimériques de certains adolescents mal adaptés au réel.

vol, fait de dérober le bien d'autrui par la force ou à son insu.
Certains vols traduisent l'immaturité affective de leurs auteurs et parfois leur malignité*. Ils ont la double signification de représailles et d'une revendication ; ils sont commis, le plus souvent, par des sujets frustrés dans leur enfance. Certains petits voleurs dérobent des objets à des personnes qu'ils affectionnent particulièrement. Ce comportement paradoxal correspond à leur désir caché de ne pas les quitter, de conserver, au moins, une partie d'elle-mêmes. D'autres enfants, mal adaptés socialement, volent pour distribuer aux autres ; ils espèrent, de cette façon, « acheter » leurs camarades et se faire admettre dans leur groupe. Enfin, il existe des vols pathologiques, commis par des épileptiques, des déments, des arriérés incapables de se contrôler, mais ils sont relativement rares.

volonté, aptitude à actualiser et à réaliser ses intentions.
L'acte volontaire, précédé d'une idée et déterminé par elle, suppose une réflexion et un engagement. Les conduites qui ne répondent pas à ce critère ne dépendent pas de la volonté. Selon le schéma classique, celle-ci impliquerait : 1. la conception d'un projet* ; 2. une délibération (appréciation de la meilleure action) ; 3. la décision* ; 4. l'exécution de l'action jusqu'à son achèvement. L'acte achevé est la preuve de l'authenticité d'un projet.
Les troubles de la volonté peuvent se manifester aux phases de délibération (l'aboulique* pèse le pour et le contre, modifie ses projets et n'entreprend rien), de décision (certains sujets anxieux se placent sous l'autorité des autres : prêtres, parents, etc., et se canton-

nent dans des emplois inférieurs pour échapper aux responsabilités) ou d'exécution (le velléitaire ne fait pas aboutir son projet par manque de constance).
Acte intentionnel, la volonté reste cependant intimement liée aux besoins ; elle est un choix dans un conflit de tendances* ; elle consiste, dit E. Claparède, « dans le sacrifice d'un désir sur l'autel d'un autre désir ». Les psychologues modernes, influencés par les thèses existentialistes (J.-P. Sartre) et psychanalytiques, contestent la valeur du schéma classique et, notamment, l'importance de la délibération. La plupart de nos actes, disent-ils, sont déterminés inconsciemment ; aussi la délibération n'est-elle qu'une comédie, une rationalisation* *a posteriori*.
La volonté est l'expression du moi*, mais aussi de la personnalité totale, des motivations inconscientes comme de l'éducation sociale, des apprentissages et de l'intelligence.

volupté, plaisir intense, né de la satisfaction d'un besoin profond. Plus spécialement, plaisir sexuel résultant de l'excitation mécanique des parties génitales, qui aboutit, normalement, à l'orgasme.

voyeurisme, perversion caractérisée par la recherche de la jouissance sexuelle dans le spectacle des relations intimes.
Le voyeur cherche à surprendre les ébats sexuels auxquels il n'ose se livrer par suite d'une crainte inconsciente de la castration*.

Wallon (Henri), psychologue français (Paris 1879 – id. 1962).
Ancien élève de l'École normale supérieure, agrégé de philosophie (1902), il obtient le grade de docteur en médecine (1908) avec sa thèse sur *le Délire de persécution* (1909), publie une thèse de doctorat ès lettres, *l'Enfant turbulent* (1925), et fonde le laboratoire de psychobiologie de l'enfant, qu'il dirigera pendant vingt-cinq ans. Au lendemain de la Libération, il prépare, avec P. Langevin, un projet de réforme de l'enseignement qui inspirera les réformes suivantes. Professeur honoraire au Collège de France, il consacre ses recherches essentiellement à la psychologie de l'enfant, dont le développement, dit-il, influencé par la maturation* biologique et le milieu social, n'est pas continu, mais parsemé de « crises » qui entraînent, chaque fois, une réorganisation des structures psychobiologiques. Parmi les ouvrages de Wallon, citons *les Origines du caractère chez l'enfant* (1934), *l'Évolution psychologique de l'enfant* (1941), *De l'acte à la pensée* (1942), *les Origines de la pensée chez l'enfant* (1945).

Watson (John), psychologue américain (Greenville, Caroline du Sud, 1878 – NewYork 1958).
Titulaire de la chaire de psychologie de l'université de Baltimore (1908), il veut faire de la psychologie une science objective et fonde le béhaviorisme*. Pour lui, l'objet de la psychologie n'est ni la conscience ni la recherche des motivations mais le comportement observable, la réponse à un stimulus* défini. La psychologie demeurera en dehors du domaine scientifique, dit-il, tant que l'on s'attachera aux états de conscience, incommunicables chez l'homme et insaisissables chez l'animal. Au contraire, l'étude du couple stimulus-réponse, l'adaptation à une situation déterminée peuvent être objets de science. Parmi les ouvrages de cet auteur : *Behavior : an Introduction to Comparative Psychology* (1914), *Psychology from the Standpoint of a Behaviorist* (1919), *Behaviorism* (1925).

Wechsler (David), psychologue américain d'origine roumaine (Lespedie, Roumanie, 1896 – New York 1981).
Docteur en philosophie de l'université Columbia (1925), il est nommé psychologue-chef de l'hôpital psychiatrique Bellevue et professeur de psychologie clinique à l'université de New York. On lui doit trois échelles d'intelligence : l'une pour enfants (W.I.S.C., avec sa forme révisée W.I.S.C.R.), la deuxième pour adolescents et adultes (le « test de Wechsler-Bellevue », modifié en 1955 sous le nom de W.A.I.S.), la troisième pour la période préscolaire et primaire (W.P.P.S.I.), qui sont devenues des tests* classiques utilisés dans de très nombreux pays. Son principal ouvrage, *la Mesure de l'intelligence de l'adulte* (1939), a été traduit en français (1956).

Winnicott (Donald Woods), pédiatre et psychanalyste anglais (Plymouth 1896 – Londres 1971).
En 1935, il devient membre de la Société britannique de psychanalyse, dont il sera le président de 1956 à 1959 puis de 1965 à 1968. À partir de la dyade « mère-enfant » (unité indissoluble, car il n'existe pas de bébé sans

mère), Winnicott déduit un certain nombre de principes : une mère « suffisamment bonne » saura intégrer son enfant dans la société grâce au *holding*, c'est-à-dire en lui procurant un environnement stable, dans lequel l'enfant se sentira assuré. La mère sait d'instinct ce qui est bon pour son bébé. Elle le comprend par empathie* et répond spontanément à ses besoins. Par la suite, l'enfant trouvera dans son entourage l'assistance qui lui est nécessaire pour vivre, puis il apprendra progressivement à s'en passer. Il est des cas où les parents enferment l'enfant dans un univers clos, surprotégé, où la réalité lui apparaît sous un jour fallacieux. Au lieu de se développer normalement, il édifiera alors une personnalité d'emprunt (« faux self »), dont il éprouvera douloureusement l'inanité. Pour qu'il construise une personnalité authentique et harmonieuse, Winnicott recommande aux parents d'éviter d'empiéter sur le domaine de l'enfant, de l'aider à découvrir le monde et de lui permettre de faire ses propres expériences.
Parmi les ouvrages de D. W. Winnicott, citons *l'Enfant et sa famille* (1957), *De la pédiatrie à la psychanalyse* (1958), *Processus de maturation chez l'enfant* (1965), *Jeu et réalité* (1971), *Fragment d'une analyse* (1975).

Wundt (Wilhelm), psychologue allemand (Neckarau, près de Mannheim, 1832 – Grossbothen, près de Leipzig, 1920).
Il créa le premier laboratoire de psychologie expérimentale, à Leipzig (1879). De formation scientifique (il est d'abord médecin puis physiologiste), il est l'auteur de nombreux travaux sur la perception et la sensation. On lui doit notamment un important ouvrage intitulé *Grundzüge der physiologischen Psychologie* (1873-1874).

Z (test), épreuve projective dérivée du psychodiagnostic de Rorschach*.
Ce test a été conçu, pendant la Seconde Guerre mondiale, par H. Zülliger afin de sélectionner rapidement les futurs officiers de l'armée suisse. Fait pour être administré collectivement, il se compose de trois taches* d'encre à interpréter que l'on projette, successivement, sur un écran. Il permet d'explorer (sommairement) la personnalité. Il existe aussi une forme individuelle de ce test (3 planches imprimées sur un carton blanc), que l'on utilise dans des examens rapides.

zone érogène, partie du corps dont la stimulation détermine un plaisir sexuel.
Presque toute la surface corporelle est susceptible de devenir érogène, mais certaines régions le sont spécialement : la bouche, les seins, les parties génitales et la zone anale. Cela est dû au fait que la sexualité, se différenciant lentement d'une tension diffuse, présente dès la naissance, se localise, au cours de la croissance, d'abord sur la bouche, puis sur l'anus avant de s'attacher aux organes génitaux.

zoophobie, peur des animaux.
Cette phobie* est souvent le reliquat d'angoisses infantiles. La persistance à l'âge adulte de la zoophobie constitue, habituellement, une manifestation névrotique. Dans ce cas, les animaux sont l'alibi qui permet à une angoisse profonde (due, généralement, au refoulement des pulsions sexuelles et agressives) de s'exprimer.

zoopsie, hallucination visuelle dans laquelle le malade voit des bêtes, généralement hideuses ou dangereuses (serpents, araignées...), qui l'angoissent.
La zoopsie est surtout fréquente dans l'alcoolisme chronique. Le malade, qui vit son cauchemar, court après ces animaux pour les attraper ou s'enfuit épouvanté, essayant même, parfois, de sauter par la fenêtre pour leur échapper.

Photocomposition : M.C.P. - Orléans
Achevé d'imprimer en juillet 2000
pour le compte de France Loisirs
123, bd de Grenelle, 75015 Paris
N° d'impression L 60316
Dépôt légal, juillet 2000
Imprimé en France